大學叢書

新亞論叢

第十八期

《新亞論叢》編輯委員會
主編

稿　約

⑴本刊宗旨專重研究中國學術，以登載有關文學、歷史、哲學等研究論文為限，亦歡迎有關中、西學術比較的論文。
⑵來稿均由本刊編輯委員會送呈專家審查，以決定刊登與否，來稿者不得異議。
⑶本刊歡迎海內外學者賜稿，每篇論文以一萬五千字內為原則；如字數過多，本刊會分兩期刊登。
⑷本刊每年出版一期，每年九月三十日截稿。
⑸本刊有文稿行文用字的刪改權，惟以不影響內容為原則。
⑹文責自負，有關版權亦由作者負責。
⑺若一稿二投，需先通知編輯委員會，刊登與否，由委員會決定。
⑻來稿請附約二百字中文提要，刊登時可能會刪去。
⑼來稿請用 word 檔案，電郵至：socses@yahoo.com.hk

目次

編輯弁言

本刊今期收到的論文較過往為多，截稿後，立即邀請學者專家進行評審，通常評審結果需超過一個月時間才能出現。當初審不通過，並不代表該文水平不足，往往是論文內容偏離了本刊的要求。本刊期望投稿諸文是有關中國文、史、哲題材，或比較外國學者作品、思想等，但主編收到部份論文是撰寫有關英語的運用或分析某些活動推行的困難等。內容其實頗精彩，惜與本刊旨趣有別，未能接納。

另外，一些作品評審不通過，本刊會將專家意見通知作者本人。倘若作者作出修改，可重新再評審，當然，亦會邀請不同的專家學者再看一次。部份作者對自己的論文態度十分認真，評審通過後，自己亦會要求修改一次。今期就是有學者，通過評審後，自己要求抽起論文，再修改有懷疑之處。本刊同寅，對如此認真的學者除佩服外，並存有十分敬意。

論叢漸受海內外學術團體關顧，每年收到論文達數十篇之多。中、港、台及國外已有不少大學購存本刊。論叢之成功，實有賴學者支持，提交高水平論文。編委會委員期望論叢能為學術界出一分力，推動學術交流。

《新亞論叢》編輯委員會

二〇一七年十二月

從「六經」到「十三經」
——儒家經學體系化之理路與特性考論

王傳林
曲阜師範大學孔子文化研究院

自周至清，《詩》、《書》、《禮》、《樂》、《易》、《春秋》之「六經」在經目與次序上變化很大，從「六經」到「十三經」呈現出擴而充之、隨時而增的大趨勢，同時也呈現出時代性、偶然性、經典化與聖典化等諸多特性。因此，我們有必要攷察儒經經目之變與其時代背景之關聯，以及其自身在流變過程中所呈現的體系化進程與儒學在歷史長河中的生命律動。探「六經」至「十三經」之簡史，鉤沉索隱，考鏡源流；尋其演進之路向，論其演進之特性；此乃本文要旨之所在。

一　經與儒經之語義考察

古代社會，農耕為本；世間百業，多涉農事；制田植桑，漬麻紡織；造字畫卦，肇創文明；先民們逐漸對源於生產生活的經驗形成了概念化、理論化與形上化的理論凝結與抽象概括。從文字學的維度看，「經」字、「六經」或「儒經」之名的產生與演進就頗具這種特徵。

（一）「經」字何謂

「經」字本義原指織布時的縱線，其置於織布機中相對較為固定，織者手持梭子於經線上來回穿梭，使梭子所帶緯線與經線縱橫相錯交織以成織布；故《說文解字・糸部》曰：「經：織也。從糸巠聲。」春秋時期，「經」與「權」、「經」與「典」、「經」與「徑」等有時以對文或連文的形式出現，有時以同音互訓發生轉借或通假；如《爾雅・釋言》曰：「典，經也」；《釋名・釋典藝》曰：「經，徑也。如徑路無所不通，可常用也」；《文心雕龍・宗經》曰：「經也者，恒久之至道，不刊之鴻教也。」[1] 又，朱熹認為

1　參見周振甫：《文心雕龍今注》，北京：中華書局，1986年，頁26。

「經，綸，皆治絲之事。經者，理其緒而分之；綸者，比其類而合之也。經，常也」[2]；等。隨著「經」字內涵的不斷豐富，「經」字在保持「常」、「衡」等本義的基礎上逐漸衍生出哲學意蘊，一言以蔽之：經者，典也，常也，道也；或謂，「經者，常也，萬世不易之常道也。」[3]

（二）何謂「儒經」

據筆者考，「儒經」一詞始出於唐代，唐代詩人楊衡在〈經趙處士居〉中寫道：「雲居避世客，發白習儒經。」[4] 又，北宋初年編纂的《太平廣記・車中女子》有言，「唐開元中，吳郡人入京應明經舉。……自幼至長，唯習儒經，弦管歌聲，輒未曾學。」[5] 儒家諸經在隋唐以前不用「儒經」一詞為指稱或代指，兩漢時期儒經之名多以「諸經」一詞代之，如蔡邕在〈薦邊文禮書〉寫道：「初覽諸經，見本知義，尋端極緒，受者不能答其問。」[6] 又，蔡邕在〈月令問答〉寫道：「予幼讀《記》，以為〈月令〉體大經同，……又不知〈月令〉徵驗布在諸經，《周官》《左傳》皆實與《禮記》通。」[7] 復如，盧植在給漢靈帝的上書中曰：「臣前以周禮諸經，發起秕謬，敢率愚淺，為之解詁」（《後漢書・盧植傳》）。稍後，《顏氏家訓・歸心》、《三國志・王基傳》等多次復現「諸經」一詞。同時，「群經」一詞在漢代以後也常代指儒家諸經，如《文心雕龍・正緯》曰：「春秋之末，群經方備」[8]；杜佑《通典》曰：「然若使違群經之正說，從累代之疑議，背子雍之篤論，遵康成之舊學」[9]；齊己在〈贈劉五經〉中寫道：「群經通講解，八十尚輕安。」[10] 再如，宋人所撰《太平御覽》有言，「然則《周官》一書，實為群經源本。」[11] 由上可見，「儒經」一詞作為儒家經典之概稱，始出於唐代；隋唐以前，「儒經」一詞並不為眾儒生所廣泛使用。

---

2 參見〔宋〕朱熹：《四書章句集注》，北京：中華書局，1983年10月，頁38。

3 清儒劉藻《經解》之語，出自清儒陳廷敬《皇清文穎》（卷十二）。參見〔清〕永瑢等：《文淵閣四庫全書》第1449冊，臺北市：臺灣商務印書館，1986年，頁615。

4 參見〔清〕彭定求等編校：《全唐詩》（卷四百六十五），北京：中華書局，1960年，頁5287。

5 參見〔宋〕李昉等：《太平廣記》（卷第一百九十三），北京：中華書局，1961年，頁1450。

6 〔漢〕蔡邕：《蔡中郎集》（卷三），〔清〕永瑢等：《文淵閣四庫全書》第1063冊，臺北：臺灣商務印書館，1986年，頁186。

7 〔漢〕蔡邕：《蔡中郎集》（卷三），〔清〕永瑢等：《文淵閣四庫全書》第1063冊，臺北：臺灣商務印書館，1986年，頁183。

8 參見周振甫：《文心雕龍今注》，北京：中華書局，1986年，頁34。

9 〔唐〕杜佑：《通典》（卷第四十七），北京：中華書局，1988年，頁1311。

10 參見〔清〕彭定求等編校：《全唐詩》（卷四百六十五），北京，中華書局，1960年，頁9502。

11 〔宋〕李昉等：《太平御覽》（卷六百十五），〔清〕永瑢等：《文淵閣四庫全書》第898冊，臺北：臺灣商務印書館，1986年，頁622。

（三）諸經之名攷辨

在孔子之前，群經已有，但概稱「六經」卻是戰國時期的事。凡考，先秦時期僅有《莊子》一書使用了「六經」一詞；《莊子・天運》曰，「丘治《詩》、《書》、《禮》、《樂》、《易》、《春秋》六經」。儘管在莊子筆下，孔子治「六經」，然「六經」的當時之名中皆未含有「經」字。在儒家其他經典中亦不立經名（《孝經》除外），而是各有其名。也就是說，《詩》、《書》、《禮》、《樂》、《易》、《春秋》之六者本無「某經」之名，所謂「六經」只是概稱。所以在今存儒家「十三經」中，書名中較早稱經的只有《孝經》。概因單字「孝」不易為書名，故取「夫孝，天之經，地之義，民之行也」之大義，曰：「孝經」；誠如鄭玄在〈孝經注序〉中所言：「《孝經》者，三才之經緯，五行之綱紀。孝為百行之首，經者不易之稱。」

若細究儒家今存「十三經」之名，便會發現《禮記》是「記」，《左傳》、《公羊傳》與《穀梁傳》是「傳」，《論語》是「記」，《爾雅》是「字」，《孟子》是「子」或「文」；凡此稱經，有待商榷。原因在於，古人對「經」、「書」、「記」、以及經史子集中的「子」部作品的劃分是有一定標準的；如王充《論衡》認為「聖人作經，賢者作書」、「聖人作經，藝者傳記」、「《爾雅》之書、五經之訓故，儒者所共觀察也」。不僅如此，王充對「作」、「述」、「論」等範疇也有明確的界定，他在《論衡・對作》中說：「聖人作，賢者述，以賢而作者，非也。……五經之興，可謂作矣。《太史公書》、劉子政序、班叔皮傳，可謂述矣。……《易》言伏羲作八卦，前是未有八卦，伏羲造之，故曰作也。」又，他在《論衡・書解》中強調，「聖人作其經，賢者造其傳，述作者之意，采聖人之志，故《經》須《傳》也。」具而言之，從《春秋》「三傳」來看，「傳」只是對「本經」的演繹與詮釋。雖說「傳」源於「本經」，但是將「傳」視為「經」則有僭越之嫌。其實，在等級森嚴的古代社會中，聖人、賢人、前儒、後學是有先後與高低之分的，他們的言行與著作也是判然有別的，故有經、傳、論、記之別，不可一概而論，否則有消弭聖賢之別的流弊。

二　儒經經目與次序的演變

從「六經」到「十三經」，儒家經學體系的形成經歷了一個漫長的歷史流程。先是「二經」並稱，次是「四經」並稱，複至「六經」並稱與「五經」並稱，再至「七經」並稱，終至「十三經」並稱。循歷史之陳跡，鉤儒經之奧微；我們且以時間先後為序，以經目增減為次，略攷「六經」到「十三經」之過程。

（一）「二經」、「三經」、「四經」之名與序

凡攷，儒家「六經」中的《詩》與《書》並稱較早，這一點在《左傳》中有明確記載。《左傳・僖公二十七年》記載，「趙衰曰，……詩書，義之府也，禮樂，德之則也，德義，利之本也。」可見早於孔子之前，人們對《詩》與《書》、《禮》與《樂》之旨歸已有概括，並且已經將《詩》與《書》並稱。但是，將《詩》、《書》、《禮》、《樂》並稱卻是稍晚的事，如戰國時期的《商君書》、《荀子》、《戰國策》等曾將《詩》、《書》、《禮》、《樂》或《書》、《詩》、《禮》、《樂》、《春秋》並稱。凡攷，「二經」、「三經」、「四經」之名始出甚晚，茲錄如下：

「二經」之名始見東漢王充的《論衡》，其序目為《尚書》與《詩》；如《論衡・說日》曰：「《尚書》曰：『月之從星，則以風雨。』《詩》曰：『月麗於畢，俾滂沱矣。』二經咸言，所謂為之非天，如何？」

「三經」之名始見東漢班固的《漢書》，但是班固關於「三經」並沒有明言其序目，如《漢書・五行志（下）》有言：「……《易》曰：『縣象著明，莫大於日月。』是故聖人重之，載於三經。」因此，筆者據班固所論疑為《春秋》、《易》、《詩》或為《易》、《詩》、《春秋》，再或為《詩》、《春秋》、《易》。

「四經」之名始見東漢王充的《論衡》，其序目為《易》、《詩》、《樂》、《禮》。王充在《論衡・書解》中寫道：「《易》據事象，《詩》采民以為篇，《樂》須不驩，《禮》待民平。四經有據，篇章乃成。」又，《後漢書・賈逵傳》記載，漢章帝建初八年（西元83 年），「詔諸儒各選高才生，受左氏、谷梁春秋、古文尚書、毛詩，由是四經遂行於世。」[12]

（二）「六經」之名與「六經」之序

「六經」之名始出於《莊子・天運》，「六經」之序即《詩》、《書》、《禮》、《樂》、《易》與《春秋》。

朝代更迭，文化代變；自漢肇始，經學昌明。兩漢時期，不僅發生了今文經學與古文經學的爭論，而且諸生對儒家「六經」之序的排列也發生了變化，他們不在局限於前人的排序而是根據自己的理解與意圖給出與眾不同的序列。摘要錄之：

其一、《詩》、《書》、《易》、《春秋》、《禮》、《樂》之序，如賈誼《新書・六術》認為，「先王為天下設教，……是故內本六法，外體六行，以與《詩》、《書》、《易》、《春秋》、《禮》、《樂》六者之術，以為大義，謂之六藝。」此序在《漢書》中也曾出現，如

---

12 〔南朝・宋〕范曄：《後漢書》，北京：中華書局，1965年，頁1239。

翼奉認為「聖人見道，然後知王治之象，故畫州土，建君臣，立律曆，陳成敗，以視賢者，名之曰經。賢者見經，然後知人道之務，則詩、書、易、春秋、禮、樂是也。」[13]

其二、《詩》、《書》、《禮》、《樂》、《易》、《春秋》之序，此序初見《莊子・天運》。後世有人認為此序是孔子刪訂「六經」時所為，是按「六經」難易程度排列的。當然，儒家後學也有從「六經」之于君子教化之功用去排列「六經」之序的，如董仲舒的《春秋繁露・玉杯》認為，「君子知在位者之不能以惡服人也，是故簡六藝以贍養之。《詩》、《書》具其志，《禮》《樂》純其養，《易》、《春秋》明其知。六學皆大，而各有所長。《詩》道志，故長於質。《禮》制節，故長於文。《樂》詠德，故長於風。《書》著功，故長於事。《易》本天地，故長於數。《春秋》正是非，故長於治人。」

其三、《詩》、《書》、《樂》、《易》、《禮》、《春秋》之序，如《禮記・經解》記載，孔子曰：入其國，其教可知也。其為人也溫柔敦厚，《詩》教也；疏通知遠，《書》教也；廣博易良，《樂》教也；潔靜精微，《易》教也；恭儉莊敬，《禮》教也；屬辭比事，《春秋》教也。故《詩》之失愚，《書》之失誣。《樂》之失奢，《易》之失賊，《禮》之失煩，《春秋》之失亂。其為人溫柔敦厚而不愚，則深於《詩》者矣；疏通知遠而不誣，則深於《書》者矣；廣博易良而不奢，則深於《樂》者矣；潔靜精微而不賊，則深於《易》者矣；恭儉莊敬而不煩，則深於《禮》者矣；屬辭比事而不亂，則深於《春秋》者矣。

其四、《禮》、《樂》、《書》、《詩》、《易》、《春秋》之序，如司馬遷《史記・太史公自序》有言，「余聞董生曰：……是故禮以節人，樂以發和，書以道事，詩以達意，易以道化，春秋以道義。」又，司馬遷在《史記・滑稽列傳》中引述說，「孔子曰：『六藝於治一也。禮以節人，樂以發和，書以道事，詩以達意，易以神化，春秋以義。』」

其五、《禮》、《樂》、《詩》、《書》、《易》、《春秋》之序，如東漢王符《潛夫論・贊學》認為，「君子敦貞之質，察敏之才，攝之以良朋，教之以明師，文之以《禮》、《樂》，導之以《詩》、《書》，贊之以《周易》，明之以《春秋》，其有濟乎？」

此外，宋儒楊甲《六經圖》所載「六經」之序目為《易》、《書》、《詩》、《周禮》、《禮記》與《春秋》[14]。清人章學誠《校讎通義・原道》認為，「六藝，非孔氏之書，乃周官之舊典也。《易》掌太卜，《書》藏外史，《禮》在宗伯，《樂》隸司樂，《詩》領於太師，《春秋》存乎國史。」章學誠視「六經」為周之舊典，以製作時間為序，將

---

13 〔漢〕班固：《漢書》，北京：中華書局，1962年，頁3172。

14 據《四庫全書總目提要》載《六經圖》有言，「……陳振孫《書錄解題》引《館閣書目》載邦翰所補之本，《易》七十圖，《書》五十有五圖，《詩》四十有七圖，《周禮》六十有五圖，《禮記》四十有三圖，《春秋》二十有九圖，合為三百有九圖，此本惟《易》、《書》二經圖與《館閣書目》數相合。」參見〔清〕永瑢等：《四庫全書總目提要》第1冊，臺北：臺灣商務印書館，1986年，頁664。

《易》置於首位；其「六經」序目為《易》、《書》、《禮》、《樂》、《詩》與《春秋》[15]。在此需要提及的是，一九九三年出土的郭店楚簡中的〈六德〉篇也有論及「六經」之名與「六經」之序[16]，限於其論頗散，姑且存而不論。至於其他諸說，無新意，且從略。

（三）「五經」之名與「五經」之序

「五經」之名始出於西漢初年，流行於兩漢時期；如陸賈《新語・道基》有言，「禮義獨行，綱紀不立，後世衰廢；於是後聖乃定《五經》，明《六藝》，承天統地」；《新語・術事》有言，「世人莫覩其兆，莫知其情，校修《五經》之本末，道德之真偽」。又，司馬遷《史記・樂書》認為，「至今上即位，……通一經之士不能獨知其辭，皆集會五經家，相與共講習讀之，乃能通知其意，多爾雅之文。」東漢時期，王充《論衡・佚文》在總結秦漢歷史時指出，「始皇前歎韓非之書，後惑李斯之議，燔五經之文，設挾書之律。五經之儒，抱經隱匿；伏生之徒，竄藏土中。……漢興，易亡秦之軌，削李斯之跡。高祖始令陸賈造書，未興五經。惠、景以至元、成，經書並修。」

「五經」之序在兩漢時期與南北朝時期也有變化，大抵如下：其一、《易》、《書》、《詩》、《禮》、《春秋》之序；如《漢書・藝文志》以「《易》、《書》、《詩》、《禮》、《春秋》」為次第。

其二、《易》、《書》、《禮》、《詩》、《春秋》之序；如揚雄《法言・寡見》曰：「說天者莫辯乎《易》，說事者莫辯乎《書》，說體者莫辯乎《禮》，說志者莫辯乎《詩》，說理者莫辯乎《春秋》。」

其三、《樂》、《書》、《禮》、《易》、《詩》之序；如《白虎通・五經》有言，「經所以有五何？經，常也。有五常之道，故曰《五經》：《樂》仁、《書》義、《禮》禮、《易》智、《詩》信也。人情有五性，懷五常不能自成，是以聖人象天五常之道而明之，以教人成其德也。」細繹此語，《白虎通・五經》以「五經之序」對應「五常之序」，其意在結合時代與政治之需求，完成儒經的時代化與政治化之雙旨。或曰，鑒於東漢初期的政治需求，《白虎通・五經》篇意在借「五經」之道統攝「五常」之倫，進而實現政治層面的統一性、規範性與強制性。當然，《白虎通・五經》在經目選擇上也是有隨意性的，如論涉何謂「五經」時，該篇未言及《樂》，但是在論涉「六經」之道時卻又言

---

15 王重民通解：《校讎通義通解》，上海：上海古籍出版社，1987年，頁2。

16 廖名春在《郭店楚簡儒家著作考》一文中指出，「依《六德》所稱《詩》、《書》、《禮》、《樂》、《易》、《春秋》之序將第38、39、44、36、37、40、41簡拼合，則得：『《詩》所以會古今之志也者，〔《書》者所以會〕□□□□者也，〔《禮》所以會〕□□□□〔也，《樂》所以會〕□□□□〔也〕，《易》所以會天道人道也。《春秋》所以會古今之事也。』（注：第42、43簡雖稱禮樂，但句式不類，故不采。）」參見廖名春：《郭店楚簡儒家著作考》，《孔子研究》1998年第3期，頁81。

《樂》。當其將「五經」之道與「五常」之道相互比附與對應時，卻又將《春秋》剔了出去。儘管如此，班固在《白虎通・五經》中將「五經」之序（《樂》、《書》、《禮》、《易》、《詩》）與「五常」之序（仁、義、禮、智、信）相互對應卻是一次與眾不同的排列。

其四、《書》、《易》、《詩》、《禮》、《春秋》之序；如顏之推的《顏氏家訓・文章》有言：「夫文章者，原出《五經》：詔命策檄，生於《書》者也；序述論議，生於《易》者也；歌詠賦頌，生於《詩》者也；祭祀哀誄，生於《禮》者也；書奏箴銘，生於《春秋》者也。」[17]

此外，西漢時期，「六經」與「六藝」時常互訓而用，如司馬遷《史記・儒林列傳》有言：「至秦之季世，焚詩書，坑術士，六藝從此缺焉」；賈誼《新書・六術》有言：「《詩》、《書》、《易》、《春秋》、《禮》、《樂》六者之術，以為大義，謂之六藝」。

（四）「七經」之名與「七經」之序

「七經」之名始出於東漢，其據有三：其一、最早的直接性佐證是《蔡中郎集》；蔡中郎在〈玄文先生李子材銘〉中寫道：「玄文先生名休，字子材，南陽宛人也。……休少以好學，遊心典謨，既綜七經，又精群緯，鉤深極奧，窮覽聖旨。」[18] 另外，間接性佐證「七經」一詞早于蔡邕之文的是唐代編纂的《藝文類聚》，該書〈帝王部二〉之〈漢明帝〉所載〈漢傅毅明帝誄〉曰：「惟此永平，其德不回，……七經宣暢，孔業淑著。」[19] 較之，從時間上看，傅毅之說應該早於蔡邕之說，但由於傅毅之說為唐時輯錄，故錄此為備。

其二、相對較早的佐證是《後漢書》與《三國志》；《後漢書・張純傳》寫道，「純以聖王之建辟雍，所以崇尊禮義，既富而教者也。乃案七經讖、明堂圖、河閑古辟雍記、孝武太山明堂制度，及平帝時議，欲具奏之。」[20]《三國志・秦宓傳》曰：「蜀本無學士，文翁遣相如東受七經，還教吏民，於是蜀學比於齊、魯。」[21]

其三、相對晚出的佐證是唐人李賢等人注解的《後漢書・趙典傳》的注文，唐人李賢等人引用「《謝承書》曰：『典學孔子《七經》、《河圖》、《洛書》，內外藝術，靡不貫

---

17 王利器：《顏氏家訓集解》，北京：中華書局，1993年，頁237。

18 〔漢〕蔡邕：《蔡中郎集》（卷三），〔清〕永瑢等：《文淵閣四庫全書》第1063冊，臺北：臺灣商務印書館，1986年，頁221。

19 〔唐〕歐陽詢：《藝文類聚》（上），上海：上海古籍出版社，1965年，頁239。

20 〔南朝・宋〕范曄：《後漢書》，北京：中華書局，1965年，頁1196。

21 〔晉〕陳壽：《三國志》，北京：中華書局，1959年，頁973。

綜，受業者百有餘人。』」[22] 其實，此注文所言「七經」，非《後漢書》原文所出，只是後人追補；即使以謝承（西元 182-254 年）所著《後漢書》的時間為準，「七經」之名也不會早於《蔡中郎集．玄文先生李子材銘》所言「七經」之名。

今人一般認為，東漢通行的「七經」是《易》、《書》、《詩》、《禮》、《春秋》、《孝經》與《論語》。其中，《易》、《書》、《詩》、《禮》與《春秋》之五經為官學所立，後追加《孝經》與《論語》，合稱「七經」。然而，凡考宋代以前的作品，「七經」之序目不曾見載，「七經」之序目初見於北宋劉敞的《七經小傳》。《七經小傳》寫道：「其曰『七經』者，一《尚書》，二《毛詩》，三《周禮》，四《儀禮》，五《禮記》，六《公羊傳》，七《論語》也。」[23] 宋人晁公武《郡齋讀書志》所錄《七經小傳》之序目為「《毛詩》、《尚書》、《公羊》、《周禮》、《儀禮》、《禮記》、《論語》」[24]。清代康熙《御纂七經》所載「七經」之序目為《易》、《書》、《詩》、《春秋》、《周禮》、《儀禮》、《禮記》。清人周象明《七經同異考》所載「七經」之序目與上近似，「是編凡《易》四卷、《書》五卷、《詩》六卷、《春秋》六卷、《三禮》十三卷。皆裒集舊說，亦間附以己意，略為折衷。」[25] 另據《四庫全書總目提要》記載，日本學者山井鼎《七經孟子考文補遺》「凡為《易》十卷、《書》二十卷、附《古文考》一卷、《詩》二十卷、《左傳》六十卷、《禮記》六十三卷、《論語》十卷、《孝經》一卷、《孟子》十四卷。」[26] 近人王國維認為「漢一字石經為《周易》、《尚書》、《詩》、《儀禮》、《春秋》、《公羊傳》、《論語》七種」[27]。由是觀之，自有「七經」之名，後世學者關於「七經」之序目曾有多種不同的列舉，其間有同有異，並無定論。

（五）「九經」之名與「九經」之序

「九經」之名始出甚早，原指九種為政之要，如《周禮．考工記》有言：「國中九經九緯，經塗九軌。」又，《禮記．中庸》有言：「凡為天下國家有九經，曰：修身也，尊賢也，親親也，敬大臣也，體群臣也，子庶民也，來百工也，柔遠人也，懷諸侯也。……凡為天下國家有九經，所以行之者一也。」考證發現，「九經」一詞被用於儒家經典之概稱始見於漢代，唐時已成常識；如《東觀漢記．顯宗孝明皇帝》有言：「東

22 〔南朝．宋〕范曄：《後漢書》，北京：中華書局，1965年，頁947，頁註三。
23 參見〔清〕永瑢等：《四庫全書總目提要》第1冊，臺北：臺灣商務印書館，1986年，頁662。
24 參見孫猛校證：《郡齋讀書志校證》，上海：上海古籍出版社，1990年，頁143。
25 參見〔清〕永瑢等：《四庫全書總目提要》第1冊，臺北：臺灣商務印書館，1986年，頁696。
26 參見〔清〕永瑢等：《四庫全書總目提要》第1冊，臺北：臺灣商務印書館，1986年，頁677。
27 王國維：《魏石經攷（三）》，王國維：《觀堂集林》（卷第二十），北京：中華書局，1959年，頁962。

海王立為皇太子，治尚書，備師法，兼通九經，略舉大義」[28]。不過，有學者依據《新唐書・谷那律傳》[29] 所言，推測「唐初號谷那律為九經庫，似九經之名至唐始定」[30]，如此推斷，值得商榷。

據《太平御覽・逸民（六）》記載：「《唐書・隱逸傳》曰：王友貞，懷州河內人也。……友貞素好學，讀九經皆百遍，訓誨子弟，如嚴君焉。」[31] 又據《太平御覽・敘經典》記載：

> 玄宗時，國子司業李元瓘上言：「《三禮》、《三傳》及《毛詩》、《尚書》、《周易》等並聖賢微旨，生人教業必事資，經遠則斯道不墜。今明經所習，務在出身，咸以《禮記》文少，人皆競讀。《周禮》經邦之軌則，《儀禮》莊敬之楷模，《公羊》、《穀梁》歷代崇習，今兩監及州縣以獨學無友，四經殆絕。既事資訓誘，不可因循，即望四海均習，九經該備。」從之。[32]

又，《太平廣記》記載：「唐楊茂直任拾遺。有補闕姓王，精九經。不練時事。每自言明三教。」[33]

此外，我們從唐人的詩作中也可窺見當時人們對「九經」一詞的認同程度與使用頻率，如姚合〈過不疑上人院〉詩曰：「九經通大義，內典自應精。」[34] 又，齊己〈酬九經者〉詩曰：「九經三史學，窮妙又窮微。」[35]

自唐至清，「九經」之序目不盡相同，其序目大抵有六：其一、據《太平御覽・敘經典》記載，「今以《易》、《書》、《詩》、《春秋》為五經，又禮有《周禮》、《儀禮》、《禮記》曰三禮，《春秋》有《左氏》、《公羊》、《穀梁》曰三傳，與《易》、《書》、《詩》通數，亦謂之九經。」[36] 其二、明代周應賓的《九經考異》所載「九經」之序

---

28 〔漢〕劉珍等：《東觀漢記》（卷二），〔清〕永瑢等：《文淵閣四庫全書》第370冊，臺北：臺灣商務印書館，1986年，頁80。

29 《新唐書・谷那律傳》：「谷那律，魏州昌樂人。貞觀中，累遷國子博士。淹識群書，褚遂良嘗稱為『《九經》庫』。」參見〔宋〕歐陽修、宋祁：《新唐書》（卷一百九十八），北京：中華書局，1975年，頁5652。

30 〔清〕陳廷敬：《皇清文穎》（卷十二），〔清〕永瑢等：《文淵閣四庫全書》第1449冊，臺北：臺灣商務印書館，1986年，頁609。

31 〔宋〕李昉等：《太平御覽》（卷五百六），〔清〕永瑢等：《文淵閣四庫全書》第897冊，臺北：臺灣商務印書館，1986年，頁616。

32 〔宋〕李昉等：《太平御覽》（卷五百六），〔清〕永瑢等：《文淵閣四庫全書》第898冊，臺北：臺灣商務印書館，1986年，頁575-576。

33 參見〔宋〕李昉等：《太平廣記》，北京：中華書局，1961年，第6冊，頁1976。

34 參見〔清〕彭定求等編校：《全唐詩》（卷四百六十五），北京：中華書局，1960年，頁5683。

35 參見〔清〕彭定求等編校：《全唐詩》（卷四百六十五），北京：中華書局，1960年，頁9517。

36 〔宋〕李昉等：《太平御覽》（卷五百六），〔清〕永瑢等：《文淵閣四庫全書》第898冊，臺北：臺灣商務印書館，1986年，頁574。

目為：「《九經》者。以《五經》、《四書》合而為九，非古所謂《九經》。」[37] 其三、明代郝敬的《談經》所載「九經」之序目為：「凡《易》七十條、《書》三十條、《詩》五十四條、《春秋》五十六條、《禮記》十三條、《儀禮》二十條、《周禮》四十二條、《論語》二十六條、《孟子》三十二條。」[38] 其四、清代惠棟的《九經古義》所載「九經」之序目為：「凡《周易》、《尚書》、《毛詩》、《周禮》、《儀禮》、《禮記》、《左傳》、《公羊》、《穀梁》、《論語》十經。其《左傳》六卷，後更名曰《補注》，刊版別行，故惟存其九。」[39] 其五、清代張照奉敕刻篆字九經，其序目為：《易》、《詩》、《書》、《春秋》、《周禮》、《儀禮》、《大學》、《中庸》、《論語》、《孟子》；其中，《大學》、《中庸》合為一經。 其六、清人江永在《群經補義》中言及「九經」之序目，「是書取《易》、《書》、《詩》、《春秋》、《儀禮》、《禮記》、《中庸》、《論語》、《孟子》九經，隨筆詮釋，末附雜說，多能補注疏所未及。」[40] 由上觀之，歷代所論「九經」之序目不盡相同，更無官方定論，諸家所論多是管見。

（六）「十經」之名與「十經」之序

據攷，「十經」之名初見于《南史》。據《南史・周續之傳》記載，「周續之，字道祖，雁門廣武人也。……居學數年，通五經、五緯，號曰十經，名冠同門，稱為顏子。」[41] 由此觀之，南朝時期人們始將五經、五緯稱為「十經」。

另攷，「十經」之序目初見於《宋書》。元人脫脫等所撰《宋書・百官志（上）》有言：「《周易》、《尚書》、《毛詩》、《禮記》、《周官》、《儀禮》、《春秋左氏傳》、《公羊》、《穀梁》各為一經，《論語》、《孝經》為一經，合十經，助教分掌。」[42] 此外，清代焦袁熹《此木軒經說彙編》所言「十經」之名與序目為「凡《易》、《書》、《詩》、三《禮》、三《傳》、《爾雅》十經」[43]。

---

37 參見〔清〕永瑢等：《四庫全書總目提要》第1冊，臺北：臺灣商務印書館，1986年，頁691。

38 參見〔清〕永瑢等：《四庫全書總目提要》第1冊，臺北：臺灣商務印書館，1986年，頁691。

39 參見〔清〕永瑢等：《四庫全書總目提要》第1冊，臺北：臺灣商務印書館，1986年，頁678。

40 參見〔清〕永瑢等：《四庫全書總目提要》第1冊，臺北：臺灣商務印書館，1986年，頁681。

41 〔唐〕李延壽：《南史》（卷七十五），北京：中華書局，1975年， 頁1865。

42 此文曾在《通典・諸卿（下）・國子監》的注文中出現，其注文曰：「宋制，易、尚書、毛詩、禮記、周禮、儀禮、左傳、公羊、穀梁，各為一經；論語、孝經為一經，合十經，助教分掌。」參見〔唐〕杜佑：《通典》（卷第二十七），北京：中華書局，1988年，頁767。

43 參見〔清〕永瑢等：《四庫全書總目提要》第1冊，臺北：臺灣商務印書館，1986年，頁696。

（七）「十一經」之名與「十一經」之序

凡攷，「十一經」之名始見於元人何異孫的《十一經問對》，該書被收入清人所編《四庫全書》（卷三十三・經部三十三）。順便指出，五代時期後蜀孟昶廣政年間詔刻的「廣政石經」已列十一經，也就是說，當時已有十一經之「實」，然未見十一經之「名」。

元人何異孫的《十一經問對》存有「十一經」之序目，清人所編《四庫全書總目提要》對《十一經問對》所列「十一經」之序目有頗為恰當的評價；《四庫全書總目提要》寫道：「所說凡《論語》、《孝經》、《孟子》、《大學》、《中庸》、《詩》、《書》、《周禮》、《儀禮》、《春秋三傳》、《禮記》十一經。其敘次先後，頗無倫理；又以《大學》、《中庸》各為一經，亦為杜撰；皆頗不可解。」[44] 另據清人黃虞稷《千頃堂書目》記載，「何異孫十一經問對五卷」，其注文曰：「設為經疑，以為科場對答之用，十一經者：書，詩，三禮，春秋，論語，孝經，大學，中庸，孟子也。」[45] 由此觀之，無論元人，還是清人，皆頗重視儒經之數目，於儒經之序次並無太多關注，甚至前後論列有顛倒錯訛、「頗無倫理」。需要提及的是，清人杭世駿的《經解》認為「唐劉孝孫作為問對而十一經之名定矣」[46]，凡攷不知其何據，暫且列之。

（八）「十二經」之名與「十二經」之序

凡攷，「十二經」之名初見於《莊子》。據《莊子・天道》記載，孔子欲「往見老聃，而老聃不許，於是翻十二經以說。」此處雖言孔子「翻十二經以說」，然其卻未明言「十二經」之經目有何？儘管在老子與孔子的對話中，「孔子曰：『要在仁義』」，但是我們仍然無從推定其有無特定的指向以及「十二經」之目，更不要說「十二經」之序了。

隋唐之際，陸德明在《經典釋文》中已經論及「十二經」之序目，「首為《序錄》一卷，次《周易》一卷、《古文尚書》二卷、《毛詩》三卷、《周禮》二卷、《儀禮》一卷、《禮記》四卷、《春秋左氏》六卷、《公羊》一卷、《穀梁》一卷、《孝經》一卷、《論語》一卷、《老子》一卷、《莊子》三卷、《爾雅》二卷。」[47] 陸德明於此列《老》與《莊》於經典而不取《孟子》，頗不可解。凡此可見，北宋以前，《孟子》不列於經，而

---

44 參見〔清〕永瑢等：《四庫全書總目提要》第1冊，臺北：臺灣商務印書館，1986年，頁669。

45 參見〔清〕黃虞稷：《千頃堂書目》（卷三），〔清〕永瑢等：《文淵閣四庫全書》第676冊，臺北：臺灣商務印書館，1986年，頁82。

46 〔清〕陳廷敬：《皇清文穎》（卷十二），〔清〕永瑢等：《文淵閣四庫全書》第1449冊，臺北：臺灣商務印書館，1986年，頁609。

47 參見〔清〕永瑢等：《四庫全書總目提要》第1冊，臺北：臺灣商務印書館，1986年，頁662。

《老》、《莊》則自西晉以來為士大夫所推尚。

(九)「十三經」之名與「十三經」之序

「十三經」之名始出何時,歷來聚訟紛紜;其中大抵分為:一、唐代說;二、宋代說;三、南宋說;四、明代說;五、清代說。[48] 自北宋宣和年間(1119-1125)席貢補刻《孟子》於後蜀「廣政石經」之列,初有「十三經」之名;南宋紹熙年間(1190-1194)始匯唐宋之時具有權威性的十三經注疏本合刊而成《十三經注疏》。又,《宋史·藝文志(一)》記載:「劉元剛《三經演義》一十一卷孝經、論、孟」;南宋陳振孫在《直齋書錄解題》(卷三)中將《孟子》錄入經部[49];宋人尤袤在《遂初堂書目》中「分經為九門:曰《經總類》,《周易類》,《尚書類》,《詩類》,《禮類》,《樂類》,《春秋

---

48 自唐以降,關於「十三經」之名始於何時,歷來聚訟紛紜,略攷如下:

1、唐代說;明代焦竑《國史經籍志》(卷二)曰:「唐定注疏,始為《十三經》。」參見馮惠民等選編:《明代書目題跋叢刊》(上冊),北京:書目文獻出版社,1994年,頁247。
明人徐世溥認為,貞觀六年(西元632年):「時孔穎達為《疏義》,請以王弼《易》、孔安國《書》、《毛詩》、《三禮》、《三傳》、《論語》、《爾雅》、《孟子》、《孝經》頒行天下,為十三經。」參見〔清〕江藩:《經解入門》,上海:華東師範大學出版社,2010年,頁40。
清代劉藻《經解》認為「十三經」之形成「蓋始於唐,衍於宋,而終於明之世。」參見〔清〕陳廷敬:《皇清文穎》(卷十三),〔清〕永瑢等:《文淵閣四庫全書》第1449冊,臺北:臺灣商務印書館,1986年,頁615。

2、宋代說;朱劍芒《經學提要》認為:「自宋列《孟子》於經部,《十三經》之名,亦因以成立。」參見朱劍芒:《經學提要》,長沙:岳麓書社,1990年,頁179。
楊伯峻《經書淺談·序》認為,「到宋代,理學家又把《孟子》地位提高,朱熹取《禮記》中的《中庸》、《大學》兩篇,和《論語》、《孟子》相配,稱為《四書》,自己集注,由此《孟子》也進入『經』的行列,就成了《十三經》。」參見楊伯峻:《經書淺談》,北京:中華書局,1984年,頁5。

3、南宋說;「十三經」的觀念濫觴於南宋中後期,發展于明初,成熟於武宗正德(1505-1521)、世宗嘉靖(1522-1567)中。萬曆十二年(1584),神宗皇帝頒佈詔令欽定「十三經注疏」,並命京師國子監校勘印行;十三部典籍同時被朝廷尊奉為經,十三經的概念及地位得以完全確立。參見程蘇東:〈再論「十三經」的形成與《十三經注疏》的結集〉,《國學研究》(第二十五卷),北京:北京大學出版社,2010年,頁257-299。

4、明代說;顧炎武《十三經注疏》認為:「宋時程、朱諸大儒出,始取《禮記》中之《大學》、《中庸》,及進《孟子》以配《論語》,謂之《四書》。本朝因之,而『十三經』之名始立。」參見〔清〕顧炎武:《日知錄》(卷之十八),〔清〕黃汝成集釋:《日知錄集釋》,上海:上海古籍出版社,2006年,頁1027。

5、清代說;蔣伯潛《經學纂要》認為:「清高宗刻《十三經》於太學,於是《十三經》這部叢書乃成定本。」參見蔣伯潛:《經學纂要》,長沙:岳麓書社,1990年, 頁6。

49 〔宋〕陳振孫:《直齋書錄解題》,上海:上海古籍出版社,1987年,頁72-73。

類》，《論語》、《孝經》、《孟子類》，《小學類》。」[50] 明人陳邦瞻《宋史紀事本末》寫道：「士各占治《易》、《詩》、《書》、《周禮》、《禮記》一經，兼《論語》、《孟子》。每試四場，初本經，次兼經，大義凡十道，次論一首，次策三道。」[51] 由上可見，《孟子》在南宋已被稱為「經」，正史錄《孟子》入經部始於《宋史》。

此外，清人杭世駿《經解》認為「陸德明撰經典序錄只稱九經，而亦為《孝經》、《論語》、《孟子》、《爾雅》撰音，是十三經已萌芽於此」[52]；明人淩義渠《十三經注疏序》認為，「自蔡中郎書石於太學門外，已有『十三經』之名。」[53] 凡攷蔡中郎所書「熹平石經」為「七經」[54]，不知淩義渠何據，姑且存疑。

凡攷諸家之說，擇優而從之；余以為，「十三經」之初名成於北宋，「十三經」之正名或謂由官方確認則始於南宋。時至明清，「十三經」之刻本大增，明代「有正德、嘉靖、萬曆、崇禎《十三經注疏》本。崇禎本即汲古閣本也。」[55] 清初有武英殿本，乾隆時期有「十三經」石刻本，嘉慶時期有阮元主持重刻的《十三經注疏》，阮元裒集宋本重刊，以十行本為主並匯校「唐石經」等古本，撰《校勘記》附於諸經卷末，名為善本。限於篇幅，其他版本從略。

自唐以降，「十三經」之序目眾說紛雜，然則，其詳多無從攷證。今攷諸說，擇要列之：其一、明代陳深《十三經解詁》的序目為：「凡《易》三卷、《書》三卷、《詩》四卷、《周禮》六卷、《儀禮》四卷、《禮記》十卷、《左傳》十四卷、《公羊傳》三卷、《穀梁傳》二卷、《論語》一卷、《孝經》一卷、《爾雅》三卷、《孟子》二卷。」[56] 其二、清代沈廷芳《十三經注疏正字》的序目為：「凡《周易》三卷、《尚書》五卷、《詩》十四卷、《周禮》十卷、《儀禮》十一卷、《禮記》十五卷、《左傳》十卷、《公羊傳》四卷、《穀梁傳》二卷、《孝經》一卷、《論語》二卷、《孟子》一卷、《爾雅》三卷。」[57] 其三、清代余蕭客《古經解鉤沉》的序目為：「首為《敘錄》一卷，次《周易》一卷、《尚書》三卷、《毛詩》二卷、《周禮》一卷、《儀禮》二卷、《禮記》四卷、《左傳》七卷、《公羊傳》一卷、《穀梁傳》一卷、《孝經》一卷、《論語》一卷、《孟

---

50 參見〔清〕永瑢等：《四庫全書總目提要》第2冊，臺北：臺灣商務印書館，1986年，頁760。

51 〔明〕陳邦瞻：《宋史紀事本末》（卷三十八），北京：中華書局，1977年，頁372。

52 〔清〕陳廷敬：《皇清文穎》（卷十二），〔清〕永瑢等：《文淵閣四庫全書》第1449冊，臺北：臺灣商務印書館，1986年，頁610。

53 〔明〕淩義渠：《淩忠介公集》（卷六），〔清〕永瑢等：《文淵閣四庫全書》第1297冊，臺北，臺灣商務印書館，1986年，頁453。

54 參見王傳林：《儒家「石經」之史考論──從「石經」之史看經學體系化之路向與特徵》，《孔子研究》2015年第5期，頁36。

55 參見〔清〕永瑢等：《四庫全書總目提要》第1冊，臺北：臺灣商務印書館，1986年，頁677。

56 同上註，頁689。

57 同上註，頁680。

子》二卷、《爾雅》三卷，共三十卷。」[58]其四、清人陳鶴齡《十三經字辨》的序目為：「《大學》、《中庸》、《論語》、《孟子》、《易》、《書》、《詩》、《春秋》、《禮記》、《周禮》、《儀禮》、《爾雅》。」[59] 只是古無此例，「即以所列計之，如分三《傳》為三，則加《四書》為十四；如並三《傳》總為《春秋》，則又為十二：於數亦不相合也。」[60]其五、清人阮元主持校刻的《十三經注疏》的序目為：《周易正義》、《尚書正義》、《毛詩正義》、《周禮注疏》、《儀禮注疏》、《禮記正義》、《春秋左傳正義》、《春秋公羊傳注疏》、《春秋穀梁傳注疏》、《論語注疏》、《孝經注疏》、《爾雅注疏》、《孟子注疏》。[61] 其六、清人朱彝尊《經義考》的序目為：「《易》七十卷，《書》二十六卷，《詩》二十二卷，《周禮》十卷，《儀禮》八卷，《禮記》二十五卷，《通禮》四卷，《樂》一卷，《春秋》四十三卷，《論語》十一卷，《孝經》九卷，《孟子》六卷，《爾雅》二卷，群經十三卷，四書八卷，逸經三卷，毖緯五卷，擬經十三卷，……家學、自述各一卷。」[62]

綜上而論，儒經之經目從「六經」至「五經」，復至「七經」，又至「九經」，再至「十一經」，終至「十三經」，其體系化過程歷時二千多年，其間數目增減變化，且時有反復，經目次序亦隨之變化無常。後世學者或是因循前人、或是私見為論、或是附益政治而擅改、或是應官方政治教化之需要而隨意增減，凡此爾類皆映現出儒經之經目與次序在歷史長河中的流變與特性。其實，儒家著作凡可入經者，大抵是「五常」之道與「六藝」之文。

三　儒經體系化之路向與特性

縱觀儒經史，早在漢文帝時期已經出現經學博士，然而「及至孝景，不任儒者，而竇太后又好黃老之術，故諸博士具官待問，未有進者」(《史記・儒林列傳》)，直至漢武帝建元五年（前西元 136 年）「置五經博士」(《漢書・武帝紀》)，「五經」才得到官方的確認。東漢晚期，「熹平石經」繼起而隆之。至此，儒經在兩漢達到了前所未有的昌明與興盛。時至魏晉，玄風大起，佛學盛行，儒學潛行；南北二朝，佛老顯明，儒學泥古，經學凋零；隋唐一統，儒學又興，太宗崇儒，五經得正；復至晚唐，佛道又勝，韓愈怒起，欲復儒道。唐宋之際，三教會通，疑古之風，一時橫行。宋儒疑古，輕於改經，五經至此，注論橫出。元人說經，墨守宋儒，漢唐注疏，束之高閣；明儒說經，無逃宋元，凡有著述，多竊前賢。康熙之末，遺老已盡，雍乾兩朝，文網益密；儒生受

58 同上註，頁684。

59 同上註，頁702。

60 同上註，頁702。

61 參見〔清〕阮元校刻：《十三經注疏》，北京：中華書局，1980年，頁1-16。

62 參見〔清〕永瑢等：《四庫全書總目提要》第2冊，臺北：臺灣商務印書館，1986年，頁766。

箝，難有發舒，故為考據，以求遠害；嘉慶以降，學風稍變，樸學大興，徽派尤盛；晚清之際，西學東進，八股盡廢，儒學式微。

尋經史之跡，不難發現從「六經」至「五經」，再至「七經」，再至「九經」，再至「十一經」，終至「十三經」，其體系化過程有清晰的演進理路與基本特性。

（一）時代性與政治性

無論是漢武帝置「五經」博士（西元前 136 年），還是漢宣帝主持石渠閣會議（西元前 51 年）「詔諸儒講五經同異」（《漢書・宣帝本紀》）；無論是漢章帝召開的白虎觀會議（西元 79 年），還是漢靈帝詔令正定「五經」（西元 175 年），凡此皆映現出儒家經學與兩漢政治的密切關係。正是由於漢代官方的大力鼓吹，儒學的政治作用方才得到前所未有的彰顯。其間，儒經得益於政治而彰顯教化的力量，政治巧借儒經的說教與溫情去化解權力爭奪的血腥與殘酷。

自漢至清，儒經與時代、政治、文化的融合不曾間斷，儒家與道家、佛家歷來相競而進；尤其是漢唐宋明，尊儒、崇道，揚佛、滅佛，排佛、斥老，疑儒、尊儒，裹入政治紛爭的三家之學競爭激烈，以至於不惜相互攻訐。這一點在儒家經目增減變化中也有所體現。需要提及的是，儒學尤其是經學在時代化與政治化的過程中也產生了諸多流弊。無論是劉向根據石渠閣會議整理出的《五經雜議》（佚失），還是班固根據白虎觀會議整理出的《白虎通義》，其內容要旨與先秦原儒之精義已相去甚遠，更多的是緣於官方政治統治的需要而進行的牽強附會，以至於讖緯神學充斥其中，流毒甚深。

（二）拓展性與開放性

從「六經」到「十三經」，儒家經學體系還呈現出拓展性與開放性的特點。這一點，除了由於時代與政治的原因，更多地反映出儒學本身的開放性與包容性，由漢代的「五經」體系發展至唐代的「九經」體系，以及後來的「十三經」體系的形成，恰恰證明了這一點。

當然，我們還應該從儒家經學體系化的過程中看到具體時代的差異性與政治需求的多樣性，這一點可從《孝經》入「經」之過程窺測一二。西漢時期，諸位皇帝多標榜「以孝治天下」，然而《孝經》卻未置入經學博士之列。時至唐代，《孝經》的地位陡然有變，《孝經》不僅被列為「九經」之一，而且身為皇帝的唐玄宗李隆基親自注解《孝經》並頒詔勒於石碑。於此而言，我們雖然不能完全排除唐玄宗的個人喜好與動機，但不可否認的是儒家經學體系正是隨歷史的變遷與不同時期的政治需求而變化的。儒經正是在與歷史和時代的密切互動中逐漸拓展了自身的體系，同時也正是在這種雙向互動中，經史與歷史、政治史相互融合並以其交集呈現出儒經之於政治與政治之於儒經的雙向影響。

（三）偶然性與必然性

儒家經學體系形成過程中的偶然性與必然性在《爾雅》與《孟子》入「經」的過程中體現得頗為明顯，且富於戲劇性。據唐文宗大和七年至開成二年（西元 833-837 年）所刻「開成石經」，《爾雅》是「十二經」之一，然而北宋嘉祐六年（1061）所刻「嘉祐石經」則無《爾雅》。相反，在「開成石經」中不曾出現的《孟子》卻在「嘉祐石經」中出現了。更不可思議的是，《孟子》竟然成為兩宋「顯學」，無論是歷史地位，還是學術影響，《孟子》都達到了前所未有的高度。相較于兩宋之崇《孟子》，《孟子》在漢代的地位與聲望並不隆顯。至於趙岐所言「漢興，除秦虐禁，開延道德，孝文帝皇帝欲廣遊學之路，論語、孝經、孟子、爾雅皆置博士」[63]，似乎與漢代史實不符[64]。凡攷西漢舊典，皆未見《孟子》於西漢初年被立為博士之事。難怪為《孟子》作注的朱熹指出：「趙岐說孟子爾雅皆置博士，在漢書亦無可攷。」（《朱子語類》卷第一百三十八）另據《後漢書》記載，《孟子》章句於漢代不止趙岐一家，其中，程曾的「孟子章句」就早於趙岐的「孟子章句」[65]。

縱覽「六經」到「十三經」之過程，頗具由「源」至「流」、由「子」入「經」之特性；其間雖然歷盡波折，充滿某種偶然性，但是從儒學之於政治統治、道德教化、維繫人心、構建民族品格等功用來看，其體系的形成卻又潛存一定的必然性。順便提及，無論是秦時的「焚書坑儒」，還是二十世紀的「打倒孔家店」與「批孔運動」，都是過於激烈的；這其中固然有那個時代的政治因素與特定的歷史因素，但是極端政治化的運動

63 〔漢〕趙岐：《孟子題辭》，參見〔清〕焦循：《孟子正義》（卷一），北京：中華書局，1987年，頁17。

64 通攷《史記》、《漢書》、《漢紀》皆未見《孟子》於漢初被置為博士之事；另據《漢書．景十三王傳》記載：「獻王所得書皆古文先秦舊書，周官、尚書、禮、禮記、孟子、老子之屬，皆經傳說記，七十子之徒所論。」又據《後漢書．翟酺傳》記載：「孝文皇帝始置一經博士，武帝大合天下之書，而孝宣論六經于石渠，學者滋盛，弟子萬數」。由上觀之，「孝文皇帝始置一經博士」，未言其中有《孟子》。

65 據《後漢書．儒林列傳》記載：「程曾，字秀升，豫章南昌人也。……著書百餘篇，皆五經通難，又作孟子章句。建初三年，舉孝廉，遷海西令，卒於官。」又，《後漢書．趙岐傳》記載：「岐多所述作，著孟子章句、三輔決錄傳於時。」較之，程曾於「建初三年（西元78年）舉孝廉，遷海西令，卒於官」，而趙岐（西元？-201年）在建安六年（西元201年）去世。可見，程曾早於趙岐近百年而作「孟子章句」。參見〔南朝．宋〕范曄：《後漢書》，北京：中華書局，1965年，頁2581、2124。

式的批判卻隱存某種偶然性與隨意性，最致命的是政治化的批判對儒學的發展是極具破壞性的。

(四)經典化與聖典化

從「六經」到「十三經」，其實每一次的「經目」與「經序」的增減變化都不同程度地受到時代、政治以及人為因素的影響，甚至夾雜有某種偶然性的歷史因素。可以說，一個帝王的個人喜好就有可能左右一部經典的命運沉浮，如李隆基注《孝經》[66]，《孝經》入「經」；朱元璋刪《孟子》[67]，孟子被詔去配享。從「六經」到「十三經」，此過程不僅呈現出開放性與包容性，而且還呈現出經典化與聖典化的邏輯路向；這一點，正如《論語》、《孝經》、《孟子》等作品入「經」受崇之過程所表現的那樣。

當然，儒經的經典化與聖典化亦有流弊，概之有二：其一、附麗政治，遭遇異化。自漢以來，儘管早期的設立諸經博士、開科取士等為儒生打通了「學而優則仕」的道路，然而當經學過度地附麗於政治時，往往在不經意間扭曲了經典原旨與儒學大義，甚至造成「研經」的浮華之風，致使儒經成為通向利祿之路的鋪路石，其訓詁、注疏、章句日趨繁瑣，「一經說至百餘萬言」(《漢書・儒林傳》)，由此窒息了儒學的生命力。同時，兩漢以儒經招賢選士的導向和以功名利祿為誘餌的政治手段俘虜了眾人的名利心，誠如《漢書・韋賢傳》所載諺語有言：「遺子黃金滿籯，不如一經」。又，《漢書・藝文志》頗為尖銳地指出，「幼童而守一藝，白首而後能言；安其所習，毀所不見，終以自蔽。此學者之大患也。」可以說，「學術的道路從此限定只有經學一條了，這比始皇的以政治力量統一思想還要厲害」[68]，此乃兩漢政治「緣飾儒術」之流弊也。其二、以資取仕，淪為象徵。時至北宋，朝廷尚文，嘗以「三禮出身」、「《九經》及第」等名銜作為政治性榮譽授予那些於儒家經學有所造詣而屢試不中的人，如劉潛「得同《三禮》出身」(《宋史・劉潛傳》)、陳咸被「特賜咸同《三傳》出身」(《宋史・陳越傳》)；又如邢昺被「擢《九經》及第」(《宋史・邢昺傳》)，孫奭為「《九經》及第」(《宋史・孫奭

---

66 據《太平御覽・敘經典》記載：「《唐書》曰：……《論語》者，六經之精華；《孝經》者，人倫之大本。窮理執要，真可謂聖人至言。是以漢朝《論語》首列學官，光武令虎賁之士皆習《孝經》，玄宗親為《孝經》注解，皆使當時大理，海內乂安。」參見〔宋〕李昉等：《太平御覽》(卷六百八)，〔清〕永瑢等：《文淵閣四庫全書》第898冊，臺北：臺灣商務印書館，1986年，頁575。

67 據《續修四庫全書總目提要》載明人劉三吾撰《孟子節文》記載，「明太祖覽《孟子》，至『土芥』『寇讎』之語，謂非人臣所宜言，詔去配享；有諫者，以不敬論，且命金吾射之；其憎《孟子》甚矣。三吾之《孟子節文》殆為此作也。」參見中國科學院圖書館編：《續修四庫全書總目提要》，北京：中華書局，1993年，頁921。

68 顧頡剛：《漢代學術史略》，北京：東方出版社，2005年，頁59。

傳》）；等。由上觀之，儒家經學附麗於政治而得以發展，甚至一度被推崇為萬世不移的經典與聖典，然而也正是因為官方的聖典化與教條化，儒學的生命力被窒息了，以至於流弊叢生、淪為封建王朝標榜文治與崇儒的工具。

綜上而言，從「六經」到「十三經」，儒家經學體系的形成過程具有由「經」而「子」、由「本」而「衍」的擴展性與開放性；同時，儒經在體系化的過程中也呈現出由「少」至「多」、由「子」入「經」的體系化與經典化，以及儒經在體系化的過程中所呈現出的經目因皇帝喜好而增減的隨意性與偶然性。同時，由於時代的不同與政治需求的相異，儒經在體系化的過程中雖然逐漸實現了經典化與聖典化，但是由於其過度地附麗於時代與政治也導致了自身的流弊，乃至其為時代與政治所異化。覽史鑒今，我們認為儒經與儒學應當回歸生活、回歸尋常，因為生活即哲學、生活即儒學。

【基金專案】本文系二〇一七年中國國家社會科學基金年度項目「周秦兩漢數哲學研究」（專案編號：17BZX008）階段性成果。

【作者簡介】王傳林（1978-），男，曲阜師範大學孔子文化研究院講師，研究方向為儒家哲學、道家哲學、數哲學。

文王化天下

——早期《詩經》闡釋的一種重要理念

常森

北京大學中文系

本文並非從一般史學意義上關注「文王」這一主題，我們觀照和討論的是早期《詩經》學；——這一視域的「文王」同樣值得探究，且富有魅力。

概括言之，〈詩論〉關注文王主要集中在兩個緊密聯繫的方面，即文王之德和「文王受命」。其第八章云：

> 孔子曰：〈备（宛）丘〉䖒（吾）善之，〈於（猗）差（嗟）〉䖒憙（喜）之，〈鳲（鳴）鴼（鳩）〉䖒信之，〈文王〉䖒㒰（美）之，〈清雷（廟）〉䖒敬之，〈剌（烈）旻（文）〉䖒敓（悅）之，〈昊天又（有）城（成）命〉䖒□之。……〈文王〉曰：「文王才（在）上，於卲（昭）于天」，䖒㒰之。〈清雷〉曰：「肅售（雝）㬎（顯）相，濟濟多士，秉旻（文）之悳（德）」，䖒敬之……

其第二章云：

> 〈清雷（廟）〉，王悳（德）也，至矣！敬宗雷之豊（禮），以為丌（其）杳（本）；「秉旻（文）之悳（德）」，以為丌（其）質；「肅售（雝）㬎（顯）相□□□□□□□□□□□□□□□□□行此者，丌（其）又（有）不王㡥（乎）？

其第九章云：

> ……「帝胃（謂）文王，予褱（懷）尔（爾）盟（明）悳（德）」，害（曷）？城（誠）胃（謂）之也。「又（有）命自天，命此文王」，〔害（曷）〕？城（誠）命之也，信矣。孔子曰：此命也夫！文王隹（雖）谷（欲）已，得㡥（乎）？此命也。□□□□□□□□□□□□□□□□寺（時？）也，文王受命矣。

《毛詩・周頌・清廟》首章謂：「於穆清廟，肅雝顯相，濟濟多士，秉文之德，對越在天。」毛傳釋其中後數語云：「執文德之人也。」鄭箋則說：「對，配。越，於也。濟濟之眾士，皆執行文王之德。文王精神已在天矣，猶配順其素，如生存。」毛傳看起來不以「文之德」為「文王之德」，與鄭箋異。正義試圖彌合二說，故稱：「經云『秉文之德』，謂多士執文王之德，故傳申其意，言此多士皆是執文德之人也。亦與鄭同。」上揭〈詩論〉之第八章，殆正將「秉旻（文）之悳（德）」理解為秉持文王之德行；──依孔子之見，「肅雔（雝）㬎（顯）相，濟濟多士，秉旻（文）之悳（德）」，凸顯的不止是文王的崇高德行，還有他行為世範的政教倫理的影響力。而上揭〈詩論〉第二章謂〈清廟〉一詩，「敬宗富（廟）之豊（禮），以為（其）咅（本）；『秉旻（文）之悳（德）』，以為丌（其）質」，且推之為「王悳（德）」，認為行此者必王。上揭〈詩論〉第九章之主旨是說文王受命的必然性以及這種命的超越性，雖文王不欲受而不可得。根本早期儒家之天命觀，有盛德與受天命往往呈現出這種因果關係。

總而言之，〈詩論〉業已基於《詩》學闡釋，凸顯了文王在政教倫理層面的核心意義。毫不意外的是，〈五行〉繼承了〈詩論〉這一核心關注，並且予以光大。

〈五行〉說文第二十三章云：「……目（侔）萬物之生（性）而知人獨有仁義也，進耳。『文王在上，於昭于天』，此之胃（謂）也。文王源耳目之生（性）而知亓（其）好聲色也，源鼻口之生（性）而知亓（其）好犨（臭）味也，源手足之生（性）而知亓（其）好勶（佚）餘（豫）也，源心之生（性）則巍然知亓（其）好仁義也。故執之而弗失，親之而弗離，故卓然見於天，箸（著）於天下。」這是贊頌文王認知仁義諸價值，執守之而不離、不失，最終成就格於天地之大德。〈五行〉經文第十八章云：「五行之所和，和則樂，樂則有德。有德則國家（與）〔興〕。□□□□□。《詩》曰『文王在尚，於昭于天』，此之胃（謂）也。」其說文第十八章闡釋道：

> 「五行之所和」：言和仁義也。「和則樂」：和者有猷（猶）五聲之和也。樂者言亓（其）流膿（體）也，機然忘（寒）〔塞〕也。忘（寒）〔塞〕，悳（德）之至也。樂而笱（後）有悳（德）。「有悳（德）而國家（與）〔興〕」：國家（與）〔興〕者，言天下之（與）〔興〕仁義也。言亓□□樂也。「『文王在尚（上），於昭于天』，此之胃（謂）也」：言大悳（德）備成矣。

這是贊頌文王大德備成及其使天下興起仁義的巨大影響力。其中「文王在尚，於昭于天」出自《詩經・大雅・文王》，〈詩論〉記載孔子曾為它發出感歎和贊美。而需要注意的是，在〈五行〉體系中，具備最高境界「德」的「君子」，實際上就是以文王為人格範式的。〈五行〉經文第二十一章謂：「君子雜（集）泰（大）成。能進之，為君子；不能進，客（各）止於亓（其）里。」其說文第二十一章詮釋道：

> 「君子雜（集）大成」：雜也者，猶造之也，猶具之也。大成也者，金聲玉辰（振）之也。唯金聲而玉辰之者，然笱（後）忌（己）仁而以人仁，忌義而以人義。大成至矣，神耳矣，人以為弗可為也，無繇（由）至焉耳，而不然。「能誰（進）之，為君子，弗能進，各止於亓（其）里」：能進端，能終端，則為君子耳矣。弗能進，各各止於亓（其）里。不莊（藏）尤割（害）人，仁之理（里）也。不受許（吁）䟦（嗟）者，義之理（里）也。弗能進也，則各止於亓（其）里耳矣。終亓（其）不莊（藏）尤割（害）人之心，而仁復（覆）四海；終亓（其）不受許（吁）䟦（嗟）之心，而義襄（囊）天下。仁復（覆）四海、義襄（囊）天下，而成（誠）繇（由）亓（其）中心行之，亦君子已。

〈五行〉一方面稱道文王執守仁義，而「卓然見於天，箬（著）於天下」，一方面又說君子仁覆四海、義囊天下，一方面稱道文王「大悳（德）備成」，使「天下……（與）〔興〕仁義」，一方面又說集大成之君子「忌（己）仁而以人仁，忌義而以人義」，「文王」人格與「君子」人格之同一性十分鮮明。在〈五行〉體系中，最高的境界為「德」，具備這種境界的人格為「君子」或「賢人」，——其經文第二十一章謂「索纑纑達於君子道，胃（謂）之賢」，足以證明君子與賢人的同一性，而此境界或人格被贊美為「雜（集）泰（大）成」；「文王」則又被推尊為「大悳（德）備成」者。故「文王」即「君子」、「賢人」的現實表徵或範式，絕無疑義。〈五行〉體系中還有一個重要人格範式——舜（見〈五行〉說文第二十四章），然而〈五行〉很明顯更偏重於文王。除上揭諸證外，〈五行〉經、說第十七章還引證《詩經・大雅・大明》之「明明在下，赫赫在上」（案毛傳云：「文王之德明明於下，故赫赫然著見於天」），來界定對體系具有重要基源作用的「知（智）」和「聖」，也是一個證據。

作為價值理念的化身和理想人格的表徵，文王在〈五行〉中的重要性甚至超過了他在〈詩論〉中的重要性。〈五行〉高度關注文王有一定的必然性，即跟它有強大、深厚的《詩經》學背景密切相關。在這一方面，除了有〈詩論〉作為先導外，還應該注意的是，文王在《詩經》文本中擁有極為凸顯的位置，這自然促成了〈五行〉對文王的關注。根據傳世《毛詩》，〈大雅・文王〉、〈大明〉、〈緜〉、〈思齊〉、〈皇矣〉、〈下武〉、〈文王有聲〉、〈蕩〉，以及〈周頌・清廟〉、〈維天之命〉、〈維清〉、〈天作〉、〈昊天有成命〉、〈武〉、〈賚〉等，一大批篇章都高度稱揚文王之德、文王受命以及文王之範式作用。〈大雅・文王〉云：「濟濟多士，文王以寧。」又云：「穆穆文王，於緝熙敬止。」〈周頌・維天之命〉云：「維天之命，於穆不已。於乎不（丕）顯，文王之德之純！」這些是稱頌文王之德政。〈大雅・大明〉云：「有命自天，命此文王，于周于京。」〈大雅・皇矣〉云：「帝謂文王：『予懷〔尒（爾）〕明德……』」〈大雅・文王有聲〉云：「文王受命，有此武功。」這些是說文王膺受了上天的終極支持。〈大雅・文王〉云：「上天之載，無聲無臭。儀刑文王，萬邦作孚。」〈周頌．我將〉云：「我將我享，維羊維牛，維天其右之。儀式刑文王之典，日靖四方。」這些是說文王在經營天下方面發揮著範式作用。文王之化天下，堪稱神奇。〈大雅．緜〉云：「虞芮質厥成，文王蹶厥生。」毛傳曰：「虞芮之君，相與爭田，久而不平，乃相謂曰：『西伯，仁人也，盍往質焉？』乃相與朝周。入其竟（境），則耕者讓畔，行者讓路。入其邑，男女異路，班白不提絜（挈）。入其朝，士讓為大夫，大夫讓為卿。二國之君感而相謂曰：『我等小人，不可以履君子之庭。』乃相讓，以其所爭田為閒田而退。天下聞之而歸者，四十餘國。」總而言之，子思將文王建構為〈五行〉體系中顯在或潛在的核心元素，然綰合著他對《詩經》的認知。

在〈五行〉體系中，「文王一君子」人格的特質，是「忌（己）仁而以人仁，忌（己）義而以人義」，使「天下……（與）〔興〕仁義」，換用通俗的說法就是化成天下。從《詩經》學領域看，這一人格模式及其所包含的化成天下的政教倫理理念，極為深刻地影響了以〈詩序〉為核心的漢唐《詩經》學形態模式，尤其是其二〈南〉部分。

為便於論析，茲先將二〈南〉各詩之序文表見於下：

<table>
<tr><th></th><th>〈詩序〉</th></tr>
<tr><td rowspan="11">〈周南〉</td><td>〈關雎〉，后妃之德也，〈風〉之始也，所以風天下而正夫婦也，故用之鄉人焉，用之邦國焉。……〈關雎〉樂得淑女以配君子，憂在進賢，不淫其色（正義：不自淫恣其色）。哀窈窕，思賢才，而無傷善之心焉。是〈關雎〉之義也。</td></tr>
<tr><td>〈葛覃〉，后妃之本也。后妃在父母家，則志在於女功之事，躬儉節用，服澣濯之衣，尊敬師傅，則可以歸安父母，化天下以婦道也。</td></tr>
<tr><td>〈卷耳〉，后妃之志也，又當輔佐君子，求賢審官，知臣下之勤勞。內有進賢之志，而無險詖私謁之心，朝夕思念，至於憂勤也。</td></tr>
<tr><td>〈樛木〉，后妃逮下也（正義：言后妃能以恩義接及其下眾妾，使俱以進御於王也）。言能逮下，而無嫉妬之心焉。</td></tr>
<tr><td>〈螽斯〉，后妃子孫眾多也。言若螽斯不妬忌，則子孫眾多也。</td></tr>
<tr><td>〈桃夭〉，后妃之所致也。不妬忌，則男女以正，婚姻以時，國無鰥民也。</td></tr>
<tr><td>〈兔罝〉，后妃之化也。〈關雎〉之化行，則莫不好德，賢人眾多也。</td></tr>
<tr><td>〈芣苢〉，后妃之美也。和平則婦人樂有子矣。</td></tr>
<tr><td>〈漢廣〉，德廣所及也。文王之道被于南國，美化行乎江、漢之域，無思犯禮，求而不可得也。</td></tr>
<tr><td>〈汝墳〉，道化行也。文王之化行乎汝墳之國，婦人能閔其君子，猶勉之以正也。</td></tr>
<tr><td>〈麟之趾〉，〈關雎〉之應也。〈關雎〉之化行，則天下無犯非禮，雖衰世之公子，皆信厚如麟趾之時也。</td></tr>
</table>

〈召南〉	〈鵲巢〉，夫人之德也。國君積行累功以致爵位，夫人起家而居有之，德如鳲鳩，乃可以配焉。
	〈采蘩〉，夫人不失職也。夫人可以奉祭祀，則不失職矣。
	〈草蟲〉，大夫妻能以禮自防也。
	〈采蘋〉，大夫妻能循法度也。能循法度，則可以承先祖，共（供）祭祀矣。
	〈甘棠〉，美召伯也。召伯之教，明於南國。
	〈行露〉，召伯聽訟也。衰亂之俗微，貞信之教興，彊暴之男不能侵陵貞女也。
	〈羔羊〉，〈鵲巢〉之功致也。召南之國，化文王之政，在位皆節儉正直，德如羔羊也。
	〈殷其靁〉，勸以義也。召南之大夫遠行從政，不遑寧處。其室家能閔其勤勞，勸以義也。
	〈摽有梅〉，男女及時也。召南之國，被文王之化，男女得以及時也。
	〈小星〉，惠及下也。夫人無妬忌之行，惠及賤妾，進御於君，知其命有貴賤，能盡其心矣。
	〈江有汜〉，美媵也。勤而無怨，嫡能悔過也。文王之時，江沱之間，有嫡不以其媵備數，媵遇勞而無怨，嫡亦自悔也。
	〈野有死麕〉，惡無禮也。天下大亂，彊暴相陵，遂成淫風。被文王之化，雖當亂世，猶惡無禮也。
	〈何彼襛矣〉，美王姬也。雖則王姬，亦下嫁於諸侯，車服不繫其夫，下王后一等，猶執婦道，以成肅雝之德也。
	〈騶虞〉，〈鵲巢〉之應也。〈鵲巢〉之化行，人倫既正，朝廷既治，天下純被文王之化，則庶類蕃殖，蒐田以時，仁如騶虞，則王道成也。

毋庸否認，〈詩論〉、〈五行〉對《詩經》諸篇的具體解釋，跟以〈詩序〉為核心的漢唐《詩》說存在不少差異，此處毋庸細論。需要強調的是，觀照古代《詩》說，應區分兩個互相關聯卻並不相同的層面：一是具體闡釋，一是價值取向；相對來說，具體闡釋更具有多元性，變動不居，價值取向則往往比較穩定，傾向於在某種內在一致性中延續，所謂萬變不離其宗。從學術思想史方面看，決定體系根本性質的往往是後者而非前者。惟其如此，二〈南〉部分作品，比如〈關雎〉、〈漢廣〉等等，〈詩論〉和〈五行〉給出的具體詮釋明顯有別於傳世《詩》說，可這並不意味著〈詩論〉、〈五行〉的價值取向和詮釋模式不會成為傳統《詩》學的底蘊。[1]究其實際，〈詩論〉和〈五行〉的觀點，

1　〈詩序〉云：「〈漢廣〉，德廣所及也。文王之道被于南國，美化行乎江、漢之域，無思犯禮，求而不可得也。」正義解釋說：「作〈漢廣〉詩者，言德廣所及也。言文王之道，初致〈桃夭〉、〈芣苢〉之化，今被於南國，美化行於江、漢之域，故男無思犯禮，女求而不可得，此由『德廣所及』然也。」將〈詩序〉之「無思犯禮，求而不可得」，分別歸屬於「男」、「女」兩方，從語法上講並

尤其是其取向和模式，往往就是後代學術思想的重要生長點。觀念、取向及模式的再生能力是不可低估的，一種觀念或者一種具體解釋所包含的取向和模式，往往可以再生出一種甚至數種分支觀念，或者一種甚至數種具體解釋，而「母源」和「新的生命體」有時候大不相同。

〈周南〉之詩十又一篇，〈詩序〉明確將〈漢廣〉和〈汝墳〉解釋為歌詠文王之道化，又說其餘九篇是歸美后妃之德。〈召南〉之詩十又四篇，〈詩序〉明確將〈羔羊〉、〈行露〉、〈摽有梅〉、〈江有汜〉、〈野有死麕〉、〈騶虞〉解釋為歌詠文王之化（〈詩序〉謂〈羔羊〉贊召南之國「在位皆節儉正直，德如羔羊」，但歸結點卻是「化文王之政」），又說〈鵲巢〉、〈采蘩〉、〈小星〉乃歸美夫人，〈草蟲〉、〈采蘋〉、〈殷其靁〉乃歸美大夫妻（〈殷其靁〉序所謂之「室家」即指妻子），[2]〈甘棠〉歸美召公，〈何彼襛矣〉歸美王姬，——美其下嫁於諸侯而猶執婦道、成其肅雝之德。

在以〈詩序〉為核心的漢唐《詩經》學形態模式中，〈行露〉和〈野有死麕〉在表達主旨方面相當複雜。我們先看看〈行露〉。該詩序文看起來是自相矛盾的：如果真正

不妥當，正義很可能誤解了〈詩序〉。朱熹《詩集傳》云：「文王之化，自近而遠，先及于江、漢之閒，而有以變其淫亂之俗。故其出游之女，人望見之，而知其端莊静一，非復前日之可求矣。因以喬木起興，江漢為比，而反復詠歎之也。」又謂：「以江、漢為比，而歎其終不可求，則敬之深。」謂游女「端莊静一」、「終不可求」，乃是詮釋「無思犯禮」之意。則朱熹殆認為〈詩序〉之「無思犯禮」、「求而不可得」，均是就漢之游女而言的，故基於這一端發揮。然而，游女之「求而不可得」並非〈漢廣〉之主旨，〈漢廣〉主旨是從核心主人公的立場上說游女之「不可求」：「漢有游女，不可求思」一句為主題句，「南有喬木」句為起興，江、漢廣永而不可渡越為疊映。毫無疑問，游女之「不可求」與游女之「求而不可得」有相當大的差距。上博〈詩論〉第四章嘗論及〈漢廣〉之「智」，並且高度稱贊其「晢（知）亙（恆）」，立足點是詩歌主人公「不求不可得，不叀（攻）不可能」。就是說，〈詩論〉乃以漢之游女之「不可得」、「不可能」，詮釋詩歌文本所謂之「不可求」，認為主人公意識到漢之游女不可得或不可能得，故而不求之或不從事於此求，予以高度肯定，從「晢（知）亙（恆）」這一政教倫理層面上加以推揚。〈詩論〉對〈漢廣〉的解讀顯然更為合理。首先，從主人公曉知游女之「不可得」、「不可能」到其「不求」、「不叀（攻）」，是很自然的邏輯推延。其次，〈詩論〉所有判斷都是圍繞詩作主體人物作出的。——一般説解常就「游女」立説，顯得偏頗而生硬。不過傳世〈漢廣〉之序與〈詩論〉的關聯還是十分明顯的。也許〈詩序〉作者有意將焦點轉換到「游女」身上（在這種情況下，所謂「無思犯禮」、「求而不可得」都指言漢之「游女」，朱熹的説解與此一致），也許是他誤解了〈詩論〉本意，亦或者傳世序文存在譌誤，即原文當作「〈漢廣〉，德廣所及也。文王之道被于南國，美化行乎江、漢之域，無思犯禮，〔不〕求（而）不可得也」（在這種情況下，所謂「無思犯禮」、「〔不〕求不可得」都指言詩作主體人物，焦點與〈詩論〉一致，而「無思犯禮」乃解釋主體人物「不求不可得，不叀（攻）不可能」的原因）。前、後兩種情況的可能性相對較大。

2 「室」與「家」均可指妻子。屈子《離騷》云：「羿淫遊以佚畋兮，又好射夫封（狐）〔豬〕。固亂流其鮮終兮，浞又貪夫厥家。」王逸章句曰：「婦謂之家。」《禮記・曲禮上》云：「人生十年曰『幼』，學；二十曰『弱』，冠；三十曰『壯』，有室。」鄭玄注：「有室，有妻也。妻稱室。」孔穎達疏：「壯有妻，妻居室中，故呼妻為室。」

是「衰亂之俗微，貞信之教興」，便不應有「彊暴之男……侵陵貞女」，——反言之也一樣，既然有後者，那麼前者就難以成立。漢人已經發現了這一問題。故鄭箋稱，〈詩序〉說的情況之所以存在，是因為〈行露〉關涉一個特殊的世代：「此殷之末世、周之盛德，當文王與紂之時。」正義解釋〈行露〉序則說得更加具體：

> 作〈行露〉詩者，言召伯聽斷男女室家之訟也。由文王之時，被化日久，衰亂之俗已微，貞信之教乃興，是故彊暴之男不能侵陵貞女也。男雖侵陵，貞女不從，是以貞女被訟，而召伯聽斷之。《鄭志》張逸問：「『〈行露〉，召伯聽訟』，察民之意，化耳，何訟乎？」答曰：「實訟之辭也。」民被化久矣，故能有訟。問者見貞信之教興，怪不當有訟，故云察民之意而化之，何使至於訟乎？答曰，此篇實是訟之辭也。由時民被化日久，貞女不從，男女故相與訟。如是民被化日久，所以得有彊暴者，紂俗難革故也。言彊暴者，謂彊行無禮而陵暴於人。

正義又解釋鄭箋之意云：「殷之末世，故有衰亂之俗；周之盛德，故有貞信之教。指其人當文王與紂之時也。」根據鄭箋以及孔疏，〈行露〉產生於文王與紂交叉發揮政教影響的特定歷史語境中，所謂彊暴之男侵陵貞女，乃紂俗之遺留，所謂貞女不從彊暴之男，則是文王之德化。由是〈詩序〉看似矛盾的說法便具有了合理性，至少也可以自洽。我們再看看〈野有死麕〉。該詩序文與〈行露〉之序類似。依照普通邏輯，既然有文王之化，便不應有「無禮」、「天下大亂，彊暴相陵」或者「淫風」。[3]鄭箋解〈野有死麕〉之序文，同樣強調該詩指涉時代的獨特性：「無礼（禮）者，為不由媒妁，鴈幣不至，劫脅以成昏。謂紂之世。」而正義解之云：「作〈野有死麕〉詩者，言『惡無礼（禮）』，謂當紂之世，天下大亂，彊暴相陵，遂成淫風之俗。被文王之化，雖當亂世，其貞女猶惡其無礼。經三章皆惡無礼之辭也。」一言以蔽之，文王之化發生於一個特定的時代（當時紂為天子而無道），並且呈現為一個動態的過程，故一時之間有已化，有未化。

從字面上看，〈周南〉之序有兩大主旨，即歌詠文王之道化與歸美后妃之德行；〈召南〉之序則有四大主旨，即歌詠文王之化、歸美夫人、歸美大夫妻，以及歸美召伯。可論及序文深意，所有這些內容其實都可以歸結為歸美文王之德化。這一點，〈詩序〉內部自有證據，今將其要者臚列於下。

其一，〈周南〉之歌詠后妃德行者，實可歸結於贊美文王之化。〈詩序〉謂〈汝墳〉

3　劉冬穎即稱：「這種解說是自相矛盾的。既然『被文王之化』，又怎會『天下大亂』呢？」（見氏著：《出土文獻與先秦儒家《詩》學研究》，北京：知識產權出版社，2010年，頁60）其實，古人早就意識到這一問題，而且給出了看起來很合理的解釋。

一詩美文王之「道化行」(或者說美「文王之化行」)，但該詩本文之意明顯是序文所說的「婦人能閔其君子」，這一點〈詩序〉十分明白，則將該詩歸結於美后妃之德是最直截、最省事的選擇，可〈詩序〉徑言「道化行」、「文王之化行乎汝墳之國」。個中原因即在於，依〈詩序〉之體系，即便歸美后妃之德，其根基仍然是文王之化。故鄭箋釋此序，曰：「言此婦人被文王之化，厚事其君子。」〈詩序〉詮釋〈芣苢〉云：「〈芣苢〉，后妃之美也。和平則婦人樂有子矣。」該序起先歸美后妃，但緊接著就歸其本於「和平」──文王之政教或道化。鄭箋釋「和平」二字，曰：「天下和，政教平也。」正義申之，云：「文王三分天下有其二，言『天下』者，以其稱『王』，王必以『天下』之辭，故〈騶虞〉序曰『天下純被文王之化』，是也。」此外，〈詩序〉云：「〈關雎〉，后妃之德也……」正義釋之曰：「二〈南〉之風，實文王之化，而美后妃之德者，以夫婦之性，人倫之重，故夫婦正則父子親，父子親則君臣敬，是以《詩》者歌其性情，陰陽為重，所以《詩》之為體，多序男女之事。」其大意是說，二〈南〉均為歌詠文王之化，之所以美后妃之德，乃因夫婦為人倫之重，而《詩》之為體則多敘男女性情，故也。這個問題還可以從另外一個角度來思考。儒家承繼了《詩經．大雅．思齊》「刑于寡妻，至于兄弟，以御于家邦」的傳統理念，基於此，其所謂后妃之德亦必然要歸本於文王之化。在〈詩序〉之體系中，其他歌詠后妃德行者，如〈葛覃〉、〈卷耳〉、〈樛木〉、〈螽斯〉、〈桃夭〉、〈兔罝〉、〈芣苢〉，均應作如是觀。

其二，〈召南〉歸美夫人者，實可歸結於美文王之化。〈詩序〉將〈鵲巢〉定位為歌詠「夫人之德」，謂「國君積行累功以致爵位，夫人起家而居有之，德如鳲鳩，乃可以配焉」(顯然，該序符同於《詩經．周南．關雎》「窈窕淑女，君子好逑」的理念)。但與此同時，〈詩序〉謂，「〈羔羊〉，〈鵲巢〉之功致也。召南之國，化文王之政，在位皆節儉正直，德如羔羊也」；又謂，「〈騶虞〉，〈鵲巢〉之應也。〈鵲巢〉之化行，人倫既正，朝廷既治，天下純被文王之化，則庶類蕃殖，蒐田以時，仁如騶虞，則王道成也」。依序意，《鵲巢》、《羔羊》、《騶虞》的政教倫理價值是一致的，其所謂「〈鵲巢〉之功」，與「化文王之政」同趨，所謂「〈鵲巢〉之化行」，與「天下純被文王之化」同效，則〈詩序〉雖然說〈鵲巢〉美「夫人之德」，其要本則仍在於美「文王之政」和「文王之化」。在〈詩序〉的體系中，其他歌詠夫人之德行者，如〈采蘩〉、〈小星〉、〈何彼襛矣〉，亦均應作如是觀(〈何彼襛矣〉所歌美者其實也是夫人，衹不過她兼有「王姬」這一獨特身份而已)。

其三，〈召南〉歸美大夫妻者，實可歸結於美文王之化。〈詩序〉謂〈殷其靁〉美大夫妻：「召南之大夫遠行從政，不遑寧處。其室家能閔其勤勞，勸以義也」。而〈周南．汝墳〉之序云：「〈汝墳〉，道化行也。文王之化行乎汝墳之國，婦人能閔其君子，猶勉之以正也。」〈殷其靁〉之序文與〈汝墳〉序所謂「婦人能閔其君子，猶勉之以正」，差不多完全相同，而後者進一步歸結到「文王之化行乎汝墳之國」。所以，〈殷其靁〉之序雖未明言這一層意思，可它在根子上與〈汝墳〉序有一致性，是毋庸置疑的。〈詩序〉云：「〈草蟲〉，大夫妻能以禮自防也。」又云：「〈采蘋〉，大夫妻能循法度也。能循法度，則可以承先祖，共（供）祭祀矣。」此兩序可與〈殷其靁〉序並觀。

其四，〈詩序〉謂〈召南・甘棠〉美召公，[4]其實也可以歸結於美文王之化。這樣說，首先一個根據是，〈召南・羔羊〉序贊美召國在位之卿大夫「節儉正直，德如羔羊」，卻歸其功於「化文王之政」，例之以〈羔羊〉，召伯豈能專擅〈甘棠〉之美呢？正義申說鄭箋〈甘棠〉序，嘗云：「若文王時，與周公共行王化，有美即歸之於王。」就是說，它主張《甘棠》作於周武王之世召公為伯之時，故歸美召公。可實際上，文王之化，豈因文王沒而遽衰？謝枋得（1226-1289）評〈秦風・無衣〉，嘗云：「吾知岐豐之地，被文王、周公之化最深。雖世降俗末，人心天理不可泯沒者，尚異于列國也。」（《叢書集成初編》本《詩傳注疏》卷上）謝氏所說已經證明了這個道理。其次一個依據是，〈詩序〉有強烈的體系化的意圖，這一點，二〈南〉之序表現得尤為鮮明。例言之，〈詩序〉謂〈周南〉末篇〈麟之趾〉為其首篇〈關雎〉之應、為「〈關雎〉之化行」，〈兔罝〉亦為「〈關雎〉之化行」。〈詩序〉又謂〈召南・羔羊〉為〈召南〉首篇〈鵲巢〉之功致，而〈召南〉末篇〈騶虞〉則為〈鵲巢〉之應，等等等等。這些都表明〈詩序〉有體系化的通盤考慮和安排。在這種情況下，將任何一首詩歌的序文孤立都不甚妥當。而〈詩序〉云：「〈騶虞〉，〈鵲巢〉之應也。〈鵲巢〉之化行，人倫既正，朝廷既治，天下純被文王之化，則庶類蕃殖，蒐田以時，仁如騶虞，則王道成也。」這意味著〈召南〉十四篇自始篇至末篇，全被〈詩序〉歸結於文王之化。〈大序〉也明確指出：「〈周南〉、〈召南〉，正始之道，王化之基。」正義釋之曰：「〈周南〉、〈召南〉二十五篇之詩，皆是正其初始之大道，王業風化之基本也。高以下為基，遠以近為始；文王正其家而後及其國，是正其始也，化南土以成王業，是王化之基也。」這也證明在〈詩序〉的體系建構中，〈周南〉、〈召南〉諸詩全都是立足於文王之化南土而言的，〈甘棠〉並不例外。

綜上所論，〈周南〉、〈召南〉諸詩，序文之核心端在「文王」以及「文王之化」。

4　正義解〈甘棠〉序，云：「謂武王之時，召公為西伯，行政於南土，決訟於小棠之下，其教著明於南國，愛結於民心，故作是詩以美之。經三章，皆言國人愛召伯而敬其樹，是為美之也。諸〈風〉、〈雅〉正經皆不言『美』，此云『美召伯』者，二〈南〉文王之風，唯不得言『美文王』耳。召伯臣子，故可言『美』也。〈芣苢〉言『后妃之美』，謂說后妃之美行，非美后妃也。《皇矣》言『美周』，不斥文王也。至於變詩，美、刺各於其時，故善者言美，惡者言刺。〈豳〉亦變風，故有『美周公』。」案：此說大謬。漢唐《詩經》學之言「美」、「刺」，本不限於所謂「變經」，如〈召南・甘棠〉、〈大雅・皇矣〉俱言「美」，孔疏以斥言不斥言深文周納，予以障蔽。且此說偏重於〈詩序〉中所見「美」、「刺」之名，罔顧其美刺之實。〈大序〉云：「頌者，美盛德之形容，以其成功告於神明者也。」則《詩經》之〈頌〉即為「美」詩，〈風〉、〈雅〉之所謂「正經」何獨偏偏就「不言『美』」呢？

還應該更深刻地認識到，如下表所示，〈周南〉、〈召南〉之序文呈現出結構性的重疊。——筆者首先對表中內容作以下說明：其一，各序文前面的數字序號表示它在《毛詩》中原來出現的次序。其二，序文橫向並列，表示兩者在結構上有重疊關係。其三，豎向並列的序文以實線區隔，表示它們呈現的是不同主題；以虛線區隔，表示它們在主旨上具有強烈的關聯性。

123〈周南〉、〈召南〉序文結構性重疊一覽表

	〈周南〉序	〈召南〉序
脩身明德	(1)〈關雎〉，后妃之德也，〈風〉之始也，所以風天下而正夫婦也，故用之鄉人焉，用之邦國焉。……〈關雎〉樂得淑女以配君子，憂在進賢，不淫其色。哀窈窕，思賢才，而無傷善之心焉。是〈關雎〉之義也。	(1)〈鵲巢〉，夫人之德也。國君積行累功以致爵位，夫人起家而居有之，德如鳲鳩，乃可以配焉。
	(2)〈葛覃〉，后妃之本也。后妃在父母家，則志在於女功之事，躬儉節用，服澣濯之衣，尊敬師傅，則可以歸安父母，化天下以婦道也。	(13)〈何彼襛矣〉，美王姬也。雖則王姬，亦下嫁於諸侯，車服不繫其夫，下王后一等，猶執婦道，以成肅雝之德也。
	(3)〈卷耳〉，后妃之志也，又當輔佐君子，求賢審官，知臣下之勤勞。內有進賢之志，而無險詖私謁之心，朝夕思念，至於憂勤也。	(2)〈采蘩〉，夫人不失職也。夫人可以奉祭祀，則不失職矣。
	(4)〈樛木〉，后妃逮下也（正義：言后妃能以恩義接及其下眾妾，使俱以進御於王也）。言能逮下，而無嫉妬之心焉。	(10)〈小星〉，惠及下也。夫人無妬忌之行，惠及賤妾，進御於君，知其命有貴賤，能盡其心矣。
	(5)〈螽斯〉，后妃子孫眾多也。言若螽斯不妬忌，則子孫眾多也。	
新民	(6)〈桃夭〉，后妃之所致也。不妬忌，則男女以正，婚姻以時，國無鰥民也。	(9)〈摽有梅〉，男女及時也。召南之國，被文王之化，男女得以及時也。
	(9)〈漢廣〉，德廣所及也。文王之道被于南國，美化行乎江、漢之域，無思犯禮，求而不可得也。	(6)〈行露〉，召伯聽訟也。衰亂之俗微，貞信之教興，彊暴之男不能侵陵貞女也。
		(12)〈野有死麕〉，惡無禮也。天下大亂，彊暴相陵，遂成淫風。被文王之化，雖當亂世，猶惡無禮也。

新民		(7)〈羔羊〉,〈鵲巢〉之功致也。召南之國，化文王之政，在位皆節儉正直，德如羔羊也。
		(5)〈甘棠〉，美召伯也。召伯之教，明於南國。
	(7)〈兔罝〉，后妃之化也。〈關雎〉之化行，則莫不好德，賢人衆多也。	
	(8)〈芣苢〉，后妃之美也。和平則婦人樂有子矣。	
	(10)〈汝墳〉，道化行也。文王之化行乎汝墳之國，婦人能閔其君子，猶勉之以正也。	(8)〈殷其靁〉，勸以義也。召南之大夫遠行從政，不遑寧處。其室家能閔其勤勞，勸以義也。
		(3)〈草蟲〉，大夫妻能以禮自防也。【正義：喓喓然鳴而相呼者，草蟲也；趯趯然躍而從之者，阜螽也。以興以礼（禮）求女者，大夫；隨從君子者，其妻也。此阜螽乃待草蟲鳴，而後從之而與相隨也，以興大夫之妻必待大夫呼己而後從之與俱去也。既已隨從君子，行嫁在塗，未見君子之時，父母憂己，恐其見棄，己亦恐不當君子，無以寧父母之意，故憂心衝衝然。亦既見君子，與之同牢而食，亦既遇君子，與之臥息於寢，知其待己以礼（禮），庶可以安父母，故我心之憂即降下也。】
		(4)〈采蘋〉，大夫妻能循法度也。能循法度，則可以承先祖，共（供）祭祀矣。
		(11)〈江有汜〉，美媵也。勤而無怨，嫡能悔過也。文王之時，江沱之間，有嫡不以其媵備數，媵遇勞而無怨，嫡亦自悔也。【正義：當文王之時，江、沱之間，有嫡不以其媵備妾御之數，媵遇憂思之勞而無所怨，而嫡有所思，亦能自悔過也。此本為美媵之不怨，因言嫡之能自悔，故美媵而後兼嫡也。嫡謂妻也，媵謂妾也。謂之媵者，以其從嫡，

		以送為名。故〈士昏禮〉注云：「媵，送也。」古者女嫁必姪娣從，謂之媵也。〈士昏禮〉云：「雖無娣，媵先。」言若或無娣，猶先姪媵，是士有娣，娣但不必備耳。〈喪大記〉「大夫撫姪娣」，是大夫有姪娣矣。《公羊傳》曰：「諸侯一取九女，二國媵之。」所從皆名媵，獨言二國者，異國主為媵，故特名之。其實，雖夫人姪娣亦為媵也。此言嫡媵，不指其諸侯、大夫及士庶，雖文得兼施，若夫人，宜與〈小星〉同言「夫人」。此直云「有嫡」，似大夫以下，但無文以明之。】
	（11）〈麟之趾〉，〈關雎〉之應也。〈關雎〉之化行，則天下無犯非禮，雖衰世之公子，皆信厚如麟趾之時也。	（14）〈騶虞〉，〈鵲巢〉之應也。〈鵲巢〉之化行，人倫既正，朝廷既治，天下純被文王之化，則庶類蕃殖，蒐田以時，仁如騶虞，則王道成也。

接下來，筆者將簡要分析二〈南〉序文在結構上的重疊關係。

〈周南〉序一「〈關雎〉，后妃之德也」，與〈召南〉序一「〈鵲巢〉，夫人之德也」，十分明顯地重疊。〈周南〉序十一「〈麟之趾〉，〈關雎〉之應也。〈關雎〉之化行，則（如何如何）」，〈召南〉序十四「〈騶虞〉，〈鵲巢〉之應也。〈鵲巢〉之化行，人倫既正，朝廷既治，天下純被文王之化，則（如何如何）」，兩者亦明顯重疊，衹不過前者側重於「衰世之公子，皆信厚」，而後者側重於「庶類蕃殖，蒐田以時」。〈周南〉序二詮釋〈葛覃〉，主旨是后妃「化天下以婦道」；〈召南〉序十三詮釋〈何彼襛矣〉，主旨是贊美王姬下嫁於諸侯，「猶執婦道，以成肅雝之德」。兩者在結構上又明顯重疊。〈周南〉序三「〈卷耳〉，后妃之志也」，〈召南〉序二「〈采蘩〉，夫人不失職也」，看起來差異較大，然前者續申語所謂「又當輔佐君子，求賢審官」云云，實際上主要是說職守，故兩序也有重疊關係。除此之外，〈周南〉序四、序五詮釋〈樛木〉和〈螽斯〉，均立足於后妃不妒忌，來作發揮引申，〈召南〉序十詮釋〈小星〉，核心則是「夫人無妒忌之行」。〈周南〉序六詮釋〈桃夭〉，據后妃之德言男女「婚姻以時」，——其實最終仍須歸結於文王之化，而〈召南〉序九詮釋〈摽有梅〉，據「文王之化」言「男女得以及時」。凡此亦均有結構上的重疊關係。〈周南〉序九詮釋〈漢廣〉，主旨是基於文王之化談貞女「無思犯禮，求而不可得」，〈召南〉序六、序十二詮釋〈行露〉和〈野有死麕〉，主旨是基於文王之化談貞女之不可侵凌與厭惡無禮，這些顯然也是重疊的。〈召南〉序七詮釋〈羔羊〉，主旨是基於文王之化談召南之國「在位皆節儉正直，德如羔羊」，跟〈詩序〉

詮釋〈行露〉和〈野有死麕〉相比，這僅僅是換了一個面向，故可將此三序歸為一類。〈召南〉序五詮釋〈甘棠〉，聚焦於「召伯之教」，但其核心事件則是召伯聽訟。比如該詩首章云：「蔽芾甘棠，勿翦勿伐，召伯所茇。」鄭箋曰：「茇，草舍也。召伯聽男女之訟，不重煩勞百姓，止舍小棠之下而聽斷焉。國人被其德，說（悅）其化，思其人，敬其樹。」然則〈甘棠〉序與〈行露〉序實有直接關聯，二者可以並觀。這意味著〈羔羊〉、〈甘棠〉二詩之序與〈漢廣〉之序有某種程度的重疊關係。〈周南〉序十詮釋〈汝墳〉，核心是「婦人能閔其君子，猶勉之以正」；〈召南〉序八詮釋〈殷其靁〉，核心是婦人閔其君子之勤勞，猶「勸以義」。兩者在結構上的重疊關係是毋庸置疑的。〈召南〉序三詮釋〈草蟲〉，主旨是「大夫妻能以禮自防也」；序四詮釋〈采蘋〉，主旨是「大夫妻能循法度也」；序十一詮釋〈江有汜〉，主旨是美媵「勤而無怨」，兼美「嫡能悔過」。它們均可為〈殷其靁〉序的附庸，就是說，它們與〈汝墳〉序也在某種程度上重疊。呈現於各篇序文間的這種結構上的重疊，對審視〈詩序〉體系的建構具有重要意義。

儘管看起來有些參錯複雜，但從本質上說，〈周南〉十一篇之序全是由后妃之德行，上推至文王之化；〈召南〉十四篇之序，除〈甘棠〉序外，亦均為由夫人之德行，上推至文王之化。——也許有朋友會問，〈召南・羔羊〉之序可以與夫人之德關聯嗎？答案是肯定的。稽考〈周南〉序七對〈兔罝〉的詮釋，問題就十分清楚了。至於〈召南〉序三詮釋〈殷其靁〉、序四詮釋〈采蘋〉、序八詮釋〈殷其靁〉、序十一詮釋〈江有汜〉，雖然均以大夫妻為言，卻均可進一步上推至婦人之德行。這裏舉一個「負面的」例子，來說明這一問題。《詩經・鄘風・桑中》序云：「〈桑中〉，刺奔也。衛之公室淫亂，男女相奔，至於世族在位，相竊妻妾，期於幽遠，政散民流而不可止。」正義申之，曰：「作〈桑中〉詩者，刺男女淫亂而相奔也。由衛之公室淫亂之所化，是故又使國中男女相奔，不待礼（禮）會而行之，雖至於世族在位為官者，相竊其妻妾，而期於幽遠之處，而與之行淫。時既如此，即政教荒散，世俗流移，淫亂成風而不可止，故刺之也。」其將世族在位者之淫風，歸咎於公室淫亂之所化，與將大夫妻遵禮法、循婦道、守節義，歸本於夫人德行之化易，依據的其實是同一種邏輯規則。這種規則在儒學中具有相當大的普遍性。明乎此，便可以確認，〈周南〉序的基底是后妃脩身明德推進而至於新民，而〈召南〉序的基底則是夫人脩身明德推進而至於新民（它們共同的底色是文王之化），這是二〈南〉序文在結構上的又一個重要疊合。朱熹〈騶虞〉集傳云：「文王之化始於〈關雎〉，而至於〈麟趾〉，則其化之入人者深矣；形於〈鵲巢〉，而及於〈騶虞〉，則其澤之及物者廣矣。蓋意誠心正之功不息而久，則其熏烝透徹，融液周徧，自有不能已者，非智力之私所能及也。故序以〈騶虞〉為『〈鵲巢〉之應』，而見『王道之成』，其必有所傳矣。」毫無疑問，表中所列，有時候僅僅是一種可能的方式，而不是唯一的方式。比如，我們也可以說〈周南〉序七詮釋〈兔罝〉，與〈召南〉序7詮釋〈羔羊〉有重疊關係。但無論怎麼組合，都無以根本上改變其學理上的骨架。

在漢唐《詩經》學形態模式中，〈周南〉、〈召南〉之詩，唯〈召南．甘棠〉與〈何彼襛矣〉作於周武王（西元前1043-1046年在位）時。[5]這一判斷，看起來有一定的合理性。〈甘棠〉三章，分別有「召伯所茇」、「召伯所憩」、「召伯所說（舍）」之語。鄭箋解釋該詩之序，云：「召伯，姬姓，名奭，食采於召，作上公，為二伯，後封于燕。此美其為伯之功，故言『伯』云。」正義申之，曰：

> 〈燕世家〉云「召（伯）〔公〕奭與周同姓」，是姬姓、名奭也。……食采文王時，為伯武王時。故〈樂記〉曰武王伐紂，五成而分陝，「周公左，召公右」，是也。食采、為伯異時連言者，以經「召」與「伯」並言，故連解之。言「後封於燕」者，〈世家〉云武王滅紂，「封召公於北燕」，是也。必歷言其官者，解經唯言「召伯」之意。不舉餘言，獨稱「召伯」者，美其為伯之功，故言「伯」云。故《鄭志》張逸以〈行露〉箋云「當文王與紂之時」，謂此〈甘棠〉之詩亦文王時事。故問之云：「《詩》傳及〈樂記〉武王即位，乃分周公左、召公右為二伯。文王之時，不審召公何得為伯？」荅曰：「〈甘棠〉之詩，『召伯』自明，誰云文王與紂之時乎？」是鄭以此篇所陳巡民決訟，皆是武王伐紂之後，為伯時事。鄭知然者，以經云「召伯」，即此詩召公為伯時作也。序言「召伯」，文與經同，明所美亦是為伯時也。若文王時，與周公共行王化，有美即歸之於王。〈行露〉直言「召伯聽訟」，不言「美」也。詩人何得感文王之化，而曲美召公哉！武王之時，召公為王官之伯，故得美之，不得繫之於王。因詩繫召公，故錄之在〈召南〉。論卷則揔歸文王，指篇即專美召伯也。為伯分陝，當云西國，言南者，以篇在〈召南〉為正耳。

正義申言〈甘棠〉當作於召公為伯於武王之時，可以參考，然所謂「論卷則揔歸文王，指篇即專美召伯」之說，顯然是硬加給〈詩序〉的意思，並不妥當。鄭玄〈周南召南譜〉論〈周南〉、〈召南〉「二國之詩」，有云：「……二國之詩以后妃夫人之德為首，終以〈麟趾〉、〈騶虞〉，言后妃夫人有斯德，興助其君子，皆可以成功，至于獲嘉瑞」。正義釋之云：

> 〈周〉、〈召〉二十五篇，唯〈甘棠〉與〈何彼襛矣〉二篇乃是武王時作。武王伐紂，乃封太公為齊侯，令周、召為二伯。而〈何彼襛矣〉經云「齊侯之子」，太公已封於齊，〈甘棠〉經云「召伯」，召公為伯之後，故知二篇皆武王時作。非徒

5 案周武王在位年限，參閱夏商周斷代工程專家組編著：《夏商周斷代工程1996-2000年階段成果報告》（簡本），北京：世界圖書出版公司北京公司，2000年，頁88。

作在武王之時，其所美之事亦武王時也。〈行露〉雖述召伯事，與〈甘棠〉異時。趙商謂其同時，疑而發問。故《志》趙商問：「〈甘棠〉、〈行露〉之詩，美召伯之功，箋以為當文王與紂之時，不審召公何得為伯？」荅曰：「〈甘棠〉之詩，『召伯』自明，誰云文王與紂之時乎？」至〈行露〉篇，箋義云「衰亂之俗微，貞信之教興」，若當武王時，被〈召南〉之化久矣，衰亂之俗已銷，安得云「微」？云此文王時也。序義云「召伯聽訟」者，從後錄其意，是以云然。而鄭此荅，明〈甘棠〉箋之所云「美其為伯之功」，謂武王時也。此二篇武王時事，得入〈召南〉風者，以詩繫於「召」，「召」為詩主，以其主美召伯，因即錄於〈召南〉。王姬以天子之女，降尊適卑，不失婦道，〈召南〉多陳人倫，事與相類。又王姬賢女，〈召南〉「賢化」，又作在武王之世，不可入文王聖化之風，故錄之於〈召南〉也。

〈甘棠〉、〈何彼襛矣〉二篇確可能作於武王之時，彼時召公為西伯。但文王之化其實是後人在歷史回憶和反思中建構政教倫理根基的問題，就是說並非一個簡單的歷史問題，它不會因為文王的逝去而消失，相反倒可能因為文王逝去而被凸顯、被強化和定型。《史記・周本紀》云，文王「蓋即位五十年」，「積善累德，諸侯皆嚮之」，當世已有化「天下」、「諸侯」之事。文王死，武王即位，「師脩文王緒業」。故文王之化勢必要延續到文王之後。《詩三百篇》，特別是其〈大雅〉、〈周頌〉部分，有大量篇什，比如〈大雅・文王〉、〈大明〉、〈緜〉、〈思齊〉、〈皇矣〉、〈下武〉、〈文王有聲〉，以及〈周頌・清廟〉、〈維天之命〉、〈維清〉、〈我將〉、〈烈文〉、〈天作〉、〈武〉、〈昊天有成命〉、〈執競〉等，均詠唱文王之德政；這些詩篇基本上是作於武王及武王以後，其中〈下武〉由武王有聖德而詠文王之業以及周先人之功，〈文王有聲〉由武王得人君之道而詠文王得人君之道，〈昊天有成命〉歌詠文、武、成王等，都是典型例證。對文王德政的高度認可，是將文王之化確立為政教根基的基礎。子思〈五行〉在一般政教倫理和道德修為層面上，搭起了文王之化的基本架構，與《詩》學是密切相關的；而差不多同時或稍後，〈詩序〉完全在《詩經》學層面上完成了這一理念體系。在這種學理建構中，詩人雖然不會「感文王之化，而曲美召公」，但召公政教之美，實可歸結於文王之化。〈何彼襛矣〉美王姬執婦道以「成肅雝之德」，亦當作如是觀。

在漢唐《詩經》學形態模式中，〈周南〉之「文王一后妃」與〈召南〉之「國君一夫人」常常被解釋為異形同構，就是說，二者往往都被歸結到文王和大姒身上。鄭玄〈周南召南譜〉云：「初，古公亶父『聿來胥宇』，『爰及姜女』。其後，大任『思媚周姜』，『大姒嗣徽音』，歷世有賢妃之助，以致其治。文王『刑于寡妻，至于兄弟，以御于家邦』。是故二國之詩以后妃夫人之德為首，終以〈麟趾〉、〈騶虞〉，言后妃夫人有斯德，興助其君子，皆可以成功，至于獲嘉瑞。」正義釋之曰：

此「后妃」、「夫人」皆大姒也，一人而二名，各隨其事立稱。礼（禮），天子之妃曰「后」，諸侯之妃曰「夫人」。以〈周南〉，王者之化，故稱「后妃」；〈召南〉，諸侯之化，故云「夫人」。直以化感為名，非為先後之別。有陳聖化，雖受命前事，猶稱「后妃」；有說賢化，雖受命後事，尚稱「夫人」。二國別稱，而「文王」不異文者，〈召南〉夫人為首，「后妃」變稱「夫人」，足知賢、聖異化，於「文王」不假復異其辭，故〈鵲巢〉之序言「國君」以著義於後，皆以常稱言之。……〈周南〉上八篇言后妃，〈漢廣〉、〈汝墳〉言文王。[6]〈召南〉上二篇言夫人，〈羔羊〉、〈摽有梅〉、〈江有汜〉、〈騶虞〉四篇言文王。[7]所以論后妃夫人詳於〈周南〉，而略於〈召南〉者，以〈召南〉「夫人」則〈周南〉「后妃」，既於「后妃」事詳，所以〈召南〉於「夫人」遂略。……序者以此二風皆是文王之化，太姒所贊。〈周南〉以〈桃夭〉至〈芣苢〉三篇為后妃所致，〈漢廣〉以下，其事差遠，為文王之致。〈召南〉以〈草蟲〉至〈行露〉四篇為夫人所致，〈羔羊〉以下差遠，為文王之致。各舉其事，互相發明。

歐陽修（1007-1072）〈時世論〉云：「……二〈南〉皆是文王、太姒之事，……所謂文王、太姒之事，其德教自家刑國，皆其夫婦身自行之，以化其下，久而變紂之惡俗，成周之王道，而著於歌頌爾。」又云，「〈關雎〉、〈鵲巢〉所述，一太姒爾」，「二〈南〉之事，一文王爾」。[8]歐陽修〈詩解八篇・周召分聖賢解〉指出：「二〈南〉之作，當紂之中世而文王之初，是文王受命之前也。世人多謂受命之前，則太姒不得有『后妃』之號。夫『后妃』之號非詩人之言，先儒序之云爾。」[9]〈詩序〉是以闡釋詩作為基礎的政教倫理建構，它並非罔顧詩作之年代學事實，但它在這一方面的很多判斷都不準確，其牽強附會的解詩方法，更加劇了文本與詩說間的齟齬和錯亂，然而從政教倫理的抽象層面，尤其是其宗旨、取向上看，說二〈南〉是文王太姒化天下之事，且歸本於「文王之化」，合乎傳世〈詩序〉、《毛傳》、《鄭箋》、《孔疏》的基本意圖。

總之，在以〈詩序〉為核心的漢唐《詩經》學形態模式中，〈周南〉、〈召南〉的政教倫理核心是「文王」或「文王之化」。《詩大序》云：「……〈關雎〉、〈麟趾〉之化，

---

6 案：〈周南〉最後一篇〈麟之趾〉被〈詩序〉解為「〈關雎〉之應」，當與〈關雎〉一起歸於言后妃一類。故〈周南〉言后妃者實有九篇。

7 案：正義謂〈召南〉言夫人者有〈鵲巢〉、〈采蘩〉，所謂「夫人」指文王夫人大姒。〈詩序〉謂〈小星〉「夫人無妬忌之行」云云，亦當歸於此類。歐陽修〈時世論〉明揭此意（參見傅雲龍、吳可主編：《唐宋明清文集》第一輯《宋人文集》卷一，天津：天津古籍出版社，2000年，頁281）。又，正義計言文王者，殆漏掉了〈野有死麕〉一詩。〈行露〉序謂「召伯聽訟」，〈甘棠〉序謂「美召伯」，正義亦未計入，實均當歸於言文王者，其詳見上文所論。

8 傅雲龍、吳可主編：《唐宋明清文集》第一輯《宋人文集》卷一，頁281-282。

9 〔宋〕歐陽修著，洪本健校箋：《歐陽修詩文集校箋》上海：上海古籍出版社，2009年，頁1601。

王者之風，故繫之周公。南，言化自北而南也。〈鵲巢〉、〈騶虞〉之德，諸侯之風也，先王之所以教，故繫之召公。」鄭箋云：「從北而南，謂其化從岐周被江漢之域也。先王，斥大王、王季（正義：太王始有王迹，周之追謚上至太王而已，故知『先王』斥太王、王季）。」正義解釋這段序文，曰：

> ……〈關雎〉、〈麟趾〉之化，是王者之風，文王之所以教民也。王者必聖，周公聖人，故繫之周公。不直名為「周」而連言「南」者，言此文王之化自北土而行於南方故也。〈鵲巢〉、〈騶虞〉之德，是諸侯之風，先王大王、王季所以教化民也。諸侯必賢，召公賢人，故繫之召公。不復言「南」，意與「周南」同也。〈周南〉言「化」，〈召南〉言「德」者，變文耳。上亦云「〈關雎〉，后妃之德」，是其通也。諸侯之風言「先王之所以教」，王者之風不言「文王之所以教」者，二〈南〉皆文王之化，不嫌非文王也；但文王所行，兼行先王之道，感文王之化為〈周南〉，感先王之化為〈召南〉，不言「先王之教」無以知其然，故特著之也。此實文王之詩，而繫之二公者，《志》張逸問：「『王者之風』，王者當在雅，在風何？」答曰：「文王以諸侯而有王者之化，述其本，宜為風。」逸以文王稱王，則詩當在雅，故問之。鄭以此詩所述，述文王為諸侯時事，以有王者之化，故稱「王者之風」，於時實是諸侯，詩人不為作雅。文王三分有二之化，故稱「王者之風」，是其風者，王業基本。此述服事殷時王業基本之事，故云「述其本，宜為風」也。化霑一國謂之為風，道被四方乃名為雅，文王纔得六州，未能天下統一，雖則大於諸侯，正是諸侯之大者耳。此二〈南〉之人猶以諸侯待之，為作風詩，不作雅體。體實是風，不得謂之為雅。文王末年，身實稱王，又不可以〈國風〉之詩繫之王身。名無所繫，詩不可棄，因二公為王行化，是故繫之二公。

「文王之化」是〈詩序〉所表徵的《詩經》學二〈南〉體系的核心，它對應的是〈大學〉八目中的「平天下」，亦即「明明德於天下」。而為文王所化的其他成員，比如后妃或者侯伯，則可以充當化民的次一級核心。〈葛覃〉序謂后妃「化天下以婦道」，〈兔罝〉序謂「后妃之化也。〈關雎〉之化行，則莫不好德，賢人眾多也」，〈甘棠〉序謂「召伯之教，明於南國」，俱為典型例子。化民之次一級核心發揮其政教倫理作用，依賴於接受化民之上一級核心的影響。比方說，后妃大姒化天下的前提是文王「刑于寡妻」。文王先自明其德（對應於〈大學〉八目中的「脩身」），進而至於明明德於其家（對應於〈大學〉八目中的「齊家」），其后妃或夫人受其德化，故好善、好德、好賢，不淫不亂，志在於女功之事，躬儉節用，尊敬師傅，而不妬忌（參閱〈周南．關雎〉至

〈芣苢〉八詩之序），[10]故「有均壹之德如鳲鳩然」（〈召南・鵲巢〉鄭箋），奉事祭祀而不失職（〈召南・采蘩〉序），至此后妃夫人纔可以化他人，——「化天下以婦道」或使人「好德」（參閱〈葛覃〉與〈兔罝〉之序）。有一點是毫無疑問的，化民的次一級核心，其政教功能不能實現於跟其上一級核心同樣大的範域。即唯文王之化可以廣佈於天下，其行乎江漢之域，「故男無思犯禮，女求而不可得」（〈周南・漢廣〉序之正義）；[11]其行乎汝墳之國，故婦人閔其君子之勞，卻能勸之以義（〈周南・汝墳〉序）；其行乎「天下」，故天下無犯非禮，雖衰世之公子皆歸於信厚（〈周南・麟之趾〉序），「庶類蕃殖，蒐田以時，仁如騶虞」（〈召南・騶虞〉序）。如此等等。要之，「化」的實現有一個分層的交叉重疊的複雜社會網絡。

綜上所論，為什麼以〈詩序〉為表徵的《詩經》學二〈南〉體系的核心一定是「文王」或「文王之化」，而且一定是這樣的「文王」呢？這顯然具有某種歷史的規定性。在這一《詩》學建構背後，我們可以看到最遥遠的〈雅〉、〈頌〉文本所凸顯的文王具備以下「親（新）民」（〈大學〉三綱之二）之特徵：「刑于寡妻，至于兄弟，以御于家邦」（《詩經・大雅・思齊》）；其前提，當然是文王之「明明德」（〈大學〉三綱之一）。而接下來值得注意的，是〈詩論〉對文王之德與文王受命的高度關注。再接下來值得注意的，則是〈五行〉以文王為「君子」人格之範式的學說體系。該體系與〈大雅・大明〉、〈文王〉等歌詠文王德行的詩作關聯甚深。它很可能是子夏創發〈詩序〉的現實語境，而且，它肯定是毛公最終完成〈詩序〉和《毛傳》的「前期成果」。河間獻王劉德好毛公之學。劉德生於西元前一七三至西元前一七〇年之間，[12]景帝前元二年（西元前155年）封河間王，武帝元光五年（西元前130年）離世。而發現帛書〈五行〉篇的長沙馬王堆漢墓，其墓主是第二代軑侯利豨的一位兄弟，下葬時間為漢文帝前元十二年（西元前168年）；〈五行〉篇不可能僅有這一個鈔本，而且自此便從人世間消失。以〈詩序〉為表徵的《詩經》學二〈南〉體系，基本上是〈五行〉篇「文王」範式的《詩》學繁衍。〈五行〉篇「文王」範式之「忌（己）仁而以人仁，忌（己）義而以人義」、「大悳（德）備成」、「仁復（覆）四海、義襄（囊）天下」，使天下「（與）〔興〕仁義」等等特質，正是二〈南〉序、傳、箋的潛臺詞。除了本文所論，〈五行〉與《詩經》學的其他所有關聯也都可以證成這一結論。

當然，〈五行〉文王化天下觀念對漢唐《詩經》學的影響不限於此，筆者衹不過是以此為典型個案而已。

---

10 后妃當亦有女功之事。春秋時候公父文伯之母論古者聖王之事，云：「王后親織玄紞，公侯之夫人加之以紘、綖，卿之內子為大帶，命婦成祭服，列士之妻加之以朝服，自庶士以下，皆衣其夫。」（《國語・魯語下》「公父文伯之母論勞逸」章）

11 案：正義將〈詩序〉「無思犯禮，求而不可得」分給「男」、「女」兩方，並不妥當，參見上文的論析。

12 參閱成祖明〈河間獻王與景武之世的儒學〉，《史學集刊》，2007年第四期，頁69。

《詩經・唐風》用「杜」的歷史意涵

陳春保
南通大學文學院

語言是一個民族的重要的外在特徵，具有豐富的歷史內涵，而名物詞作為高光性、標記性語言，其產生與使用過程都明顯地彰顯著一定的社會心理。《詩經・國風》所涉名物眾多，賦、比、興等手法往往借助名物實現其藝術價值，作者生於斯長於斯的鄉土自然物成為了絕佳選擇。正因為如此，這些自然物往往都已經不再是「自然物本身」，其中所使用的名物詞也敘述著不同的文化事象，寄托著不同的社會歷史心理。

一

在《詩經・國風》中，「杜」、「棠」、「棣」實為一物，然而其用有異。《召南・甘棠》有：「蔽芾甘棠，勿剪勿伐，召伯所茇」，用「甘棠」；《召南・何彼襛矣》有：「何彼襛矣？唐棣之華」，用「唐棣」，又可寫作「棠棣」、「常棣」；《秦風・終南》有：「終南何有，有紀有堂」，「紀」為「杞」之借字，「堂」為「棠」之借字；《秦風・晨風》有：「山有苞棣，隰有樹檖」，用「棣」；而《詩經・唐風》之〈杕杜〉及〈有杕之杜〉兩詩皆以「有杕之杜」起興，並兼用為比，篇中都用「杜」，與前此數者不同。為更好地說明問題，現引《詩經・唐風》之〈杕杜〉及〈有杕之杜〉並略釋其義如下：

杕杜

有杕之杜，其葉湑湑。獨行踽踽，豈無他人？不如我同父。嗟行之人，胡不比焉？人無兄弟，胡不佽焉？

有杕之杜，其葉菁菁。獨行睘睘，豈無他人？不如我同姓。嗟行之人，胡不比焉？人無兄弟，胡不佽焉？

有杕之杜

有杕之杜，生於道左。彼君子兮，噬肯適我。中心好之，曷飲食之？

有杕之杜，生於道周。彼君子兮，噬肯來遊。中心好之，曷飲食之？

對這兩首詩，《毛序》曰：「〈杕杜〉，刺時也。君不能親其宗族，骨肉離散，獨居而無兄弟，將為沃所並爾。」又，《毛序》曰：「〈有杕之杜〉，刺晉武公也。武公寡特，兼其宗族，而不求賢以自輔焉。」今人解此兩詩，《毛序》所言可供參照，這兩首詩的立意都是諷刺時君不能念及宗族之情、顧及血親團結，抒泄心中的憤悶。

趙沛霖先生有〈樹木興象的起源與社樹崇拜〉一文，對這兩首詩以「杜樹」入詩有過很好的闡釋。趙先生認為，唐地民間以杜樹為社樹，《唐風》詠杜即詠其社神。詩中敘寫流離之人，處於困境之中，遭受異姓冷眼，「在詩人欲詠其內心情思之際，那根深蒂固的傳統觀念便油然而生，他首先想到（也許他恰好看到）那象徵宗族團聚、鄉里之情的故國神樹，杜樹便成為他的精神和感情的寄托。」[1]「根深蒂固的傳統觀念」，顯然是歷史的。趙先生的看法能夠對〈杕杜〉及〈有杕之杜〉的內涵有所闡發，不過，這種「觸景生情」、「感物興懷」的文學表現的解釋，對其用「杜」這一語詞作為「物名」與其它地域詩篇之異的原因，並不具有充足的解釋力。這成為解讀該詩亟需說明的歷史語言問題。

二

考察「杜」、「棠」、「棣」三者關係是解決問題的第一步。清初陳大章《詩傳名物集覽》是《詩經》名物訓詁集成之作，其中涉及「杜」、「棠」內容如下：

> 《朱傳》：「甘棠，杜梨也。白者為棠，赤者為杜。」《爾雅》：「杜，赤棠。《疏》郭云：『今之杜梨』」，又曰：「杜，赤棠，白者棠。」舍人曰：「杜，赤色，名赤棠，白者亦名棠。然則其白者為棠，其赤者為杜，為甘棠，為赤棠。」〈杕杜〉傳云：「杜，赤棠是也。」《陸疏》：「赤棠與白棠同，但子有赤白美惡。子白色為白棠甘棠，少酢滑美。赤棠子澀而酢。俗語云，澀如杜是也。赤棠木理韌，亦可作弓幹。」《雅翼》：「每梨有十餘子，唯一子生梨，余者生杜。」《通志》：「甘棠謂棠梨，其花謂之海棠花，其實謂之海紅子。」孫楚〈杕杜賦〉序：「梨有用為貴，杜無用為賤。」《字說》：「詩言蔽芾甘棠，以杜之美言。有杕之杜，以棠之惡。」……按棠又有沙棠。張楫曰：「沙棠狀如棠，黃華赤實，味如李，無核。」《呂氏春秋》：「果之美者，沙棠之實。」《名物疏》：「杜者，棠之總名，種有赤白之異。其實白棠為甘棠，而赤棠為杜。」陸璣、羅願之說可信。邢疏誤。張爾公曰：「棠杜實二物，杜者小，梨實，小於梨大於棠；棠則海紅嘉慶之類。《說文》分棠為牡，杜為牝，非。《韻會小補》於棠字外別出糖字，尤謬。」[2]

即白者為棠，為甘棠，即棠梨，花即海棠花；杜為赤棠，而棠、杜實為二物。

1 趙沛霖：〈樹木興象的起源與社樹崇拜〉，《河北學刊》，1984年第3期，頁82-86。

2 〔清〕陳大章：《詩傳名物集覽》北京：中華書局，1985年，頁277-278。

清乾隆年間學者徐鼎纂輯有《毛詩名物圖說》，對「甘棠」考釋稍略，錄之以備參考如下：

〔《爾雅．釋木》〕杜，甘棠。〔郭璞注〕今之杜梨。〔《正義》〕舍人曰：「杜赤色，名赤棠。白者亦名棠。」然則白者為棠，赤者為杜。〈杕杜〉傳曰：「杜，赤棠是也。」〔陸璣《詩疏》〕赤棠與白棠同耳。但子有赤白、美惡。子白色為白棠，甘棠也，少酢滑美。赤棠子澀而酢，俗語云「澀如杜」是也。〔愚按〕《釋木》又云：「杜，赤棠。白者棠。」然則棠有赤、白二種，杜其統名也。白者甘棠，赤者為杜，誠如陸璣所說。郭璞云「棠色異，異其名」，此因其子有赤白，故分別言之。[3]

可總結為白者為棠，赤者為杜，杜亦其統名。徐鼎還在《毛詩名物圖說》中另釋「唐棣」，錄之以備參考如下：

〔毛《傳》〕唐棣，移也。(《正義》) 舍人曰：「唐棣，一名移。」郭璞曰：「今白移也，似白楊。江東呼『夫移』。」〔《埤雅》〕凡木之華，皆先合而後開，惟此華先開而後合。《詩》曰：「唐棣之華，偏其反而。」〔陳藏器《本草拾遺》〕扶移木生江南山谷，樹大十數圍，無風葉動，花反後合。〔崔豹《古今注》〕移楊圓葉，弱蒂，微風大搖。一名高飛，一名移柳。〔羅願《爾雅翼》〕葉無風自動，此是移楊，非白楊也。〔愚按〕《釋木》云「唐棣，移」，又云「常棣，棣也」，蓋移即白楊。花開後合，即〈何彼襛矣〉之「唐棣」與逸詩「偏其反而」之「唐棣」是也。常棣一名白棣，子如櫻桃，可食，《小雅》「常棣之華」是也。讀者混「唐棣」為「常棣」者誤，且讀「常棣」為「棠棣」音者，則又誤矣。[4]

徐鼎將唐棣釋為白移，而釋常棣為白棣，並認為唐棣、常棣是兩種不同的樹，讀音亦不同。王承略先生此條「解說」說：「馬瑞辰《毛詩傳箋通釋》以為〈何彼襛矣〉之唐棣，乃常棣之訛，常棣即赤棣。」[5]

清嘉慶年間學者馬瑞辰《毛詩傳箋通釋》釋「杜、棠」曰：「蓋對文則杜與棠異，散文則甘棠、赤棠皆謂之杜。……有一種結實而小，味澀且酢，俗名海棠果，又名花紅者，即古之赤棠也。其實大而味甘，有似蘋婆果者，則甘棠也。」[6]比較之下，馬瑞辰

3 〔清〕徐鼎：《毛詩名物圖說》北京：清華大學出版社，2006年，頁347。

4 同上註，頁351。

5 同上註。

6 〔清〕馬瑞辰：《毛詩傳箋通釋》北京：中華書局，1989年，頁83。

的說法更為通達。但綜上所述「杜」與「棠」、「棣」異同可謂歧說紛呈，莫衷一是，三者無法明確區分，也就是說從品物上無法說明三者為何有不同的使用。

語言、詞彙的使用具有時間性和地域性。在地域上，從〈國風〉篇名即可察知；在時間即斷代上則需略加說明。李山先生認為《召南・甘棠》所紀念的當是周初召公奭，詩年代上限在周康王與周昭王、周穆王時代之間；《召南・何彼襛矣》約為周桓王，即西元前七一九年至前六九七年之間作品；《秦風・終南》約為秦文公即西元前七六五起若干年間作品；《秦風・晨風》約為秦康公，即西元前六二〇年起若干年間作品；《唐風・杕杜》詩的背景是桓叔滅晉，「只是篇中沒有明確的跡象，證明一定就作於那樣的背景」，「詩篇這樣大聲疾呼的強調『同父』『同姓』，應當是有明確的現實針對性的，因而放到曲沃滅晉的大背景下，還是合理的」，〈有杕之杜〉，也有類似的大背景[7]，即兩詩都約作於西元前六七九年前後。可見此處〈召南〉兩篇斷代早於《唐風・杕杜》及〈有杕之杜〉，《秦風》兩詩晚於《唐風》二首。從語言使用的時間性無法說明同物異名的原因。

綜上可見，可以排除「杜」、「棠」、「棣」三者在使用上因為品類、時代、地域的不同而造成的指稱差異，可以確定「杜」與「棠」、「棣」三者為同物異名。版本差異也不可見。那麼，為什么其它詩篇用「棠」、「棣」入詩，而《唐風》中〈杕杜〉和〈有杕之杜〉二詩之題名、正文都是用「杜」？

三

文學是語言的藝術，從文本形式進行的文學研究固然是題中應有之義。但若追根溯源，文學以及語言更是一種歷史文化現象，所以從歷史文化角度切入詩篇同物異名的用詞選擇，更契合其「語言」文學的本質。

（一）《唐風》用「杜」與晉（唐）地歷史變遷

《詩經》中的《唐風》實為晉人之詩歌，即《唐風》的地域在三晉大地。《史記・晉世家》張守節《正義》所引《括地志》所載很是值得注意：

> 故唐城在絳州翼城縣西二十里，即堯裔子所封。《春秋》云夏孔甲時，有堯苗裔劉累者，以豢龍事孔甲，夏后嘉之，賜氏御龍，以更豕韋之後。龍一雌死，潛醢

7　本文關於《詩經》各詩作題旨及斷代主要根據李山先生著《詩經析讀》（海口：南海出版公司，2003年）。上述結論和引文分別引用自該書頁26-27、35、169、171、157-158。

以食夏后；既而使求之，懼而遷於魯縣。夏后（召孟）（蓋）別封劉累之孫于大夏之墟為侯。至周成王時，唐人作亂，成王滅之，而封大叔，更遷唐人子孫于杜，謂之杜伯，即范匄所云「在周為唐杜氏」。按：魯縣汝州魯山縣是。今隨州棗陽縣東南一百五十里上唐鄉故城即（是）。後子孫徙于唐。[8]

其中「即范匄所云『在周為唐杜氏』」，來自於《左傳》襄公二十四年晉卿范宣子（范匄）對使晉的魯大夫叔孫穆子所說的話：「昔匄之祖，自虞以上為陶唐氏，在夏為御龍氏，在商為豕韋氏，在周為唐杜氏，周卑，晉繼之，為范氏。」《史記・晉世家》記范氏之祖為陶唐氏，不能說晉人之祖也是陶唐氏，但文化自有其吊詭之處，晉人認陶唐為其祖亦非大謬。晉人祖先曾被稱為唐人，在周成王時作亂，唐人被誅滅，以唐地封大叔。司馬遷《史記・晉世家》載：

晉唐叔虞者，周武王子而成王弟。初，武王與叔虞母會時，夢天謂武王曰：「余命女生子，名虞，余與之唐。」及生子，文在其手曰「虞」，故遂因命之曰虞。武王崩，成王立，唐有亂，周公誅滅唐。成王與叔虞戲，削桐葉為珪以與叔虞，曰：「以此封若。」史佚因請擇日立叔虞。成王曰：「吾與之戲耳。」史佚曰：「天子無戲言。言則史書之，禮成之，樂歌之。」於是遂封叔虞于唐。唐在河、汾之東，方百里，故曰唐叔虞。姓姬氏，字子於。」[9]

顯然，「堯裔子所封」之唐與後來「唐叔虞」之唐並非「一家」，即唐地的統治者實際上先是堯之裔子，後是唐叔虞。不過需要注意的是，在商周時代漸次發展起來的血緣政治的情況下，某一地域的統治階層或許會因君王分封給不同的貴族而有變化，但該封地的數量眾多的下層居民，即被統治者則可能並不會變化。受封的諸侯王只能是帶領自己的核心家族去封地，而封地被褫奪時，隨之遷流的往往也只是其核心家族，一般的下層民眾是不可能隨這些貴族遷徙的。前引《括地志》所謂「更遷唐人子孫于杜，謂之杜伯」，顯然是指居於統治地位的貴族而言的，亦即如范宣子所說號為「唐杜氏」者。范宣子所說「周卑，晉繼之」，指「唐」後來改國號為「晉」。

《詩三百》成書之時，棄「晉」大號而以古「唐」名指稱「晉風」，必定與晉之先人曾居於「唐」、號為「唐」有關。然而《唐風》中〈杕杜〉和〈有杕之杜〉兩詩以「杜」指稱「棠」是否與唐人曾遷於「杜」地有關？雖然，從實證的角度來看，按《括

8 〔漢〕司馬遷著，〔宋〕裴駰集解、〔唐〕司馬貞索隱、〔唐〕張守節正義：《史記》北京：中華書局，1982年，頁1636。

9 同上註，頁1634-1635。

地志》所記，晉人後來定居之所並非故「唐」之地。但正如前文已述，下層民眾不會隨貴族遷居，在西周、春秋社會階層的升降變化的大潮中，除了大量的貴族降為士人、庶人之外，還有為數不少的庶人上升到士階層，成為知識人群，這種相向變化的人群階層中都可能有詩人的身影。從范宣子對使晉的魯大夫叔孫穆子所說的一番話中，我們也能揣測到范宣子對歷史的真相並不在意，而只是強調其家族之歷史與勳績的悠久綿長，以張大其聲威與功名。所以撥開唐地、晉人與杜地的歷史迷霧只是考據學家的興趣和使命，而詩人只是需要借此題以發洩其內心情懷。參照美國人類學家雷德菲爾德（Robert Redfield）複雜文明兩個層次文化傳統理論，小傳統是相對於大傳統而言的，指以複雜社會中具有地方社區和地域性特色由下層平民創設的文化模式，在此視野中，詩歌及其它文學樣式在敘述故往、表達感懷時，並不拒絕非實證內容的參與，取而代之的是更注重文化積澱下的性情抒發和群體認同，所以更應該關注的是「詩心惟微」的用「杜」隱衷。

（二）唐人祖先與「杜」地淵源的「小傳統」價值

晉祖與周祖的關係非同一般，作為「堯裔子所封」之「唐」，因為帝堯與周人始祖后稷乃是同父異母的兄弟；作為「唐叔虞」之「唐」，因為「晉唐叔虞者，周武王子而成王弟」而同樣關係緊密。晉墓中曾發現有玉環，「銘文，據李學勤先生考釋為：『文王卜曰：我及唐人弘戰賈人。』」[10]也就是說，晉人祖先曾與周人並肩戰鬥，對晉人來說，這已經足夠讓他們在大周「天朝」展開族群自豪感的想像。

其次，唐（晉）人視有虞氏為祖先，有虞氏以杜樹為社樹。據《淮南子．齊俗訓》載，有虞氏部落以杜樹為社樹，而有虞氏與唐堯又有較為密切的關係。論者對《尚書．堯典》所載「帝曰：『我其試哉，女於是，觀厥刑於二女，厘降二女於媯汭，嬪于虞』」展開研究，認為：「媯是水名，汭水窪也。明確指出舜族居於媯汭，而且還是與堯部族通婚聯姻的氏族。」[11]故唐（晉）人也極有可能視有虞氏為自己的祖先。或者說，在先民的歷史與社會知識視野中，關於社樹的知識與傳說必定是一項重要內容，不過，在眾說紛紜的古史傳說中，一般民眾往往採取「拿來主義」的辦法，追溯最能張大族群光榮與輝煌的先祖，而無意考證其究竟有多大程度的真實性，這是純粹的「小傳統」可以起作用的領域。即使唐人不視有虞氏為自己的祖先，也可能因為兩族的姻親關係，而使杜樹在他們的腦海中留下很深印象。因此唐（晉）人很容易念念不忘此社樹——杜樹。儘

10 張啟成：〈《詩經．唐風》新探〉，《貴州文史叢刊》，2001年第3期，頁16-22。

11 王克林：〈晉西南龍山文化與有虞氏——虞舜部族起源的探索〉，《文物世界》，2002年第1期，頁20-23。

管杜樹作為社樹在原先的現實中是作為「大傳統」的一部分，但一旦成為歷史知識則詭異地轉化為了「小傳統」的「地火」在發酵。

今天的人們往往在有意無意之間低估了小傳統對文學的作用，對先秦文學的研究尤其如此。學者們總是願意從文史相關的角度作詩史互證的努力，慣於以史家之眼光讀《詩經》，這固然是題中應有之義。其實在作為「人學」的「文學」視域中，對《詩經》的作者及其關涉者而言，史實的重要性有時是次要的。諸多光榮歷史激發的族群自信，先祖與周人「稱兄道弟」的出身，以及「戰友」經歷，杜樹作為社樹的歷史記憶等等，作為「小傳統」的一部分在唐（晉）人中間世世代代傳播著、衍變著、強化著。這種種關於杜樹的「集體無意識」，沉潛於心，適時而發，使得後來唐（晉）人逐漸意識到，晉人與周人居然曾經有這樣密切的關係，在穿越歷史語境的對比之下，則歷史上成王滅唐並遷唐人於杜的行為，就成了對同姓、同族的迫害與殺戮，為唐（晉）人塗上灰色的族群關係歷史記憶。

（三）晉人對「忠」的推崇與晉、周關係

王子今先生在研究先秦「忠」之觀念時，對《左傳》中出現的共七十例「忠」字及其中地域明確的五十二例「忠」字進行了地域分佈的考察，發現：「說到『忠』的情形，以晉地最為集中，占地域明確者的百分之四〇・三八，占總數的百分之三十。」[12]「（在《國語》中）晉人對於『忠』的言論之集中，仍然十分引人注目」，「總數五十一中，晉獨佔二十七，占百分之五二・九四。」「晉人對於『忠』的傾心推重和熱情宣傳，值得引起研究者關注。」[13]在所有這些對「忠」的關注中，有不少是關涉周王室而立論的。

在周宣王時代，由於杜國與周王室矛盾激化，杜伯被周宣王所殺（此事《國語・周語上》有明文記載）。他的兒子隰叔避難來到晉國[14]。而且，在晉國由曲沃之亂引發的長達六十餘年的動亂中，周王室表現得動搖不定，游移於不同的勢力之間，無法表現出王室應有的道義擔當者與政治穩定器的作用。即使這樣，在動盪的東周，晉人還曾有功於周室。東遷之後，王畿縮小，借助晉、鄭之輔，王室稍安，晉由此成為王朝的重要支柱之一。幽王寵愛褒姒，廢掉了申后和她所生的太子宜臼，致使犬戎入侵、西周覆亡。申后母家是姜姓，申侯聯合魯侯、許文公等，立宜臼，即周平王。同時，虢公又立王子余

12 王子今：《「忠」觀念研究——一種政治道德的文化源流與歷史演變》長春：吉林教育出版社，1999年，頁31-32。

13 同上註，頁37。

14 在周、晉關係上，周人時常有一些不夠「厚道」的表現。詳參李孟存、常金倉：《晉國史綱要》，太原：山西人民出版社，1988年，頁3、頁17-19。

臣于攜，致二王並立。晉文侯擁立平王，並於西元前七六〇年殺死了攜王，確立了平王的統治。周初始封，內宗親而外異姓。宗親之中，魯、衛與晉為最。後來衛國不競，淪為晉、楚之附庸，魯、晉遂繼宗周而為華夏之中心。魯繼承宗周衣缽而成為文化的正統，晉國雖非正統，但其仍承襲宗周的禮樂文明和文化建設的傳統，晉國與周室保持著宗親關係。晉人用行動表現了對周室的忠心，而周王室所作所為卻有違道義，晉人於是在詩中通過名物詞「杜」的選擇，在潛意識之中、隱晦曲折地表現了晉人族群的怨悱之情。

至於《小雅・常棣》用「常棣」(「唐棣」)、「棠棣」，《小雅・杕杜》用「杜」，由於《風》詩與《雅》詩的差異，宜另當別論。

綜上所述，當唐人面對本族與周人關係的這數百年歷史時，懷想祖先之國被滅，子孫被遷於杜地的流離之苦，保有崇「忠」思想、效忠周室而不得其報，周人反而不重宗親之情，重加迫害與殺戮，故作兩首詩以「杜」來指稱「棠」、「棣」，一來發思古之幽情，二來也表示對周人滅唐遷杜、不重同宗、同姓的不滿。出於對典籍原貌和這種情感的尊重，後世的《詩經》整理者保留了原作者的用詞。

西周諮議制度與〈堯典〉、〈蕩〉文本的生成*

趙運濤**
北京師範大學文學院

〈堯典〉記載堯舜禹之事，必然是後人追記所成，而其追記的根據若非傳說，是儀式。從諸子百家關於堯舜禹事蹟的文獻記載可以看出，傳說的原始材料應該確實是存在的，如《尚書・呂刑》、《論語》、《左傳》、《國語》、《墨子》、《孟子》、《荀子》、《呂氏春秋》、《楚辭・天問》等文獻中都有對堯、舜某些事蹟和傳說的記載。而〈堯典〉中關於律令部分的記載，劉宗迪認為這是對一個古老的巫術儀式的改寫，「儀式中所包含的天人交往的律令、要義，被記錄以後就成為情節性的事件了」，並且通過和《山海經》比較，劉宗迪發現「〈大荒經〉中凡是能夠體現其曆法制度特點的幾個方面都與〈堯典〉關於舜巡四方的敘述一一吻合。更重要的是，〈堯典〉的『舜』就是〈大荒經〉的『帝俊』，因此，我們有足夠的理由推斷，〈堯典〉『舜巡四方』的故事與〈大荒經〉一脈相承。」[1]劉宗迪通過分析〈大荒經〉，進而找到了與〈堯典〉相同的原始材料。那麼〈堯典〉中其餘部分的組織形式又是如何生成的呢？

李山在《西周禮樂文明的精神建構》一書中引〈堯典〉「帝曰：『疇咨若時登庸』」至「帝曰：『我其試哉』」一段說「仿佛『實況轉播』，復活了一次千百年前的古帝王的『御前會議』。……仿佛戲劇的演出，又向給一場演出寫的腳本，文字的記述可以使千年以上的人物口吻畢俏。」[2]〈堯典〉原始材料的來源無論是根據傳說還是儀式，文本生成者在組織這場「御前會議」的時候，必然會有一個制度參照，才會有這樣一種「會議」形式，本文以為這個制度參照就是盛行於西周初期的諮議制度。

從出土文獻，我們或許可窺探這種諮議制度的來源。甲骨文顯示，占卜活動在商的議事程式中佔有重要的位置，殷商「率民以事神，先鬼神而後禮」，因而每事必卜。一個完整的占卜過程包括貞、占、驗，其中「貞」就是問，提出要占卜的事項，一般會由

---

* 基金專案：國家社科基金專案「儒典〈緇衣〉古本及其相關先秦儒家文獻研究」(13BZW091)

** 趙運濤（1988-），男，漢族，河北廊坊人，北京師範大學文學院博士生，研究方向以先秦兩漢古典文獻為主。

1 劉宗迪：《〈山海經・大荒經〉與〈尚書・堯典〉的對比研究》，《民族藝術》，2002年第3期。

2 李山：《西周禮樂文明的精神建構》石家莊：河北教育出版社，2014年，頁286。

專職人員擔任，這種專門的神職人員一般被稱為貞人，至於「占」，甲骨文中除了大量的「王占」外，還有大量貞人的代占，如「王臣占」(《乙》六三八六)，而「驗」，當然也是這部分貞人所為。因而貞人通過貞、占、驗三事積累了大量文獻，也就掌握了一定的話語權，王的諮議對象是「天」，而能夠闡釋天的人是貞人，因而貞人也就成了諮議的對象。據張秉楠先生考證，「殷商時期的貞人實際上是由商共同體內大大小小的同姓和異姓族邦的族長或者是他們的代表所組成。離開了這些人的神職活動（占卜），商王對任何重大問題都不能作出判斷。這種由各種首腦或代表組成的並直接參與朝政的貞蔔機關，顯然具有合議制的性質」[3]。《尚書・盤庚》中也提到：「古我先後，亦唯圖舊人共政」，孔傳：「先王謀任久老成人，共治其政」[4]。

這種從氏族議事會脫胎而來的合議制性質的會議制度，是〈堯典〉文本生成的主要參照儀式。如〈堯典〉(今文〈堯典〉包括〈舜典〉) 中：舜曰：「咨，四嶽！有能奮庸熙帝之載，使宅百揆亮采，惠疇？」僉曰：「伯禹作司空。」帝舜問誰能居百揆之官輔佐政事，眾人推薦「禹」做司空，「禹拜稽首，讓於稷、契暨皋陶」，而帝舜不允許他的讓，直接命令他「往哉」；帝又曰：「疇若予工？」眾人又推薦「垂」，「垂拜稽首，讓於殳斨暨伯與。」帝舜依舊不許其讓，因為這是眾議的結果，帝舜曰：「俞，往哉！汝諧」；帝又問：「疇若予上下草木鳥獸？」眾人推薦益，帝曰：「俞，咨！益，汝作朕虞。」「益拜稽首，讓於朱虎、熊羆」，帝也不許其讓，曰：「俞，往哉！汝諧」；帝又問：「咨！四嶽，有能典朕三禮？』眾人推薦伯夷，伯夷讓於夔、龍，帝不許其讓，曰：「俞，往，欽哉！」這種諮議制度體現的是民主協商，而非個人專斷，帝王個人的意見不能違背合議的結果。〈堯典〉中，帝堯問：「疇咨若時登庸？」大臣放齊推薦說：「胤子朱啟明。」對於這種個人推薦的意見，帝堯作出了質疑的回應，帝曰：「吁！嚚訟，可乎？」同樣，當帝堯又問：「疇咨若予采？」驩兜推薦共工時，帝曰：「吁！靜言庸違，象恭滔天。」帝堯認為共工花言巧語，陽奉陰違，貌似恭謙，其實對老天也輕慢不敬，實際上是提出了反對的意見，但當帝堯詢問誰能擔任治水的人物，帝曰：「咨！四嶽，湯湯洪水方割，蕩蕩懷山襄陵，浩浩滔天。下民其咨，有能俾乂？」僉曰：「於！鯀哉。」帝曰：「吁！咈哉，方命圮族。」嶽曰：「異哉！試可，乃已。」帝曰，「往，欽哉！」。大家都推薦鯀，儘管堯覺得鯀不可勝任，但因為是眾人合議的，也不得不讓鯀去試試，結果「九載，績用弗成」，可見帝堯是不能違背這種合議結果的。帝曰：「咨！四嶽。朕在位七十載，汝能庸命，巽朕位？」嶽曰：「否德忝帝位。」曰：「明明揚側陋。」師錫帝曰：「有鰥在下，曰虞舜。」「師錫帝曰」也是眾人對帝說。

3　張秉楠：《商周政體研究》瀋陽：遼寧人民出版社，1987年，頁32。

4　〔漢〕孔安國傳，〔唐〕孔穎達正義：《尚書正義》上海：上海古籍出版社，2015年，頁341。

孔子說：「殷因於夏禮，所損益可知也；周因於殷禮，所損益可知也」[5]，殷商的合議制度從氏族議事會脫胎而來，西周初期的諮議制度繼承於殷商，古文獻記載周武王訪箕子，箕子傳授〈洪範〉，其中「稽疑從眾」章體現的正是商政體的基本格局[6]，因而西周初期的諮議會議也自然是帶有合議制的性質，但周初的統治者在殷商的基礎上，有所損益，其中最重要的一點就是對「咨」禮的修復和維護。

〈堯典〉記載帝曰：「格！汝舜。詢事考言，乃言厎可績，三載。汝陟帝位。」《周禮．小司寇》曰：「小司寇之職，掌外朝之政，以致萬民而詢焉。一曰詢國危，二曰詢國遷，三曰詢立君」[7]。這是基於合議制度上的三「詢」之禮，而「咨」禮則是與之對應建立在「尚齒」上的「詢」禮。《禮記．祭義》云「昔者，有虞氏貴德而尚齒，夏後氏貴爵而尚齒，殷人貴富而尚齒，周人貴親而尚齒」[8]。三代所「貴」雖不同，但都有「尚齒」的傳統，《禮記．王制》曰：「有虞氏養國老於上庠，養庶老於下庠；夏后氏養國老於東序，養庶老於西序；殷人養國老於右學，養庶老於左學；周人養國老於東膠，養庶老於虞庠，虞庠在國之西郊」[9]。「庠」、「序」等都是學校，老者因為積累了大量的社會知識，因而能成為「師」或「保」。鄭玄注《禮記．王制》說：「老人眾多，非賢者不可皆養。」《孟子．公孫丑下》曰：「天下有達尊三：爵一，齒一，德一。」焦循釋「德」為「尚賢」、「齒」為「尊長」，「尚賢」和「尊長」是一致的，先秦時期「賢」一般都是指老者。因而「咨」禮就是建立在「尚齒」傳統上的訪問老者，訪問賢者，詢問善道的一種禮。《禮記．內則》云「三王……既養老而後乞言」[10]，「咨」應該是此種禮中「乞言」的一種行為方式，久而用之，行為習慣固定化就逐漸演變成了一種話語儀式。

「咨」從一種行為方式轉變為一種話語方式，大概應在商末周初。在殷商末期，商王為了加強自己的統治，對「老舊臣」們進行了殘酷地迫害，《尚書．微子》記父師語云：「天毒降災荒殷邦，方興沈酗於酒，乃罔畏畏，咈其耇長舊有位人」[11]，《史記．殷本紀》：「紂愈荒淫不止。微子數諫不聽，乃與大師、少師謀，遂去。比干曰：『為人臣者，不得不以死爭。』乃強諫紂。紂怒曰：『吾聞聖人心有七竅。』剖比干，觀其心。箕子懼，乃詳狂為奴，紂又囚之。殷之大師、少師乃持其祭樂器奔周」[12]，商紂王對微子、比干、箕子等元老的迫害，使得殷商的一些名臣賢士逃歸西周，如向摯、太顛、閎

5 〔宋〕朱熹：《四書章句》上海：上海古籍出版社，2013年，第74頁。

6 張秉楠：《商周政體研究》瀋陽：遼寧人民出版社，1987年，頁50。

7 徐正英譯：《周禮》北京：中華書局，2015年，頁742。

8 〔清〕孫希旦：《禮記集結》北京：中華書局，2015年，頁1239。

9 〔清〕孫希旦：《禮記集結》北京：中華書局，2015年，頁385。

10 〔唐〕孔穎達：《禮記正義》北京：北京大學出版社，1999年，頁855。

11 〔漢〕孔安國傳，〔唐〕孔穎達正義：《尚書正義》上海：上海古籍出版社，2015年，頁388。

12 〔漢〕司馬遷撰，〔南朝．宋〕裴駰集解，〔唐〕司馬貞索隱，〔唐〕張守節正義：《史記》上海：上海古籍出版社，2015年，頁63。

夭、散宜生、鬻子、辛甲等等，《尚書・君奭》也記載曰：「惟文王尚克修和我有夏；亦惟有若虢叔，有若閎夭，有若散宜生，有若泰顛，有若南宮括」。這些人成了文王諮議的對象，鬻子即鬻熊，傳說鬻熊九十歲見文王，文王把他當作老師，到了武王，成王都把他當作老師，傳世有《鬻子》一書，《文心雕龍・諸子第十七》：「昔風后力牧伊尹，咸其流也。篇述者，蓋上古遺語，而戰代所記者也。至鬻熊知道，而文王諮詢，餘文遺事，錄為鬻子。子目肇始，莫先於茲」[13]。閎夭，《國語・晉語四》記載胥臣對晉文公言周文王：「及其即位也，詢於『八虞』，而諮於『二虢』，度於閎夭而謀於南宮，諏於蔡、原而訪於辛、尹，重之以周、邵、畢、榮，億寧百神，而柔和萬民。故《詩》云：『惠於宗公，神罔時恫。』若是，則文王非專教誨之力也」。徐元誥注曰：「言文王為政，諮於大臣，順而行之，故鬼神無怨痛者」[14]。這些「老舊臣」往往是各個族邦的首領或者代表，商王對他們的迫害和排擠，造成了「百姓怨望而諸侯有畔」，而在商王破壞這種諮議制度的時候，周文王為了聯合各個勢力，「乃陰修德行善，諸侯多叛紂而往歸西伯」[15]。《逸周書・世浮》：「修商人典」，《禮記・王制》曰：「凡養老，有虞氏以燕禮，夏后氏以饗禮，殷人以食禮，周人修而兼用之。」[16] 文王「修德行善」最重要的一條就是「篤仁、敬老」，《史記・周本紀》「西伯曰文王。遵后稷、公劉之業，則古公、公季之法，篤仁、敬老、慈少。公季卒，子昌立，是為西伯。禮下賢者，日中不暇食以待士，士以此多歸之。伯夷、叔齊在孤竹，聞西伯善養老，盍往歸之。太顛、閎夭、散宜生、鬻子、辛甲大夫之徒皆往歸之。」[17]文王所修大概就是恢復被殷王破壞了的基於「尚齒」傳統上的「咨」禮。《左傳・襄公四年》：「臣聞之：『訪問於善為咨，咨親為詢，咨禮為度，咨事為諏，咨難為謀。』臣獲五善，敢不重拜？』」楊伯峻注曰：「上句『訪問於善』為諮詢的對象，以下則為諮詢內容。」[18]《國語・魯語下》：「臣聞之曰：『懷和為每懷，咨才為諏，咨事為謀，咨義為度，咨親為詢，忠信為周。』君貺使臣以大禮，重之以六德，敢不重拜。』」[19]《左傳・襄公三十年》：「季武子曰：『晉未可媮也。有趙孟以為大夫，有伯瑕以為佐，有史趙、師曠而咨度焉，有叔向、女齊以師保其君。其朝多君子，其庸可媮乎？勉事之而後可。』」[20]《國語・晉語八》曰：「吾聞

---

13 周振甫著：《文心雕龍今譯》北京：中華書局，2013年，頁156。

14 徐元誥：《國語集解》北京：中華書局，2002年，頁362。

15 〔漢〕司馬遷撰，(南朝・宋)裴駰集解，〔唐〕司馬貞索隱，〔唐〕張守節正義：《史記》上海：上海古籍出版社，2015年，頁72。

16 〔清〕孫希旦：《禮記集結》北京：中華書局，2015年，頁379。

17 〔漢〕司馬遷撰，(南朝・宋)裴駰集解，〔唐〕司馬貞索隱，〔唐〕張守節正義：《史記》上海：上海古籍出版社，2015年，頁78。

18 楊伯峻：《春秋左傳注疏》北京：中華書局，2015年，頁933。

19 徐元誥：《國語集解》北京：中華書局，2002年，頁180。

20 楊伯峻：《春秋左傳注疏》北京：中華書局，2015年，頁1172。

國家有大事，必順於典刑，而訪諮於耈老，而後行之。」[21]《國語・周語上》：「宣王欲得國子之能導訓諸侯者，樊穆仲曰：『魯侯孝。』王曰：『何以知之？』對曰：『肅恭明神而敬事耈老；賦事行刑，必問於遺訓而咨於故實，不干所問，不犯所咨。』」[22]《國語・晉語四》：「晉公子亡，長幼矣，而好善不厭，父事狐偃，師事趙衰，而長事賈佗。狐偃其舅也，而惠以有謀。趙衰其先君之戎禦，趙夙之弟也，而文以忠貞。賈佗公族也，而多識以恭敬。此三人者，實左右之。公子居則下之，動則諮焉，成幼而不倦，殆有禮矣。」[23]《國語・周語下》記載叔向的話：昔史佚有言曰：『動莫若敬，居莫若儉，德莫若讓，事莫若咨。』……單子儉敬讓咨，以應成德。單若不興，子孫必蕃，後世不忘。』」[24]這裡直接把「咨」作為一種品德來看，與「儉」、「敬」、「讓」並列。「咨」所體現的正是對這些老者，賢者的一種姿態，一種禮賢的行為方式。

《史記・周本紀》曰：「西伯蓋即位五十年。其囚羑里，蓋益《易》之八卦為六十四卦」[25]。傳說文王演八卦為六十四卦，《周易》中有一卦為「萃」卦，《彖》曰：「萃，聚也」。此卦是論述君王與天下賢士長者聚萃於朝廷一堂之卦，此卦中談了君王們應如何在這些聚萃中發揮作用以及如何應付一些發生的事件，爻辭：「萃：亨。王假有廟。利見大人，亨，利貞。用大牲，吉。利有攸往」。其中上六爻辭提到：「齎咨涕洟，無咎」，高亨注曰：「吊他人之喪之象也」，黃壽祺注曰：「此言上六處〈萃〉之終，窮極無應，又以陰乘淩九五陽剛尊長，求聚不得，故悲歎『齎咨』，痛哭『涕洟』；唯其悲戚知懼，故亦得免害而『無咎』」[26]。尊長受到欺淩，求聚而不得，「咨」在這種情況下，第一次由行為方式進入到了話語當中。《呂氏春秋・恃君覽》中記載了這樣一件事，似乎與此卦相應驗：「昔者紂為無道，殺梅伯而醢之，殺鬼侯而脯之，以禮諸侯於廟。文王流涕而咨之。紂恐其畔，欲殺文王而滅周。文王曰：『父雖無道，子敢不事父乎？君雖不惠，臣敢不事君乎？孰王而可畔也？』紂乃赦之。天下聞之，以文王為畏上而哀下也。《詩》曰：『惟此文王，小心翼翼。昭事上帝，聿懷多福。』」[27]。文王流涕而咨之，是因為紂「醢梅伯」、「脯鬼侯」，梅伯和鬼侯都是當時的諸侯，是賢長者，文王以「咨」禮的姿態對待他們，方引起「紂恐其畔」，可見，「咨」從對待賢長者的行為方式轉變為一種話語儀式，是在咨議制度遭到破壞的時候。

《詩經・大雅・蕩》，《毛詩序》云：「〈蕩〉，召穆公傷周室大壞也。厲王無道，天

21 徐元誥：《國語集解》北京：中華書局，2002年，頁424。
22 徐元誥：《國語集解》北京：中華書局，2002年，頁23。
23 徐元誥：《國語集解》北京：中華書局，2002年，頁329。
24 徐元誥：《國語集解》北京：中華書局，2002年，頁103。
25 〔漢〕司馬遷撰，（南朝・宋）裴駰集解，〔唐〕司馬貞索隱，〔唐〕張守節正義：《史記》上海：上海古籍出版社，2015年，頁80。
26 黃壽祺、張善文：《周易譯注》上海，上海古籍出版社，2012年，頁267。
27 陸玖譯注：《呂氏春秋》北京：中華書局，2014年，頁769。

下蕩然無綱紀文章，故作是詩也。」三家詩無異義，都認為此詩是假託文王之口控訴殷商無道而諷刺周厲王的，《國語》中記載周厲王弭謗，國人莫敢言，道路以目，這是對建立在合議制度上三詢之禮的破壞，而其對建立在「尚齒」傳統上的諮議制度的破壞亦可想而知。

詩的首章曰：「蕩蕩上帝，下民之辟。疾威上帝，其命多辟。天生烝民，其命匪諶。靡不有初，鮮克有終。」

〈堯典〉開篇曰：「曰若稽古，帝堯，曰放勳，欽、明、文、思、安安，允恭克讓，光被四表，格於上下。克明俊德，以親九族。九族既睦，平章百姓。百姓昭明，協和萬邦。黎民於變時雍。」

〈蕩〉先介紹「帝」，「蕩蕩」、「疾威」，〈堯典〉也是先介紹帝堯，「欽、明、文、思、安安，允恭克讓，光被四表，格於上下」，然後〈蕩〉和〈堯典〉都以帝和民的關係為出發點分別論述了帝對待民的兩種不同姿態。

〈蕩〉的餘文曰：

> 文王曰咨，咨女殷商。曾是彊禦？曾是掊克？
> 曾是在位？曾是在服？天降滔德，女興是力。
> 文王曰咨，咨女殷商。而秉義類，彊禦多懟。
> 流言以對，寇攘式內。侯作侯祝，靡屆靡究。
> 文王曰咨，咨女殷商。女炰烋於中國，斂怨以為德。
> 不明爾德，時無背無側。爾德不明，以無陪無卿。
> 文王曰咨，咨女殷商。天不湎爾以酒，不義從式。
> 既愆爾止，靡明靡晦。式號式呼，俾晝作夜。
> 文王曰咨，咨女殷商。如蜩如螗，如沸如羹。
> 小大近喪，人尚乎由行。內奰於中國，覃及鬼方。
> 文王曰咨，咨女殷商。匪上帝不時，殷不用舊。
> 雖無老成人，尚有典刑。曾是莫聽，大命以傾。
> 文王曰咨，咨女殷商。人亦有言：
> 顛沛之揭，枝葉未有害，本實先撥。殷鑒不遠，在夏后之世。

〈蕩〉之文在控訴殷商的無道，「咨」，鄭箋、孔疏都以為是嗟歎之聲，「曾是彊禦」、「而秉義類，彊禦多懟」是控訴商王不用善人而用惡人，以至於「無陪無卿」，沒有明哲之卿士在身邊，「內奰於中國，覃及鬼方」言其惡之廣。第七章提到「殷不用舊。雖無老成人，尚有典刑」，「第七章作者對殷紂王的錯誤再從另一面申說，以作總結。前面借指斥殷紂王告誡厲王不該重用惡人、小人，這兒責備他不用「舊」，這個

「舊」應該既指舊章程也指善於把握舊章程的老臣，所以『殷不用舊』與第四章的『無背無側』、『無陪無卿』是一脈相承的。而『雖無老成人，尚有典刑（型）』，是說王既不能重用熟悉舊章程的『老成人』，那就該自己好好掌握這行之有效的先王之道，但他自己的德行又不足以使他做到這一點，因此國家『大命以傾』的災難必然降臨，這也是與第四章『不明爾德』、『爾德不明』一脈相承的。」[28] 總之，此詩的主體在於控訴用人不當，不用賢人。

再來看〈堯典〉：

（1）帝曰：「咨！汝羲暨和！期三百有六旬有六日，以閏月定四時，成歲。允釐百工，庶績咸熙。」（〈堯典〉）
（2）帝曰：「疇咨若時？登庸。」[29]（〈堯典〉）
（3）帝曰：「疇咨若予采？」（〈堯典〉）
（4）帝曰：「咨！四嶽，……下民其咨，有能俾乂？」（〈堯典〉）
（5）帝曰：「咨！四嶽。朕在位七十載，汝能庸命，巽朕位？」（〈堯典〉）
（6）「咨十有二牧！」（〈堯典〉）
（7）舜曰：「咨！四嶽：有能奮庸熙帝之載，使宅百揆。亮采惠，疇？」（〈堯典〉）
（8）帝曰：「俞。咨，禹：汝平水土，惟時懋哉！」（〈堯典〉）
（9）帝曰：「俞。咨，垂：汝共工。」（〈堯典〉）
（10）帝曰：「俞。咨，益，汝作朕虞。」（〈堯典〉）
（11）帝曰：「咨，四嶽：有能典朕三禮？」（〈堯典〉）
（12）帝曰：「俞。咨，伯，汝作秩宗。」（〈堯典〉）
（13）帝曰：「咨！汝二十有二人，欽哉！惟時亮天功。」（〈堯典〉）

「咨」在《說文解字》裡寫作「㕩」，《玉篇》口部：「咨，咨嗟也。」《廣韻》說「咨，嗟也。」《詞詮》卷六曰：「咨，嘆詞，無義」，顧頡剛《尚書校釋譯注》引段玉裁說，以為「咨字在上，則當無意語首助詞，或為嘆詞」[30]。可見以往學者總把「咨」解釋為嘆詞，然而在《尚書》的時代，只表達個人情感的歎是不會輕易被記錄下來的，並且《國語．楚語下》記載藍尹亹的話說：「吾聞君子唯獨居思念前世之崇替，與哀殯喪，於是有歎，其餘則否。君子臨政思義，飲食思禮，同宴思樂，在樂思善，無有歎

28 姜亮夫：《先秦詩鑒賞辭典》上海：上海辭書出版社，1998年，頁586-589。
29 劉逢祿《尚書今古文集解》云：「（二字疇咨）本當倒易，古人文字不拘也，下疇咨若予采同」，依段玉裁說，也當做「咨，疇」。
30 顧頡剛、劉起釪：《尚書校釋譯注》北京：中華書局，2005年4月，頁65。

焉。」[31]，可見「歎」即便在春秋時期也是不可以隨便發的，因而此處的「咨」很可能既是一種歎，更是一種與某種制度相關的儀式性的歎的行為方式。

（1）孔傳：「咨，嗟」，孔疏：「歎其善，謂帝歎羲、和之功也」，顧頡剛《尚書校釋譯注》認為「上級向下級商量做某事，實際就是告知做某事，故此咨字相當於告」[32]；

（2）（3）孔疏都解釋為「咨嗟，嗟人之難得也」，《蔡傳》釋為「訪問也」；

（4）下民其「咨」雖然主語是下民，但這句話實際出自帝之口，並不是下民「曰」咨，孔傳曰「言民咨嗟憂愁，病水困苦，故問四嶽有能治者，將使之」；

（5）孔疏「帝以鯀功不成，又已年老，求得受位明聖代禦，天災，故嗟咨汝四嶽等」；

（6）孔傳「咨，亦謀也」；

（7）《史記》作：「嗟，四嶽」，孔疏「咨嗟，四嶽：……我欲使之居百揆之官」；

（8）孔疏：「乃咨嗟赦禹……惟當居是百揆」；

（9）孔疏「明是帝謂此人堪供此職」；

（10）孔疏「此官以虞為名」；

（11）孔疏：「訪其有能，是問誰可知」；

（12）孔傳「秩宗為主郊廟之官」；

（13）孔疏：「咨嗟！汝新命六人及四嶽，十二牧」。可見在〈堯典〉中，「咨」總是與訪問賢者，任用官員有關。

從句式上來看，〈堯典〉與〈蕩〉有極大的相似性，都是帝王曰「咨」，然後「汝」怎樣，如「帝曰：『咨！四嶽，有能典朕三禮？』僉曰：『伯夷！』帝曰：『俞，咨！伯，汝作秩宗。夙夜惟寅，直哉惟清。』」如果「伯」像〈蕩〉中的紂王一樣是明確面對陳述的對象，那麼這句改成《詩經》的格式就是「堯帝曰咨，咨四嶽，汝作秩宗。夙夜惟寅，直哉惟清」。因而〈蕩〉中的「文王曰咨，咨汝殷商」應該不是在嗟歎殷商紂王，而是文王對殷商移民的一種「咨」禮，文王生前沒有稱王，但因其最初確立了「善養老」的制度，而後咨殷商之民之事大概也就算到了他的頭上，《呂氏春秋．貴因篇》記載：「武王入殷，聞殷有長者，武王往見之，而問殷之所以亡」，《呂氏春秋．簡選篇》：「武王……顯賢者之位，進殷之遺老而問民之所欲。」有學者指出西周初期的統治者「為了適應周代的政治形勢，各政治集團又不能不打破封閉的圈子，吸收外族中有才能的人。因此，對外族人特別是才能突出貢獻的人採取了收納為本族長輩的作法，以便與占支配地位的血緣關係諧調起來。」[33]《呂氏春秋．慎大覽》：「武王乃恐懼，太息流

31 徐元誥：《國語集解》北京：中華書局，2002年，頁525。

32 顧頡剛、劉起釪：《尚書校釋譯注》北京：中華書局，2005年4月，頁59。

33 郭政凱：《周代養老制度的特點》，《中國史研究》1988年第3期，頁129。

涕，命周公旦進殷之遺老，而問殷之亡故，又問眾之所說，民之所欲。殷之遺老對曰：『欲復盤庚之政』，武王於是復盤庚之政」。盤庚之政是什麼呢？《尚書．盤庚》記載「圖任舊人共政」，「而問殷之亡故」大概就是〈蕩〉詩中控訴材料的來源。

《逸周書．皇門解》記錄周公的話曰：「嗚呼！下邑小國，克有耇老，據屏位，建沈入，非不用明刑。維其開告於予嘉德之說，命我辟王小至於大。我聞在昔有國誓王之不綏於卹，乃維其有大門宗子勢臣，內不茂揚肅德，訖亦有孚，以助厥辟，勤王國王家。乃方求論擇元聖武夫，羞於王所，其善臣以至於有分私子。苟克有常，罔不允通，咸獻言在於王所，人斯是助王恭明祀、敷明刑。」[34]是說古今聖王的成功幾乎都離不開「耇老」的指導，秦穆公在秦晉崤之戰戰敗後說：「詢茲黃發，則罔所愆」[35]。據李山考證，西周中晚期的銅器銘文其句式與〈堯典〉往往有相似之處，如〈堯典〉「粵若稽古帝堯」、「格於上下」、「協和萬邦」，而〈史牆盤〉中有「曰古文王」、「匍有上下」、「合受萬邦」，「〈堯典〉有『柔遠能邇』句，這個詞語見於《詩經．大雅．民勞》和《大克鼎》、《番生簋蓋》兩件器物銘文。〈民勞〉為西周後期詩篇；兩件器物的時代，有學者認為是中期偏晚的周孝王時期，更多的學者認為是厲、宣時物。」[36]總之，〈堯典〉和〈蕩〉二者可能是同一時期的文獻，而二者的基礎則是西周初期的諮議制度。當諮議制度「大壞」，文本的生成者們便參照西周初期文王、武王的諮議制度，重現、突出了「咨」禮，想以此維護此「禮」，不同的是二者一是托文王之辭，以殷商為之鑒，從反面訴說不用賢人，破壞諮議制度的危害，一是托堯舜之辭，以對待賢人的「咨」禮和合議性質的議事形成的咨議制度為參照，從正面歌頌勝任選賢任能之事。

---

34 黃懷信、張懋鎔、田旭東：《逸周書匯校集注》上海：上海古籍出版社，1995年，頁582-586。

35 〔唐〕孔穎達：《尚書正義》北京：北京大學出版社，1999年，頁570。

36 李山：《西周禮樂文明的精神建構》石家莊：河北教育出版社，2014年，頁412。

論子貢與《孔子三朝記》

劉全志
北京師範大學文學院

在孔子與國君的問對文獻中，孔子與魯哀公的問對數量最多，而其中又以曾經以專書的形式流傳於世的《孔子三朝記》最為著名[1]。與《孔子三朝記》相關的問題很多，近年來論者對此也多有關注[2]。就《孔子三朝記》的編纂過程，日本學者末永高康指出：此書不屬於曾子學派，也不屬於思孟學派，《左傳》的引文「暗示著〈千乘〉等七篇的編者屬於有關子貢的學派，但這也只是暗示而已。這些篇的編者仍然不明」[3]。末永高康的觀點代表著大多數學者的心聲，他提出的問題也值得我們深思。結合《左傳》及其他史料，筆者認為《孔子三朝記》與子貢的關係不僅僅「只是暗示而已」，通過現有文獻的記載，我們可以合理地分析出《孔子三朝記》的形成過程與子貢的行為關係密切。[4]

一　子貢引用的「夫子之言」的深意

從《論語》、《左傳》及相關文獻可以看出，在孔子死後的一段時期內，子貢在七十子中的地位最高，這一點也已被多位學者所注意[5]。子貢對《孔子三朝記》的內容相當熟悉，最為明顯的例子即《左傳》哀公十六年子貢批評魯哀公的話：

> 夏四月己丑，孔丘卒。公誄之曰：「旻天不吊，不慭遺一老。俾屏余一人以在位，煢煢余在疚。嗚呼哀哉！尼父。無自律。」子贛曰：「君其不沒于魯乎！夫子之言曰：『禮失則昏，名失則愆。』失志為昏，失所為愆。生不能用，死而誄

1　關於《孔子三朝記》自《漢書・藝文志》以來的著錄傳承情況，可參見拙文〈《孔子三朝記》篇章確定的考述〉一文，刊於《慶祝聶石樵先生九十壽辰文集》北京：北京師範大學出版社，2017年，頁168-174。

2　如一九六四年臺灣學者阮廷卓出版的《孔子三朝記解詁纂疏》（臺北：嘉新水泥公司文化基金會，1964）、二〇一一年末永高康的〈孔子三朝記初探〉（《南京師範大學文學院學報》第1期）、二〇一一年曲阜師範大學朱贊贊的碩士學位論文〈《孔子三朝記》考述〉等。

3　末永高康：〈孔子三朝記初探〉，《南京師範大學文學院學報》，2011年第1期。

4　關於《孔子三朝記》的形成時間，學界結合其與《左傳》、《荀子》、上博簡〈三德〉等內容的相同，認為其為先秦古籍無疑，應產生於荀子之前的戰國時代。至於具體時代，筆者將另文探討。

5　李零：《去聖乃得真孔子》北京：讀書・生活・新知三聯書店，2008年，頁82。

之，非禮也。稱一人，非名也。君兩失之。[6]

子貢對魯哀公「非禮非名」的批評，引用的正是《孔子三朝記・虞戴德》中的話語，這說明子貢不但熟悉《孔子三朝記》所載的孔子與魯哀公對話的內容，而且對其意義的把握也相當準確和深入。雖然我們很難判斷子貢所作預言「君其不沒于魯乎」是否為《左傳》的敘述者事後所加，但他能用魯哀公與孔子的對話內容來批評魯哀公對孔子所作的誄詞，本身就使這一批評和指責的意義變得豐富而韻味無窮。

子貢與魯哀公—孔子問對內容的關係密切，並不僅僅反映於《左傳》，我們從其他文獻中也可以確證這一點。《禮記・哀公問》是記載魯哀公與孔子討論行禮和為政的問題，其中有「冕而親迎」一段：

公曰：「寡人願有言然。冕而親迎，不已重乎？」孔子愀然作色而對曰：「合二姓之好，以繼先聖之後，以為天地宗廟社稷之主，君何謂已重乎？」[7]

此段文字又見於《大戴禮記・哀公問於孔子》、《孔子家語・大婚解》，文字相同，同樣是魯哀公與孔子的問答，這種情形讓我們看出此段內容出現的頻率與受歡迎的程度。值得注意的是，《春秋穀梁傳》也有相同內容的問答行為，不過，問答主體已不是魯哀公與孔子，而是子貢與孔子。《春秋穀梁傳》桓公三年：

子貢曰：「冕而親迎，不已重乎？」孔子曰：「合二姓之好，以繼萬世之後，何謂已重乎？」[8]

也許有人認為這是文獻輾轉抄寫致誤，不過，一旦如此認識，不但表現出對某種文獻的記載存在明顯的偏重與袒護，更主觀而武斷地貶低了文本敘述者的見識和智力。所以，妥當的做法是，對不同文獻的相異記載，應該進行細緻而深入的辨析，至少不能以《穀梁傳》的記載來推翻《禮記》、《大戴禮記》、《孔子家語》的記載，反之亦然：我們也不能據《禮記》等材料，去修正、調整《穀梁傳》。就先秦兩漢時期的文獻流傳來看，這種交互、矛盾的現象反而更能說明一些問題：子貢替換了魯哀公，也許正暗示出這一問對內容本身就是三人共同參與的問對行為。就問對行為而言，問對行為發生的場景往往不是單一的，而是複合的，即問對行為發生的情景不一定只有對話主體在場，現

6 〔清〕阮元校刻：《十三經注疏・春秋左傳正義》北京：中華書局，1980年，頁2177。
7 〔清〕阮元校刻：《十三經注疏・禮記正義》北京：中華書局，1980年，頁1611。
8 〔清〕阮元校刻：《十三經注疏・春秋穀梁傳注疏》北京：中華書局，1980年，頁2372。

實的情形很可能是多人同時參與了對話行為，主客問答的形式只是記錄了主要人物，而記錄行為本身就需要除對話主體之外的第三者在場或者熟悉對話內容。相同問答內容、不同問答主體，正反映出問對行為產生、問對內容形成乃至載錄的複雜過程。通過這一復合過程而形成的文本，在先秦時代不勝枚舉，我們可以從發生在孔門弟子之間的《禮記・檀弓》「有子問於曾子」章所反映的情形加以說明[9]：有子、曾子在討論孔子話語的真實含義，對於有子而言，他聽到的孔子的言辭只是來源於曾子的轉述，孔子在說「喪欲速貧，死欲速朽」時，曾子與子遊同時在場；而如果有子沒有結合孔子的行事風格提出疑問的話，我們很難知道曾子與子遊同時在場，如此呈現在我們面前的文本就是孔子與曾子單獨談論「喪欲速貧，死欲速朽」，這如同《論語》中一問一答的師生問對形式。就現存的文本形態而言，只呈現問對主體的顯然佔據絕對優勢，但這一情形並不能否認其他主體對問對行為的參與，因為至少問對內容的載錄本身就必須由第三者來實施。

由此，我們可以合理推斷在魯哀公與孔子討論「冕而親迎」時，子貢也參與了對話活動，後經子貢言說傳播，而把它筆錄成文本時：較為準確的，則記錄為「魯哀公與孔子的對話」；而缺乏準確的，則傳為「子貢與孔子的對話」。這種情形在七十子後學文獻中並不少見，如《呂氏春秋・先己》、《孔子家語・執轡》、《孔子家語・觀思》、《說苑・政理》中的「執轡」，《尸子・佚文》、《韓非子・喻老》、《淮南子・精神訓》、《韓詩外傳》卷二、上博簡《君子為禮》中的「心戰」之喻等都出現了內容相同而對話主體不同現象，這些類似文本的重出，本身就可反證文本產生、流變乃至交互的複雜過程[10]。

二　子貢可能參與孔子的「朝見」行為

按照一般的理解，《孔子三朝記》之所以形成最初應起源於孔子「朝見」魯哀公的活動。目前，我們雖然很難斷定《孔子三朝記》是否在實錄其事，但可以明確的是，如果孔子朝見魯哀公的行為真實存在的話，那麼一定發生在孔子的晚年。而限定於這一時間段，在孔門弟子中，子貢最有可能全程參與孔子「朝見」魯哀公的活動。這一點我們可以結合《論語》、《左傳》的記載加以印證。

《史記・仲尼弟子列傳》記載子貢「常相魯、衛」，這是司馬遷依據漢代文獻或認識所下的斷語，而這一點與《論語》、《左傳》所反映的信息具有一致性。《論語・八佾》云「子貢欲去告朔之餼羊」，「告朔」：朱熹注云「魯自文公始不視朔，而有司猶供

9　〔清〕阮元校刻：《十三經注疏・禮記正義》北京：中華書局，1980年，頁1290。
10　在各種文獻中「執轡」、「心戰」之喻的內容基本相同，但對話主體卻互有差異。

此羊，故子貢欲去之」[11]，子貢有能力命令有司去告朔之羊，其官位或在魯國政壇的影響可見一斑。《論語・子張》記載「叔孫武叔語大夫于朝，曰『子貢賢于仲尼』」，叔孫武叔是魯國「三桓」之一，他的評價也許暗含著自己的主觀目的，但也同時折射出當時魯國政壇對子貢的認可與推崇；《論語》記載吳太宰與子貢的對話、《左傳》哀公十五年「冬，及齊平，子服景伯如齊，子贛為介」、哀公二十六「衛出公自城鉏使以弓問子贛」、哀公二十七年季康子臨難之際的感慨等，這些事例無疑正在說明在孔子去世前後，子貢在魯國政治生活中佔有重要的地位，也許司馬遷所說的「出任魯相」正在此時。

《孔子三朝記・小辨》出現的「強避」、「強侍」，無疑確證了孔子與魯哀公對話時，有他人在場的事實。這位處於問對主體之外的在場者，雖不是子貢，但也並不能排除子貢的參與。孔子周遊列國後，回到魯國，已成為「國老」(《左傳》)。子貢此時出任「魯相」，輔佐魯哀公，同時又是孔子的貼心門生，他是連接孔子與魯哀公的重要中介。《左傳》等史料記載孔子的另外一位學生冉有，在季孫氏家族中當差，「季孫欲以田賦，使冉有訪諸仲尼」(《左傳》哀公十一年)；子羔在衛國作「士師」，「衛將軍文子將立三軍之廟於其家，使子羔訪於孔子」(《孔子家語・廟制》)，這些現象說明從政的弟子往往是當政者與孔子聯繫的中介力量。同樣，子貢在魯國朝廷從政，直接服務於魯哀公。毋庸置疑，他應該是魯哀公與孔子聯繫的最佳人選。

子貢是孔子與哀公談話的「在場者」或「傳遞者」，雖然沒有直接的文獻證明這一點，但我們完全可以通過傳世典籍和出土文獻的「變形」載錄來推出這一信息。《荀子・子道》有「魯哀公問於孔子曰：『子從父命，孝乎？臣從君命，貞乎』」一節，其中就有孔子向子貢轉述自己與魯哀公談話的內容。為方便分析，內容引錄如下：

> 魯哀公問於孔子曰：「子從父命，孝乎？臣從君命，貞乎？」三問，孔子不對。孔子趨出，以語子貢曰：「鄉者，君問丘也，曰：『子從父命，孝乎？臣從君命，貞乎？』三問而丘不對，賜以為何如？」子貢曰：「子從父命，孝矣。臣從君命，貞矣，夫子有奚對焉？」孔子曰：「小人哉！賜不識也！昔萬乘之國，有爭臣四人，則封疆不削；千乘之國，有爭臣三人，則社稷不危；百乘之家，有爭臣二人，則宗廟不毀。父有爭子，不行無禮；士有爭友，不為不義。故子從父，奚子孝？臣從君，奚臣貞？審其所以從之之謂孝、之謂貞也。」[12]

魯哀公向孔子諮詢的內容，「孔子趨出以語子貢」，即向子貢轉述魯哀公之問以及自

---

11 〔宋〕朱熹撰：《四書章句集注》北京：中華書局，1983年，頁67。

12 〔戰國〕荀況著，王天海校釋：《荀子校釋》上海：上海古籍出版社，2005年，頁1127。

己的反應。經過孔子的轉述，子貢不但知曉了魯哀公之問，並與孔子進一步討論魯哀公之問的意義，問對的主體由魯哀公與孔子，也轉換成了子貢與孔子。從孔子的「轉述」行為及轉述內容我們可以看出，孔子與魯哀公談話時，子貢雖然在場，但是他卻是問對內容轉述的第一對象。由此，我們可以假設，當子貢再次把魯哀公—孔子問對內容進行「二次轉述」時，後輩為了傳授或記錄文本的簡便，極有可能會把魯哀公之問省略，將文本直接載錄為子貢與孔子的問對，因為這種載錄不但可以呈現轉述內容的核心主題，更有利於凸顯轉述內容的直接來源，以此來增強文本內容的可靠性和來源的權威性。於此，這種轉換使得子貢—孔子的問對內容，與魯哀公—孔子的問對內容相同或相似。前述《春秋穀梁傳》桓公三年子貢「冕而親迎」之問，與大小戴《禮記》魯哀公之問內容相同，可以說明這一問題。

同樣，上引《荀子·子道》一節的內容，在《孔子家語·三恕》中也存有，但談話的主體正如前述所分析的那樣，將問對的主體變成了子貢與孔子，而並沒有出現魯哀公[13]。類似的現象還見於孔子以馬索喻治國，如《孔子家語·觀思》有「子貢問治民於孔子」一章，孔子答：「懔懔焉如若持腐索之扞馬。」[14]同樣的內容也見於《說苑·政理》、《新序·雜事》，文字大致相同，但在《新序·雜事》中，這句話卻出現在魯哀公與孔子的問對之語中，原文為「夫執國之柄，履民之上，懔乎如腐索御奔馬」[15]。子貢—孔子的問對，與魯哀公—孔子問對之辭多次相同，已不能用偶然現象來解釋了，反復多次的出現至少讓我們思考子貢在孔子—魯哀公問對行為中所起到的作為。相同問對內容、不同談話主體，在後人看來也許是文本本身具有很大隨意性的結果，甚至有偽託的嫌疑，然而筆者認為，可能正是這些看似隨意、衝突、變形的記載，作為一個整體，在向我們透露更為真實而深刻的信息。董仲舒在《春秋繁露·俞序》中云「孔子曰：『吾因其行事，而加乎王心焉，以為見之空言，不如行事博深切明。』子貢、閔子、公肩子言其切而為國家資也。」[16]董仲舒所言子貢、閔子為「國家資」，似乎也在從另一方面暗示子貢、閔子騫等人與魯哀公—孔子問對文本之間的聯繫。

子貢作為孔子與魯哀公問對活動的參與者，或者問對內容的第一個轉述對象，還可以從出土文獻中得到印證。上博簡〈魯邦大旱〉出現了三個問對主體，即孔子、魯哀公、子貢。通過多位學者隸定，全篇文字基本如下：

> 第一簡：魯邦大旱，哀公謂孔子：「子不為我圖之?」孔子答曰：「邦大旱，毋乃失諸刑與德乎?唯……

13 廖名春、鄒新明校點：《孔子家語》瀋陽：遼寧教育出版社，1997年，頁23。

14 〔三國·魏〕王肅注：《孔子家語》上海：上海古籍出版社，1990年，頁21。

15 〔漢〕劉向編著，石光瑛校釋，陳新整理：《新序校釋》北京：中華書局，2001年，頁590。

16 〔清〕蘇輿：《春秋繁露義證》北京：中華書局，1992年，頁159-160。

第二簡：……之何哉?孔子曰：「庶民知說之事鬼也，不知刑與德。如毋愛珪璧幣帛於山川，正刑與……」

第三簡：出，遇子貢曰：「賜，爾聞巷路之言，毋乃謂丘之答非歟?」子貢曰：「否，𢼄乎子女適命其歟，如夫正刑與德，以事上天，此是哉。若夫毋愛珪璧

第四簡：幣帛于山川，毋乃不可？夫山，石以為膚，木以為民，如天不雨，石將焦，木將死，其欲雨，或甚於我，何必寺乎命乎?夫川，水以為膚，魚以

第五簡：為民，如天不雨，水將涸，魚將死，其欲雨，或甚於我，何必寺乎命乎?」孔子曰：「烏乎!……

第六簡：公豈不飽粱食肉哉，抑無如庶民何?」[17]

這篇文章雖然殘缺不全，但現存文字足以讓我們推測出問對的主體與主旨，這一點許多學者都曾進行概括總結。如李學勤說：「篇文開頭是魯哀公和孔子的對話，哀公因國境大旱，要求孔子為之謀劃……孔子由哀公處出來，遇見子貢，問他在城內道路上聽人談話，是不是說自己對魯哀公的回答不對，子貢說不是這樣，人們都帶著子女，在向親友傳告。接著，子貢對孔子的意見提出疑問……」[18]李學勤先生的解釋，代表了大部分學者的意見。但是，通讀全文，不難發現：如果按這樣理解全篇，文章存在情理和邏輯上的矛盾。換句話說，按照這種解釋，文章至少存在兩個問題令人疑惑：既然「孔子由哀公處出來，遇見子貢」，子貢如何快速知道魯哀公與孔子的問對內容；更為奇怪的是，城內之人又如何快速知道魯哀公與孔子的內容，而且「人們都帶著子女，在向親友傳告」。顯然，按照前述的篇章釋讀，這兩個問題都無法回答。為什麼出現這樣的現象，筆者認為一定是文字隸定方面出了問題。就第二個問題而言，李學勤先生釋讀的原文是「𢼄乎子女適命其歟」，對此目前已有學者指出應隸定為「抑吾子如重命其歟」[19]，如此就不存在「人們都帶著子女，在向親友傳告」的情形了。此句隸定文字的糾正，是否更深一層地告訴我們：第一個問題的產生本身也是文字隸定的問題？結合古人的語言習慣，筆者認為第一個問題的產生確與文字隸定關係密切。

如果簡文的原意是「孔子由哀公處出來，遇見子貢，問他在城內道路上聽人談話，是不是說自己對魯哀公的回答不對」，那麼孔子之問的前提是「子貢知道問對的內容」，

17 李學勤：〈上博楚簡〈魯邦大旱〉解義〉，《孔子研究》2004年第1期。

18 李學勤：〈上博楚簡〈魯邦大旱〉解義〉，《孔子研究》2004年第1期。

19 廖名春：〈上博藏楚簡〈魯邦大旱〉校補〉，《古籍整理研究學刊》2004年第1期；〈試論楚簡〈魯邦大旱〉篇的內容與思想〉，《孔子研究》2004年第1期。

然而事實卻是「孔子由哀公處出來，遇見子貢」，子貢並不知道問對的內容，更無從談起城內之人的反應。也就是說，在兩人問對、第三人不在場的情況下，第三人不可能快速知曉談話的內容。可以參照的是，兩人談話、第三人不在場的情況，在郭店簡〈魯穆公問子思〉中有明確的反映。〈魯穆公問子思〉同樣涉及三個對話主體：魯穆公、子思、成孫弋。在魯穆公與子思問對時，成孫弋不在場；成孫弋當然不知道魯穆公與子思的問對內容，所以魯穆公在與成孫弋問對時，首先轉述了他與子思問對的內容——「向者吾問忠臣于子思」[20]。以〈魯穆公問子思〉去考察〈魯邦大旱〉，如果簡文原意是孔子與魯哀公問對、子貢不在場，那麼孔子應該首先轉述自己與魯哀公對話的內容，然後再詢問子貢的意見，對話線索應如前引《荀子・子道》一樣。然而，現存簡文顯然不存在孔子轉述自己與魯哀公對話的內容，所以簡文的原意一定不是兩人問對、第三者不在場的情形。由此，我們可以推出孔子與魯哀公問對時，子貢也同時參與了問對活動。就現存〈魯邦大旱〉的線索而言，只有子貢參與了孔子和魯哀公的對話，才能解釋「為什麼孔子與魯哀公的問對內容被子貢快速知曉」的問題。子貢出席孔子與魯哀公對話的活動，也對應於〈魯邦大旱〉君臣問對的內在的線索。因此，簡文「出，遇子貢曰」，可能是「出，與子貢曰」，簡文「遇」並非是「遇見」之義。至於由此產生的問題，也可通過文字的考辨來解釋，如「巷路之言」一詞，是否可以如《荀子・子道》一樣隸定為「向者之言」？

簡而言之，子貢作為第三者，參與了魯哀公與孔子問對的活動，更符合上博簡〈魯邦大旱〉的文本邏輯和結構線索。

退一步說，即使按照李學勤先生對〈魯邦大旱〉的釋讀，也可反映出子貢對魯哀公與孔子問對內容的掌握程度是何等嫻熟和深入。總而言之，上述這些難得的信息也許正在向我們透露出：子貢與「孔子三朝」的行為存在著密切、獨特的關係。

三　子貢注重「述」孔子言行的內在理念

子貢講究「述」孔子之言的內在精神，這從《論語》的相關記載中可以得到證明。《論語・陽貨》載：

> 子曰：「予欲無言。」子貢曰：「子如不言，則小子何述焉？」子曰：「天何言哉？四時行焉，百物生焉，天何言哉？」[21]

針對此段意義，諸家解釋各有不同。朱熹曰：「子貢正以言語觀聖人，故疑而問

20 李零：《郭店楚簡校讀記》北京：北京大學出版社，2002年，頁85。

21 〔清〕阮元校刻：《十三經注疏・論語注疏》北京：中華書局，1980年，頁2526。

之。」[22]《論語筆解》載韓愈（西元768-824年）曰：「愚謂仲尼非無言也，特設此以誘子貢，以明言語科未能忘言，至於默識，故云天何言哉，且激子貢使進于德行科也。」[23]結合《論語》的編纂過程[24]，如此解讀此句實屬誤解：孔子所言，並不是針對子貢而發；孔子與子貢之言的指向各有不同。正如《經正錄》所云：「此是子貢從『無言』中抽出『小子何述』一種致其疑問，而夫子所答，則又成己成物一本原處。」[25]既然二人問答的指向不同，就不能狹義地理解為子貢不懂孔子之道而問，更不能理解為孔子針對子貢缺點而言。按照《論語》材料形成的特點，此句的記錄應以子貢本人的「講述」為前提。由此，我們可以說，子貢在「轉述」的同時，應當理解了孔子的真正意圖。正如《論語筆解》記載李翺（西元772-836年）的言論所說：「深乎聖人之言，非子貢孰能言之？孰能默識之耶？吾觀上篇子貢曰『夫子之言性與天道，不可得而聞也』，又下篇陳子禽謂子貢賢于仲尼，子貢曰『君子一言以為不知，言不可不慎也。夫子猶天，不可階而升也』，此是子貢已識仲尼『天何言哉』之意明矣。」[26]《論語述何》也說：「聖人之文，天文也。天道至教，春秋冬夏，風雨霜露，無非教也。《春秋》之文，日月詳略不書者勝於書，使人沉思而自省悟，不待事而萬事畢具，無傳而明，不言而著。子貢知之，故曰『夫子之言性與天道，不可得而聞也』。」[27]可見，此句不但不是子貢不懂孔子之道的證據，反而是子貢領悟孔子「天道」思想的旁證。

結合孔子與子貢對話的本意，我們可知，子貢本身就有「轉述」孔子之言的自覺意識。經過孔子用「天何言哉」的點撥，子貢的這種自覺意識已不再局限於表面的言語，而更關注「天道」的「轉述」。從這一點可以說，子貢「轉述」孔子之言的著眼點以及把握程度有所提高，他強調的是孔子言論中所蘊藏天道思想的內容。子貢追求的這種方向，無疑與《孔子三朝記》所體現的思想具有一致性。

四　子貢關注孔子「天道」思想的傳承

《孔子三朝記》的「天道」觀念，正是子貢一直關注的主要內容。《論語・公冶長》記載：

> 子貢曰：「夫子之文章，可得而聞也；夫子之言性與天道，不可得而聞也。」[28]

22〔宋〕朱熹撰：《四書章句集注》北京：中華書局，1983年，頁180。

23 程樹德撰，程俊英、蔣見元點校：《論語集釋》北京：中華書局，1990年，頁1228。

24 劉全志：〈論孔門七十子的「講習」活動——兼論〈論語〉的形成〉，《孔子研究》2012年第2期。

25 程樹德撰，程俊英、蔣見元點校：《論語集釋》北京：中華書局，1990年，頁1228。

26 程樹德撰，程俊英、蔣見元點校：《論語集釋》北京：中華書局，1990年，頁1228。

27 程樹德撰，程俊英、蔣見元點校：《論語集釋》北京：中華書局，1990年，頁1229。

28〔清〕阮元校刻：《十三經注疏・論語注疏》北京：中華書局，1980年，頁2474。

對於此句的解釋，歷代說法眾多，而且相互矛盾，問題的關鍵在於子貢是否聽到「夫子之言性與天道」。東漢桓譚（西元？-56年）曰「蓋天道性命，聖人所難言也。自子貢以下，不得而聞，況後世淺儒，能通之乎」[29]，顯然是認為子貢沒有聽到「夫子之言性與天道」。北宋程頤（西元1033-1107）曰「此子貢聞夫子之至論而歎美之言也」，朱熹進一步解釋說：「文章，德之見乎者，威儀文辭皆是也。性者，人所受之天理；天道者，天理自然之本體，其實一理也。言夫子之文章，日見乎外，固學者所共聞；至於性與天道，則夫子罕言之，而學者有不得聞者。蓋聖門教不躐等，子貢至是始得聞之，而歎其美也。」[30]可見，朱熹等人認為子貢聽到了「夫子之言性與天道」。從兩派的爭論可以看出，他們的解釋都集中於「夫子之言性與天道」所代表的內容，爭論的最終結果甚至否認「夫子之言性與天道」，認為「性與天道」與「子罕言利與命」相同，都是孔子不談論或很少談論的內容。其實，這兩種觀點都忽略了一個問題，即《論語》所載子貢這句話的語氣顯然是一種假設。「可得而聞」「不可得而聞」，是一種立身於局外的假設性說法。也就是說子貢所言的情況，並不是指自己「聞」還是「未聞」，而是指他人或後人從孔子那裡「得而聞」到了什麼：是孔子外在的威儀言辭，還是「性與天道」。如果子貢的原意真如桓譚所言，措辭方面直接用「聞」「未聞」就足以表達意思，而沒有必要用「可得而聞」「不可得而聞」。相比較而言，皇侃引太史叔明的觀點最為精當，他說：「以此言之，舉是夫子死後，七十子之徒，追思昔日聖師平生之德音難可復值。六籍即有性與天道，但垂於世者可蹤，故千載之下，可得而聞也。至於口說言吐，性與天道，蘊藉之深，止乎身者難繼，故不可得而聞也。」[31]由此我們可知，子貢「可得而聞」與「未可得而聞」之言是出自一種憂慮性的感歎：他擔心他人或後人從孔子所傳典籍那裡，只得到了表面的言辭，而沒有得到內在的「性與天道」。

子貢發此感歎的前提無疑是他聽到了或領悟到了「夫子之言性與天道」，對此前人多有提出者。如《論語筆解》記載李翱云：「蓋門人只知仲尼文章，而少克知仲尼之性與天道合也。非子貢之深蘊，其知天人之性乎？」《論語意原》：「性與天道至難言也，夫子寓之于文章之中，惟子貢能聞之。」[32]看來《論語》對此句的記載，的確可以看出子貢對「夫子之言性與天道」的獨特把握。當然，子貢之言的意圖更重要的是表達一種對現狀的「憂慮」，他的擔心在於「夫子之言性與天道，不可得而聞也」。子貢的這種「憂慮」，實質上是對孔子「性與天道」傳承的「憂慮」：如果時人或後人對「夫子之言性與天道」的精華思想「不可得而聞也」，而只抓住了「可得而聞」的外在形式，那麼必然對孔子產生誤解，甚至詆毀。如《論語．子張》叔孫武叔認為「子貢賢于仲尼」、

---

29 （南朝．宋）范曄撰，〔唐〕李善等注：《後漢書》北京：中華書局，1965年，頁959-960。

30 〔宋〕朱熹撰：《四書章句集注》北京：中華書局，1983年，頁79。

31 程樹德撰，程俊英、蔣見元點校：《論語集釋》北京：中華書局，1990年，頁320。

32 程樹德撰，程俊英、蔣見元點校：《論語集釋》北京：中華書局，1990年，頁321。

「叔孫武叔毀仲尼」、甚至陳子禽也對子貢說「仲尼豈賢於子乎」等現象的出現，可以說是這種誤解或詆毀的代表。對於他人對自己的「稱讚」和對老師的質疑，子貢一直保持著清醒而睿智的頭腦。他說：

> 「譬之宮牆，賜之牆也及肩，窺見室家之好。夫子之牆數仞，不得其門而入，不見宗廟之美、百官之富，得其門者或寡矣」；
> 「無以為也，仲尼不可毀也。他人之賢者，丘陵也，猶可逾也；仲尼，日月也，無得而逾焉。人雖欲自絕，其何傷於日月乎？多見其不知量也」；
> 「君子一言以為知，一言以為不知，言不可不慎也。夫子之不可及也，猶天之不可階而升也。夫子之得邦家者，所謂立之斯立，道之斯行，綏之斯來，動之斯和。其生也榮，其死也哀。如之何其可及也」。[33]

子貢的三段答語，表達了自己對老師的推崇，更再現了自己對「夫子之道」的堅定信仰。所謂的「及肩之牆」與「數仞之牆」、「丘陵」與「日月」、「夫子之不可及也，猶天之不可階而升也」等譬喻，無疑是把相對抽象的「夫子之道」的博大與崇高，描述得更加形象、具體，同時也更加突出和偉大。

然而，無論子貢多麼言語巧妙、連類譬喻地說明孔子的偉大和非凡，似乎都很難以彌補「夫子之言性與天道不可得而聞也」的缺憾：沒有相關文本的傳世和言說，任何巧妙的言辭、憤激的反駁都顯得蒼白無力。

面對這種狀況怎麼辦？毋庸置疑，那就是應該直接、明確、清晰地記錄「夫子之言性與天道」的內容。正如孔子自己所言「我欲載之空言，不如見之於行事之深切著明也」，以孔子為代表的儒學本就特別重視文獻傳承的意義[34]，而以子貢為代表的孔門，無疑也承繼了孔子編纂文獻、傳承文本的自覺意識[35]。所以，為了更好的闡釋孔子的「數仞之牆」、「日月之光」、「齊天之道」，以子貢為代表的孔門必然要言說、筆錄、編纂直接反映孔子「聖人」思想的文本。這種言說、筆錄、編纂行為，不僅是對質疑聲音的有力反擊，更是對孔子「性與天道」思想的承繼與傳播[36]。

---

33 〔清〕阮元校刻：《十三經注疏．論語注疏》北京：中華書局，1980年，頁2532-2533。

34 孔子哀歎文獻的不足和闕如、強調《春秋》的意義等，都說明儒家對文獻傳承的重視程度。

35 董仲舒在《春秋繁露．俞序》中云「孔子曰：『吾因其行事，而加乎王心焉，以為見之空言，不如行事博深切明。』子貢、閔子、公肩子言其切而為國家資也。」董仲舒所言，也許正暗示著子貢參與編纂孔子君臣問對文獻的信息。

36 《孔子家語．本命解》是魯哀公—孔子討論性與命的篇章，此篇內容也出現於《大戴禮記》，但沒有魯哀公—孔子的問對形式。也許漢儒在收錄〈本命解〉時，因為錯誤理解了「子罕言命與利」等語，所以直接刪去了魯哀公—孔子問對的形式。無論如何，〈本命解〉的存在至少說明以孔子首的先秦儒家同樣在關注「性與命」的問題。

從現存《孔子三朝記》七篇來看，討論天道的內容很多。如〈千乘〉「開明閉幽，內祿出災，以順天道，近者閑焉，遠者稽焉。君發禁宰而行之，以時通於地，散佈於小。理天之災祥，地寶豐省，及民共饗其祿，共任其災，此國家之所以和也」;〈四代〉「天道以視，地道以履，人道以稽。廢一曰失統，恐不長饗國」;〈虞戴德〉「天子告朔于諸侯，率天道而敬行之，以示威於天下也」;〈誥志〉「日月成歲曆，再閏以順天道」;〈用兵〉「殀替天道，逆亂四時，禮樂不行，而幼風是御。曆失制，攝提失方，鄒大無紀。不告朔于諸侯，玉瑞不行、諸侯力政，不朝于天子，六蠻四夷交伐於中國」;〈少閑〉「先清而後濁者，天地也。天政曰正，地政曰生，人政曰辨」「昔虞舜以天德嗣堯」等[37]，都是在言說天道的廣大、威嚴和朗明。

《孔子三朝記》的「天道」觀念，與前述《論語》所載子貢對「天道」傳承的「憂慮」以及對誤解和詆毀現象的「體悟」，存在著內在的一致性。《論語》所反映的諸多現象，也許正是《孔子三朝記》出現、形成、定型的內在動機[38]。

---

37 〔清〕王聘珍：《大戴禮記解詁》北京：中華書局，1983年，頁153-212。

38 值得說明的是，在《孔子三朝記》的形成過程中，一定還存在其他孔門弟子的作為，關於這一點筆者將另文探討。

孟子世系小考
——以前十代為主

李婍儷
中國人民大學國學院

一　前言

現存孟子世系的家譜最早見於明憲宗成化十八年的《孔顏孟三氏志》，此後歷代都有續修，目前最完整的是清同治年間的《孟子世家譜》。[1]

根據同治四年《孟子世家譜》所記，孟子世系的前十代為：

二代孟仲子，北宋政和五年追封新泰伯，子睪。
三代孟睪，鄒之處士隱居不仕，好靜，多智慮，多智慧，容貌俊儀，通五經，美詞章。
四代孟寓，朝召不受，性忠厚純樸，不驕侮人，善與人交往，治家有道。
五代孟舒，字子懷，漢高祖時為「雲中牧」。
六代孟之後，隱居不仕。
七代孟昭，為漢博士，博覽經史，文貫古今。
八代孟但，精易道，漢武帝時「太子門大夫」。
九代孟卿，漢代封淮陽太守，後仕至太傅。
十代孟喜，字長卿，漢宣帝時舉孝廉，仕至「郎官」。
十一代孟鎡，抱道不仕，主封祀事。

二　孟仲子身份

一世孫孟仲子，毛傳兩次引其說解詩：〈詩維天之命〉中解釋「維天之命於穆不已」句引孟仲子曰：「大哉天命之無極，而美周之禮也」；〈閟宮〉解釋「宮有侐實實枚枚」句引孟仲子之言曰：「是禖宮也，侐清淨也，實實廣大也，枚枚礱密也」。

但孔穎達在《毛詩正義》中記載其為子思的弟子，並未講其為孟子的兒子：

1　劉旭光：《孟府檔案管理研究》，山東大學博士學位論文，2011年，頁4-5。

譜云，孟仲子者，子思弟子，蓋與孟軻共事子思，後學於孟軻，著書論《詩》，毛氏取以為說。言此詩之意稱天命以述制禮之事者，歎大哉天命之無極而嘉美周世之禮也，美天道行而不已，是歎大天命之極，文王能順天，而行周禮順文王之意，是周之禮法效天為之。故此言文王，是美周之禮也。定本作美周之禮，或作周公之禮者誤也。[2]

孔穎達所說的「譜」當為鄭玄的《毛詩譜》，其記載與今《孟子世家譜》不一致。趙岐則在《孟子．公孫丑下》中注孟仲子為孟子的弟弟：

王使人問疾醫來，孟仲子對曰：「昔者有王命有採薪之憂，不能造朝，今病小愈趨造於朝，我不識能至否乎？」趙岐註：孟仲子，孟子之從昆弟學於孟子者也。

朱熹在《四書章句集注》中也認同這種說法：

孟仲子，趙氏以為孟子之從昆弟學於孟子者。[3]

趙岐和鄭玄的時代都在東漢，二者的說法都比較可靠，如果孟仲子與孟子的關係是父子，那麼趙岐和鄭玄是絕對不會寫成昆弟或子思弟子之話的，所以可以斷定孟仲子並不是孟子的後代。

《初學記》中記載孟仲子傳詩，也是根據鄭玄的說法：

商序曰：志之所之也，昔孔子刪《詩》，上取商下取魯凡三百一十一篇，至秦滅學亡六篇，今在者三百五篇，初孔子以《詩》授卜商，商為之序，以授魯人曾申，曾申授魏人李克，李克授魯人孟仲子，孟仲子授根牟子，根牟子授趙人荀卿，荀卿授漢人，魯國毛亨作詁訓傳以授趙國毛萇，時人謂亨為大毛公，萇為小毛公，以二公所傳故名其詩曰《毛詩》。[4]

綜上，確實有一位和孟子關係密切的孟仲子存在，但直到孟寧修家譜才出現他是孟子兒子的說法，其名為睾，這與同治時期的《孟子世家譜》記載衝突，詳見孟睾的考證。另外傳詩的孟仲子和《孟子》里的孟仲子是否為同一人也有待討論。

---

2 〔清〕阮元：《十三經註疏》北京：中華書局，1980年，頁584。

3 〔南宋〕朱熹：《四書章句集注》上海：上海古籍出版社，2006年，頁311。

4 〔唐〕徐堅：《初學記》北京：中華書局，1962年，頁498。

三 孟睾

二世孫孟睾，在先秦至唐之前的典籍中均未有記載，在萬曆年間撰修的《兗州府志》有記載孟仲子名睾：

> 孟氏後裔：孟仲子名睪，孟子之子也，孟子四十五代孫寧嘗見一書，於畢山道人其書題曰：《公孫子》內有〈仲子問〉一篇，乃知仲子實孟子之子，嘗從學於公孫丑者。[5]

明清人著書中也多載孟仲子名睾，且為公孫丑的弟子，皆據孟氏譜，此與趙岐和孔穎達的說法不同，也與今《孟子世家譜》不同：

> 一篇乃知仲子實孟子之子，嘗從學於公孫丒者，孟氏譜。[6]

> 余嘗見孟氏譜，孟仲子名睪，孟子之子也，《公孫子》內有〈孟仲子問〉云云，蓋曾師事丑耳，趙氏注以為孟子之從昆弟，朱之採之誤矣。[7]

孟子生睪，字仲子，受學於公孫丑，著書論詩，毛萇《詩》傳中嘗引其語云，趙岐註以仲子為孟子之從昆弟，朱子亦以為弟，三遷志以仲子為子，睪為孫，未知孰是。[8]

王圻所引為《三遷志》，有明嘉靖版，明崇禎版及清雍正版，《續文獻通考敘》撰於萬曆壬寅歲季夏朔[9]，當知此書成書不晚於萬曆年間，王圻看到的當為崇禎之前的比較早版本的《三遷志》，而所謂孟氏譜，陳其元與陳士元所見也當為同一本，這本孟氏譜應當是更早的版本，這裡孟仲子與孟睾為同一人，而後代在續修家譜時或有所改刪訛誤，才造成與今本的不同。所以孟睾是孟子孫子的說法最早也是見於孟寧的家譜。

四 其他世系紀錄

三世孫孟寓無古籍記載。

四世孫孟舒見於司馬遷《史記・田叔列傳》：

---

5 《(萬曆) 兗州府志》卷七，明萬曆刻本。

6 〔南宋〕陳士元：《孟子雜記》上海：商務印書館，1937年，頁5。

7 〔清〕陳其元：《庸閑齋筆記》北京：中華書局，1989年，頁150。

8 〔南宋〕王圻：《續文獻通考》臺北：文海出版社有限公司，1984年，頁3534。

9 〔南宋〕王圻：《續文獻通考》臺北：文海出版社有限公司，1984年，頁14。

> 唯孟舒田叔等十餘人，赭衣自髡鉗，稱王家奴，隨趙王敖至長安……孝文帝既立，召田叔問之曰：「公知天下長者乎？」對曰：「臣何足以知之。」上曰：「公長者也，宜知之。」叔頓首曰：「故雲中守孟舒，長者也。」[10]

孟舒者確有其人，曾任漢「雲中守」。《史記》的記載應當可靠，但因為孟子在漢代還沒有被尊奉起來，即使孟舒是孟子的後裔，典籍中也不會注出，所以既沒有證據證明孟舒是孟子的後代，但也無法反駁，七八九世亦是如此。

五世孫孟之後和六世孫孟昭未見古籍記載，但其名怪異，宋代的書中常有言「孔孟之後」或「顏曾思孟昭然具在」之語，疑此二人之名俱為斷章取義所取，即以書中有記載的「孟」字之後的字連起來以為人名，目前只是猜測未有證據。

七世孫孟但以治易學官至太子門大夫，見《史記・儒林列傳》第六十一記載：

> 而漢興。田何傳東武人王同子仲，子仲傳菑川人楊何，何以《易》，元光元年徵，官至中大夫，齊人即墨成以《易》至城陽相，廣川人孟但以《易》為太子門大夫，魯人周霸，莒人衡胡，臨菑人主父偃，皆以《易》至二千石，然要言《易》者本於楊何之家。[11]

八世孫孟卿古書有其事迹，見班固《漢書・儒林傳》第五十八：

> 孟卿，東海人也，事蕭奮以授后倉，魯閭丘卿。倉說《禮》數萬言，號曰《后氏曲臺記》。[12]

賈公彥〈序周禮興廢〉中有提到：

> 而瑕丘蕭奮以《禮》至淮陽太守，孟卿，東海人也，事蕭奮以授后倉。[13]

按上下文該句當句讀為：「而瑕丘蕭奮以禮至淮陽太守，孟卿，東海人也，事蕭奮，以授后倉」。可知記載孟卿為淮陽太守當為誤讀，其並未任淮陽太守，然這已是唐初才有的說法。且如果家譜的記載是有自己的源流的，那麼孟卿的官職應該會有準確的記載，而不至於有這樣的錯誤，這樣更像是家譜在後來的編纂中抄襲前書，在抄書的過

---

10 〔漢〕司馬遷：《史記》北京：中華書局，2011年，頁2424。

11 〔漢〕司馬遷：《史記》北京：中華書局，2011年，頁2714。

12 〔漢〕班固：《漢書》北京：中華書局，2012年，頁3111。

13 〔清〕阮元：《十三經註疏》北京：中華書局，1980年，頁635。

程中誤讀而弄錯了孟卿的職官。

九世孫孟喜官至郎曲臺署長，班固《漢書・儒林傳》有記載：

> 孟喜字長卿，東海蘭陵人也。父號孟卿，師古曰：「時人以卿呼之若言公矣。」善為《禮》，《春秋》，授后倉，疏廣。世所傳《后氏禮》，《疏氏春秋》，皆出孟卿。孟卿以《禮經》多，《春秋》煩雜，乃使喜從田王孫受易，喜好自稱譽，得《易》家候陰陽災變書，詐言師田生且死時枕喜厀，獨傳喜，諸儒以此耀之。師古曰：「用為光榮也。」同門梁丘賀疏通證明之，師古曰：「同門，同師學者也，疏通猶言分別也，證明，明其偽也。」曰：「田生絕於施讎手中，時喜歸東海，安得此事？」又蜀人趙賓好小數書，後為《易》，飾《易》文，以為「箕子明夷，陰陽氣亡箕子；箕子者，萬物方荄茲也。」師古曰：「《易》明夷卦，彖曰：『內文明而外柔順，以蒙大難，文王以之利艱貞，晦其明也，內難而能正其志，箕子以之。』而六五爻辭曰：『箕子之明夷，利貞。』此箕子者，謂殷父師說洪範者也，而賓妄為說耳，荄茲言其根荄方滋茂也，荄音該，又音皆。賓持論巧慧，《易》家不能難，皆曰「非古法也」。師古曰；「心不服」。雲受孟喜，喜為名之。師古曰：「名之者，承取其名，雲實授也。」後賓死，莫能持其說。喜因不肯仞。師古曰：「仞亦名也，仞音刃。」以此不見信。喜舉孝廉為郎，曲臺署長。師古曰：「曲臺殿名署者，主供其事也。」病免，為丞相掾。博士缺，眾人薦喜，上聞喜改師法，遂不用喜，喜授同郡白光少子，沛翟牧子兄。師古曰：「兄讀曰況。」皆為博士。繇是有翟，孟，白之學。[14]

十世孫孟鎡不見文獻記載。

五　總結

綜上，孟子世系的前十代見於唐之前古書記載者只有五代，但都未言及與孟子有後代關係，所有的世系關係記載都是起源於四十五世孫孟寧所修的家譜。孟寧是第一個自稱自己是孟子後裔的人，也是他修纂了第一部家譜，所以要確切證明這份世系關係的真偽，就要證明孟寧的家譜是毫無根據的，據明洪武六年「孟氏宗傳祖圖碑」載：「景祐四年，孔道輔守兗州訪亞聖墳於四基山之陽，得其四十五代孫孟寧，用薦於朝，授迪功郎，主鄒縣籍，奉祀祖廟。迪功新故宅，壞屋壁乃得所藏家譜。」[15]，將孟寧以孟子後

---

14 〔漢〕班固：《漢書》北京：中華書局，2012年，頁3097。

15 劉旭光：《孟府檔案管理研究》，山東大學博士學位論文，2011年，頁19。

裔身份舉薦於朝的，是孔子的四十五代孫孔道輔，孟寧所修家譜的依據是他壞屋壁所得的家譜，而重修家譜這項活動，究竟是孟寧還是孔道輔主張的，也有待討論。

（編者按：本文章節題號，由編者加上）

荀子的成聖之道

王強

中國人民大學國學院

「聖人」在荀子學說裡占有重要地位。首先，「聖人者，道之極也。」(《荀子・禮論》)「聖也者，盡倫者也。」(《荀子・解蔽》) 聖人是人道之極，是儒家所標榜的理想人格。其次，「因天下之和，遂文武之業，明枝主之義，抑亦變化矣，天下儼然猶一也。非聖人莫之能也。」(《荀子・儒效》) 聖人在治國平天下的事業中具有不可代替的作用。故而聖人是內聖和外王的雙重極致。聖人如何產生，如何成為聖人，一直是儒家所關心的問題。尤其是到了戰國時代，辯論之風的興起，促使著儒家不斷完善它的聖人理論，於是孟子和荀子都提出了獨特而系統的成聖理論。

孟子認為人性善，故而聖人當往內心去求。所謂「盡其心者，知其性也，知其性，則知天矣。」「反身而誠。」(《孟子・盡心》) 只要能夠反觀自身，找回「放心」，便可以成聖。在孟子看來「求則得之，舍則失之。」(《孟子・告子》) 聖人只是人本性自然而然的發展結果，由仁而聖，僅僅需要擴充人心中本已存在的善端即可。

而荀子對人性的判斷則截然相反，如何在人性趨惡的基礎上成為聖人？荀子為此構造了一個龐大的理論體系，從對心性的預設，到具體的修養方法，詳細闡釋了成聖的可能性和修養過程。這個龐大的成聖體系體現了荀子學說的理性精神和現實主義傾向，由此可見荀子的特色和與思孟心性之學的分歧。

一　成聖的心性預設

（一）人性的同一性和多元性

什麼是人性？荀子多次給出闡釋：「生之所以然者謂之性。」「不事而自然謂之性。」(《荀子・正名》)「性者，本始材樸也。」(《荀子・禮論》) 性是不加矯揉的天生本質。它是質樸的、先天稟賦並且沒有經歷過社會的儒染。荀子認為，人性具有同一性，每個人的人性都是相同的。「饑而欲食，寒而欲暖，勞而欲息，好利而惡害，是人之所生而有也，是無待而然者也，是禹、桀之所同也。」(《荀子・榮辱》) 人性既是自然無待的，也是賢愚同一的。

所以，在荀子看來，聖人並不具有特殊的人性。成聖並非是某些人先天便有的特權，聖人並不具有先天的道德優越性。「塗之人可以為禹。」（《荀子・性惡》）「堯舜者非生而具者也。」（《荀子・儒效》）每個人都有成為聖人的可能。「凡人之性，堯舜之與桀跖，其性一也。」（《荀子・性惡》）聖人的人性和普通人，乃至小人、惡人，其人性都是同一無異的。

人性的同一是成聖的根本前提，如果人性不是同一的，某些人具有成聖的品質，而另外一些人不具有這種品質，那麼也就普通人也就沒有修身成聖的必要，荀子乃至儒家所提倡的一切修身之術都失去意義。故而無論是孟子還是荀子，雖然他們在人性的善惡屬性上存在分歧，但是都持人性同一的看法。

荀子認為，這四海同一的人性是趨向於惡的。「人之性惡明矣，其善者偽也。」「凡禮義者，是生於聖人之偽，非故生於人之性也。」（《荀子・性惡》）「偽」者，人為也。人的自然屬性是趨向於惡，現實社會中人所具有的善是後天人為教化的，並非人性中原有的一部分。「今人之性，生而有好利焉，順是，故爭奪生而辭讓亡焉；生而有疾惡焉，順是，故殘賊生而忠信亡焉；生而有耳目之欲，好聲色焉，順是，故淫亂生而禮義文理亡焉。然則從人之性，順人之情，必出於爭奪，合於犯分亂理，而歸於暴。」（《荀子・性惡》）人性之中，有好利、有疾惡、好聲色等很多端倪，如果「順是」放縱這些人性的根芽，忠信禮儀就會喪失，爭奪和暴亂就會產生，社會就會走向崩壞。

然而人性趨惡並不等於人性本惡。這裡必須提出荀子人性學說中另一個重要概念——「情」。何為情？「性之好惡喜怒哀樂謂之情。」（《荀子・正名》）情是人性的一個層面，是性的發用，具有「好惡喜怒哀樂」的趨向。人性是「本始材樸」的，並沒有善惡屬性。「從其性，順其情，安咨睢，以出乎貪利爭奪。」（《荀子・儒效》）所謂「順是」，即是順縱起其情，便會走向爭奪暴亂的惡。「故順情性則不辭讓矣，辭讓則悖於情性矣。」（《荀子・性惡》）所以荀子假舜之口說：「人之情甚不美。」（《荀子・性惡》）可見，荀子所謂性惡，並非說人性生而既已是惡，而是說人性之中有趨惡的情欲。人性的同一只是說人具有同樣趨惡的情欲，沒有否定人性發展的多元性。

所以，性惡只是人性發展的一種最普遍最自然的傾向，而非唯一結局。如果放縱其情，便會走向惡的極端；而如果能夠「化性起偽」，便可以逆而成聖。人性的同一性與多元性的理論預設既為現實中的善惡差別給出了一個解釋，也為修身的努力留出了空間。

（二）化性起偽

人性雖然有趨向於惡的自然屬性，但是卻並非不可逆轉。修身成聖，是儒家從不否定的理想，然而荀子卻主張性惡，如何調和這之間的矛盾，荀子提出了化性起偽，來解決這個矛盾。

「性也者，吾所不能為也，然而可化也。」（《荀子・儒效》）所謂性，是自然天生的，並非人力可以創造。然而可以「化之」，所謂化，就是通過後天力量，雖然不能改變人性趨惡的先天屬性，但是卻可以改變人性的現實走向。

荀子提出了「偽」的概念來定義這種後天力量。「凡性者，天之就也，不可學，不可事。禮義者，聖人之所生也，人之所學而能，所事而成者也。不可學，不可事，而在人者，謂之性；可學而能，可事而成之在人者，謂之偽」(《荀子・性惡》)「偽」強調的是一種人為的、後天的修養，與先天之性針鋒相對。而「偽」又從何而來呢？荀子認為「偽」從聖人而來：「聖人化性而起偽，偽起而生禮義，禮義生而制法度。」(《荀子・性惡》)「偽」不是人性中固有的，而是聖人所創造的。「偽」，便是聖人制定禮義法度，以教化人心，到達人性至善，天下至化的目的。

「故古者聖人以人之性惡，以為偏險而不正，悖亂而不治，故為之立君上之執以臨之，明禮義以化之，起法正以治之，重刑罰以禁之，使天下皆出於治，合於善也。是聖王之治而禮義之化也。」(《荀子・性惡》) 聖人察覺了人性的趨惡屬性，便能化性起偽，制定禮儀法度，創立典範，通過外在的力量教化人性，人為地克制甚至逆轉情性的惡性膨脹，擺脫自然屬性的導向，使人性在現實中走向理想的善的一面。

「凡所貴堯舜君子者，能化性，能起偽，偽起而生禮義。」(《荀子・性惡》) 因此，聖人之性，同樣具有趨惡的屬性，但化性起偽，能夠克服情性的惡性發展，成了聖人之所以為聖人，區別於普通人的特點。「故聖人之所以同於眾而不異於眾者，性也；所以異而過眾者，偽也。」「凡禮儀者，生於聖人之偽，非故生於聖人之性也。」(《荀子・性惡》) 聖人的禮義道德，並非來自於聖人之性，而是來自於聖人之「偽」。

(三) 心的能動性

那麼聖人又如何能化性起偽，跳出人性趨惡的先天預設呢？荀子認為心的能動作用可以解決這個問題。「心慮而能為之動則為之偽。」(《荀子・正名》) 心的思慮反省是化性起偽的關鍵。心的能動作用是成聖的動力機制。聖人正是發動了心的作用，才能化性起偽。

「心者，形之君也，而神明之主也。」(《荀子・解蔽》) 在荀子看來，心支配著人，主宰著人的意識。而且，心具有不待於外物的獨立性，能夠獨立的反思自省。「出令而無所受令，自禁也，自使也，自奪也，自取也，自行也，自止也。故口可劫而使墨云，形可劫而使詘申，心不可劫而使易意，是之則受，非之則辭。」(《荀子・解蔽》) 心能夠支配人，卻不受外物的支配，能夠自我克制，自我發用，自我削除，自我增取，自我行動，自我停止。符合心的要求才接受，不符合心的要求便不接受，有著充分的獨立性和能動性。

「心知道然後可道，可道然後能守道以禁非道。」(《荀子・解蔽》) 心的「知道」

是成聖的基礎，如果心能夠認識道，那麼接下來才能修身化性，乃至成聖。

但是通常情況下，普通人的心容易受到外物的蒙蔽，並非人人能思慮自省，並非人人能正確的認識事物。「凡人之患，蔽於一曲，而暗於大理。」「心不使焉，則白黑在前而目不見，雷鼓在側而耳不聞。」（《荀子・解蔽》）荀子認為，這種蒙蔽是極容易發生的，「故為蔽？欲為蔽，惡為蔽，始為蔽，終為蔽，遠為蔽，近為蔽，博為蔽，淺為蔽，古為蔽，今為蔽。凡萬物異，則莫不相為蔽，此心術之公患也。」（《荀子・解蔽》）過分喜愛某物會受蒙蔽，過分的厭惡某物也會受蒙蔽；做事情只關注開始會被蒙蔽，只關注結果也會被蒙蔽；好高鶩遠會被蒙蔽，目光短淺也會被蒙蔽；駁雜繁多會被蒙蔽，孤陋寡聞也會被蒙蔽；厚古薄今會被蒙蔽，厚今薄古也會被蒙蔽，這些都是偏於一隅。喜好與厭惡、始與終、遠與近、博聞與淺見、古與今，都會成為心被蒙蔽的根源，總而言之，只要世界上存在著形色各異的萬物，心便會被蒙蔽。

要跳出蒙蔽絕非是一件簡單的事情，「墨子蔽於用而不知文，宋子蔽於欲而不知得，慎子蔽於法而不知賢，申子蔽於勢而不知知，惠子蔽於辭而不知實，莊子蔽於天而不知人。」（《荀子・解蔽》）在荀子看來，這些當時已名滿天下的思想家，他們的智慧雖然代表著那個時代的巔峰，但是仍然被蒙蔽了，他們的學說仍然是偏於一隅。這些人尚且屬被蒙蔽之列，普通人乃至夏桀、商紂更是無法逃脫萬物的蒙蔽。所以在荀子看來，能夠做到「仁智且不蔽」的只有聖人。人人都有心，只有聖人之心才能避免於蒙蔽，化性起偽。

聖人能夠發動心的能動性的要訣在於聖人之心能夠做到「虛一而靜」（《荀子・解蔽》）。

「人何以知道？曰：心。心何以知？曰：虛一而靜。心未嘗不臧也，然而有所謂虛；心未嘗不兩也，然而有所謂一；心未嘗不動也，然而有所謂靜。人生而有知，知而有誌；誌也者，臧也；然而有所謂虛；不以所已臧害所將受謂之虛。心生而有知，知而有異；異也者，同時兼知之；同時兼知之，兩也；然而有所謂一；不以夫一害此一謂之一。心臥則夢，偷則自行，使之則謀；故心未嘗不動也；然而有所謂靜；不以夢劇亂知謂之靜。」（《荀子・解蔽》）

何謂虛？「不以所已臧害所將受謂之虛」不因學過的知識而妨礙將學習的知識，這稱為虛，即能夠不帶成見的看待新的知識和問題。不能做到虛，便會「私其所積，唯恐聞其惡也。倚其所私，以觀異術，唯恐聞其美也。」（《荀子・解蔽》）守著已有的見聞知識，不肯接受別的知識，心中自滿。

何謂一？「不以夫一害此一謂之一」。一，不是守著一種知識而排斥另一種知識，恰恰相反，真正的一，是不以此一知識，排斥彼一知識。這樣，便不會蔽於一曲，而妨害把握整體的道。「夫道者體常而盡變，一隅不足以舉之。曲知之人，觀於道之一隅，而未之能識也。」（《荀子・解蔽》）道無所不包，變化莫測，微妙而隱蔽，抱於一隅而排斥其他，必定偏聽則暗，不能認識整體的道。「君子一於道而以贊稽物。」（《荀子・解蔽》）這種做法看似是「兼」，實則是對具體知識的兼，而一於道。這和荀子強調「君子博學而日參省乎己」（《荀子・勸學》）的修身之道是一致的。

所謂靜，乃是做到了虛和一之後的境界。「不以夢劇亂知謂之靜。」（《荀子・解蔽》）虛、一和靜是遞進的三重境界，唯有做到不以先知妨害後知，才能兼而明、一於道，只有一於道才不會中心搖晃，為夢幻所惑亂。「心枝則無知，傾則不精，貳則疑惑。」（《荀子・解蔽》）如果心不能一，旁支叢生，則不免於疑惑迷亂。故而，靜乃是指心智不亂。

做到了虛一而靜，聖人便進入了大清明的境界。心便可以避免外物的蒙蔽，從而可以自主地思慮反省，發揮能動性，克服人性的趨惡傾向，化性起偽。荀子追究如何可以成聖一直追究到隱蔽而微妙的心理層面。所以說，心的能動性是荀子為人可成聖預設的最基本的動力機制，是荀子聖人學說的基礎。

二　成聖的修身途徑

荀子學說中成聖的途徑可以概括為「學而成聖」。荀子為聖人的可能預設了一系列的心性前提，繼而便是在這些前提之上修身成聖。

由於人性是惡的，所以荀子沒有把成聖的途徑寄托在人性內部，而是寄托在人性之外。於是他把對外的學習看的比對內的思考更重要。荀子說：「學不可以已。」「吾嘗終日而思矣，不如須臾之所學也。」（《荀子・勸學》）只有通過學習才會產生聖人，《荀子》中開篇便是〈勸學篇〉，可見荀子對學的重視。在孔子和孟子那裡，也可見一些關於學習的論斷，但是畢竟是吉光片羽。而在《荀子》中，包含著一個規模完備、自成特色的學習論體系，這是荀子的特色，也是與其聖人理論相適應的。

荀子勸學，重視積累。「操而得之則輕，輕則獨行，獨行而不舍則濟矣。濟而材盡，長遷而不反其初，則化矣。」（《荀子・不苟》）荀子則認為，那種「求則得之」的仁義是輕微不牢固的，人性的發展趨勢畢竟與仁義相反，如果不通過外在的學習，仍舊會返回原始狀態，毫無進展。只有通過努力學習，克制人性的趨惡傾向，才能達到聖境。荀子詳細的描述了普通人通過積累而成為聖人的過程。「塗之人百姓，積善而全盡，謂之聖人，彼求之而後得，為之而後成，積之而後高，盡之而後聖。故聖人也者，人之所積也。」（《荀子・儒效》）只有「求」是不夠的，求得之後還需要不斷努力，經過積澱才能成為聖人。從這個意義上說，聖人是常年學習積累而成的。在這裡，孟子側重於求仁這個意識，而荀子重視求仁的方法與過程。

「積善成德，神明自得，而聖心備焉。」（《荀子・勸學》）通過不斷積累，成就自己的品德和境界，積累到一定程度而質變，不再返回原狀，具備了聖心。「今使塗之人伏術為學，專心一誌，思索孰察，加日縣久，積善而不息，則通於神明，參於天地矣。故聖人者，人之所積而致矣。」（《荀子．性惡》）通過不斷的積累而獲得聖心。聖人，普通人通過積累就可以達到。

但積累是要有正確的導向的，導向不同會產生不同的結果「可以為堯禹，可以為桀跖，可以為工匠，可以為農賈，在勢註錯習俗之所積耳。」（《荀子．榮辱》）人性本來是同一的，但是最後卻有不同的發展結果，就是因為後天積累的方向不同。荀子認為要正確的學習、積累，找到正確的方向，要依靠博學、禮義師法、思考這三個最主要的途徑。

（一）博學解蔽

博學是儒家的一貫傳統，孔子提倡「君子不器」（《論語．為政》），不贊同君子只鑽研一門學問，而是提倡從博學之中把握仁道的全體。「凡人之患，蔽於一曲，而暗於大理。」（《荀子．解蔽》）荀子認為人心容易被一隅所蒙蔽，而看不到全部，故而要解蔽，上文已述。博學則是解蔽的重要方法。

「聖人知心術之患，見蔽塞之禍，故無欲無惡，無始無終，無近無遠，無博無淺，無古無今，兼陳萬物而中懸衡焉。是故眾異不得相蔽以亂其倫也。」（《荀子．解蔽》）通過博學萬物，從中比較、衡量、甄別，有助於克服心之閉塞，打開通往聖境的道路。「君子博學而日參省乎己。」只有通過博學，才會有所比較，進而有所反思。荀子說，真正的大儒能夠「知通統類」（《荀子．儒效》），即能夠通達萬物之中的道，把握道的根本，而這個「通」「統」的境界則離不開博學。

（二）禮義師法

荀子重視師法，「非禮是無法也；非師是無師也。」（《荀子．修身》）師，便是師長。法，便是禮義。此二者在後學之人求學的過程中缺一不可。「禮然而然，則是情安禮也；師云爾云，則是知若師也。」（《荀子．修身》）禮說怎麼做便怎麼做，師怎麼講便要怎麼講，後學對於師法，必須嚴格地遵從。

禮義師法，在荀子的學習論中占有重要地位。「禮儀者，聖人之所生也。」（《荀子．性惡》）禮義來自聖人，所以對於最早化性起偽、制禮作樂的先聖來說，並無禮可法，也無師可學，他們的學習依靠的是博學、思考、實踐等自我矯正的方式。而對於後人、今人來說，禮義已經制定，先賢師長也已存在，故而便有禮義師法可以遵循學習。「凡治心養氣之術，莫徑由禮，莫要得師，莫神一好。」（《荀子．修身》）荀子把師和禮看做後人學習最重要的途徑和導向。

但在師法之中，荀子又認為師是第一位的。「學莫便乎近其人。《禮》、《樂》法而不說，《詩》、《書》故而不切，《春秋》約而不速。」（《荀子・修身》）荀子认为，學習最方便的捷徑便是有通經之師進行指導，因為雖然學者可以通過讀書學習，但是書本文字畢竟有局限性，有很多不容易被理解的地方，這時有師指導，可以很快地解決這些問題，並且不會誤解。

《荀子》一書中多次強調師的重要性，並且把朋友也列入和師同樣重要的行列。荀子對朋友，有著嚴格的界限，並非什麼人都可以算得上朋友。「非我而當者吾師也，是我而當者吾友也，諂媚我者吾賊也。」（《荀子・修身》）朋友能夠欣賞我、贊美我，但是一定要得當，如果無論對錯都來諂媚我，那就是賊。可見，朋友與師長一樣，都是有助於我修身養性的人。所以，荀子提倡「隆師而親友。」（《荀子・修身》）

他說，「夫人雖有性質美而心辯知，必將求賢師而事之，擇良友而友之。」（《荀子・性惡》）前文已經說過，荀子性惡，只是說人有趨惡的情欲，而人性的同一，也只是在情欲的趨惡屬性上同一。並不是否定了人性中有好的東西，也不否定人性中存在差異一面。有的人雖然天賦過人，有著先天的智力優勢，但是仍然需要接近賢師和良友。〈勸學篇〉中說道，「故君子居必擇鄉，遊必就士，所以防邪僻而近中正也。」君子居住出遊，都要有意識的選擇與良師益友結伴。「君子慎其所立乎。」對於環境和身邊的人，一定要慎之又慎。

其次，荀子認為禮也是不可缺少的。「學之徑，莫速乎好其人，隆禮次之。」（《荀子・勸學》）師友的指導是第一位的，其次便需要遵從禮義。荀子把禮擡到一個很高的地位，他說「故繩者，直之至；衡者，平之至；規矩者，方圓之至；禮者，人道之極也。然而不法禮，不足禮，謂之無方之民；法禮，足禮，謂之有方之士。」「故隆禮，雖未明，法士也，不隆禮，雖察辯，散儒也。」（《荀子・禮論》）禮，是人道之極，士人學習，修身養性，莫不需要以禮為法。遵從禮義，才能稱得上士人，這僅僅是成聖的開始。但如果不遵禮，連成聖的門徑都沒有，淪為散儒。

「將原先王，本仁義，則禮正其經緯蹊徑也。」（《荀子・勸學》）禮的作用便是「正」，端正學習的方向。禮源於先王，為先聖所制作，是先生對成聖的總結和指導，能為學者指明正確的成聖之路。遵禮便不至於走入歧途。「禮者，法之大分，群類之綱紀也。故學至乎禮而止矣。」（《荀子・勸學》）禮是學習導向，一切學習都要向著禮而進發，以知禮為目的。「學惡乎始？惡乎終？曰：其數則始乎誦經，終乎讀禮。」（《荀子・勸學》）學習有兩個層面，一個是「數」，一個是「義」。在數這個層面，學習是有盡頭的，那便是禮，掌握了禮，能夠知禮，便達到了學習的極境。「向是而務，士也；類是而幾，君子也；知之，聖人也。」（《荀子・解蔽》）學習禮，同樣是一個積累的過程，向著禮而努力，稱得上士人；能夠差不多符合禮的要求，便是君子；而只有全面的掌握了禮，明晰了禮的內涵，做到知禮，才達到了聖人的地步。

「禮者，所以正身也；師者，所以正禮也。無禮何以正身，無師吾安知禮之為是也。」（《荀子・修身》）禮和師在學習之中各有作用。禮用來端正自身；師長指導禮的學習，使後學能夠正確的掌握禮，以免理解偏差。二者缺一不可。

「不是師法而好自用，譬之是猶以盲辯色，以聾辯聲也；舍亂妄，無為也。」（《荀子・修身》）在荀子看來，除了少數的先聖能夠察覺人性的弊端，進而化性起偽，絕大多數人做不到這一點，需要外部力量的幫助。而且先聖業已存在，為後人成聖提供了指向。一般人沒有師法的指導，學習便失去方向，最終會走向混亂與一事無成。

「必將有師法之化，禮義之道，然後出於辭讓，合於文理，而歸於治。」（《荀子・性惡》）荀子的學習論傾向於師法之化，而不是依靠內心反省。只有經過師法禮義的教化，才能正確的修身養性，提高境界，繼而成聖。

（三）思考貫通

荀子雖然說「吾嘗終日而思矣，不如須臾之所學也。」（《荀子・勸學》）強調了學習的重要性。同時又強調了循禮的重要性，但是這並不代表著荀子不重視思考。只靠外在的學習和循禮尊師缺乏思考，這種學習呆板僵硬、缺乏生命力，這一點荀子已經意識到了。他說「禮之中焉能思慮，謂之能慮……能慮，能固，加好之者焉，斯聖人矣。」（《荀子・禮論》）思考，是聖人的一個重要特點，沒有思考，就不會成聖。

「故誦數以貫之，思索以通之，為其人以處之，除其害者以持養之。」（《荀子・勸學》）誦數是指學習，學習需思考來貫通，並輔以實踐，才會收到成效，思考是學習的重要一環。「聖人積思慮，習偽，故以生禮義而起法度。」（《荀子・性惡》）沒有思考，就沒有化性起偽。化性起偽，恰恰起於聖人之心對人性的反思，上文已述。

所以，荀子並非不重視思考，他所謂「不如學也」的思考，是脫離了學習和禮義師法的冥想。他重視思考，並且要把思考和博學、和禮義師法結合起來，這樣的思考才是有意義的。

此外，荀子還提出了一些在學習中的原則，比如重視實踐：「聖人也者，本仁義，當是非，齊言行，不失毫厘，無他故焉，已乎行之矣。」（《荀子・儒效》）重視專一：「天下無二道，聖人無兩心。」（《荀子・解蔽》）這些都是學習所必須的品質。可以說，荀子為學而成聖構造了一個龐大的學習體系，提出了一系列學習原則。這個宏大的學習體系，則是籠罩在成聖這個儒家永恒的主題之下。

三　總結

成聖，是儒家修身的最高目標，無論是孟子的聖王政治理想，還是荀子化性起偽的構想，聖人始終是他們學說的軸心。如何成聖，是荀孟二人以及其他儒家學派關註的核心。荀子的聖人觀念建立在性惡的基礎上，特別重視外在力量對人性的矯正。人性具有趨惡的情欲，但是人性可化。聖人通過虛一而靜激發了心的能動性，避免蒙蔽，從而能夠反思人性，制禮作樂，化性起偽。作為後學，要想成為聖人，必須通過不斷的學習，積累而成聖。在學習的過程中，要重視博學，重視師法，重視思考。並且，每一個人都可以通過這樣的途徑成為聖人。由此，荀子在性惡的基礎上解釋了聖人如何可能，並且為普通人找到了一條成聖之路。

《楚辭．東君》的神格與祀日文化探原

何祥榮
香港樹仁大學中文系

一　《東君》的神格考辨

「霓神說」似有幾個疑點：第一，其說認為《九歌》中的東君是遠古初民奉祀的虹霓神，是與日神對抗的雨虹之神。其中一個理據是原文中有「暾將出兮東方，照吾檻兮扶桑」，顯示東西對立，東是太陽神，而「吾」是東君自稱，則知太陽是與東君對立，東君與太陽有區別。但本文以為關鍵在於「吾」字，有多個可能性，前人有以為是指主祭者。（清）邱仰文《楚辭韻解》：「吾、余，皆主祭者自稱，黎明迎神。」[1]而據王國維《宋元戲曲史》，《九歌》實具有戲劇性質，具備中國古典戲劇的多種元素，是中國戲劇的雛形，「至於沿蘭沐芳，華衣若英，衣服之麗也；緩節安歌，竽瑟浩唱，歌舞之盛也；乘風載雲之詞，生別新知之語，荒淫之意也。是則靈之為職，或偃以象神，或婆娑以樂神，蓋後世戲劇之萌芽。」[2]以此推論，吾是代表太陽神的主巫，亦即東君，唱出祂的歌詞。祭歌文藝化後，結合了「映襯」的手法，營造出祭祀舞曲的場景。故〈東君〉首二句，實是舞曲場景的鋪排明亮的朝日出現，象徵太陽神的東君也出場，受到初昇的旭日映照，故有此二句。則知，「吾」不一定與朝陽相對立。

第二，「霓神說」也認為，「太陽與東君不僅是兩碼事，而且東西相對」。但文中明言「照吾檻兮扶桑」，「扶桑」是神話傳說中，「生長在東方太陽昇起之處的大樹」[3]因《山海經．海外東經》：「湯谷上有扶桑，十日所浴，在黑齒西北。居水中，有大木。」[4]《淮南子．天文訓》亦云：「日出於湯谷，浴於咸池，拂於扶桑，是謂晨明」[5]，故「扶桑」是位處於太陽初升之地，依然靠近東方。故東君所在位置，照理也在東方，而非東西對立。第三，「霓神說」也認為「東君是作為雨兆的虹霓神」，但統觀全文，均不見有任何雨兆的跡象。原文更多的是對東君形象、明暗交替、祭祀舞曲的盛況刻劃，而毫無對「雨」或「虹」作相關的描繪。若然「東君」是雨兆之神，照理應有與之相關的敘述，但事實卻相反。第四、「霓神說」也以為「東君作為雨虹，它興雨蔽日」，主要依據文中

1　〔清〕邱仰文：《楚辭韻解》，收入《四庫未收書輯刊》北京：北京出版社，2000年，第16冊，頁349。
2　王國維：《宋元戲曲史》，收入《王國維全集．卷三》杭州：浙江教育出版社，2009年，頁5-6。
3　高路明等著：《屈原集校注》北京：中華書局，1996年，頁257。
4　〔清〕郝懿行：《山海經箋疏》成都：巴蜀書社，1985年，頁3。
5　陳一平：《淮南子校注譯》廣州：廣東人民出版社，1994年，頁126。

云：「靈之來兮蔽日」中之「靈」指東君。但前人也有認為「靈」泛指眾多的神靈。（清）錢澄之《屈詁》：「言神悅喜，於是從屬蔽日而至也。」[6]可知錢澄之認為因東君喜悅，故其一眾隨從也跟從，以至遮天蔽日。故「靈」字或為承接上四句「思靈保兮賢姱」之「靈保」，是助祭的巫師。汪瑗也說：「此篇祀日神，而言蔽日者，借言之也，如雲中君亦謂遠舉雲中耳。」[7]故「靈之來兮蔽日」也可以是祭祀場景的描繪，顯示眾多象徵神靈的巫師，圍著太陽崇拜，以致出現散日的情景。故此「靈」不一定是東君。第五，「霓神說」也引用《詩經・蝃蝀》的詩句，「朝隮于西、崇朝其雨」，佐證太陽與東君其實是東西相對，如同蝃蝀在朝早也在西方出現。又引用：「蝃蝀在東，莫之敢指」，說明虹霓美麗又神奇。這樣一來，便把蝃蝀等同於東君。這裡也有一些疑點。考「蝃蝀」在先秦兩漢多為負面形像。劉熙《釋名》云：

> 虹，攻也。純陽攻純陰也。又日蝃蝀，其見每於日升，朝日升，而出見也。又曰美人。陰陽不和，昏姻錯亂，淫風流行，男美於女，女美於男，互相奔隨於人之時，則此氣盛。」[8]

故《毛序》云：「〈蝃蝀〉，止奔也。衛文公能以道化其民，淫奔之恥，國人不齒也。[9]陳奐《詩毛氏傳疏》亦曰：

> 《後漢書・楊賜傳》賜曰：「今殿前之氣，應為虹蜺，皆為妖邪所生不正之象，詩人所謂蝃蝀者也。」[10]

可知，其時蝃蝀的出現，象徵妖邪之氣衍生，詩云：「莫之敢指」，即使君子對它也有所忌諱，不敢指向它。故《毛傳》又云：「夫婦過禮則虹氣盛，君子見戒而懼，諱之莫之敢指。」[11]可見，「蝃蝀」的形象極為負面。但在〈東君〉裡，其形象均為正面，文中對其射滅天狼星為民除害，特為禮贊，其出巡時也是威嚴而具無比氣勢。《九歌》的性質也是對正氣之神作崇拜，故各篇神靈均形象正面，〈東君〉照理也不會膜拜一位形像負面，充滿妖氣之神。故把東君等同蝃蝀，於文理似有不合。再者，《楚辭》離《詩經》年代不太遠，對於當時的虹霓觀念，應不會陌生。

---

6 〔明〕錢澄之：《屈詁》，收入《四庫全總目叢書》臺南：莊嚴文化事業出版社，1995年，164冊，頁714。

7 〔明〕汪瑗：《楚辭集解》北京：北京出版社，1996年，頁132。

8 〔東漢〕劉熙：《釋名》，收入《字典彙編》北京：國際文化出版社，1993年，第25冊，頁4。

9 〔唐〕孔穎達疏：《詩經正義》，收入《十三經注疏》北京：中華書局，1991年，第1冊，頁318。

10 〔清〕陳奐：《詩毛氏傳疏》臺北：學生書局，1995年，頁142。

11 〔唐〕孔穎達疏：《詩經正義》，收入《十三經注疏》北京：中華書局，1991年，第1冊，頁318。

〈東君〉神格也有「月神說」。本文以為也有幾個疑點。第一，「月神說」的理據之一，是〈東君〉文中「暾將出兮東方，照吾檻兮扶桑」，認為乘馬迎日的東君在西方，而與太陽神相對的，便只有月亮，故斷定東君是月亮神。但在這兩句中，「扶桑」是關鍵的一詞。若依王逸《楚辭章句》：

> 吾，謂日也。檻，楯也。言東方有扶桑之木，其高萬仞。日出下沿於湯谷，上拂其扶桑。爰始而登照曜四方。日以扶桑為舍檻，故曰照吾檻兮扶桑也。[12]

《屈原集校注》亦曰：「這裡詩人把扶桑想像為東君所居宮殿的欄杆。」[13]則知朝陽與東君所在地並非對立，而是同在太陽初升之處。第二，「月神說」一方面認定東君在西方，但同時也引用《詩經・邶風・日月》:「日居月諸，東方自出。」認為月神也位處東方，變成東西兩出，似有前後不一的矛盾之處。

第三，「月神說」更進一步認為東君是河伯的配偶——洛嬪，後見奪於羿，奔月成為月神嫦娥，意指東君為嫦娥。上古神話雖有嫦娥奔月之事，但如何證明她就是《九歌》裡的東君，證據似有不足。綜觀〈東君〉原文中，並無對月的描繪，反倒首四句「暾將出兮東方，照吾檻兮扶桑。撫余馬兮安驅，夜皎皎兮即明」便明顯是對朝陽初升，黑夜漸漸明亮的破曉時分，作出細緻的描畫，是寫朝陽無疑。

其次，文中對東君形像及祭祀歌舞的描繪，均是偏於陽剛氣息，與嫦娥的女性陰柔風格不合。日屬陽；月屬陰，故文中描繪東君，乘駕著隆隆的龍車在天空中盤旋，及後更舉長矢射滅天狼星，為民除害，均是一個威武的英雄男子形像的表現；又如祭曲中，「緪瑟兮交鼓，簫鐘兮瑤虡」，其中的樂器編鐘和大鼓均是聲音洪亮的，而「瑤」也通「搖」，即力度之大，使懸掛鐘的木架也動搖，可見樂聲實在非常響亮。因此樂音也充滿陽剛的氣息，與太陽的氣質相近。

第四，統觀屈原的所有文辭，對月神的記敘描寫是非常少的，更找不出有「嫦娥」一詞。在《離騷》只有一句提到「前望舒使先驅」中的「望舒」是月御，也非月神。《九歌》各篇更無一直接提及月神或嫦娥。即使在記載神話較多的〈天問〉中，對「日」的提問及描寫也較「月」為多。〈天問〉述日之句有「出自湯谷，次于蒙汜。自明及晦，所行幾里？」、「曜靈安臧」、「日安不到？燭龍何照？羲和之未揚，若華何光」，共九句；反觀對月的提問，則只有「夜光何德，死則又育？厥利維何，而顧菟在腹」，共四句。從文義來說，〈天問〉對太陽的提問，與〈東君〉篇脗合，〈天問〉提到太陽在湯谷升起，晚上落於蒙汜，從天亮到天黑，行走了多少里路，均是描述太陽由初

12 〔東漢〕王逸：《楚辭章句》，收入《楚辭注八種》臺北：中華書局，1989年，頁44。
13 金開誠等著：《屈原集校注》上冊，北京：中華書局，1996年，頁257。

升至落下的行進過程。〈東君〉亦然。前述首四句是朝陽初升，在扶桑照耀四方，文末「操余弧兮反淪降」、「杳冥冥兮以東行」，是描述東君向日入之處下降，再前往東方，準備第二日又再升起，照亮人間，均是太陽周而復始的循環規律。故〈東君〉與屈原辭的另一篇〈天問〉對太陽的描寫如出一轍。反觀對月亮的提問，只提到傳說中「月中養兔」的故事，未見問及嫦娥奔月或月中有神，或月亮升降的規律。

「日神說」是傳統以來較多人接受的說法。王逸《楚辭章句》云：「博雅曰朱明、燿靈、東君，日也。漢書郊祀志有東君。」[14]朱熹《楚辭集注》：「此日神也」[15]汪瑗《楚辭集解》：「此祭日神也。《禮》曰：『天子甫日于東門之外。』又曰：『王宮，祭日也……蓋日出於東方，故曰東君。東言其方，君稱其神也。」[16]從楚文化角度看，太陽崇拜在楚文化中佔有重要席位。楚國先民以鳳鳥為圖騰，而鳳鳥與太陽也有著密切關係。饒宗頤教授指出：「鳥是太陽的記號，所以少昊用鳥來紀宮，即以鳥司曆。」[17]古籍中也多有記載太陽和鳥的關係。《山海經・大荒東經》：「湯谷上有扶木，一日方至，一日方出，皆載於烏。」[18]說明神鳥有乘載太陽出巡的效用。這種載日遊行的鳥是「三足烏」。《淮南子・精神訓》：「日中有踆烏」，「踆烏，即傳說中的三足烏」[19]。

在殷墟卜辭中也有不少明證。陳夢家據卜辭總結出殷人已有祭日的傳統，而且名目頗多，如同祭祖的方法：「日、出日、入日，各日、出入日、入日……祭法之曰賓、御、又、歲等等，也都是祭先祖的祭法。」[20]楚族與商族均有以「鳥」為圖騰。類似的楚國出土文物例子有不少，如：

（一）湖北江陵雨臺山一六六號墓便曾出土「虎座立鳳」的造型藝術，上有顏色鮮明豔麗的「鳳鳥」，現藏於荊州博物館。

（二）於長沙陳家大山戰國楚墓出土、今藏湖南省博物館之「人物龍鳳帛畫」有鳳鳥之形。

（三）於江陵筐山一號墓出土，今藏湖北省博物館之「虎座鳳架鼓」，上部有一對鳳形鼓架。

（四）於江陵馬山一號董出土、現藏荊州博物館之「鳳龍虎紋羅禪衣」，衣上刻有鳳形。

---

14 〔東漢〕王逸：《楚辭章句》，收入《楚辭注八種》臺北：中華書局，1989年，頁45。

15 〔南宋〕朱熹：《楚辭集注》香港：文昌出版社，無年份，頁42。

16 〔明〕汪瑗：《楚辭集解》北京：北京出版社，1996年，頁130。

17 饒宗頤著、沈建華編：《饒宗頤新出土文獻論證》，頁12。

18 〔清〕郝懿行：《山海經箋疏》成都：巴蜀書社，1985年，頁6。

19 陳一平：《淮南子校注譯》廣州：廣東人民出版社，1994年，頁318。

20 陳夢家：《殷墟卜辭綜述》北京：中華書局，1988年，頁573-574。

（五）於江陵望山二號墓出土、今藏湖北省博物館之「龍鳳紋尊」，尊蓋上有鳳形立體雕塑。

從考古上說，商文化也曾流播到後來的楚地。「凰紋」是楚文化中，平面造型藝術的主要紋飾，如張正明指出：「凰紋，從西周經春秋到戰國，不論在何種出土文物上，在中原越來越少見，在楚國適得其反越來越多見。凰是楚人先民的圖騰，戰國時代的楚人對此仍有朦朧印象。因此們把一切美好的特徵都賦予鳳了。在刺繡中，鳳是無可爭奪的主角。」[21]可見，楚人崇日的意識，實際上已體現在其文物上。第二，楚民的祖先多與太陽文化有關。不論是顓頊、祝融，以至更早的黃帝，甚或有血緣關係的帝嚳高辛氏，都是鮮明的例子，在古籍多可考見。顓頊的後裔包括後來殷民族與古蜀族，而由顓頊的太陽文化衍生的商文化、蜀文化中，亦有深刻的崇日意識，均對楚國的崇日文化帶來巨大影響，從而加深「東君」為日神的可信程度。

二　顓頊與日神之關聯

屈原在〈離騷〉中明確指出他是「顓頊」高陽氏的後人（帝高陽之苗裔兮），而顓頊本來就與太陽崇拜有密切關係。蕭兵先生在《楚辭文化》中便推論顓頊是東方的太陽神。[22]其論據主要依據古籍載顓頊「生於若水」，而若水或為太陽神木一若木之水。其引宿白的〈顓頊考〉亦曰：「顓頊即高，高陽就是太陽，那麼顓頊亦即太皓，也就是太陽。」[23]《國語・周語》：「星與日、辰之位皆在北維，顓頊之所建也。帝嚳受之。」[24]可知，顓頊能建日辰之位，與太陽關係密切。丁山也認為顓頊的名號已透露了祂的屬性，「其號高陽，即是高明的太陽」[25]本文以為從顓頊的活動的地域文化可見，均留有深刻的崇日文化痕跡，其中包括以河洛地區為核心的商文化、以及以西部為核心的古蜀文明。從這兩個主要地域的文化，可反證顓頊大抵為河洛與巴蜀崇日文化的根源，也是楚族祠日文化的源流。

《呂氏春秋・古樂》：「帝顓頊生自若水，實處空桑，乃登為帝。」[26]《史記・五帝本紀》曰：「黃帝居軒轅之丘，而娶於西陵氏之女，是為嫘祖。嫘祖為黃帝正妃二子，

21 張正明：《楚文化史》上海：上海人民出版社，1987年，頁181。
22 蕭兵：《楚辭文化》北京：中國社會科學出版社，1990年，頁89。
23 蕭兵：《楚辭文化》北京：中國社會科學出版社，1990年，頁92。
24 黃永堂注：《國語譯注》貴陽：貴州人民出版社，1995年，頁140。
25 丁山：《中國古代宗教與神話考》上海：上海文藝出版社，1988年，頁364。
26 陳奇猷校釋：《呂氏春秋校釋》上海：新華書店，1990年，頁285。

其後皆有天下……其二曰昌意，降居若水，昌意娶蜀山氏女曰昌僕，生高陽。」[27]今本《竹書紀年》：

> 帝顓頊高陽氏，母曰女樞，見瑤光之星貫月如虹，感己於幽房之宮，生顓頊於若水。[28]

以上文獻均指出顓頊的出生地是「若水」。關於若水所處的實際位置，歷來眾說不一，一說依據《後漢書・西南夷傳注》，若水又名瀘水，而古代瀘水是指今四川省西北部雅礱江下游。[29]一說源於河南省內的汝河。[30]至於「空桑」，一說依據《左傳》、《淮南子》對其記載及注釋，認為出自山東曲阜南的女陵山。[31]要之，皆不出河南、四川及山東三地。《左傳・昭公十七年》：「衛，顓頊之虛也。故為帝丘。」杜注：「衛，今濮陽縣。昔帝顓頊居之，其城內有顓頊冢。」[32]此則明言顓頊所居之地在河南濮陽，亦即河洛地區的商文化地域。

從文物考古的角度，前人發現，在顓頊的活動的範圍，河洛地區中的鄭州，出土不少具有象徵太陽的器物紋飾。馬世之先生認為，與顓頊大約同期的彩陶文化中，「鄭州的大河村出土的彩紋飾，最具代表性的是天文圖象，太陽紋，以及演變了的太陽光芒紋，而太陽紋圖案可分為三種：第一，由圓圈和射線組成；第二，由圓點和射線組成；第三，由圖象顯然反映的是一種大氣光學現象。顓頊號高陽，其神格為太陽，是一個崇拜日神的部落。大河村彩陶紋飾中的天文圖象，很可能同當時居住在這裡的顓頊部洛對星辰、太陽崇拜有關。」[33]古籍載河南也是楚祖祝融的舊鄉，《左傳・昭公十七年》：「鄭，祝融之墟也，皆火房也」[34]，春秋時的鄭，相當於今日河南新鄭，同位於中原腹地。

商文化的核心區域「殷墟」正位處於昔日顓頊可能活躍的河洛地區。商文化中有著深刻的崇日文化，前人多有證之。相傳商人始祖契是由其母簡狄吞玄鳥蛋而生，故商人一直以鳥為圖騰。郭沫若也從卜辭中考證了殷人有「朝夕迎送日神的儀式」。[35]如《殷墟粹編》：「出入日，歲三牛」，「殷人于日之出入均有祭，殷契佚存有辭云：丁巳卜又出日。丁巳『卜又入日』此之出入日，為事正同，足此出入日之祭同卜于一辭，彼出入日

---

27 瀧川龜太郎：《史記會注考證》臺北：洪氏出版社，1983年，頁26。

28 《竹書紀年辨證卷上》，收入《叢書集成續編》臺北：新文豐出版社，2009年，頁327。

29 賈海燕：〈從楚先祖看顓頊、帝嚳的生活區域〉，《殷都學刊》2008年第4期，頁30。

30 田昌五、蕭兵均從此說。

31 馬世之：《中原楚文化研究》武漢：湖北教育出版社，1995年，頁10。

32 〔唐〕孔穎達疏：《春秋左傳正義》，《十三經注疏》北京：中華書局，1991年，第2冊，頁2084。

33 馬世之：《中原楚文化研究》武漢：湖北教育出版社，1995年，頁19。

34 〔唐〕孔穎達疏：《春秋左傳正義》，《十三經注疏》北京：中華書局，1991年，第2冊，頁2084。

35 郭沫若：《殷契粹編》北京：科學出版社，1965年，頁354-355。

之侑同卜于一日，足見殷人于日，蓋朝夕拜祭之。」[36]可知殷人祭日時殺三牛作祭牲以獻祭，郭沫若又解釋從卜辭所見，殷人在日出日落時常有祭祀之事。

從文物考古的角度，商代出土的青銅器，較多出現「夔龍」的紋飾，如婦好墓司母辛的四足觥，便有夔紋，龍形[37]而據何崝先生的考證，「夔」與日神有密切關係。《商文化窺管》:「夔的眼睛與甲骨文日字同形決非偶然，也說明夔具有日神神格」[38]、「夔在商器中頻頻出現，說明商代日神崇拜非常隆盛。」[39]證之古籍，如《山海經．大荒東經》:「其光如日月，其聲如雷，其名曰夔」、《莊子．秋水．釋文》引李頤:「夔，目光如日月」。故殷代青銅器上的夔龍紋，大抵就是日的象徵。

三　商、蜀與楚的祀日文化

楚文化與商文化有著緊密的傳承關係。楚族與商族的始祖皆源出於「黃帝」，有著血脈上的關連。商祖帝嚳是黃帝曾孫、楚祖顓頊則是黃帝之孫、昌意之子。故商文化中的崇日意識，淵源自顓頊也頗合情理。《帝王世紀》也載:「帝嚳高辛氏年十五而佐顓頊，三十而登帝位，都亳。」[40]亳即位於河南殷人舊地。學者也曾指出楚、殷同屬東夷，楚國是殷民族的苗裔。丁迪豪云：

> 楚國是東夷，殷也是東夷，楚國是殷民族的支裔。楚國原來的地方，大抵在殷附近，就是後來《詩經》、《左傳》裡所見的楚宮和楚。……所以楚國在文化方面，猶有殷之遺風。[41]

從《詩經》所載可見，早在殷高宗以前，楚族已在商域南部居住，至殷高宗時曾反叛，以至遭到殷商宗的征伐。《詩經．商頌》:「撻彼殷武，奮伐荊楚。深入其阻，裒荊之旅」、「維女荊楚，居國南鄉」、「深入其阻，褒荊之旅。」《孔疏》:「高宗前世，殷道中衰，宮室不修，荊楚脊。高宗有德，中興殷道、伐荊楚，修宮室」[42]，說明在商代，楚族與殷族已一定程度的文化、軍事、政治各方面的交流。其次，蕭兵《楚辭文化》引

---

36 郭沫若：《殷契粹編》臺北：大通書局，1971年，頁355。

37 中國社會科學院考古所編：《殷墟婦好墓》北京：文物出版社，1980年，頁112。

38 何崝：《商文化窺管》成都：四川大學出版社，1994年，頁24。

39 何崝：《商文化窺管》成都：四川大學出版社，1994年，頁27。

40 〔晉〕皇甫謐：《帝王世紀》，收入《叢書集成初編》上海：商務印書館，1939年，第1冊，頁27。

41 丁迪豪：〈上代神話中十日的由來及其演演變〉，《北平益世報．史學旬刊》1932年，參胡厚宣〈楚民族源於東方考〉一文轉引。

42 〔唐〕孔穎達疏：〈詩經正義〉，收入《十三經注疏》北京：中華書局，1991年，第1冊，頁627。

用多個考古成果，說明「商楚文化確有互滲之處」[43]。例如徐俊指出：「商代早期的文化遺存，發現於黃陂盤龍城和李家灣以及江陵張家山等地。」[44]湖北省考古工作隊也發現，發源於黃河流域的「二里頭商文化」，亦已到達長江之濱。[45]楚文化既深受商文化影響，則其崇日文化互為影響滲透，也是可能的。

與楚族同為鳥圖騰，並崇尚太陽崇拜，及有血緣關係的，尚有西南地區的古蜀文明。蜀族在夏商時期已與中原王朝有交往。但由於歷史文獻記載不足，古蜀歷史早已湮沒。現只能據部份甲骨文、《華陽國志》及三星堆遺址的考古成果，重塑古蜀國歷史與文化。首先，楚族與蜀族的遠祖同為顓頊。據《華陽國志・蜀志》：「黃帝之子，昌意娶蜀山氏女，生子高陽，即顓頊帝，封其支庶于蜀，世為侯伯。」[46]故顓頊部份的子孫，流徙至蜀地，成為古蜀國的始祖，可見楚與蜀為同一血脈。加以顓頊之子昌意之妻為蜀山氏女，《帝王世紀》：

> 帝顓頊高陽氏，黃帝之孫，昌意之子，姬姓也。母曰昌僕，蜀山氏之女……[47]

馮廣宏指出：

> 禹廟在今汶川涂禹山……其西就是邛崍山脈，蜀山氏女的家鄉即在於此……蜀王杜宇即以此為後戶[48]

顓頊之母來自家鄉四川邛崍山一帶，也是後來蜀國的根據地，故楚蜀同源。其次，古蜀文明中也充滿太陽崇拜的因子。現存三星堆文物中的鳥形神樹、人頭紋金像、羽箭、鳥形器物、眼形器物等，均為明證。如上所述，鳥在上古時代象徵太陽，在商周文物及古籍中都得到印證。陳德安云：

> 在三星堆遺址第二期以後，大量出現以鳥為題材的雕飾品。如青銅鳥形飾、立鳥、大鳥頭、陶塑杜鵑鳥，以及珊銅罍、尊上的鳥形飾。此外，還大量出現一種鳥頭柄勺、勺斗呈半橢圓球形、勺柄猶如鳥引頸前伸，造型十分生動。這種陶鳥頭柄勺，有的學者認為就是《禮記・明堂位》中記載的『蒲勺』。鄭玄注：『蒲，

---

43 蕭兵：《楚辭文化》北京：中國社會科學出版社，1990年，頁81。
44 徐俊：〈試論立國江漢地區的楚人來自東方〉，《華中師範學院學報》，1984年第2期，頁69。
45 《文物考古工作三十年》北京：文物出版社，1979年，頁297、298。
46 〔東晉〕常璩《華陽國志》，收入《叢書集成初編》上海：商務印書館，1939年，第1冊，頁27。
47 〔晉〕皇甫謐著：《帝王世紀》，收入《叢書集成初編》上海：商務印書館，1936年，頁7。
48 〈顓頊史迹及其改革作為考〉，《阿壩師範高等專科學校學報》2006年第1期，頁2。

> 合滿，如鳥頭也。』蒲勺就是鳥頭柄勺。杜宇在取代魚鳧氏的統治地位以後，更名為蒲卑，又傳杜宇死後化為杜鵑鳥。可見杜宇族是以鳥為圖騰的氏族。[49]

可見，鳥形器物印證了古蜀文明中的崇日意識。三星堆文物中，最突出之一是「神樹」。陳氏又云：「在三星堆二號祭坑中出土的青銅神樹共六棵，其中大神樹二棵，小神樹四棵。大神樹又分一號神樹和二號神樹，造型基本相同。二號神樹最大，由樹幹、樹底座以及樹旁的飛龍三部分組成，通高三・九六米，樹幹殘高三・八四米……在中國上古神話中，最有影響力的神木有建木、扶桑和若木……從這兩棵大樹來看，造型不像建木，而和《淮南子》、《山海經》等有關若木、扶桑的記載較符合。」[50]眾所周知，扶桑和若木均與太陽有關，也屢見於屈原辭《離騷》中。此外，蔡運章也發現，「在四川廣漢三星堆和成都金沙商周祭祀坑分別出土的金杖和金冠帶上鏨刻有以『人頭、鳥、魚、羽箭』的圖案。」[51]，其中的「人頭紋」、「羽箭」亦與太陽有關。「在金杖圖案的最下端刻有三個並列的人頭紋，均頭戴齒冠，耳有附飾，眉目清晰，大嘴張開，滿面笑容……這些紋飾都是太陽運行時光芒四射的象徵，而太陽在古今圖畫裡畫成滿面笑容的人面狀。」[52]指出人頭紋中的笑面，是太陽光芒四射的象徵。至於「羽箭」，蔡氏又認為「神箭是太陽升起，萬物升騰的象徵……箭、晉同屬精母、音導義通。《說文・日部》：『晉，進也，日出而萬物進。』」[53]「箭」在上古音系中與「晉」同聲母，可互訓，而許慎也明言「晉」有太陽進升之義，故「箭」在上古時也可作為太陽的象徵。」[54]

楚、蜀的關連，不僅在於血緣上，事實上，兩國也曾有密切的交流。揚雄《蜀王本紀》便記載荊人（楚人）禪位為屬國的「開明帝」的神話故事：

> 望帝積百餘歲。荊有一人名鱉靈，其尸亡去，荊人求之不得。鱉靈尸隨江水上至郫，遂活，與望帝相見。望帝以鱉靈為相。時玉山出水，若堯之洪水，望帝不能治，使鱉靈決玉山得安處。鱉靈治水去後，望帝與其妻私通，慚愧，自以為德薄不如鱉靈，乃委國授之而去，如堯之禪讓。鱉靈即位，號曰開明帝。[55]

荊人鱉靈的尸首流寓蜀地，及後復活，並協助望帝治理洪水，及後望帝因畏罪自慚，讓

---

49 《三星堆——古蜀王國的聖地》成都：四川人民出版社，2003年，第3版，頁6。
50 《三星堆——古蜀王國的聖地》成都：四川人民出版社，2003年，第3版，頁9。
51 〈三星堆文化的太陽崇拜〉，《中華文化論壇》2007年第2期，頁16。
52 〈三星堆文化的太陽崇拜〉，《中華文化論壇》2007年第2期，頁18。
53 〈三星堆文化的太陽崇拜〉，《中華文化論壇》2007年第2期，頁20。
54 〈三星堆文化的太陽崇拜〉，《中華文化論壇》2007年第2期，頁20。
55 〔漢〕揚雄：《蜀王本紀》臺北：新文豐出版社，2009年，第272冊，頁397。

位給鱉靈，成為開明帝，則知楚蜀兩國當有文化上的深切交流，才能衍生出這個影響深遠的神話。《華陽國志・蜀志》又云：「九世有開明帝，始令宗廟，以酒曰醴，樂曰荊」[56]開明帝根源於楚，故把荊人的音樂帶到蜀國，是很自然的事，也可佐證楚蜀的文化交流，互相滲透。楚國強盛時期，更曾管轄蜀地，《史記・蘇秦列傳》蘇秦言楚的領域，「西有黔中、巫郡」，《正義》曰：「巫郡，夔州巫山縣是。」[57]巫山縣位於四川，即古蜀地。可知，蜀楚兩地崇信太陽的文化，是極有可能互為影響融合的。

楚崇日文化的源流與演變

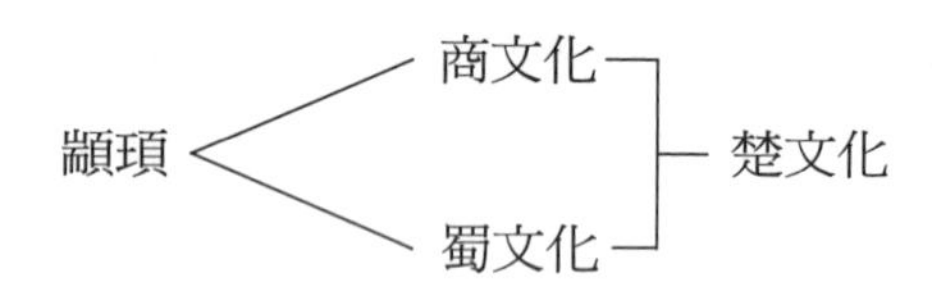

四　結論

關於「東君」的神格問題，過往有不同說法，然本文發現，不論霓神說、月神說均存在疑點，從楚文化內涵觀之，崇日意識一直深深植根於楚文化中，從《楚辭》以至其他古籍、考古文物成果均可證之，故以日神說最為可信。楚族祀日文化，可追溯至其先祖顓頊高陽氏，這從地域文化、古籍所記、殷墟卜辭等，均可印證楚族的起源，與太陽文化有密切關係。顓頊活動的地域包括河洛地區，正是後來商文化所在地，而商文化一直有深刻的崇日文化。商人始祖帝嚳正是帝辛之子，兩者關係密切。除商以外，尚有古蜀文明，從三星堆遺址可知，其崇日文化也相當廣泛。而從古籍所記，楚與殷商、古蜀文明均有一定交流。由此可推知楚族崇文化的淵源。

56 〔東晉〕常璩《華陽國志》，《叢書集成初編》上海：商務印書館，1939年，第1冊，頁28。
57 瀧川龜太郎：《史記會注考證》臺北：洪氏出版社，1983年，頁904。

《易緯》說《易》取向與西漢末年易學的深化*

田勝利
北京師範大學文學院

《易緯》大抵出現於西漢末年成、哀之世[1]，時至今日完整的緯書已經失傳，今存文獻乃屬後人的輯佚，具體名目包括《易緯・乾鑿度》、《易緯・乾坤鑿度》、《易緯・稽覽圖》、《易緯・通卦驗》、《易緯・是類謀》、《易緯・坤靈圖》、《易緯・辨終備》等（本文統稱為《易緯》）。《易緯》和孟京易學的關係十分密切，學人甚為重視，然對於《易緯》和其他易學作品《易林》、《太玄》的關聯則較為忽略，若將《易緯》的說《易》取向放置於西漢末年易學的洪流中，會發現不少內容具有一致性，揭示出它們之間的共通維度取向[2]，有助於還原易學於西漢末年發展的整體演變面貌。

一　《易緯》卦氣系統化取向與西漢末年易學的卦氣學說

《易緯》象數學最為突出者乃卦氣，卦氣學說是西漢末年易學的典型代表。卦氣在不同的《易緯》文獻中有不同的表述，賡續先秦象數易學原理，結合漢代曆法，呈現出系統化的面貌，龐大的卦氣系統內包含多個子系統，以四正卦為核心，延展出系列卦氣說分支。《易緯・乾鑿度》八卦卦氣系統是這樣的：

> 其布散用事也，震生物於東方，位在二月。巽散之於東南，位在四月。離長之於南方，位在五月。坤養之於西南方，位在六月。兌收之於西方，位在八月。乾制之於西北方，位在十月。坎藏之於北方，位在十一月。艮終始於東北方，位在十

---

* 國家社科基金青年項目「先秦兩漢占丹辭研究」（16CZW034）的階段性研究成果。

1 關於《易緯》的成書，學界有不同的主張。劉勰《文心雕龍・正緯》提出「緯起哀平」說；具體的成書情形，今人任蜜林先生〈《易緯》各篇形成考〉有詳細的論證，可供參考，見於《中國哲學史》2009年第3期；蕭洪恩先生《易緯・文化揭秘》主張易緯・是早於孟京易學的民間易學，見中國書店2008年。

2 本文重點考察的西漢末年易學對象是：《易緯》、《焦氏易林》、《太玄》，三者得出的結論一定程度上也適用於京氏易學，《易緯》和京氏易學的關係學界已經有探討，故本文不再將京氏易學納入考察範圍。

> 二月。八卦之氣終，則四正四維之分明，生長收藏之道備，陰陽之體定，神明之德通，而萬物各以其類成矣，皆易之所包也。至矣哉，易之德也！[3]

卦象分佈用事，配以方位和時令，震卦對應東方，位在二月，離卦對應南方，位在五月，兌卦對應西方，位在八月，坎卦對應北方，位在十一月，這是《易緯》的四正卦，和東南西北四方匹配。巽卦、坤卦、乾卦、艮卦分別對應四隅，位分別在四月、六月、十月、十二月，《易緯》稱之謂四維，四正四維觀念確立了八卦在卦氣說中的各自歸依。八卦卦氣學說，《易緯・通卦驗》也有記載：

> 乾，西北也，主立冬，人定，白氣出直乾，此正氣也。坎，北方也，主冬至，夜半，黑氣出直坎，此正氣也。艮，東北也，主立春，雞鳴，黃氣出直艮，此正氣也。震，東方也，主春風，日出，青氣出直震，此正氣也。巽，東南也，主立夏，食時，青氣出直巽，此正氣也。離，南方也，主夏至，日中，赤氣出直離，此正氣也。坤，西南也，主立秋，晡時，黃氣出直坤，此正氣也。兌，西方也，主秋分，日入，白氣出直兌，此正氣也。[4]

八卦卦氣說在《易緯・通卦驗》和《易緯・乾鑿度》中大抵一致，以其差別言之，《易緯・通卦驗》明確提出坎離震兌主二分二至；乾主立冬、艮主立春、巽主立夏、坤主立秋，是更為細化的八卦卦氣觀念。白氣、黑氣、青氣、黃氣、赤氣是五色配卦，五色受五行統轄，是對五行理念的吸納。《易緯・通卦驗》的卦序排列以乾為首，兌為收束，而《易緯・乾鑿度》是以震為首，艮為收束。用歷時的眼光審視，無論是《易緯・乾鑿度》還是《易緯・通卦驗》，《易緯》八卦配方位、時令均和《說卦》淵源深厚，先秦時期的《說卦》傳有這樣的記載：

> 帝出乎震，齊乎巽，相見乎離，致役乎坤，說言乎兌，戰乎乾，勞乎坎，成言乎艮。萬物出乎震，震東方也。齊乎巽，巽東南也；齊也者，言萬物之絜齊也。離也者，明也，萬物皆相見，南方之卦也；聖人南面而聽天下，向明而治，蓋取諸此也。坤也者，地也，萬物皆致養焉，故曰致役乎坤。兌，正秋也，萬物之所說也，故曰言說乎兌。戰乎乾，乾西北之卦也，言陰陽相薄也。坎者，水也，正北方之卦也，勞卦也，萬物之所歸也，故曰勞乎坎。艮東北之卦也，萬物之所成終而所成始也，故曰成言乎艮。[5]

3　安居香山、中村璋八輯：《緯書集成》石家莊：河北人民出版社，1994年，頁8。

4　安居香山、中村璋八輯：《緯書集成》，頁208-215。

5　〔南宋〕朱熹撰，廖名春點校：《周易本義》北京：中華書局，2009年，頁263。

震對應東方，帝，《集解》引崔憬曰：「帝者，天之王氣也。至春分則震王，而萬物出生。」[6]帝出乎震，指萬物萌發於春。離對應南方，萬物皆相見於離。坎，正北方卦。乾西北之卦，兌居於乾前，依此而推，兌當為正西方卦。時令上，兌屬正秋，依據《說卦》羅列的卦序而推，震則正屬春，離屬夏，坎屬冬。如此一來，《說卦》所揭示的八卦卦氣和《易緯》的八卦卦氣說具有一致性，二者是源與流的關係。《說卦》對八經卦所作的論斷影響深遠，《易緯》據此還衍生出九宮說，宋代河圖理念的文化源頭也可追溯到此。

《易緯》卦氣學說中，坎、離、震、兌地位突出，《易緯・乾鑿度》、《易緯・通卦驗》均以之為四正卦。這種正卦的觀念，在具體的卦氣值日法中也是如此。《易緯・稽覽圖》有六日七分說，相關文字寫道：

> 小過、蒙、益、漸……坎、震、離、兌，已上四卦者，四正卦，為四象。每歲十二月，每月五卦，卦六日七分，每期三百六十六日，每四分。[7]

四正卦分別是坎、震、離、兌，所值的是二至二分，對此《易緯・是類謀》補遺有詳細而明確的記載：

> 冬至日在坎，春分日在震，夏至日在離，秋分日在兌。四正之卦，卦有六爻，爻主一氣，共二十四氣。餘六十卦，卦主六日七分，歲有十二月，三百六十五日四分日之一，六十而一周。[8]

六日七分值日法指的是坎、離、震、兌四卦之外，餘卦一卦值六日七分，四正卦作為特殊對象，主二十四節氣[9]，不參與常規的值日卦輪轉。四正卦值日是否有具體而特殊的時辰呢？《易緯・稽覽圖》說道：「甲子卦氣起中孚，……六日八十分之七而從，四時卦十一辰餘而從。」鄭玄注：「十一辰餘者，七十三分。」[10]指的是四正卦坎、離、震、兌各主八十分日之七十三。四正卦所主之日是從頤、晉、井、大畜而來，對此，唐一行《卦議》有明確的記載：「京氏以卦爻配期之日，坎離震兌，其用事自分至首，皆得八十分之七十三，頤晉井大畜皆五日十四分，餘者皆六日七分。」《易緯》和京氏易

---

6 〔唐〕李鼎祚輯：《周易集解》臺北：臺灣商務印書館，2004年，頁408。

7 安居香山、中村璋八輯：《緯書集成》，頁153。

8 安居香山、中村璋八輯：《緯書集成》，頁300。

9 具體的主二十四節氣的說法，見《易緯・乾元序制記》（安居香山、中村璋八輯：《緯書集成》石家莊：河北人民出版社，1994年，頁274。）

10 安居香山、中村璋八輯：《緯書集成》，頁128。

學淵源深厚，《易緯・稽覽圖》記載的卦氣值日法採用的正是京氏易的觀點。《易緯・稽覽圖》卷下還記載了六十卦值三百六十日，一爻值一日法，六十卦也不包含坎離震兌四正卦，由此不難看出，儘管卦氣值日法系統各不相同，但四正卦都不參與常規輪轉，置於明顯而突出的地位，無一例外。

卦氣是西漢末年象數易學的重要組成部分，《易緯》卦氣呈現出系統化取向。同是成書於西漢末年的衍《易》作品《易林》，則在這方面顯得較為遜色[11]，林辭和卦象的排布沒有系統的卦氣可循，僅個別林辭有所標示，如《需》之《晉》：「咸陽辰巳，長安戌亥。邱陵生子，非魚鰌市。不可辭阻，終無悔咎。」尚秉和先生注：「伏乾為陽，消息卦乾居辰巳。坤為安，消息卦居戌亥。」該條爻辭又見於〈恒〉之〈謙〉，尚秉和《焦氏易詁》以之為例證寫道：「茲《易林》恒之謙云：『以乾居辰巳，以坤居戌亥，』此焦氏已言辟卦之證也。」[12]尚注提及的辟卦指的是卦氣學說中的十二消息卦。如果說卦氣在《易林》中還只是雛形的話，那麼，揚雄衍《易》著作《太玄》的卦氣運用則是相對成熟而系統的。

《太玄》八十一卦首卦稱之謂〈中〉，准《易》之〈中孚〉，和「卦氣起〈中孚〉」一致，對此，司馬光辨析道：

> 中之初一，日舍牽牛初度，冬至氣應，陽氣始生。兼准〈坎〉，所以然者，《易》以八卦重為六十四卦，因爻象而定名，分坎離震兌值二十四氣，其餘六十卦，每卦直六日七分。玄以一二三錯布於方州部家，而成八十一首，每首直四日有半，起於冬至，終於大雪，准《易》卦氣直日之敘而命其名。或以兩首准一卦者，猶閏月之正四時也。坎離震兌在卦氣之外，故因中應釋飾附分至之位而准之。[13]

司馬光的論析是有道理的，〈中〉，既與〈中孚〉卦名近似，「中」又有初始之義，司馬光注：「中者，心也，物之始也。」〈釋〉，贊辭曰：「陽氣和震，圜煦釋物，鹹稅其枯，而解其甲。」震謂動，煦，暖也，解其甲指萬物褪除束縛生長之甲。〈釋〉贊辭攝取震象，司馬光注：「入〈釋〉次三二十六分一十一秒，春分氣應，故兼准〈震〉。」[14]〈應〉，贊辭曰：「陽氣極於上，陰信萌乎下，上下相應。」司馬光注：「入〈應〉次六一十八分五秒，夏至氣應，故兼准〈離〉。」陽氣極於上，謂夏至之日，乃陽氣至盛之時。〈飾〉，贊辭曰：「陰白陽黑，分行厥職，出入有飾。」司馬光注：「入〈飾〉次八三

11 今存《易林注》本前附有焦氏卦氣值日法，在文本中難以找到依據，疑為後人所作，本文不予采信。
12 尚秉和著、常秉義點校：《焦氏易詁》，北京：光明日報出版社，2006年，頁36。
13 〔西漢〕揚雄撰、〔北宋〕司馬光集注、劉韶軍點校：《太玄集注》北京：中華書局，1998年，頁4。
14 揚雄撰、司馬光集注、劉韶軍點校：《太玄集注》，頁45。

十六分一十五秒，秋分氣應，故兼准〈兌〉。兌為口，故飾多言語之象。」[15]秋分時陰陽二氣具有均衡之勢，故贊辭稱「分行厥職」。《太玄》八十一卦的排布是按照卦氣規律而得，中、釋、應、飾二至二分對應卦氣中的坎、離、震、兌四卦，其餘卦依陰陽消息依次羅列。如此一來，《太玄》八十一卦的分佈和西漢末年卦氣說契合，卦的排布和卦氣具有一致性，與西漢末年《易緯》的卦氣系統有相似之處。

西漢末年《易緯》中的卦氣說源自〈說卦〉傳，結合漢代曆法建立起來的是豐富而多彩的卦氣系統，八卦卦氣說、九宮說、六日七分說、一爻值一日說等，是它的子系統。在這個龐大的卦氣系統中，坎、離、震、兌四正卦地位得以凸顯，並且一以貫之。《太玄》八十一卦排布遵循卦氣學說體系，取〈中〉、〈釋〉、〈應〉、〈飾〉以當坎、離、震、兌，遵循的卦氣規律和《易緯》具有相通之處，《太玄》和《易緯》彰顯的是西漢末年易學領域卦學說的系統化面貌。

二　《易緯》災異學說的神秘化取向與西漢末年易學的演變

《易緯》中與災異學說緊密聯繫的是卦氣學說、五行生克學說、以及對《說卦》傳象數的吸納。《易緯》據此推衍出的災異是先驗性的，以是否契合卦氣為準繩，可由卦氣推知。《易緯》關於災異事象的性質界定，林忠軍先生認為：「與其說是在闡發《周易》象數，不如說是在建構比漢初董仲舒天人感應說更為龐大、更為精緻的神學體系。」[16]考究《易緯》文本，事實也確實如此，災異附著神秘性色彩的文字俯拾皆是，《易緯・乾鑿度》記載：

> 孔子曰：以爻正月，為享國數，存六期者天子。欲求水旱之厄，以位入軌年數，除軌竿盡，則厄所遭也。甲乙為饑，丙丁為旱，戊己為中興，庚辛為兵，壬癸為水。臥算為年，立算為日，必除先入軌年數，水旱兵饑得矣。如是乃救災度厄矣，陽之法。[17]

求水旱之厄出自一套完整的曆算方法，饑、旱、中興、兵、水分別配甲乙、丙丁、戊己、庚辛、壬癸十天干。「以位入軌年數」提及的「軌」，指軌道定數。軌數的推算法，《易緯・乾鑿度》記載：「一軌亨國之法。陽得位以九七。九七者，四九、四七者也。陰得位以六八。六八者，四六、四八者也。陽失位三十六，陰失位二十四。」[18]具體操

15 〔西漢〕揚雄撰、〔北宋〕司馬光集注、劉韶軍點校：《太玄集注》，頁128。

16 林忠軍：《象數易學發展史》（一）濟南：齊魯書社，1994年，頁132。

17 安居香山、中村璋八輯：《緯書集成》，頁48。

18 安居香山、中村璋八輯：《緯書集成》，頁42。

作過程，《易緯・稽覽圖》有相關案例可供參考，如推算文王受命當鹹恒，軌皆七百二十，指周朝傳承有定年，期經七百二十年而改朝換代。朝代的更替能提前獲知，水旱兵饑等災患資訊的獲取亦可依託神秘的數字規律而得，呈現的正是鮮明地先驗性特徵和神秘化色彩。《易緯・通卦驗》說：

> 春三月，一卦不至，則秋蚤霜，二卦不至，則雷不發蟄，三卦不至，則三公有憂，在八月。[19]

一季之內，三卦主事，據此而推知災異，三卦不至，指的是春三月中三卦均出現反常的物候不至情形，對應的是三公有憂患之災異，應驗時令在八月。三公之憂和卦氣的捆綁，是卦氣和人事的系聯，充滿迷信色彩。《易緯》記載：

> 月乘太白，其國率多戰死，天下始兵。月蝕而有氣，從震卦來，人月中，君有憂。氣從中央來，出離卦，行軍大敗。從坎卦來，震卦，其國多水，道橋不見。[20]

月象背離常規，出現的系列災異分別是人類社會的戰爭死亡之象、君憂之象、行軍敗潰之象等。自然災異和人類社會互為一體，類似的記載又如《易緯・天人應》:「上不儉，下不節，災火拼作，燒君室。」[21]《易緯・通卦驗》:「上及君位，不敬宗廟社稷，則震巽應變，飄風發屋，折木，水浮梁，雷電殺人。……政令不行，白黑不別，愚智同位，則日月無光，精見五色。此離坎之應，皆八卦變之效也，故曰八卦變象，皆在於己。」鄭玄注:「己，人君也。」[22]《易緯》災異事象的神秘化有時還借助讖語來標示，如《易緯・決象》曰:「月七日不見，不出五年，漢帝皇后崩。」[23]又如《易緯・通卦驗》曰:「孔子表洛書摘亡辟曰：亡秦者，胡也。」[24]

《易緯》的災異學說和卦氣混合於一體，坎離震兌是《易緯》的重要四卦，主掌卦氣之樞紐，其對應的災異事象，《易緯・稽覽圖》有這樣的記載：

> 坎氣逆乎陽，衡晦象昧，見門旬門雞誰。謀者水宰之臣，冰妖效，七九亡，名合行之蒙孫，其謀爭也，代者起東北，名有水。離氣亂禍蜚石，黃神盛類

---

19 安居香山、中村璋八輯：《緯書集成》，頁216。
20 安居香山、中村璋八輯：《緯書集成》，頁335。
21 安居香山、中村璋八輯：《緯書集成》，頁316。
22 安居香山、中村璋八輯：《緯書集成》，頁218。
23 安居香山、中村璋八輯：《緯書集成》，頁328。
24 安居香山、中村璋八輯：《緯書集成》，頁197。

黑而聖。……代之者起西北，以木為姓。震氣亂，石隕山亡，長入出。[25]

坎氣、離氣、震氣不效時所對應的各種災異事象各有不同，坎氣、離氣亂，斷定代之者分別起自東北和西北，和神秘的讖言並無二致。之所以發生這樣災異的緣由，鄭玄依次作注曰：「故黃精起烏，名有水者勝火。」「木勝土也。」「震體互有艮，艮為山小石。」前兩則卦氣不效的災異事象，鄭氏結合五行相克學說予以注解，後一則，鄭氏是從卦象角度入手，震卦二三四爻互為艮，《說卦》稱艮為山，為石，故其災異對應為「石隕山亡」。《易緯》災異事象和卦氣、卦象象徵捆綁在一起，類似的記載還見於《易緯・是類謀》：

一曰，震氣不效，倉帝之世，周晚之名，曾之侯在兌，鼠孽食人，蒐群開，虎龍恷出，彗守大辰，東方之度，天下亡。二曰，離氣不效，赤帝世，屬軼之名，曾之候在坎，女譌誣，虹霓數興，石飛山崩，天拔刀，蛇馬恷出，天下其危。三曰，坤氣不效，黃帝世，次遲之名，曾之候在艮，名水赤，大魚出門，撥紀，天下亡。四曰：兌氣不效，白帝世，討吾之名，曾之候在震，……五曰，坎氣不效，黑帝世，胡誰之名，曾之候在離，五角禽出，山崩日既為，天下亡。六曰，巽氣不效，霸世之主，名筮喜，曾之效在乾，大水名川移，霸者亡。七曰，艮氣不效，假驅之世，……八曰乾氣不效，天下耀空。將元君，州每王，雌擅權，國失雄。[26]

在這段文字裡，分列八卦卦氣對應災異的情形，「八卦氣不效則災異氣臻」[27]，震氣對應蒼帝，震氣不效，屬於蒼帝之世，《說卦》稱震為龍，故有虎龍出，震為東，故稱屬東方之度。離氣對應赤帝，當離氣不效時，出現的災異事像是倪虹數興，石飛上崩等。倪虹作為災異的前兆，《易緯・中孚傳》寫道：「蜺之比無德，以色親。」[28]《說卦》稱離為日，為中女，故《易緯》言災異以倪虹當之。坤氣不效，黃帝世，《說卦》稱坤為土，故對應黃帝世。其他卦氣不效時，出現的災異事象和各自所主之卦所轄的物象有的也呈現出對應關係，如，乾氣不效，將元君。鄭玄注：「乾為君，其氣不致，故將元君。明元之雌臣雄君擅，故因知其朽君也。」乾氣不效，和朽君相應，既是對《說卦》象數的運用，也是人為將災異事象神秘化的顯現。

總之，《易緯》災異學說依託卦氣、陰陽觀念、五行學說，深化對《說卦》象數的

25 安居香山、中村璋八輯：《緯書集成》，頁193-194。

26 安居香山、中村璋八輯：《緯書集成》，頁287-290。

27 安居香山、中村璋八輯：《緯書集成》，頁207。

28 安居香山、中村璋八輯：《緯書集成》，頁315。

運用，統攝自然現象和人類社會，尋求的是天地人的同構和統一。言說災異是西漢末年較為普遍的一種文化現象，然而，揚雄及其衍《易》著作《太玄》卻較為例外，章太炎說：「西漢學者迷信極重，揚雄能夠不染積習，已是高人一著。」[29]儘管揚雄《太玄》並沒涉及災異，但災異和易學聯姻實是西漢末年易學的一大取向，西漢末年的衍《易》著作《易林》，即對災異事象頗為重視，不少林辭涉及對災異的描寫，充滿神秘色彩：

> 陰霧不清，濁政亂民。孟春季夏，水壞我居。（家人之晉）
> 高阜山陵，陂阤巔崩，為國妖祥，元後以薨。（旅之姤）
> 草凋被霜，花葉不長。非時為災，稼受其殃。（蒙之中孚）
> 築室水上，危於一齒。魄寅不徙，辰巳有咎。（大壯之離）
> 將戌擊亥，陽藏不起。君子散亂，太山危殆。（姤之歸妹）

林辭對於災異事象的涉獵範圍是廣泛的。《易林》爻辭的編撰和象數密不可分，遵循的是「據象而系」原則，上述災異類爻辭也不例外，如首則林辭〈家人〉之〈晉〉，尚秉和先生注：「坎為陰霧，為混濁。坤為政，為民。伏兌為秋，兌與離連，故曰『蒙秋』。上離為夏，離與艮連，故曰『季夏』。坤坎皆為水，艮為居。坎破，故曰『壞』。孟秋、季夏，用象之精，非夷所思。」[30]在這裡，尚氏採用純象數的方法解釋爻辭的生成，儘管這種推知災異的釋讀還有待商榷，但林辭據象而系的編撰總原則還是可信的。《易林》災異事象的涉取和象數相關聯，這種聯繫不是緊密的，但是客觀存在的。從理念上考察，林辭災異事象有的直接從陰陽觀念角度予以揭示，有的從純自然災異現象層面加以描述，有的和納甲配合，涉及卦氣，和《易緯》依託卦氣言災異具有一致性，如末則林辭〈姤〉之〈歸妹〉，戌對應的是九月剝卦，亥對應的是十月坤卦，九月陽氣將盡，至十月而陽氣藏，故林辭首兩句稱「將戌擊亥，陽藏不起」。

西漢末年《易緯》的象數，在《太玄》中也有顯現，儘管《太玄》對災異事象並無涉獵，但對傳統的象數學卻尤為重視，和《易緯》借象數而言災異可以溝通。《太玄．玄數》模仿《說卦》傳，有這樣的文字：

> 三八為木，為東方，為春，日甲乙，辰寅卯，色青，味酸，臭羶，……類為鱗，為靁，為鼓，為恢聲。[31]

29　章太炎：《國故論衡》成都：巴蜀書社，1987年，頁60。

30　尚秉和：《焦氏易林注》北京：九州出版社，2010年，頁303。

31　〔西漢〕揚雄撰、〔北宋〕司馬光集注、劉韶軍點校：《太玄集注》北京：中華書局，1998年，頁196。

這是三八之數所轄的部分物象集合體，三與八的組合對應五行之木，三八的數理結合依據，在《易緯》中能找到答案，《易緯・乾鑿度》曰：「天本一，而立一為數源。地配生六，成天地之數，合而成性，天三地八，天七地二，天五地十，天九地四，運五行，先水，次木生火，次土及金。」《易緯》依託五行相生學說與天地之數，將一六、二七、三八、四九、五十配對組合，數背後暗含的既是五行之理，也有傳統的象數機理。三八組合，相當於震卦，故《太玄》稱三八下轄物象為雷，為鼓。這和《易緯》中震卦取象思維一致，如《易緯・乾鑿度》補遺曰：「震振雷電。」[32]易學借助象而申述，是西漢末年易學發展的一大趨勢，產生於西漢末年的著作無一例外。

西漢末年《易緯》、《易林》災異學說的機理，本之於《說卦》而又有所新變，朱伯崑先生言：「利用《周易》講陰陽災變。十翼中的《說卦》，對此派易學起了很大的影響。」[33]此派指孟京易學，和《易緯》一脈，朱先生的判斷是對的，《說卦》象數是西漢末年象數易學深度發展的文脈淵藪。基於各種學說，《易緯》、《易林》言災異，災異的出現往往和君王、社會政治聯繫在一起，災異學說逐漸演變出神秘化的傾向，將社會政治與災異事象進行因果律推求的作法不是客觀的、而是人為的，是主觀的。

三　《易緯》援「道」入易的取向與西漢末年易學的儒道融通

《易緯》以儒家思想為主，《易緯・乾鑿度》曰：「是故八卦以建，五氣以立，五帝以之行，象法乾坤，順陰陽，以正君臣父子夫婦之義。」「故人生而應八卦之體，得王氣，以為五常，仁、義、禮、智、信是也。」八卦象徵義是構建君臣父子夫婦之義的基石，人生而與八卦之體相應，則是用八卦蘊含的象徵義以合人之仁、義、禮、智、信五常。《易緯》解釋各個卦象時還往往稱引儒家的創始人孔子，並據之以言儒家思想，《易緯・乾鑿度》有以下文字：

> 孔子曰：升者，十二月之卦也。陽氣升上，陰氣欲承，萬物始進，譬猶文王之修積道德，弘開基業，始即升平之路。[34]

「孔子曰」採用的作法是借孔子之口以增加言辭的權威性，屬於一種託辭。周文王是儒家歌頌的理想人物，文王之德是儒家的核心價值觀。《易緯》體系本之於儒家，變換不同的手法皆是對儒家學說的頌揚。

---

32 安居香山、中村璋八輯：《緯書集成》，頁62。

33 朱伯崑：《易學哲學史》北京：北京大學出版社，1986年，頁108。

34 安居香山、中村璋八輯：《緯書集成》，頁16-17。

《易緯》解《易》還具有鮮明的道家觀念，彰顯的是西漢末年儒道合流的易學取向。《易緯・乾坤鑿度》:「老氏曰：坤氣不和，物出不遂，氣滯終沮，氣滿終氣，化不永，坤之元體存，氣化存，存元氣。」[35]老氏指的是老子，「坤氣不和」不見於今本《道德經》,《易緯》稱引老子，是一種寄託之辭。除直接稱引道家人物外,《易緯》更多的是對道家思想的移植鎔鑄。《易緯・乾鑿度》有如下文字：

> 夫有形生於無形，乾坤安從生？故曰有太易，有太初，有太始，有太素也。太易者，未見氣也。太初者，氣之始也。太始者，形之始也。太素者，質之始也。氣、形、質具而未離，故曰渾淪。渾淪者，言萬物相渾成而未相離。視之不見，聽之不聞，循之不得，故曰易也。易無形畔，易變而為一，一變而為七，七變而為九，九者氣變之究也。乃複變而為一。一者形變之始，清輕者上為天，濁重者下為地。[36]

在這段文字中,《易緯》首句提出有形生於無形的觀點，隨之引出太易、太初、太始、太素概念，對此，鄭玄注曰:「太易之始，漠然無氣可見者。太初者，氣寒溫始生也。太始，有兆始萌也。太素者，質始形也。」[37]四太學說界定的是無形到有形的初始階段。「氣、形、質具而未離名之曰混淪」，指的是一種和合狀態。「萬物相渾成而未相離」，未相離的對象是氣、形、質，和其渾成故得曰渾淪狀態。張惠言《易緯・略義》曰:「此易之所謂太極也。」張氏的判斷是對的,《易緯・乾鑿度》寫道:「孔子曰：易始於太極，太極分而為二，故生天地。」易始於太極，換句話說，即太極成於太易始著之時，是一種和合混沌的初始態,「視之不見」等句是對這種初始態的形象描述，語出《道德經》第十四章:「視之不見，聽之不聞，搏之不得。」《易緯》稱引《道德經》言辭，是對道家思想的認同。太易、太初、太始、太素是《易緯》「有生於無」論的核心概念，對此，鄭玄有如下辨析：

> 以其寂然無物，故名之為太易。元氣之所本始，太易既自寂然無物矣，焉能生此太初哉，則太初者，亦忽然而自生。形見此天象，形見之所本始 也。(太素)，地質之所本始也。雖舍此三始，而猶未有分判。老子曰：有物渾成，先天地生。[38]

鄭玄注揭示出的是一條生成論時間軸線，寂然無物的狀態稱之為太易；隨之，自然

---

35 安居香山、中村璋八輯:《緯書集成》，頁110。

36 安居香山、中村璋八輯:《緯書集成》，頁10-12。

37 安居香山、中村璋八輯:《緯書集成》，頁29。

38 安居香山、中村璋八輯:《緯書集成》，頁11。

而生的是太初，太初是氣之始；氣之後，太始指形之始；最後是地質之始階段，皆屬無可感狀態。如果說太易是「無」的話，那麼，太初、太始、太素則是「有」，「有」的各個狀態之間相互依存，很難截然分開，不相離即渾成，先天地而生，是抽象的、形上的。「視之不見」三句狀太易不可以視聽尋，也是申述「渾成」的境界。鄭氏稱引老子之言，標示的是《易緯》「四太說」思想的文脈淵藪，對此，林忠軍先生有這樣的論述：

> 《易緯》的意思，從無到有，經歷了太易，太初，太始，太素，這個過程是由未見氣到氣之始，形之始，質之始，太易是未見氣的無，太初是氣之始的有，太始是形之始的有，太素是質之形的有。……《易緯》在宇宙觀問題上和道家是一脈相承的。[39]

林先生的結論是可信的，《易緯》對《易》的釋讀往往脫胎於道家，相關概念能在道家著作中找到淵源，太初，《莊子．天地篇》：「泰初有無，無有無名，一之所起，有一而未形。」成玄英疏：「泰，太；初，始也。元氣始萌，謂之太初。言其氣廣大，能為萬物之始本，故名太初。」[40]太初，《莊子》外篇作泰初，和太始義近。又，《淮南子．詮言篇》：「稽古太初，人生於無，形於有。」劉文典引《太平御覽》古注云：「當太初天地之始，人生於無形，無形生有形也。」[41]太初是一種天地之始的狀態。太素，《淮南子．精神篇》寫道：「明白太素，無為複樸，體本抱神，以遊於天地之樊。」太素指一種純任虛靜的狀態。

《易緯．乾鑿度》的論斷，《列子．天瑞篇》有極其相同的文字：

> 昔者聖人因陰陽以統天地，夫有形者生於無形，則天地安從生？故曰：有太易，有太初，有太始，有太素。太易者，未見氣也；太初者，氣之始也；太始者，形之始也；太素者，質之始也。氣形質具而未相離，故曰渾淪。渾淪者，言萬物相渾淪而未相離也，視之不見，聽之不聞，循之不得，故曰易也。易無形畔，易變而為一，一變而為七，七變而為九，九變者究也，乃複變而為一。一者形變之始也，清輕者上為天，濁重者下為地，沖和氣者為人，故天地含精，萬物化生。[42]

在這裡，《易緯》的有生於無及相關理論表述，《列子》與之完全契合，概念相同、文脈也一致，二者可以對讀。列子，道教尊之謂沖虛真人，《列子》時至今日，已經很難再

39 林忠軍：〈《易緯》宇宙觀與漢代儒道合流趨向〉，《哲學研究》，2002年第10期。

40 〔西晉〕郭象注、〔唐〕成玄英疏：《南華真經注疏》北京：中華書局，1998年，頁242。

41 劉文典：《淮南鴻烈集注》合肥：安徽大學出版社、昆明：雲南大學出版社，1998年，頁471。

42 楊伯峻撰：《列子集釋》北京：中華書局，1979年，頁5-8。

認定其為偽作。它的編撰成書年代當在戰國時期，《易緯》文獻則大抵均生成於西漢末期，二者是源與流的關係。

《易緯》對於「易」之功能的界定也往往融入道家思想，《易緯．乾鑿度》寫道：「虛無感動，清淨照哲。移物致耀，至誠專密。不煩不撓，淡泊不失，此其易也。」鄭玄注如下：

> 炤，明也。夫惟虛無也，故能感天下之動。惟清淨也，故能炤天下之明。移，動也。天確而至誠，故物得以自動。寂然皆專密，故物得以自專也。未始有得，夫何失哉。[43]

易的功能界定，《易緯．乾鑿度》套用的仍是道家思想，易、道合一，虛無而清淨，故能感動、昭明天下。鄭注「未始有得，夫何失哉」本之《道德經》第二章：「夫惟弗居，是以不去。」[44]弗居則可以免除去與不去之煩惱。

《易緯》援引道家思想入易，在西漢末年是否是個案呢？回答是否定的，這種取向和同處西漢末年的揚雄思想及其創作的《太玄》具有一致性。揚雄對《易緯》中太易、太初概念的運用見於〈覈靈賦〉，其首章曰：「太易之始，太初之先，馮馮沉沉，奮搏無端，太易之始，河序龍馬，洛貢龜書。」張震澤先生注：「太易即太極，指混沌未分之時。」[45]在這裡，太易、太初與《易緯》完全相同，所指的含義也是一致的。揚雄衍《易》作品《太玄》是儒道合流的典範。關於玄的界定，〈玄攡〉篇寫道：

> 玄者，幽萬類而不見形者也。資陶虛無而生乎規神明而定摹，通古今以開類，攡措陰陽而發氣。[46]

「玄」化育萬物而不見其形，「資陶虛無」相當於道家之「道」，亦相當於《易緯》之「太易」。玄、道、易三者均具有相同的不可感知的特性。《太玄》和道家思想的淵源，還和《太玄》整部著作的推演機制相契合。《太玄．玄首序》寫道：

> 方州部家，三位疏成。曰陳其九九，以為數生。贊上群綱，乃綜乎名。八十一首，歲事鹹貞。[47]

---

43 安居香山、中村璋八輯：《緯書集成》，頁4。

44 王卡點校：《老子道德經河上公章句》北京：中華書局，1993年，頁7-8。

45 〔西漢〕揚雄著、張震澤校注：《揚雄集校注》上海：上海古籍出版社，1993年，頁136。

46 〔北宋〕司馬光：《太玄集注》（新編諸子集成本）北京：中華書局，1998年，頁184。

47 〔北宋〕司馬光：《太玄集注》（新編諸子集成本）北京：中華書局，1998年，頁2。

方州部家，家位於最下端，方居最上。三位疏成，指一玄掌覆三方。陳其九九，以為數生，謂九九八十一卦因數而生。數一、二、三是三位，是最為基本的單位，三個符號表達出八十一種形符且不重複。《太玄》的生成以三為單位推演，每首三三得九贊，九九得八十一首。《太玄》的這種推演機制正是源於道家，《老子》第五十一章：「一生二、二生三，三生萬物。」

《易緯》是西漢末年易學的代表，《太玄》同樣生成於西漢末年，揚雄援道入易的取向和《易緯》具有一致性。西漢末年，政治經濟發展走向低谷，社會文化層面《易》與道家思想結緣於此一時期，是對西漢初年主流文化崇尚黃老思想的回歸。《易緯》將道家學說引入到儒家學說體系中，儒道匯通的取向和《太玄》契合，這種取向在東漢末年另一衍《易》著作《周易參同契》中能得到呼應。處社會發展的低谷期時，易學往往能和道家思想予以理念上的縫合，如此一來，我們可以下這樣的結論：西漢末年易學與道家思想的結緣和融合，是歷史時勢的使然。《易》對天地人的認知和道家具有天然的聯繫，西漢末年二者的融合是這種天然聯繫的外顯。

A preliminary study on "Official-learn-to-beof Qin state (〈秦代學吏制度試探〉)

Wen Rujia 溫如嘉, Cheung Wai Po 張偉保

Faculty of Education, University of Macau 澳門大學教育學院

The education system of official-learn-to-be 學吏制度 of Qin was first brought up in the book of the philosophers of the warring states. According to the difficulty of Bian He of Han FeiZi《韓非子・和氏》[1], it was written that, Shang Yang taught Duke Xiao of Qin to burn the book of poetry and history and thereby make laws and orders clear.[2] The officials were those understand laws and orders and taught the meaning of the laws and orders to the public. That made official as teacher in a certain way. Furthermore, according to the fixing of rights and duties of the book of Lord Shang《商君書・定分》[3], it was written that, therefore did the sages set up officers and officials for the laws and mandates, who should be authoritative in the empire, in order to define everyone's rights and duties, so that these being definite.[4] To set up the officials of laws as the teachers of the world was in order to clarify the rights and duties. Not only Lord Shang considered officials should be the teachers of the public, in the opinion of Han Fei, he viewed affirmation of *law as education* and *official as teacher*.

All above are the views of the philosophers, however, if the thoughts were brought into practice, we did not sure about it, due to the lack of documentary records. In the past, scholars usually took the *Shi Ji* as the authorized document and pointed out that the *officials as teacher* was started on 213 B.C., which was the 34th years of the first emperor of Qin. During that year, Qin government took the policy which brought by the chancellor Li Si and promulgated by the

---

1 *Han FeiZi*《韓非子》, translated into English by W.K.Liao, translated in to modern Chinese by Zhang Jue, (Beijing 北京, the Commercial Press 商務印書館, 2015), 238-247:「商君教秦孝公以連什伍，設告坐之過，燔《詩》、《書》而明法令。(《韓非子・和氏》)」

2 *Han FeiZi*《韓非子》, translated into English by W.K.Liao, translated in to modern Chinese by Zhang Jue 張覺,(Beijing 北京, the commercial press 商務印書館, 2015), 245.

3 《商君書・定分》:「故聖人必為法令置官也，置吏也，為天下師。」

4 Duyvendak J. J. L.; Trans. into modern Chinese, Gao. Heng. *The Book of Lord Shang*（《商君書》）. (Guilin: Guangxi Normal University Press, 2006), 354.

empire about *official as teacher*. From then on, *official as teacher* was officially became the education system of official-learn-to-be. Due to the newly excavated documents were found in recent years, especially, *the Qin bamboo slips of YunmengShuihudi* 雲夢睡虎地秦簡 which was made after the reforms of Shang Yang and before the unification of Qin empire, they supplemented the related document, and we found from these newly excavated documents that the beginning of the *official as teacher* was way before 213 B.C. Thanks to the newly excavated documents, we could have a more complete picture of the education system of *official as teacher.*

It was needed to develop a group of qualified officials to deal with the daily management base on the fact of the huge number of miscellaneous affairs during the expansion of Qin state. To raise proper officials became an issue and it was popular to learn to be an official during that time.

Before the unification of Qin Empire, there was public education 學室 set up by government; after the unification of Qin Empire, there was "Anyone who wants to learn, learn from the official" (「有欲學者，以吏為師。」).[5] This was a policy made by the chancellor of Qin, Li Si. However, in the newly excavated document of *the Qin bamboo slips of YunmengShuihudi*, before the unification of Qin Empire, there was some policy related with "*official as teacher*". One is in *the Statutes Concerning the Miscellaneous*（《內雜史》） of *the Eighteen Qin Statutes*（《秦律十八篇》）, it says: "if (persons) are not sons / students of clerks, they must not venture to study in the study-room. Those who transgress this ordinance will have committed a crime"（「非史子也，毋敢學學室。」）.[6] We can tell from this newly excavated document that, there was specialized study-room to train officials. The clerks were the officials who doing paperwork, archives work and engrossment in government agencies at all levels. In the meanwhile, clerks also did the training work to develop disciples in this area. The archaeologist found varies funeral objects in the grave of Xi 喜 and *the Qin bamboo slips of YunmengShuihudi*. And scholars believe that Xi was a Qin official who copied these large quantities of bamboo slips of YunmengShuihudi.

Xi was a typical case to tell what a civil official should learn and do. In the materials of *the Chronological Record*（《編年紀》） of *the bamboo slips of YunmengShuihudi*, we could see that Xi was actually a civil official doing legal education. He started his official position in

---

5 Sima Qian 司馬遷, *Shi Ji* 《史記》, Xuchang 許昌, 中州古籍出版社, 1996, Pp 714-721.《史記・李斯列傳第二十七》.

6 Hulsewé, A. F. P. *Remnants of Ch'in Law*. (Leiden: E.J. Brill, 1985), p.87.

the third year of Ying Zheng 嬴政, the ruler of Qin state.[7] After one year, in the fourth year of ruler Ying Zheng, Xi was a low level official named Yu Shi 御史, a junior clerk in Anlu 安陸.[8] And at the sixth year of ruler Qin Zheng, Xi became an official of Ling Shi in Anlu 安陸令史, which was a position as a subordinate of county magistrate in charge of paperwork.[9] Then next year, he was the official of Ling Shi in Yang 鄢令史.[10] At the twelfth year of ruler Qin Zheng, Xi was transferred to a position to rule the prison by judging cases in Yang.[11] In this whole process, Xi was doing civil works related with document and cases hearing. That might be the main reason Xi copied these great amounts of legal related documents and buried with himself.

The clerks of *the Statutes Concerning the Miscellaneous* of *the Eighteen Qin Statutes* were part of the members of officials in the *official as teacher*. The meaning of this bamboo slips was that only the sons / disciples of clerks could learn in the study-room. The teaching in the study-room mentioned above, was charged with tale in hand of those qualified officials, which had the professional proficiency and did what they teach in the study-room as routine work. The students, who studied in the study-room, could begin their work as an assistant official after a certain time of learning and pass the qualifying examination.

Even more, not everyone could enter into the education system of official-learn-to-be and become an official. Those people with criminal record were in the limitation and not allowed to be officials. We can tell this policy form *the bamboo slips of YunmengShuihudi*: "persons in detention who are able to write must not be made to engage in the work of clerks."(「下吏能書者，毋敢從史之事。」)[12]; "Hou, robber guards as well as the multitude of persons under detention one should not venture to make assistants of clerks of government storehouses, as well as guards of Forbidden Parks"(「侯。司寇及群下吏毋敢為官府佐、史及禁苑憲盜。」).[13] These policies made sure the unobstructed way of official-to-be for the students who study in the study-room and leaded people of official-want-to-be to learn in the regulatory place. And these policies made the management, training and control of the students easier. Except these regulation founded in *the bamboo slips of YunmengShuihudi*, there was law

7 雲夢睡虎地十一號墓《編年記》:「三年，卷軍。八月，喜揄史。」(按：揄：引，出。這裡「揄史」為引進為史官，史是從事文書事務的小官吏。)

8 雲夢睡虎地十一號墓《編年記》:「(四年)，□軍。十一月，喜□安陸□史。)

9 雲夢睡虎地十一號墓《編年記》:「六年，四月，為安陸令史」

10 雲夢睡虎地十一號墓《編年記》:「七年，正月甲寅，鄢令史。」

11 雲夢睡虎地十一號墓《編年記》:「十二年，四月癸丑，喜治獄鄢。」

12 Hulsewé, A. F. P. *Remnants of Ch'in Law*. (Leiden: E.J. Brill, 1985),88.

13 Hulsewé, A. F. P. *Remnants of Ch'in Law*. (Leiden: E.J. Brill, 1985), 88.

specially equipped with the management of students, named *the Law of the Expel of Student* (《除弟子律》) . It was a law related with the management, development and appointment of the students. Some regulation was kept in *the Miscellaneous excepts from Qin statutes* (《秦律雜抄》) of *the bamboo slips of YunmengShuihudi*. The meaning of original text[14] was discussed by varies scholars, some said the meaning of the text was "when the students finish study, his status as a student should be dismissed, he graduated but his student status did not be dismissed, the official in charge of the student status should be punished"[15]. However, other scholars[16] had second opinion of the original text. The research team of the bamboo slips of YunmengShuihudi and scholar Hulsewé, A. F. P. considers the meaning of the original text was "when (a person) is warranted to appoint retainers (but) the population register does not allow this, (or) when appointments are made carelessly, (such case) are all punished by shaving off the beard and being made a *hou*（侯）." Even there were disagreement of the explanation of the original text,we could find in both explanations that there was registration / student status of the education system of official-learn-to-be in Qin.

One thing could be pointed out in the education system of official-learn-to-be in Qin. Following the original text, it was said, "employment of one's retainers in excess (of the norms established by) the statutes, as well as beating them, is fined one suit of armour; if the skin is broken (the fine is) two suits of armour."[17] Which means that, during that time, the retainers/officials could employ and even beat the students in the range of the law.

If a student could not finish his course, consequence would be initiated. It was said that "when a coachman has been appointed in the past four years and he is unable to drive, the person who taught him is fined one shield, he is dismissed and he has to make good four years' statute labor and military service."[18] We know that before the unification of Qin Empire, all states were in a chaotic situation of drastic wars, the military service was rigorous and rigid. In this document, we can tell that being a student could have an important advantage than other people. They could avoid military service. Only if the student did not achieve his goal of the course in a certain time, there would be consequence. The coachman in the text mentioned

---

14 《睡虎地雲夢秦簡·秦律雜抄》:「當除弟子籍不得，置任不審，皆耐為侯。」

15 Zhang Jinguang（張金光）,《秦制研究》, Shanghai（上海）,上海古籍出版社，2004年，p.711.

16 Including the Organization team of bamboo slips of Qin tomb of Shuihudi（睡虎地秦墓竹簡整理小組）, Hulsewé, A. F. P.,Li Qin Tong （李勤通）, Zhou Dong Ping （周東平） and so on.

17 Hulsewé, A. F. P. *Remnants of Ch'in Law*. (Leiden: E.J. Brill, 1985), 105.

18 《睡虎地雲夢秦簡·秦律雜抄》:「駕騶除四歲，不能駕御，貲教者一盾；免，賞（償還）四歲（徭）戍。」

above was a typical example. That should be an important reason for people to enter in the education system of official-learn-to-be.

There were civil and military officials during the period of Qin and Han dynasties. Different kinds of officials had to learn different skills to approach their position.

The main task for civil officials was to deal with related paperwork so that the daily management could be run systematically and smoothly. Writing documents, hearing cases, making records, training students and educating the public and other works were all belonged to civil officials. The standards were at least the following three: firstly, based on "Persons in detention who are able to write must not be made to engage in the work of clerks",[19] the official had to know how to write. This was the basic requirement. Secondly, civil official had to be capable to deal with the civil affairs, and thirdly was to understand the legal document. One was the position requirement of dealing with cases; other was to educate the public to make them understand the meaning of the legal statutes.

At the view of the ruling class, the education system of official-learn-to-be was not only for the control of training officials and the passing on knowledge of the laws to the public, but also for the autocratic government to have a full control of the culture education.

19 《秦律十八種・內史雜》：下吏能書者，毋敢從史之事。

專賣、選士與路徑依賴下的司馬遷經濟思想

趙善軒 張偉保*

深圳大學 澳門大學

一 前言

自百多年前的梁啟超以來，中國學者開始注意到司馬遷的經濟史論述中，帶有類近於西方古典學派的自由經濟主義的主張。改革開放以來，國內學者愈來愈關注傳統經濟思想的現代意義，近廿餘年，陸陸續續有一些歷史學者、經濟學家試圖比較司馬遷與經濟學的奠基者亞當史密（Adam Smith, 1723-1790）的異同，更有若干論者更認為司馬遷的經濟思想比起西方古典經濟學派進步約千餘年。單是由一九九四年至二〇〇五年，國內已有一百三十多篇論文討論司馬遷的經濟思想，近二十年來關於此課題的論文，已占了歷來在大陸地區發表論文司馬遷經濟思想論文中的百分之七十，張文華把上述諸文歸納重點為以下幾點。第一，字句解釋；第二，體例研究；第三，經濟地理學；第四，商業倫理學；第五，工商經濟思想；第六，司馬遷與西方學人之比較等方面[1]，惟這些文章對於長時期的歷史考察以及制度性的解釋並不足夠，本文認為此題目仍有深化的空間。

香港及海外學者對此題目也有豐厚的成果，早在二十世紀六十年代於新亞書院任教的宋敘五先生，已對司馬遷的社會經濟思想作深入的討論，他不但指出司馬遷與西方經濟學家亞當斯密相似之處，也討論到司馬遷經濟思想形成的歷史原因。[2]二十年前，香港中文大學的經濟學家 Leslie Young 也提出類似的觀點，並從經濟學理論作了比較深入的分析[3]，此引起另一位經濟學者 Y. Stephen Chiu、Ryh-Song Yeh 等學者的興趣，觸發起一場國際期刊上的重大學術爭論，其重點在於司馬遷是否真的比亞當斯密早一千多

---

* 趙善軒，深圳大學饒宗頤文化研究院副教授；張偉保，澳門大學教育學院副教授本文曾宣讀於北京大學經濟學院主辦第二屆北大經濟史學大會暨「中國經濟的長期發展：思想、理論與實踐」研討會，北京，2016年9月23日。

1 張文華：〈近十年來史記貨殖列傳研究綜述〉載於《淮陰師範學院學報（哲學社會科學版》，2005年4期，頁530。

2 參見宋敘五〈從司馬遷到班固：論中國經濟思想的轉折〉，宣讀於中國經濟思想史學會第十屆年會，2002年10月於西財經大學。

3 Leslie Young "The TAO of Markets: SIMA QIAN and The Invisible Hand," *Pacific Economic Review*, Volume 1, Issue 2,1996, pp.137-145.

年，提出超前的自由主義經濟思想。[4]後來，這個課題在美國學術界引起了廣泛的討論，其爭論的重點是司馬遷的思想是否已達到相當於西方古典經濟學的水平[5]，可是由於他們是經濟學家出身，對古典文獻理解不足，只能根據白話文譯本為基礎，故其結論未必真的與司馬遷的原意相符。

然而，司馬遷注定不可能成為中國的經濟學之父，因為他沒有像亞當史密般有李嘉圖（David Ricardo, 1772-1823）、科斯（Ronald H.Coase, 1910-2013）、佛利民（Milton Friedman, 1912-2006）等經濟學巨人將亞當史密奠基的學問發揚光大，成為當代的顯學。司馬遷以歷史學家的身分無疑已是名垂千古，但他身為經濟學者，注定是孤獨的，他的自由經濟主張，在中國歷史長河中，被忽略，被輕視，被淹沒。直至晚清時期，中國人欲以商戰對抗西力東漸，中國學者才對司馬遷的經濟思想重新作出審視，情況始有不同。

本文以經濟史研究中，頗重要的路徑依賴理論為線索，以探討司馬遷的經濟思想在中國歷史上長期被忽略的原因。

二　壟斷下的學術一元化

一切存在，皆有其合理性。千百年來，司馬遷的經濟主張，不受主流學者重視，是有其歷史原因。司馬遷著書立說之時，中國正值邁向大一統的初期，在中國長期存在的「超穩定結構」[6]尚在組建中，而司馬遷博覽群書，在他閱讀的書單中，絕大部份也是在中國四分五裂的春秋戰國，那個百家爭鳴的多元時代所寫成，各種學派的理論對他產生巨大的思想衝擊。學術自由是創造學問的根本，歷史上的學術盛世，往往是在大分裂的時代，諸如先秦時代、魏晉時期、清末民初等等。然而，中古時期佛學東傳，加上社會進入自然經濟階段，士人多關注玄學，而非經濟發展；民國之時，知識份子也把精力放在救亡國家的意識形態之上，此與先秦之時，士人不斷思考如何富國強兵，促使百姓生活豐足，自然有很大的不同。司馬遷就是吸收了諸子的學說，透過描寫先秦以來的經濟發展，來表達他個人的主張，以塑造心目中理想的世界。[7]

---

4 Y. Stephen Chiu, Ryh-Song Yeh, “Adam Smith versus Sima Qian: Comment on the Tao of markets”, *Pacific Economic Review* Volume 4, 1999, Issue 1, pp.79-84.

5 Ken McCormic, “Sima Qian and Adam Smith”, *Pacific Economic Review* Volume 4, 1999, Issue 1, pp. 85-87.

6 葉啟致：〈從「中國中心」史觀到「超穩定結構」論〉，《廿十一世紀》，1995年12月，總32期，頁39。

7 《史記》不是單純是歷史文學作品，否則司馬遷就不能與西方經濟學之父亞當斯密（Adam Smith，1723-1790）等量齊名，因為司馬遷同樣是中國史上重要的思想家，他的思想發明也不是他一人之功，而是承繼了春秋戰國數百年自由開放的學術風氣而成，先秦諸子都不是單純的理論家，而是偉大的知識分子，他們試圖為世人尋找理想的生活模式，司馬遷受到他們的影響，故他在寫作〈貨殖自由無為的道家學說，對司馬遷之影響至鉅。西漢初年，黃老之學大行其道，其論述極之適合百廢待興的社會，故劉氏建政以來，黃老學說一直成為國家、社會的主流思想。漢興七十多年間，雖說黃老之學一度占據上風，但百家的學問仍有很大的進展，那時代的寫下多部傳世且不朽的著作。直至漢武帝罷黜百家，獨尊儒術，自由的學術環境發生突變。熟讀儒學成為一般人入仕為官必要且充分的條件，套用社會學的說法，政府是在利用「行政吸納政治」，如社會學家金耀基所說：「『行政吸納政治』是指一個過程，在這個過程中，政府把社會中精英或精英集團所代表的政治力量，吸收進行政決策結構，因而獲致某一層次的『精英整合』，此一過程，賦予了統治權力以合法性，從而，一個鬆弛的、但整合的政治社會得以建立起來。」[8]歷代大多數政府都希望民間潛在的反對力量，以功名利祿吸納在建制之內，以政治誘因使天下熙熙之士，令其以儒學為業，不然則難以進入政府架構，甚至無法安身立命。魏晉的九品中正制度，隋唐以降的科舉制度，明清的八股取士，大概仍是循此路而走。即使後人偶有發現一元的學術世界，難以培育出優異的治國人才，或有懷疑誦讀四書五經的士人，不具處理具體政事的常識，也只有作無奈之惋嘆。歷史上多次的選拔人才改革，終亦離不開以儒學本位，未有過翻天覆地之變化。受到舊有思維所限，加上壟斷儒學的既得利益階層的興起，漢代以經學作為入仕的主要途徑，漸漸掌握經學權威的家族成為了世家大族，累世公卿。東漢末年，有數位「四世三公」的家族，壟斷了政府的主要職業，家族勢力權傾朝野。到了魏晉南北朝，九品中正制鞏固了世家的權力結構，因為品位評定者本是大族出身，他們以出身論人才，漸漸便成了門閥政治，時有「上品無寒門，下品無士族」的社會現象。

儒者又掌控了整個官僚架構，導致累積的「交易成本」（Transaction Cost）[9]愈來愈大，不易於改革制度，未能引導學術回歸多元。明清僵化的考試制度變本加厲，其時，宋儒對經典的解釋壟斷了科舉入仕之門，更排斥一切非官方指定的內容出現在試卷之中。此中情況，即所謂經濟學上新制度學派的「路徑依賴」（Path Dependence）現象，因固有的交易成本不斷上升，人們往往懼怕放棄原來已投入的成本，令大量投資變得一文不值，成為了「沉沒成本」（Sunk cost；筆者案：經濟學認為沉沒成本不應算在理性考慮的成本，因其是已出之物，在作出選擇時已不能影響將來的收益，如在決定時受其

列傳〉的同時，也試圖通過他的觀察和想像，勾劃出他心目中理想的社會經濟模型，故此，司馬遷雖然是依據歷史事實寫作，但當中不免夾雜他個人的主觀願望於其中，以便向世人闡述他偉大的經濟思想。

8 參見金耀基：〈行政吸納政治——香港的政治模式〉，載《中國政治與文化》香港：牛津大學出版社，1997年，頁21-45。

9 交易成本又譯為交易費用（張五常語），當中又分為外生交易費用、內生交易費用兩大類。外生交易費用，是指在交易過程中直接或間接，產生且客觀存在的實體費用；內生交易費用，則指任何選擇下所產生的抽象費用，如道德、機會、心理等成本，其只能以概率，以及期望值來度量。本文所指的交易費用為廣義費用，即制度費用（Institutional cost）一類。

影響，則有違理性。然而，人們往往受沉沒成本所累，而放棄制度改革或會帶來巨大收益的大好機會。）諾貝爾經濟學獎得主道格拉斯諾思（Douglass C.North）認為，路徑依賴近於物理學中的「慣性」，若進入某路徑，即對此路徑產生依賴，因習性形成了許多既得利益以及利益團體，改變的交易成本逐漸增加，而此路徑的既定方向，會在以後發展中得到自我強化。[10]所以儒家集團壟斷的情況也不斷地自我強化，士人既掌握壟斷入仕的工具，子孫因而更容易入朝為官，他們成為了既得利益集團，自然排斥非世家以外的人晉身廟堂，這就形成中古門閥政治，他們當然不會輕易開放多元的學術環境。

隨著科舉制度日趨成熟，社會流動看似打破了中古時代家族的寡頭壟斷，其實尚要經歷近五百年的演變過程，到北宋中葉才收到顯著效果。據學者的分析，隋唐實行科舉取士，對九品中正制下的門第制做成衝擊。但是，從中唐時期「牛李黨爭」的爆發，便可體會高門大姓仍在社會上占有極大的勢力。以杜佑《通典》為例，二百卷的大部頭著作中，反映世家大族的「禮」門合共有一百卷之多，其餘食貨、選舉、職官、樂、兵、刑、州郡、邊防八門合共也是一百卷。又據兩《唐書》的統計，「中晚唐，肅宗至昭宣帝，科舉進士三百零一人，名門大族二百二十九人，中層子弟四十四人，真正屬寒族的僅有二十八人，占百分之九點三。」[11]經歷了晚唐、五代到宋初差不多二百年的動蕩日子，東漢以來的高門大姓才日漸消融。宋代統治者重文輕武，文化普及，每三年一次的科舉考試，取錄名額往往多達五、六百名，又廢除了唐代的溫卷制，設立了彌封、謄錄等防範考試作弊的措施。因此，平民百姓的仕進之路較唐代為佳。加上宋代家族制度的族田制度，對族中聰敏的子弟加以經濟上的援助，提高了貧困子弟的讀書和入仕機會。

明代繼續實行科舉制，經長期深化實施，遂產生了廣大的士人階級優勢，形成分散卻龐大的利益集團。據何炳棣的研究，明代進士出身者為百分之五十，減至清代的百分之三七・二；明代父祖三代為生員的百分之五十，清代則為百分之六二・八。[12]何炳棣的研究明顯反映了士人階級的內在強化，他們當官後想辦法培訓子孫循著相同的道路晉身官場，既擁有公權力，又是既得利益者，當然不會輕言改革，使其失去不易獲得的社會地位。此情況一直到了帝國晚期，康有為、梁啟超的維新運動，仍遭受到士人階級的極大反抗，可見從西漢至清中葉以來，大抵仍循路徑依賴而發展。

這確定了兩千年來常態時期的政治格局。多元的學術環境逐漸走向單一，由開放轉

10 David, Paul A. “Path dependence, its critics and the quest for 'historical economics”, in P. Garrouste and S. Ioannides (eds), *Evolution and Path Dependence in Economic Ideas: Past and Present*, Edward Elgar Publishing, Cheltenham, England, 2000.

11 郭新慶〈柳宗元說科舉取士〉，http://lib.huse.cn/lzy/news_view.asp?newsid=6206，摘錄於2016年8月25日。郭氏又指出：「唐代內外官吏不下一萬四千多人，真正由貢舉入仕的不足百之六。」

12 Ho Ping-ti, *The Ladder of Success in Imperial China: Aspects of Social Mobility, 1368-1911,* New York and London: Columbia University Press, 1967.pp. 161-165.

入內向，非儒學著作成為社會的次文化，難登大雅之堂。司馬遷以後年代的學者，難再像他般受到濃厚的學術氣氛啟迪。此後，士人多以獲政府吸納為目標，例如東漢的班固[13]，當他描述與司馬遷相同的史事，他高舉政府所主張的意識形態，大肆批評商業家，也極端忽視工商業發展，甚至輕視農業副產品；另一代表性人是宋代的司馬光，他否定消費，漠視生活享受等推動經濟發展的人類天性，此與司馬遷肯定欲望的主張南轅北轍。[14]儒家舉著重農輕商的旗號，傳統中國社會長期推崇「農本思想」[15]，如司馬遷這般關懷商業倫理[16]、經濟思想以及社會發展的人[17]，再難受到國家的重視。

三　資本壓抑下的商業環境

漢武帝（西元前156年-前87年）在位時，積極用兵四夷。他好大喜功，泰山封禪又虛耗了一大筆經費，導致國家財政入不敷支，為了滿足他無窮無盡的慾望，故不得不推行新經濟政策，以增加收入，內容大抵如下：

政策	負責人	推行年份
號召募捐	眾官員	西元前一二〇年
算緡錢（財產稅）	眾官員	西元前一一九年
鹽鐵專賣	孔僅、東郭咸陽	西元前一一八年
告緡錢（告發瞞稅）	楊可	西元前一一七年
平準、均輸（物流統管）	桑弘羊	西元前一一五年

13 李埏認為班固是站在儒家正統的立場，宣揚「貴誼賤利」的思想。當然，司馬遷的思想與中國大多數的著作一樣，也是重結論而輕推論，他的結論往往有超前的突破，但因推論不成系統，自然難以與近代西方經濟思想完全等量。見李埏等：《史記・貨殖列傳研究》昆明：雲南大學出版社，2002年，頁144。

14 西方古典經濟學派中早有「私德公益說」，較少人注意到中國的司馬遷亦有提出類似的說法，但其學說在中國歷史上卻未產生深遠的影響。筆者曾通過比較方法，將西方古典經濟學、司馬遷以及與司馬遷幾近相反的班固與司馬光加以比較，以司馬光、班固反襯司馬子，試圖探視司馬遷對追求富貴、奢侈消費的觀念，而這主張是〈貨殖列傳〉中立論的根本，所謂「求富尚奢觀」，不是指他讚揚奢侈行為，而是肯定依靠個人的努力而獲得高上的社會地位，並得以享受與王侯等同的「素封」生活。司馬遷亦提出了「素封」的新概念，為殷實商人抱不平，此為重農抑商時代的異數。

15 宋敘五：《從司馬遷到班固——論中國經濟思想的轉折》，頁23。

16 司馬遷：《史記・太史公自序》臺北：鼎文書局，1981年，頁3319，他說：「布衣匹夫之人，不害於政，不妨百姓，取與以時而息財富，智者有采焉。作貨殖列傳第六十九。」

17 司馬遷：《史記・貨殖列傳》，頁3272：「今有無秩祿之奉，爵邑之入，而樂與之比者。命曰素封。封者食租稅，歲率戶二百。千戶之君則二十萬，朝覲聘享出其中。庶民、農、工、商、賈，率亦歲萬息二千，百萬之家則二十萬，而更徭租賦出其中。衣食之欲，恣所好美矣。」

《史記‧平準書》載：

> 其明年，山東被水菑，民多飢乏，於是天子遣使者虛郡國倉廥以振貧民。猶不足，又募豪富人相貸假。尚不能相救，乃徙貧民於關以西，及充朔方以南新秦中，七十餘萬口，衣食皆仰給縣官。數歲，假予產業，使者分部護之，冠蓋相望。其費以億計，不可勝數。於是縣官大空。

從引文可知，新經濟政策始於漢武帝元狩三年（西元前120年），當時下令號召商人自願募捐，[18]，在欠缺經濟誘因下，反應不太理想，政府只好再想其他方法開源，故第一招是擴闊稅基。元狩四年（西元前119年）開徵新稅，類近於現代的資產稅，名為「算緡錢」。《漢書‧武帝紀》云：「有司言關東貧民徙隴西、北地、西河、上郡、會稽凡七十二萬五千口，縣官衣食振業，用度不足，請收銀錫造白金及皮幣以足用。初算緡錢。」[19]即是說，規定凡人民所有之田地、房屋、船乘、畜產及奴婢第，每值二○○○錢要抽一二○錢，謂之「一算」，即每年抽大約拜分之六的資產稅。[20]元狩六年至元鼎四年（西元前117-西元前113年）更全面推行「告緡令」[21]，鼓勵百姓主動告發「瞞稅」的商人，告發者可分得被告者一半的家產，造成「文革式」的告密風潮。由於沒有對私有財產的保障，商人便失去了追求財富的動力，對商業發展產生前所未有的打擊。

此外，武帝也一改漢初以來容許民間自由買賣的做法，改為「民製官賣」的經營模式，其時人民被迫使用政府提供的製鹽工具，鹽由政府收購、運輸及出售，而私鑄鐵器煮鹽的人則會受到嚴刑懲罰。此外，鐵器全由政府壟斷，由採礦、冶煉、製作到銷售，都由官員一手包辦，中央由財政大臣（大司農）直接統領，地方則設置鹽官、鐵官，再於無礦山的縣內設小鐵官，由上而下管理全國鹽鐵事務。鹽鐵是生活的必需品，需求彈性極低，官營以後，供應減少勢必使價格上升，這等於增加了間接稅收，直接加重人民的負擔，造成嚴重的經濟蕭條。

當時人民對平準、均輸、告緡、鹽鐵專賣等政策多有不滿，政府希望多聽他們的意見，以作檢討。年僅十四歲的漢昭帝下旨召開了兩場鹽鐵會議，由郡國推舉的賢良文學，徵詢他們的意見。是次會議實由大將軍霍光在背後推動，命丞相田千秋主持「經濟會議」，由賢良文學為一方，對漢武帝留下的輔政大臣御史大夫桑弘羊等人的政府代表，重點討論當代社會經濟發展，也旁及國家的發展方向、用兵匈奴的合理性、王道與霸道的取捨、禮治與法治的高下，以及古今人物評價等重大議題。桑弘羊本是商人之子，理應是反對新經

---

18 司馬遷：《史記‧平準書》，頁1425。

19 班固：《漢書‧武帝紀》，頁178。

20 可參考全漢昇《中國社會經濟通史》北京：北京聯合出版公司，2016年，頁67。

21 宋敘五：《西漢商人與商業》，頁131。

濟政策的最大力量，但他與孔僅、東郭咸陽等富商在武帝朝先後獲引入建制核心，成了新經濟政策中的推手。

這兩場辯論被人用文字記錄留傳了下來。漢宣帝時，桓寬對會議作了全面的整理，寫成《鹽鐵論》一書。據此書記載，會議中的民間知識份子，指出了專賣政策造成了經濟嚴重萎縮，專賣制令到某些必須品成為了完全壟斷行業，由於缺乏競爭，導致價格昂貴，品質下降，百姓生計受到沉重打擊。[22]一如鹽鐵會議所述，專賣制推行以後，原本發達的商業境況不再，而朝廷在會議後一度廢止了新經濟政策，不過很快把專賣制度恢復過來，而東漢一朝亦嚴厲執行，並開啟了後漢直至初唐，數百年工商業蕭條的「中古自然經濟」時代。[23]眾所周知，專賣制會傷害社會經濟，又影響百姓生活，主事的桑弘羊在會議後一年，因權鬥而被政敵大將軍霍光殺死，而政策在漢元帝時暫停了三年，便旋即恢復，終漢一朝也沒廢除，更成為歷代的傳統。為何政府何不早早廢止它，反而一直保留，甚至不斷內在強化，一直到了現當代中國未止，成為了中國兩千年的傳統呢？

《管子・海王》曾記錄管仲與齊桓公關於專賣的對話。桓公為增加政府收入，提出「藉於臺雉」、「藉於樹木」、「藉於六畜」、「藉於人」等方案，均被管仲以危害齊國管治而否決。最後，管仲提出「官山海」，即利用自然界所出的鹽、鐵等必需品加以專賣，定價時加入適量的稅款，便可以增加政府收入，而「人無以避此者」。[24]本文認為，主要原因是農業社會的賦稅以米糧為主，政府收入的彈性很少。每當政府因天災、戰爭或統治者奢侈揮霍，政府財政入不敷支後，便需要獲取額外收入來平衡收支。傳統儒家的理想是輕徭薄賦，直接加農業稅自然不是政府的一個好的選項。因此。對鹽鐵等民生必需品的專賣便成為歷代政府的唯一選項了。

例如，自漢武帝的新經濟政策推行以來，專賣制一直支撐著政府龐大的經費，如漢武帝泰山封禪，多年來的南征北伐等非經常性開支。東漢以來，士人政府日漸成熟，官僚架構變得愈來愈龐大，士人階層更成了巨大的利益集團，令政府編制擴大，使到經常性開支大幅增加，耍加上專賣制為官僚權貴貪污提供便利，又可應付沉重的軍費，東漢也恢復了經營西域，所費當然不菲。故此，雖然開明的知識份子屢屢提出發展工商業雖然可使百姓生活改善，而他們早就明白到開放市場又可促進市場發展，但因為放棄專賣制的成本增加，而政府從不願放棄沉沒成本，這專賣制度的路徑變得更堅固、更難被取消。[25]到了唐、

---

22 當時實行專賣的物品，以鹽、鐵為主。但除了鹽、鐵，酒也是專賣品之一，叫「榷酤」。「榷」為獨木橋，轉為獨占專賣之意。由政府開酒店，造酒高價出賣。」見全漢昇《中國社會經濟通史》，頁67-68。

23 全漢昇：〈中古自然經濟〉，收於《中國經濟史研究》臺北：稻香出版社，1991年。

24 這是中國專賣制度的最早期材料，見於黎鳳祥《管子校注》中華書局，2004年，卷二十二，〈海王第七十二〉，頁1246-1247、1255-1256。

25 關於漢代的專賣，可參看羅慶康《漢代專賣制度研究》北京：中國文史出版社，1991年。

宋時代，由於飲茶的風氣愈來愈盛，再加上政府需要通過茶馬制度以換取國內所缺乏的優質馬匹，便把茶葉也納入專賣制之內。[26]至於食鹽專賣，一直延至當代中國，仍未完全廢止，以清代的綱鹽制度而論，專賣商人「必須向官府報效」，其中最大的一次是在乾隆三十八年（1773）征小金川，總商江廣達等一次捐銀就達四百萬兩（嘉慶《兩淮鹽法志》卷四二《捐輸・軍需》）而在平常的日子，鹽商也要定期向各級衙門饋送「額規」，成為相關官員的重要收入。[27]以上情形，也可以路徑依賴解釋，因政府籍專賣而產生巨大的收入，以北宋為例，宋英宗治平二年（1065）和宋神宗年熙寧、元豐時（1068-1085）間，政府的全國總收入平均約為六千萬貫，而有記錄的專賣收入分別為：「鹽利（1119年的2,500萬貫）、酒課（1045年的1,700貫）、茶稅（1004年的569萬貫）。」[28]，而放棄它的機會成本，就是要大力縮減政府開支，慣於花費的官僚機構不會輕改革，即使開放市場有利於百姓生計，但為官者所考慮的是維持大一統政府的經費，而非人民的福祉。如此，壟斷性的經濟政策進入了路徑之中，而且不斷內在強化，扼殺多元而自由的市場發展。

國學大師錢穆於《中國文化史導論》指出：

> 中國社會從秦、漢以下，古代封建貴族是崩潰了，若照社會自然趨勢，任其演變，很可能成為一種商業資本富人中心的社會。這在西漢初年已有頗顯著的跡象可尋。[29]

自西漢以後，中國經濟受專賣以及政府干預的路徑依賴，使本來發展形勢大好的經濟發展，陷入長期有增長而無發展的格局，而增長往往只是受惠於人口的上升或糧食（新品種的引入）的增加，而非商業發達導致資本累積，或生產技術的革命，即是西漢以後大多數時期，經濟發展是屬於量變，而非質變。誠如歷史學家唐德剛所言：「那在西漢初年便已萌芽了的中國資本主義，乃被一個輕商的國家一竿打翻，一翻兩千年，再也萌不出芽來。」[30]

四 總結

一般而言，為了維持大一統國家以及其高昂的經營成本，專賣制等與民爭利的經濟政

---

26 可參看孫洪升《唐宋茶業經濟》上海：社會科學文獻出版社，2001年；林文勛、黃純艷等《中國是代專賣制度與商品經濟》第四章，昆明：雲南大學出版社，2003年，頁183-199、225-248。

27 可參看郭正忠等編《中國鹽業史》，全三冊，北京：人民出版社，1997年；另參看林文勛、黃純艷等《中國是代專賣制度與商品經濟》，頁344-345。

28 參見全漢昇《中國社會經濟通史》，頁68-69，以上數字雖因史料殘缺而不是同一年的數字，但也可反映專賣占政府財政總收入的一個主要部分。

29 錢穆：《中國文化史導論》臺北：臺灣商務印書館股份有限公司，1993年，頁128。

30 唐德剛：〈論國家強於社會〉，《開放》，1999年5月號。

策，在中國歷史上的大多數時期，就得一直維持下去。[31]同時，隨著國家的領土、人口壯大，管治的交易成本亦大幅上升，為了壓低管理成本，中國走向了威權管治的模式，而儒學也成了法家化。當國土愈大，人口愈多，政府的威權更見明顯，尤是帝國晚期，專制傾向更明確，形成「君尊臣卑」以及「反智」的格局。知識份子在政治壓力下，更難提出非主流意識形態的學說。

司馬遷作為中國商業百花齊放的時代見證，他受開放的商業、人文氣氛啟發，發表了許多重要的見解，但隨著自由的社會，轉入內向、壟斷、保守的路徑依賴之中，像司馬遷的創作空間也不再，故他身後的學者亦無法像他觀察多元的經濟，並抒發胸中所想，無怪司馬遷以後再無司馬遷。

31 林滿紅透過研究清代貨幣政策卻有不同的結論，她認為清代政府對民間經濟的集權程度比傳統說法為低，民間有相當大的空間。參見頁林滿紅《銀線》臺北：臺灣大學出版社，2011年，頁31-53。本文認為此可能與政府對民間控制的交易成本過高，而不得不作出的妥協，以下放權力來換取平衡有關，不獨貨幣，法律也如是。

《史記》創作過程中若干問題考辯

李芳瑜
北京師範大學文學院

歷來學者都著重於李陵事件對司馬遷的影響，認為是司馬遷「發憤著書」的主要原因，對《史記》的創作影響很大。但筆者認為《史記》創作主要集中在司馬遷受刑以前的七年間，所以《史記》開始創作在前，李陵事件發生在後。筆者認為李陵事件轉為李陵之「禍」，是司馬遷的性格造成的，而司馬遷的性格深受戰國士文化影響，此種性格早已投注在《史記》的前期創作中，並不為李陵之禍而改變。以下我們將進行逐層探討。

一 《史記》在李陵事件前的創作情況

根據司馬遷的《太史公自序》考據年限，在司馬談去世三年後也就是元封三年（西元前108年），司馬遷續任太史令之職[1]，「䌷史記石室金匱之書」，李慈銘曰：「䌷即籀，亦作抽」，《說文》曰：「籀，讀書也」，《方言》曰：「抽，讀也」，由此可知司馬遷在繼任為太史令之後，首要的工作是利用職位之便，在國家儲藏圖書的地方進行大量的閱讀與整理。這個過程持續了五年，也就是「五年而當太初元年（西元前104年）」。太初元年之後，司馬遷開始投入《史記》的創作過程，便是〈自序〉中所說：「於是論次其文。七年而太史公遭李陵之禍。」

李陵事件發生於天漢二年至三年之間（西元前99-前98年），李陵降匈奴對漢朝來說只是一次事件，對司馬遷來說無疑是一場生命中的禍事。在李陵事件發生前，可以整理出《史記》的創作軌跡：第一，《史記》從司馬談[2] 便已開始著手準備，司馬談是否已有論著不好證明，但至少也已經編排收集了許多資料；第二，司馬遷繼任太史令之後有一段時間主要是在整理閱讀官方資料，屬於司馬遷的準備階段；第三，從太初元年開始為《史記》的創

---

1 按《史記索隱》引《博物志》曰：「太史令，茂陵顯武裡大夫司馬遷，年二十八，三年六月乙卯，除六百石。」筆者認為年二十八或有疑義，涉及到司馬遷的生年考證，本文暫且不作展開討論，將於筆者今後其他的論述中詳著。

本文中《史記》文本及相關材料，皆引自《史記》〔漢〕司馬遷撰，〔南朝・宋〕裴駰集解，〔唐〕司馬貞索隱，〔唐〕張守節正義，北京：中華書局，1959年，下略。

2 〈自序〉：「遷俯首流涕曰：『小子不敏，請悉論先人所次舊聞，弗敢缺』」

作期，七年後遇到李陵禍事而中斷。此處指出「中斷」，是因為《史記》在李陵禍事前尚未完善，因此才有司馬遷在〈報任安書〉裡所說的：「所以隱忍苟活，幽於糞土而不辭者，恨私心有所不盡，鄙陋沒世而文采不表於後世也。」

那麼這七年時間的創作，在《史記》裡占了多大的比例？

《三國志．魏書．王肅傳》魏明帝問王肅：

> 司馬遷以受刑之故，內懷隱切，著《史記》非貶孝武，令人切齒。
>
> 對曰：「司馬遷記事，不虛美，不隱惡。劉向、揚雄服其善敘事，有良史之才，謂之實錄。漢武帝聞其述《史記》，取孝景及己本紀覽之，於是大怒，削而投之。於今此兩紀有錄無書。後遭李陵事，遂下遷蠶室。此為隱切在孝武，而不在於史遷也。」

王肅作為魏國著名的儒學家，由於家學淵源深厚，王肅能夠廣博地學到今古文學經典及其傳注。《三國志》本傳上說其治學特點為：「采會同異」，即遍注群經，不管今文學還是古文學，兼而采之。所以〈王肅傳〉的這段記載可以當作漢末曹魏時期學者對《史記》、司馬遷與漢武帝之間的一些看法。這段對話顯示了一個清晰的脈絡：在李陵事件發生前，漢武帝知道了司馬遷作《史記》一事，所以特別跟司馬遷要了與自己相關的部分來看，看了之後「大怒，削而投之」。觸怒武帝的內容，不外乎是「辨而不華，質而不俚，其文直，其事核，不虛美，不隱惡」的「實錄」風格，是司馬遷作為史官所繼承的優良傳統，是司馬遷認為史官該作的事，然而卻也因此埋下了禍根。這段對話指出《史記》在李陵事件之前確實已經投入創作，並且創作的部分應該不在少數。雖然我們目前沒有辦法確切知道司馬遷的行文順序，但是可知體例已訂（「取孝景及己『本紀』覽之」），並且如果不是已經初具規模，也不至於上傳天聽到漢武帝都知道其創作《史記》之事。漢武帝在看了《史記》之後對司馬遷的才華又愛又恨（謂之「隱切」），一直到李陵事件之後引爆，下文將考據李陵事件的原因、過程以及所經歷的時間，繼續探討李陵事件對《史記》創作的影響。

二　《史記》在李陵事件後的創作情況

《史記》的創作從太初元年開始，至天漢三年中斷，是為第一階段；司馬遷出獄之後到〈報任安書〉（西元前95年-前91年）是第二階段。

要討論《史記》創作的第二階段，我們必須先給《史記》的成書時間斷限，也就是《史記》在李陵事件之後還創作了多少年？司馬遷又是身處在什麼情況下來創作《史記》？在〈報任安書〉的最後，司馬遷說：

> 僕誠以著此書，藏之名山，傳之其人，通邑大都，則僕償前辱之責，雖萬被戮，豈有悔哉！

與〈自序〉裡的「藏之名山，副在京師，俟後世聖人君子」使用了基本相同的敘述。〈自序〉裡既然提到《史記》有正、副本，有「五十二萬六千五百字」，《史記》已經大致完成是能肯定的了。為難的是〈自序〉的創作時間難以判定，於是我們只好以〈報任安書〉作為參考[3]。

清代的史學名家趙翼也根據〈報任安書〉中的敘述，提出自己的推斷。他認為「安所抱不測之罪，緣決太子以巫蠱事斬江充，使安發兵助戰。安受其節而不發兵。武帝聞之，以為懷二心，故詔棄市」，得出「此書正安坐罪將死之時，則征和二年間事」[4]的結論。儘管趙翼並不認為〈報任安書〉就是司馬遷的絕筆，但他將〈報任安書〉與巫蠱之禍聯繫在一起的思路卻為後來的研究者提供了啟示。[5]

關於〈報任安書〉寫作的時間，據學者研究有太始四年說、征和二年十一月說等說法。

〈報任安書〉作於太始四年的說法，是王國維的觀點。他將文中「從上東來」句解釋為：「跟從武帝從東方回到長安來」，並考證征和二年沒有漢武帝東巡的記錄，於是將此事向前推前到了太始四年「四年春三月，行幸泰山」。但是太始四年又沒有任安下獄一事，所以從〈田叔列傳〉所附褚先生之言找到武帝的一段話：「任安有當死之罪甚眾，吾常活之」，而推測任安在巫蠱事件之前就曾經因罪下獄[6]，而司馬遷的〈報任安書〉便是作於這個時候。但筆者認為此說的主觀性太大，且證據推論不足。

任安因「巫蠱事件」下獄處死，整個過程在史書上記載很詳細。「巫蠱事件」是漢武帝晚年的大案，牽連甚廣，司馬遷的兩位好友：田仁、任安，都因此事被判了死罪。根據《漢書・武五子傳第三十三》(〈戾太子傳〉)：

> 征和二年七月壬午……太子使舍人無且持節夜入未央宮殿長秋門，因長禦倚華具白皇后，發中廄車載射士，出武庫兵，發長樂宮衛，告令百官日江充反。乃斬充以徇，炙胡巫上林中。遂部賓客為將率，與丞相劉屈氂等戰。長安中擾亂，言太子反，以故眾不附。太子兵敗，亡，不得。上怒甚，群下憂懼，不知所出。壺關三老

3 《漢書・司馬遷傳》「以遷之博物洽聞，而不能以知自全，既陷極刑，幽而發憤，書亦信矣」顏師古注：言其報任安書，自陳己志，信不謬。本文中《漢書》文本及相關材料，皆引自《漢書》〔漢〕班固撰，〔唐〕顏師古注，北京：中華書局，1962年，下略。

4 〔清〕趙翼《廿二史劄記》北京：中國書店，1987年，頁1

5 陳曦：〈巫蠱之禍與司馬遷卒年問題考論〉，《淮陰師範學院學報（哲學社會科學版）》第11期，2007年。

6 此說見王國維〈太史公行年考〉，收錄於《觀堂集林》第二冊，北京：中華書局，1959年。後又被北京大學《兩漢文學史參考資料》引用。

> 茂上書曰：『……子無不孝，而父有不察，今皇太子為漢適嗣，承萬世之業，體祖宗之重，親則皇帝之宗子也。江充，布衣之人，閭閻之隸臣耳，陛下顯而用之，銜至尊之命以迫蹴皇太子，造飾奸詐，群邪錯謬，是以親戚之路隔塞而不通。太子進則不得上見，退則困於亂臣，獨冤結而亡告，不忍忿忿之心，起而殺充，恐懼逋逃，子盜父兵以救難自免耳，臣竊以為無邪心。……唯陛下寬心慰意，少察所親，毋患太子之非，亟罷甲兵，無令太子久亡。……』書奏，天子感寤」。太子之亡也，東至湖，……吏圍捕太子，太子自度不得脫，即入室距戶自經……

我們可看出戾太子的失敗，是由於「故眾不附」。而這裡的「故眾」，就包含北軍使者護軍任安。《漢書・公孫劉田王楊蔡陳鄭傳第三十六》(〈劉屈氂傳〉)提到當時長安城大亂，侍郎莽通到長安傳達武帝命令，曰：「節有詐，勿聽也」，因為「漢節純赤，以太子持赤節，故更為黃旄加上以相別」，所以當「太子召監北軍使者任安發北軍兵，安受節已，閉軍門，不肯應太子」，當時的情況太子的符節已經形同失效，任安的處理方式是沒有錯的。太子由於沒有得到任安北軍的幫助，兵敗逃亡，「南奔覆盎城門，得出。會夜司直田仁部閉城門，坐令太子得出」。戾太子事件結束後，對於沒有幫助太子的任安，漢武帝認為是「老吏」、「坐觀成敗」、「懷二心」；而對放走了太子的田仁，則將其以「縱太子」的罪名入罪，皆判死刑。

任安與田仁被判罪要斬，本無疑問。但是最近有學者指出《漢書・武帝紀》中的記載：「(征和二年)秋七月……御史大夫暴勝之、司直田仁坐失縱，勝之自殺，仁要斬」，於是認為田仁與暴勝之是在征和二年秋七月死亡，又任安與田仁同罪，也應當於七月處死。筆者認為此說尚需商榷。

根據《史記・田叔列傳》褚先生曰：

> 臣為郎時，聞之曰田仁故與任安相善。……是時任安為北軍使者護軍，太子立車北軍南門外，召任安，與節令發兵。安拜受節，入，閉門不出。武帝聞之，以為任安為詳邪，不傅事，何也？任安笞辱北軍錢官小吏，小吏上書言之，以為受太子節，言『幸與我其鮮好者』。書上聞，武帝曰：『是老吏也，見兵事起，欲坐觀成敗，見勝者欲合從之，有兩心。安有當死之罪甚眾，吾常活之，今懷詐，有不忠之心』。下安吏，誅死。

這段記載說明漢武帝是在看了北軍錢官小吏的上書之後，才認為任安是懷有二心的不忠之人。綜觀漢武帝在「巫蠱事件」前後的行為活動：他在「巫蠱事件」當中嚴懲了幫助太子的人，如田仁、盧賀、暴勝之等，所以任安的「持節不受」在這個時期是正確的做法；但是在太子自殺之後，他將幫助過太子的李壽、張富昌封侯[7]，日後又誅殺了曾經與太子作戰的如蘇文、泉鳩里[8]等人。從漢武帝處理這些人的邏輯來看，北軍錢官小吏揭發任安與太子私下交易之事應該是在征和二年八月之後[9]，所以任安必定不可能是與田仁同時判罪處死。根據漢律，除了謀反等大罪可以立即處決外，一般死刑犯都要等到秋天霜降後冬至以前才能執行。田仁之事發生在「巫蠱事件」的高潮，私放太子被認為與太子同黨，視為「反」[10]，在七月即時處斬是合乎法律的。而任安是否屬於立時處決的情況，史書裡沒有更多的資料可供證明，所以不需多加猜測，只當一般尋例來理解即可。

現在基本能肯定任安是在征和二年末被處死，我們再解釋一下〈報任安書〉中司馬遷敘述時間的句子。在〈報任安書〉中歷來令人產生疑義的便是「東從上來」的解釋。筆者參考了韓兆琦老師的多本著作，又對漢武帝大事年表做了一番研究，得出以下結論：「東從上來」一句可以與文中「薄從上雍」句同看。「薄」做為「迫」解，則「薄從上雍」指的是「迫於要跟隨皇上到雍州」，《漢書・武帝紀》記載：「（征和）三年春正月，行幸雍」，而征和二年「夏，行幸甘泉」（甘泉宮在長安的西邊）。如此從這兩句話可以將時間脈絡理清：征和二年夏，司馬遷隨漢武帝到甘泉宮，所以「東從上來」指的是由甘泉宮向東回到長安。隔年征和三年春正月，又要跟著漢武帝到雍州，而任安在征和二年臘月就要被問斬，所以司馬遷必須在這段很短的時間內[11]，給任安回信。

由於〈報任安書〉是司馬遷現存的最後一篇作品，所以歷代研究司馬遷者對此文獻十分重視，甚至將〈報任安書〉作為司馬遷的絕筆書。《西京雜記》記載：「司馬遷作〈景帝本紀〉，極言其短，及武帝之過，帝怒削而去之，後坐舉李陵降匈奴，下遷蠶室，有怨言，下獄死」，東漢衛宏的《漢書舊儀注》也說：「有怨言，下獄死」，王鳴盛在《十七史商榷》中對衛宏說提出質疑：「今觀〈景紀〉，絕不言其短。又遷下蠶室，在天漢三年，後為中書令，尊寵任職。其卒在昭帝初，距獲罪被刑蓋已十餘年矣，何得謂下蠶室，有怨言，下獄死乎？與情事全不合，皆非是。」駱玉明認為「〈報任安書〉即是『怨言』，而『下獄死』也合于武帝好殺的性情」。筆者認為，以目前的的文獻資料來看，〈報任安書〉是否為司馬遷的絕筆尚無法確定，〈報任安書〉僅能證明在征和二年年底，司馬遷尚存活於世，並且還擔任中書令一職。

---

7 《漢書・武五子傳第三十三》（〈戾太子傳〉）：「山陽男子張富昌為卒，足蹋開戶，新安令史李壽趨抱解太子……上既傷太子，乃下詔曰：「蓋行疑賞，所以申信也。其封李壽為邘侯，張富昌為題侯」。

8 《漢書・武五子傳第三十三》（〈戾太子傳〉）：「族滅江充家，焚蘇文於橫橋上，及泉鳩里加兵刃于太子者，初為北地太守，後族」

9 《漢書・武帝紀》：「（征和二年）八月辛亥，太子自殺于湖」

10 《漢書・公孫劉田王楊蔡陳鄭傳第三十六》（〈劉屈氂傳〉）：「諸太子賓客，嘗出入宮門，皆坐誅。其隨太子發兵，以反法族」

11 〈報任安書〉：「恐卒然不可為諱」

司馬遷被武帝擢升擔任中書令[12]一職，是在太始二年出獄之後。中書令，又稱中書謁者，乃歸屬於內廷宦官機構，負責在皇帝書房整理宮內文庫檔案，與皇帝有頻繁接觸的機會，是「領贊尚書，出入奏事，秩千石[13]」的職位。漢武帝時以用兵匈奴為由，將原屬少府的尚書改組為直接隸屬於皇帝的秘書單位，從而親決政務，目的是為了削弱相權，建立了以內朝為核心的統治體系。王國維對此解釋道：「蓋武帝親攬大權，……凡秉政者，無不領尚書事。尚書為國政樞機，中書令又為尚書之樞機」，所以司馬遷所擔任中書令，不僅俸祿增加，而且地位尊貴，所以班固在〈司馬遷〉傳中稱其是「尊寵任職」。

值得注意的是，秦漢的官僚制度相當簡潔，大多都是只領一官，像「大司馬大將軍領尚書事」這樣的頭銜是很罕見的。所以司馬遷在擔任中書令之後，按照常例是除了太史令的職位，所以《漢書》引用〈報任安書〉中不見「太史公牛馬走司馬遷再拜言[14]」句，無論是為了《司馬遷傳》的整體風格而刪去，或是司馬遷不應該自稱「太史公[15]」，班固將此句刪去都是正確的。

司馬遷擔任中書令之後對《史記》的創作時間應該是大幅縮減了。而且在經歷了牢獄之災和宮刑之禍以後，司馬遷似乎只想完成入獄前創作未完的《史記》，而對太初以後所發生的重要歷史事件基本不記。太初以後發生的重大事件，影響最大者當推前文所述的「巫蠱事件」，在此一事件中遇害的有：在位數十年的戾太子、衛皇后、垂相公孫賀、諸邑、陽石兩位公主及三位皇孫，還有包括任安、田仁在內的許多公卿大臣，對漢王朝來說是空前的巨變。雖說《史記．今上本紀》今已失傳，但〈外戚世家〉、〈三王世家〉亦不載戾太子、衛皇后事，《史記．田叔列傳》只記田仁而不見任安，對田仁的死因是「坐縱太子」或是「長陵令車千秋上變仁」，也說的含糊不清。由此可見司馬遷對太初以後重大事件的處理，態度十分消極，王國維〈太史公行年考〉曰：「……今觀《史記》中最晚之記事，得信為出自公手者，唯〈匈奴列傳〉之李廣利降匈奴事征和三年，余皆出後人續補」，若此說屬實，則可見司馬遷還是對李陵之事耿耿於懷，所以必在《史記》中留下李廣利投降的事蹟，以供「要之死日，是非乃定」。

由上文可知，在太始二年到征和二年（西元前95年-前91年）《史記》的第二階段創作當中，司馬遷對於新史料的補充很少。所以梁玉繩在《史記志疑》中曰：「史公作史，終於太初，而成於天漢，其歿在征和間」，認為《史記》在天漢年間就已經完成了。此說法基本與本文的結論一致，也就是說，司馬遷在李陵之禍（天漢二年）前，《史記》的整理與撰寫已經大致結束，遭李陵之禍後之所以不死，是為了完善最後的收尾工作，所以筆者認為《史記》的主要創作期集中司馬遷入獄前的七年時間。

---

12 《漢書．司馬遷傳》：遷既被刑之後，為中書令，尊寵任職。

13 王國維：《觀堂集林》（卷六十二）石家莊：河北教育出版社，2001年，頁255。

14 此句首見於「文選」，筆者疑為後人所加。

15 「太史公」是否為官銜，目前尚有爭議，本文暫且按下不表。

三　「賢聖發憤之所為作」的特殊含義

《史記》中有許多觀念為後世所繼承，其中「發憤著書」這個歷來為中國知識份子所熟知的信念，就是司馬遷首先系統提出的。「發憤著書」說經過六朝文論家的發展，使之更具美學思想意義；到了唐宋時期，許多作家結合自己的創作實踐，從不同的角度對「發憤著書」說進行了發揮，其中以韓愈的「不平則鳴」，歐陽修的「窮而後工」影響最大。

司馬遷在《史記．太史公自序》寫道：

> 退而深惟曰：「夫《詩》、《書》隱約者，欲遂其志之思也。昔西伯拘羑裡，演《周易》；孔子厄陳蔡，作《春秋》；屈原放逐，著《離騷》；左丘失明，厥有《國語》；孫子臏腳，而論兵法；不韋遷蜀，世傳《呂覽》；韓非囚秦，〈說難〉、〈孤憤〉；《詩》三百篇，大抵賢聖發憤之所為作也。此人皆意有所鬱結，不得通其道也……

在〈報任安書〉中又云：

> 蓋西伯拘而演《周易》；仲尼厄而作《春秋》；屈原放逐，乃賦《離騷》；左丘失明，厥有《國語》；孫子臏腳，《兵法》修列；不韋遷蜀，世傳《呂覽》；韓非囚秦，〈說難〉、〈孤憤〉；《詩》三百篇，大氐聖賢發憤之所為作也。此人皆意有所鬱結，不得通其道……

司馬遷是第一次從理論的高度提出了「蓋自怨生」而「發憤著書」這一文學創作起源說的人。

然而司馬遷的這些敘述卻有多處與史實不符：根據《史記．孔子世家》記載：

> 子曰：『君子病沒世而名不稱焉。吾道不行矣，吾何以自見於後世哉？』乃因史記作《春秋》，上至隱公，下訖哀公十四年。

其著作時間是在魯哀公十四年西狩獲麟之後，而不是在「厄陳蔡」（定公十五年至哀公六年之間）期間；又根據《史記．屈原賈生列傳》載，屈原作《離騷》是在屈原被放逐之前，而不是在被放逐之後；據《史記．呂不韋列傳》，《呂氏春秋》作於呂不韋相秦之時，而非遷蜀之後；據《史記．老子韓非列傳》，韓非的〈說難〉、〈孤憤〉寫於入秦之前，而不是囚秦之後。由這些《史記》中的自相矛盾可見，司馬遷並非不瞭解孔子、屈原、呂不韋等人創作時的真實情況，而是有所深意地將這些著作都安排到了孔子、屈原、呂不韋等人受了排擠困厄之後。

於是我們可以得知，引發司馬遷「發憤著書」的部分，並不在於史實。根據《左傳．襄公．二十四年》：

> 二十四年春，穆叔如晉。范宣子逆之，問焉，曰：『古人有言曰『死而不朽』，何謂也？』……穆叔曰：『以豹所聞，此之謂世祿，非不朽也。魯有先大夫曰臧文仲，既沒，其言立。其是之謂乎！豹聞之，大上有立德，其次有立功，其次有立言，雖久不廢，此之謂不朽。若夫保姓受氏，以守宗祊，世不絕祀，無國無之，祿之大者，不可謂不朽。

相同的記載可見於《國語．晉語八．叔孫穆子論死而不朽》[16]。深受戰國士文化影響的司馬遷，對於《左傳》及《國語》所提及的「立德、立功、立言」之「三不朽」自然是熟記於心。所以在〈報任安書〉中不無感慨地說道：「上之不能納忠效信，有奇策才力之譽，自結明主；次之，又不能拾遺補闕，招賢進能，顯岩穴之士；外之，不能備行伍，攻城野戰，有斬將搴旗之功；下之，不能累日積勞，取尊官厚祿，以為宗族交遊光寵」，在過去官場二十年的生涯中既然無法為朝廷「立功」，而自身又「今已虧形為掃除之隸，在闒茸之中」，更無所謂「立德」了，如此深思下去，要使生命不朽，就只剩下「立言」一個途徑了。所以我們可以說，司馬遷的「發憤著書」，其實就是對戰國士文化中「三不朽」說的深化與補充。

若用西方心理學佛洛依德的話來解釋「發憤著書」則可說是：藝術產生的目的在於發洩被全面或局部壓抑在無意識深處的欲望，「力比多」的昇華是藝術家創作的原動力，人若想讓心靈世界保持正常的平衡狀態，必須採取種種辦法將「力比多」昇華，轉移到社會現實允許、倫理道德容忍的具有崇高價值的創造活動中。[17]簡單地說，「發憤著書」就是將心靈的痛苦經由創作的方式來達到平衡，而這個平衡對司馬遷來說，即是《史記》的完成與傳世—是司馬遷在苟活在世唯一的希望。

以往對司馬遷「發憤著書」，都著重於《史記》的後期創作，認為《史記》是在司馬遷受刑之後所寫，故難免對漢王朝有憤恨不平之氣。我們雖然不能排除《史記》個別篇章帶有濃郁的情感色彩，但是根據筆者研究，《史記》中絕大多數篇章仍是以整理、編纂傳世文獻為主，也就是司馬遷自己所謂的：餘所謂述故事，整齊其世傳，非所謂作也。

---

16 《國語．戰國策》長沙：岳麓出版社，2006年，頁108-109。

17 黃立等：〈發憤著書與昇華說〉，《西南民族大學學報（人文社科版）》，2006年第12期。

漢代文獻含「狗」或「犬」之詞的歷史分析

官德祥

香港新亞文商書院

一　前言

筆者在搜集漢代畜牧業發展的時候，發現六畜中「狗」對漢朝社會經濟民生都有著影響外，然而因為狗而衍生的詞語卻少有學者探討，其中以史學家如何運用「狗」或「犬」字有關的詞語，很值得研究。[1]故筆者不揣譾陋，以為此題目作初步探究。

在未探討「狗」所衍生的詞語之前，有必要介紹一下漢代養狗的情況，以明白其普及程度，及有助大家了解其如何演化為時代用語。

二　漢代養狗概況

《漢書・地理志》載有全國何地適宜飼養何種禽畜的一篇重要文獻。[2]漢書卷二八上〈地理志第八上〉載：

> 正東曰青州，...其畜宜……狗……。[3]

又載：

> 河東曰兗州……其畜宜六擾……。」[4]師古注「六擾」曰：「馬、牛、羊、豕、犬、雞，……。[5]

1　趙翼《陔餘叢考》卷二十二〈犬〉條：「犬即狗也。」見〔清〕趙翼《陔餘叢考》卷二十二〈犬〉條，北京：中華書局，1963年，頁444。為行文方便，本文「狗」或「犬」一律稱「狗」，至於引文中「犬」字則為例外。

2　韓國河、趙海洲、劉尊志、朱津著：《中國古代物質文化史——秦漢》北京：開明出版社，2014年，頁143。

3　《漢書》卷二十八上，頁1540。（此文所引《漢書》均是北京中華書局，1962年版）

4　《漢書》卷二十八上，頁1540。

5　《漢書》卷二十八上，注3，頁1540-1541。同書另一條載「東北曰幽州……畜宜四擾……。」師古又載：「畜宜六擾」，師古曰：「馬、牛、羊、豕、犬、雞也。謂之擾者，言人所馴養也。」[6]又，「畜宜四擾」師古曰：「馬、牛、羊、豕。」[7]又，「畜宜五擾」。師古曰：「馬、牛、羊、犬、豕。」[8]。據此可得出一印象，狗在六畜的排位較後，只比雞勝一籌。[9]

考古學家許進雄對於漢代狗的外型，有以下簡單的歸納：認為漢代時基本只有兩型，一為肥胖，一為瘦長，都帶有項圈，主要為看守門戶及玩伴。[10]

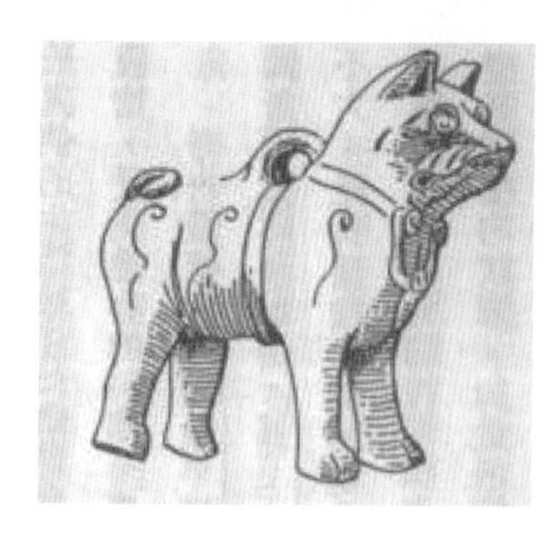

東漢灰陶帶項圈的狗俑（屬肥胖型）

河南輝縣東漢墓出土的陶狗俑（瘦長型）

從上圖可見，許進雄的「肥瘦」二分法建基於考古發現。然而，文字材料卻又有另一番景象。《西京雜記》卷四第一〇七〈鷹犬起名〉條載：

> 茂陵少年李亨，好馳駿狗，逐狡獸…狗則有修毫、釐睫、白望、青曹之名……。[11]

又，同上條載曰：

> 楊萬年，有猛犬，名青駮，買之百金。[12]

注曰：「馬、牛、羊、豕」，據此顏氏對「六擾」看來是有其優次排序，可能是根據其重要來分先後，若此屬實，犬則為第五位比雞高，但卻不及馬、牛、羊、豕了。不過，在同書師古注五擾曰：「馬、牛、羊、犬、豕。」從位置上看，犬又排在豕前。據此看來，未必是據其重要性來分排名先後。

6 《漢書》卷二十八上，頁1540。

7 《漢書》卷二十八上，頁1541。

8 《漢書》卷二十八上，頁1542。

9 古人所豢養的動物，以馬、牛、羊、雞、犬、豕為最普遍。馬牛都供交通耕種之用，故不甚用為食料。羊的畜牧需要廣大的土地，也是比較貴重的。雞犬豕則較易畜養，所以視為常食。古人去漁獵時代近，男子畜犬的多。參見呂思勉《中國通史》上冊，香港：上海印書館，1969年，頁236。

10 許進雄：《古事雜談》臺北：臺灣商務印書館，2013年，頁71。

11 曹海東〈注釋〉:「修毫，謂狗毛長也。釐睫，謂狗眼的睫毛短細。」曹海東注譯，李振興校閱：《新譯西京雜記》卷四，臺北：三民書局印行，1995年，頁187。

查古籍中狗的別名很多，狗高四尺則謂「獒」[13]，體大者曰「猗」，善捕獵、看田者曰「良犬」，良犬有烏龍、韓盧、殷虞、茹黃、郁林、地羊、白龍沙等名稱。由此可見，除了用肥瘦外型作簡單分類外，亦有從狗的其餘特徵來命名。

漢代始設訓營狗官職叫「狗監」。漢武帝甚至為狗建了「犬臺宮」。《三輔黃圖》載犬臺宮在上林苑中，長安城西二十八里。《漢書》卷四十五〈江充傳〉:「初充名召見犬臺宮。」[14]晉灼注引《黃圖》「上林有犬臺宮，外有走狗觀也。」犬臺宮、走狗觀，顧名思義，應為漢帝養犬之所，以備游獵。[15]

除宮廷養狗外，民間養狗亦甚普及，最為人熟知是樊噲屠狗。史載「舞陽侯樊噲者，沛人也。以屠狗為事……」(《史記》卷95，頁2651)《正義》曰：時人食狗亦與羊豕同，故噲專屠以賣之。[16]這是食用狗在民間市場作商品的證明。[17]從魯、豫、冀、蘇、陝、川出土的漢墓壁畫、畫像石中，凡庖廚圖均有屠狗殺豬景象。反映漢代食用狗在市場上的殷切需求。[18]另外，王褒〈僮約〉有「牽犬販鵝」的事，當時蜀人養犬為的是打獵、放牧、看家。

有學者統計四川和重慶地區出土陶家畜家禽模型的九十九座漢墓中，最為常見的是雞，然後依次是狗、豬、馬、鴨、牛、羊、鵝，而陝西、河南、河北、北京、江蘇、湖北、湖南和廣東等地的五十七座漢墓，最為常見的是狗。[19]至於漢墓中關於狗的模型，有以下五方面：[20]

(一)狗籠(EPT50：53)：蓄養軍犬之所應為土木搭建的小窩棚(《集成》十，頁31)[21]

---

12 曹海東〈注釋〉:「青駮，謂狗之毛色似駮馬，青中雜白。駮，毛色青白相雜的馬。」

13 「尚書洪範曰：西旅獻獒，西戎遠國貢大犬。太保作旅獒。……」，見〔宋〕李昉《太平御覽》卷九〇四〈獸部〉十六〈狗上〉北京：中華書局，1960年，頁4008。

14 何清谷校注:《三輔黃圖校注》西安：三秦出版社，1995年，頁182。

15 何清谷校注:《三輔黃圖校注》西安：三秦出版社，1995年，頁183。

16 自先秦至漢，我國有食狗的習俗。《孟子·梁惠王篇》:「雞、豚狗、彘之畜，無失其時，七十者可以食肉矣。」孫機認為此時「已將狗列為提供肉食的家畜。」見孫機《漢代物質文化資料圖說》(增訂本)上海：上海古籍出版社，2008年，頁248-249。

17 王利華「當時人家養狗並不只為了看家護院或者幫助捕獵、放牧，養狗食肉乃是重要目的之一。史書記載：戰國至秦漢時期，中原社會有養狗吃肉的風氣，故有人專以屠狗為業，如荊軻的朋友高漸離、劉邦的大將樊噲都曾經是「狗屠」。詳見王利華〈漢唐飲食與生態環境〉，收載於邱仲麟主編《中國史新論——生活與文化分冊》，中央研究院及聯經出版事業股份有限公司，2013年，頁78。

18 侯良編:《西漢文明之光——長沙馬王堆漢墓》長沙：湖南人民出版社，2008年，頁212。

19 《中國考古學·秦漢卷》北京：中國社會科學出版社，2010年，頁604-605。墓中最常見「狗」，即代表並非所有墓都有「狗」的遺跡。著名西漢南越王墓則在動物遺骸中便沒有發現「狗」，見王將克、黃傑玲、呂烈丹〈廣州象崗南越王墓出土動物遺骸的鑒定〉，載《西漢南越王墓》上〈附錄14〉，頁463-472。

20 韓國河、趙海洲、劉尊志、朱津著:《中國古代物質文化史——秦漢》北京：開明出版社，2014年版，頁144。

21 沈剛《居延漢簡語詞匯釋》北京：科學出版社，2008年，頁145。另見永田英正著、張學鋒譯《居延漢簡研究》(上)，桂林市：廣西師範大學出版社，2007年，頁100。

（二）狗湛（267.221）：疑為狗糞之轉音。（陳直：1986A, 328）狗糞。（黃今言 993,p311）湛，疑讀作糂，同糝。《說文》:「糂，以米和羹也。」狗堪即狗食（李天虹：2003,p.135）。[22]

（三）狗藏（214.5）:《合校》作狗籠，應是養狗的地方。[23]

（四）狗舍（dog kennel）：狗住於舍中，作監察財物之用。[24]

（五）狗圈（見下圖）[25]

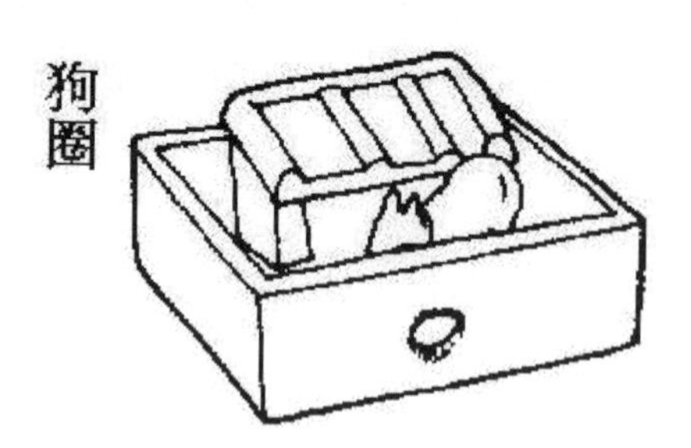

上面對漢代養狗概況作了扼要介紹。有鑑於漢時人生活與「狗」息息相關，故在生活用語中，自然而然生成一些內容含有「狗」或「犬」等字眼的詞語，甚至會利用「狗」作比喻。更甚者，會把狗與其他五畜一起連綴成語，變為漢朝人的用語。

三　漢代「狗」或「犬」衍生之「時代用語」

狗經過人類的訓練，才服從主人的指揮。漢朝人都喜歡訓練牠們成為出色獵狗，幫助人們追捕獵物。前引《西京雜記》曰:「楊萬年有獵狗，名青骹，賣直百金。又曰：茂陵少年李亭，好馳駿狗逐獸，或以鷹鷂兔，皆以為佳名狗，則有脩毫釐膧白望青曹之名。」[26] 又，《論衡》曰：「亡獵犬於山林，大呼犬名，其犬則鳴號而應其主人，犬異類，聞呼而應者，識其主也。」[27]漢代四川畫像磚便有用狗狩獵和用狗助牧畜的題材。[28]由此可見，漢朝

22 沈剛《居延漢簡語詞匯釋》北京：科學出版社，2008年，頁145。

23 沈剛《居延漢簡語詞匯釋》北京：科學出版社，2008年，頁145。

24 "Officials inspected the defence posts of the north-west and reported on their state of readiness, deficiencies in bowstrings, and dog kennels…." See Michael Loewe," The Government of the Qin and Han Empires 221BCE-220CE " Hackett Publishing Company , First published, 2006 , pp.66.

25 陝縣劉家渠東漢中還出陶「狗圈」(54-3)。《禮記》〈樂記〉鄭注〉:「以谷食犬、豕曰豢。」《說文・豕部》:「豢，以谷圈養豕也。」食肉用犬為了育肥，須加圈養。在圈養方面，肉用犬和豬同樣對待。孫機：《漢代物質文化資料圖說》(增訂本)上海：上海古籍出版社，2008年，頁250。

26 〔宋〕李昉《太平御覽》卷九〇四〈獸部〉十六〈狗上〉北京：中華書局，1960年，頁4011。

27 〔宋〕李昉《太平御覽》卷九〇四〈獸部〉十六〈狗下〉北京：中華書局，1960年，頁4012。

28 郭聲波《四川歷史農業地理》成都：四川人民出版社，1993年，頁333。

人喜利用狗，於山林助主子打獵之用。以下便是一則，漢高帝利用「獵狗」作比喻，還以平息了一場朝廷政治紛爭。

《史記》卷五三〈蕭相國世家〉載：

> 高帝曰司馬遷便：『諸君知獵乎？』曰：『知之。』『知獵狗乎？』曰：『知之。』高帝曰：『夫獵，追殺獸兔者狗也，而發蹤指示獸處者人也。今諸君徒能得走獸耳，功狗也。至於蕭何，發蹤指示，功人也。……[29]

《史記》中記錄漢高帝借「獵狗」的特性，以作引申比喻。獵狗能成功追捕獵物，完成其任務，故有功於主子，應稱頌之為「功狗」。又，蕭何在背後運籌帷幄，幕後指使。高帝論功行賞，稱蕭為「功人」。高帝此話一槌定音，無人敢作異議。此事同見於《漢書》，〈注三〉顏師古曰：「發縱，謂解紲而放之也。指示者，以手指示之，今俗言放狗……。」[30]高帝口中的「功狗」及「功人」中的「功」字均同帶著「褒獎」之意。高帝用「獵狗」作比喻的第一個是地位身分最高的人。

另一例子見《漢書》卷五十〈汲黯列傳〉，同樣利用「狗」作比喻，以呈現君臣關係。其文載如下：

> 黯泣曰：「臣常有狗馬之心，今病，力不能任郡事。臣願為中郎，出入禁闥，補過拾遺，臣之願也。」……[31]

〈注三〉顏師古曰：「思報效。」[32]此條資料明示「狗馬」常存著對主子報效的心。此心在當時就是「忠於君」。由而「思報效」的心，令臣子表現出忠心耿耿，以其一生報效國君。此例還說明除用「狗」字外，還會與另一動物「馬」連綴成語，形成「狗馬之心」一詞，並反映出語言有走向成熟複雜的趨勢。

對於君臣關係，史家除實錄「狗馬之心」之詞外，還有運用另一種比較含蓄的表現手法。茲援引數例如下：

> （趙充國）臣得蒙天子厚恩，父子俱為顯列。臣位至上卿，爵為列侯，犬馬之齒七十六，為明詔填溝壑，死骨不朽，亡所顧念。……（《漢書》卷69，頁2982）

---

29 見《史記》卷五十三，頁2015。（本文所引《史記》均屬北京中華書局，1982年版）

30 見《漢書》卷三十九，頁2008。

31 見《漢書》卷五十，頁2321。

32 見《漢書》卷五十，頁2322。

臣（貢）禹犬馬之齒八十一，血氣衰竭，耳目不聰明，非復能有補益，所謂素餐尸祿洿朝之臣也。(《漢書》卷72，頁3073)

（魯）丕因上疏：「臣以愚頑，顯備大位，犬馬氣衰，猥得進見，……」(《後漢書》卷25，頁884)[33]

（張）奮在家上疏……又曰：「臣犬馬齒盡，誠冀先死見禮樂之定。」……。《後漢書》卷25，頁1199)

（班）超年最長，今且七十。衰老被病，頭髮無黑，兩手不仁，耳目不聰明，扶杖乃能行，雖欲竭盡其力，以報塞天恩，迫於歲暮，犬馬齒索。……(《後漢書》卷47，頁1584)

（韋）豹曰：「犬馬齒衰，旅力已劣，仰慕崇恩，故未能自割……。」(《後漢書》卷26，頁920)

（張）奮……在家上疏曰：「……臣犬馬齒衰，誠冀先死見禮樂之定。」(《後漢書》卷35，頁1199)

由上可見，臣子會在特定的情境下用「犬馬齒衰」、「犬馬齒索」、「犬馬氣衰」、「犬馬齒盡」等用語，以表示漢朝臣子對當朝君上的謙稱。犬馬云云一般釋作：臣子牙齒都沒有了，年老體衰，是臣子對君主表示謙虛的用語。但筆者認為「犬馬齒衰」背後另有含意。「犬馬齒衰」等用語，均流露出漢家臣子那份對君主鞠躬盡瘁的態度，尤如「誠惶」「誠恐」等常用話語，而非單單像詞語表像上見到的年老體弱的問題。《史記》、兩《漢書》把動物有關的用語載入史書，並借之引伸君臣之義；這或許是「狗」和「馬」經過長期與人類相處，獲得人類信任下的轉化結果。

四　《史記》、兩《漢書》中利用「狗」及其異象建立「災異」詞語

漢代學者大多受五行思想影響，史家亦無例外，其在著史時往往把一些災異與政治事件穿鑿附會，現代人看來匪夷所思，但生於當代則情有可原。筆者綜合這些災異的詞語，找出關涉「狗」的，大抵有以下幾個用詞：

(1)「犬禍」、(2)「妖狗」、(3)「狗生角」、(4)「牂雲如狗」及 (5) 其他

---

33 本文所引《後漢書》屬中華書局，1965年版。

（一）犬禍

班固《漢書》載曰：

> 太后持天下八年，病犬禍而崩，語在〈五行志〉。病困，以趙王祿為上將軍居北軍，梁王產為相國居南軍，戒產、祿曰：「高祖與大臣約，非劉氏王者天下共擊之，今王呂氏，大臣不平。我即崩，恐其為變，必據兵衛宮，慎毋送喪，為人所制。」……[34]

有學者認為「犬禍」多帶兵象。班氏依循《春秋》災異記事慣例，附見「犬禍」之例，以切合當時的時代背景。[35]

〈五行志〉所列「犬禍」多為狗之異變與異行。[36]其例子有：

> 景帝三年二月，邯鄲狗與彘交，悖亂之氣，近犬豕之禍也。[37]

> 成帝河平元年，長安男子石良、劉迫相與同居，有如人狀在其室中，擊之，為狗，走出。去後有數人被甲持兵弩至良家，良等格擊，或死或傷，皆狗也。自二月至六月乃止。[38]

> 鴻家中，右狗與彘交。[39]

> 另，（昌邑王）賀為王時，又見大白狗冠方山冠而無尾，此服妖，亦犬旤也。賀以問郎中令龔遂，遂曰：「此天戒，言在仄者盡冠狗也。去之則存，不去則亡矣。」賀既廢數年，宣帝封之為列侯，復有辠，死不得置後，又犬旤無尾之效也。京房易傳曰：「行不順，厥咎人奴冠，天下亂，辟無道，妾子拜。」又曰：「君不正，臣欲篡，厥妖狗冠出朝門。」[40]

---

34 《漢書》卷九十七上，頁3939。

35 蘇德昌《漢書五行志研究》臺北：臺大出版社，2013年，頁248。

36 蘇德昌《漢書五行志研究》臺北：臺大出版社，2013年，頁244。

37 《漢書．五行志》卷二十七中之上，頁1398。另參見蔣廷錫等編纂《古今圖書集成》〈博物彙〉編《禽蟲典》一一五卷〈犬部〉上海：上海文藝出版社，1998年，第524冊之頁36。

38 《漢書．五行志》卷二十七中之上，頁1399。

39 《漢書．五行志》卷二十七中之上，頁1399。

40 《漢書．五行志》卷二十七中之上，頁1367。

（二）妖狗生角

《漢書・五行志》二七中之上曰：

> 文帝後五年六月，齊雍城門外有狗生角。先是帝兄齊悼惠王亡後，帝分齊地，立其庶子七人皆為王。兄弟並彊，有炕陽心，故犬禍見也。犬守御，角兵象，在前而上鄉者也。犬不當生角，猶諸侯不當舉兵鄉京師也。……會漢破吳、楚，因誅四王。故天狗下梁而吳、楚攻梁，狗生角於齊而三國圍齊。漢卒破吳、楚於梁，誅四王於齊。京房易傳曰：「執政失，下將害之，厥妖狗生角。君子苟免，小人陷之，厥妖狗生角。」[41]

又，同卷曰：

> 漢卒破吳、楚於梁，誅四王於齊。京房《易傳》曰：『執政失，下將害之，厥妖狗生角。君子苟免，小人陷之，厥妖狗生角。』[42]

關於「角」於災異學之象徵意義，〈五行志中之上〉言「犬守御，角兵象，在前而上鄉者也」。有學者認為其中「獸以角鬥，故取角為兵象。郊牛為大畜，為祭天尊物，故為君象；犬未若郊牛尊貴，又不當生角，因以為臣象。」〈五行志〉乃以「犬不當生角，猶諸侯不當舉兵鄉京師也」。[43]總言之，「妖狗生角」破壞「狗」「守御」的正面形象。狗成為引起兵戎之罪魁禍首。

（三）牂雲如狗

「狗」為禍端的故事，昌邑王賀的例子可作參考。
《漢書》〈天文志〉曰：

> （元平元年）二月，……乙酉，牂雲如狗，赤色，長尾三枚，夾漢西行。……占曰：「太白散為天狗，為卒起。卒起見，禍無時，臣運柄。牂雲為亂君。」到其四月，昌邑王賀行淫辟，立二十七日，大將軍霍光白皇太后廢賀。（《漢書》頁1307-1308）

---

41 《漢書・五行志》卷二十七中之上，頁1397-1398。
42 《漢書・五行志》卷二十七中之上，頁1398。
43 蘇德昌：《漢書五行志研究》臺北：臺大出版社，2013年，頁245。

「牂雲為亂君」，而亂君的「牂雲」如狗，「狗」形象在此被妖魔化了。「狗」對於昌邑王劉賀來說變成「不吉祥的預兆」。辛德勇認為「早在昭帝去世兩個月之前的元平元年二月，似乎就「顯現了預示劉賀命運的天象」，便是指此事件。[44]

（四）其他與「狗」有關用語：「狗盜」、「聲色犬馬」

《漢書》載：「雞鳴狗盜」[45]師古曰：「謂孟嘗君用雞鳴而得亡出關，因狗盜而取狐白裘也。」[46]

《漢書》載：

> （叔孫）通前曰：「此特群盜鼠竊狗盜，何足置齒牙間哉?」師古曰：「如鼠之竊，如狗之盜。」[47]

南朝范曄《後漢書》載：

> （北海敬王）睦曰：「……大夫其對以孤襲爵以來，志意衰惰。聲色是娛，犬馬是好。」……。[48]

上引各詞如「鼠竊狗盜」、「雞鳴狗盜」及「聲色犬馬」仍有見於今日。

五　結語

漢代養狗情況普遍，很自然會衍生與狗相關的詞語，飼養其餘五畜亦有類同情況出現。這些詞語被運用於生活當中，其實，一個詞語的生成與消長，離不開時代背景，正如本文焦點在狗及與其相關的詞語，背後依附著宮廷帝制的語境，遂有「狗馬之心」、「犬馬齒衰」、「犬馬氣衰」等語的出現。亦因為漢代五行思想的盛行，致有犬禍、狗生角等詞的出現於正史中。一旦時移世易，這些詞語或會隨著時代變化而逐漸消亡。

漢代因「狗」而生成的詞語，反映出傳統政治上君尊臣卑的一面。君主高高在上，而臣子誠惶誠恐如「狗」般，忠心於主人任其指揮擺布。上引漢高帝「功狗」論已開宗明義

44 辛德勇：《海昏侯劉賀》北京：生活·讀書·新知三聯書店，2016年，頁125。

45 《漢書》卷九十二，頁3697。

46 《漢書》卷九十二，頁3698。

47 《漢書》卷四十三，頁2124。

48 《後漢書》卷十四，頁556-557。

以「狗」喻眾臣。除蕭何對劉氏有大功外，一律不作「人」看，無怪乎「走狗烹」用語能長期適用於政治悲劇人物身上，成為史家撰史時常用之詞。

構建與選擇
——論女性文學中的「團扇」意象

羅晨穎
中國人民大學國學院

一　問題的產生

意象是中國古代詩詞創作中的重要概念之一。從字面上看，意象指的是表意之象。具體來說，意象便是文人在進行文學作品創作時，在融合自身審美經驗以及情感特點後，借助習慣和聯繫所選擇的客觀描寫物象。這些物象凝聚了創作者獨特的人格體驗，往往反映出創作者在創作情境下所要表達的某種固定情趣。有時它們會從一個文人的筆下，蔓延至許許多多文人墨客的筆下，成為眾所周知的意象。而意象的傳承和演變，也代表著古代文學理念的傳承和演變。

在這其中，「團扇」便是一個重要的意象。「團扇」這一意象的建構源自漢代班婕妤所著的〈怨歌行〉。在作品中，婕妤以團扇自比，通過抓住團扇使用的季節性來寫君恩難久的深宮哀怨。自此以後，「團扇」便成為了代表宮怨的意象，班婕妤自身也成為宮廷怨婦的典型代表。後世沿用這一意象而進行了大量的文學創作。而到了魏晉南北朝時期，樂府興盛，出現了題為〈團扇歌〉（又名〈團扇郎歌〉、〈白團扇〉）的樂府詩，其本事應起於東晉王岷和其嫂婢謝芳姿之間的情愛故事。〈團扇歌〉也成為「清商曲調」中重要的組成部分，一度廣為民間傳唱，直至元明時期曲譜散佚，才漸漸凋零。

同取「團扇」為意象，同為女子所作，同表情愛之心聲。目前學界討論兩者關係的論作較少，而所有涉及到的論文都認為〈團扇歌〉脫胎於班婕妤的〈怨歌行〉，是對班婕妤「團扇」意象的進一步豐富和發展。如許月仙在賞鑒〈團扇歌〉時說：「此『團扇』與愛情有很深的關係。這些團扇詩，整個內容與班婕妤的〈怨歌行〉詠團扇有血緣關係。」[1]陳欣則稱：

> 〈怨歌行〉一出，班婕妤即成了宮廷怨婦的代言人，而「團扇」意象也經班婕妤之手而成為宮怨的絕妙象徵，自此與宮怨、閨怨產生了歷史性的關聯……魏晉南北朝詩歌中有許多詩作借用「團扇」意象之獨特意蘊來抒寫其所詠主人公的心境和命

1　蕭滌非等：《漢魏晉南北朝隋詩鑒賞詞典》太原：山西人民出版社，1989年，頁544。

運，不斷融入新的文化因素，也拓展了「團扇」意象的表現範圍……[2]

上述學者的意見並非沒有道理，但是他們都將樂府詩〈團扇歌〉作為班婕妤「團扇」意象的附屬品及衍生物而進行討論，並未重視其作為樂府民歌對於「團扇」意象的獨特使用以及和班婕妤「團扇」意象之間的區別。筆者以為，從創作源頭而論，班婕妤〈怨歌行〉和樂府詩〈團扇歌〉是兩個相對獨立的系統，後者並非是前者直接的衍生物。但在後世的擬樂府創作中，〈團扇歌〉這一樂府古題之下，文人們往往選擇了班婕妤的「團扇」意象進行發揮和創作。因此，二者相對獨立卻又互相關聯。

二 班婕妤「團扇」意象的建構

（一）意象的建構

班婕妤〈怨歌行〉最早見於《昭明文選》，間於謝玄暉、江文通的作品中而見：

怨詩
新制齊紈素，鮮（善作）潔如霜雪。
裁作合歡扇，團圓似明月。
出入君懷袖，動搖微風發。
常恐秋節至，涼意奪炎熱。
棄捐篋笥中，恩情中道絕。

《六臣注文選》中又對其進行了具體的疏解：「〈怨歌行〉五言，善曰：歌錄曰：怨歌行，古辭。然言古者有此曲，而班婕妤擬之。余同向注。班婕妤，向曰：《漢書》云：孝成帝班婕妤，帝初即位選入後宮。始為小使，俄而大幸，為婕妤。後趙飛燕寵盛，婕妤失寵，故有是篇也。婕妤，后妃之位名也。左曹越騎校尉況之女，彪之姑，少有才學。」[3]

因為此詩不見於《漢書》並未提起，亦未見班婕妤《集》中，所以曾有不少學者懷疑其真實性，但也缺乏確實的證據。〈怨歌行〉為五言古體詩，《樂府詩集》將其列為樂府詩中的「相和歌辭，楚調曲」。[4]全詩可以分為三層：前四句為第一層，以扇寫人。通過寫團扇質地為精製的絲絹和純白的顏色，來比喻自己傑出的天資和美好的容色。「合歡扇」或來自古詩「文采雙鴛鴦，彝為合歡被」，指自己得到君王寵愛，兩情繾綣。「團團似明月」則為

2 陳欣：〈漢魏六朝詩中團扇意象及其文化意蘊〉，《北方論叢》，2011年第4期。
3 〔南朝・梁〕蕭統：《文選》卷二十七，四部叢刊本。
4 〔北宋〕郭茂倩：《樂府詩集》卷四十五，北京：中華書局，1979年。

雙重比喻——團扇似月，而幸福的生活亦圓滿似明月。中間二句為第二層，通過扇子和人的互動來寫自己受寵時的情形——常伴君王側，恩愛兩不疑。後四句為第三層，通過寫扇子隨著天氣和時節的轉換而被棄置來寫自己失寵後的淒冷。涼意或指趙氏姐妹，一個「奪」字突出了後宮生活的殘酷和君恩的稍縱即逝。最後自己只如被棄的團扇，冷清地獨居在被君王遺落的角落。

班婕妤憑藉自身的生活經驗，選取了宮廷女性十分熟悉的物品——團扇，並抓住其功能的季節性而進行文學創作，形象生動地寫出了自己身為帝妾就如團扇一般，受寵時「出入君懷袖」，失寵時「棄捐篋笥中」的深宮生活，和面對來去無常、難求長久的君恩的哀怨。

鍾嶸《詩品》將其列為上品曰：「〈團扇〉一詩，辭旨清捷，怨深文琦，得匹婦之致」。[5]

自此，班婕妤便被視作宮怨的代言人，「團扇」這一代表宮怨乃至閨怨的意象也被建構了起來。

（二）後世文學的傳承

1 對女性文學的影響

「團扇」經過班婕妤之手被建構成了女性之哀怨的意象，並在後世文人手中不斷地傳承和發展。因為「團扇」這一意象不論是從「團扇」的客觀屬性出發，還是從它被賦予的「婦怨」之意出發，都和女性緊密相連。因此，這一意象能夠強烈激發女性文人，尤其是宮廷女性文人的創作欲望和共鳴。它和〈長門賦〉一起，成為了她們抒發內心情感、為自己代言的最好象徵。在班婕妤之後，唐代的徐惠妃、鮑君徽都用「團扇」進行了文學創作：

> **長門怨／徐惠妃**
> 舊愛柏梁臺，新寵昭陽殿。守分辭芳輦，含情泣團扇。
> 一朝歌舞榮，夙昔詩書賤。頹恩誠已矣，覆水難重薦。
>
> **東亭茶宴／鮑君徽**
> 閑朝向曉出簾櫳，茗宴東亭四望通。
> 遠眺城池山色裡，俯聆弦管水聲中。
> 幽篁引沼新抽翠，芳槿低簷欲吐紅。
> 坐久此中無限興，更憐團扇起清風。

5 〔南朝・梁〕鍾嶸：《詩品》，明夷門廣牘本。

題洛苑梧葉上／（唐）天寶宮人
舊寵悲秋扇，新恩寄早春。
聊題一片葉，將寄接流人。

除卻和班婕妤有「身世之同感」的宮廷女性，「團扇」這一意象在民間也漸漸向著更為普遍的「閨怨」、「婦怨」、「別怨」等涵義發展開來。《全唐詩》中記錄杜羔妻作詩一首：「淡淡春風花落時，不堪愁望更相思。無金可買長門賦，有恨空吟團扇詩。」其中「團扇詩」和「長門賦」都不一定專指「宮怨」，而可延伸為離別之愁怨。

2 對樂府詩的影響

不僅「團扇」成為「婦怨」的意象而相對固定下來，班婕妤也因自身經歷的悲劇性而成為樂府詩〈班婕妤〉、〈婕妤怨〉的本事，促進了樂府詩的豐富和發展。《樂府詩集》記載〈婕妤怨〉為相和歌辭並楚調曲，是因為「人傷之（指班婕妤）而為婕妤怨也」[6]。

最先以〈班婕妤〉為題進行樂府創作的是陸機。《樂府詩集》中有記：「婕妤去辭寵，淹留終不見。寄情在玉階，托意唯團扇。春苔暗階除，秋草蕪高殿。黃昏履綦絕，愁來空雨面。」此後，有很多男性文人進行了同題的樂府詩創作。而在進行創作的同時，「團扇」這一意象伴隨著〈班婕妤〉的樂府體也從原先單純的「女性特質」漸漸向「男性特質」延伸開來。如翁綬曾作〈婕妤怨〉：

讒謗潛來起百憂，朝承恩寵暮仇讐。
火燒白玉非因玷，霜翦紅蘭不待秋。
花落昭陽誰共輦？月明長信獨登樓。
繁華事逐東流水，團扇悲歌萬古愁。

此詩已不再單純地借「團扇」寫史或「婦怨」，而是用「團扇」來抒發自己仕途不遇、憂懼讒言的心志。因此，「團扇」意象在男性文人的筆下成為他們借古諷今，抒發己怨的象徵。

6　〔北宋〕郭茂倩：《樂府詩集》卷四十三，北京：中華書局，1979年。

三 〈團扇歌〉中的「團扇」

(一)〈團扇歌〉

魏晉南北朝時期，樂府迎來發展的又一興盛期。在此期間，湧現了一大批帶有鮮明時代和地方特色的樂府民歌，〈團扇歌〉便是其中之一。《古今樂府》和《玉臺新詠》兩書均對其有所記載。《玉臺新詠》中有兩處記錄了〈團扇歌〉，三首題為〈荅扇歌〉，記在王獻之名下，緊跟著其所作的〈桃葉歌〉：

荅（同答）扇歌
七寶畫團扇，粲爛明月光。與郎卻暄暑，相憶莫相忘。
青青林中竹，可作白團扇。動搖郎玉手，因手托方便。
團扇復團扇，許持自障面，憔悴無復理，羞與郎相見。

另一首記為梁武帝所作：

團扇歌
手中白團扇，淨如秋團月。清風任動生，嬌香承意發。

而〈古今樂府〉早已失傳，我們只能通過《樂府詩集》等其他作品中對〈古今樂府〉的引用而一窺原貌，《樂府詩集》記錄了〈團扇郎歌〉八首：

團扇郎歌
七寶畫團扇，燦爛明月光。餉郎卻暄暑，相憶莫相忘。
青青林中竹，可作白團扇。動搖郎玉手，因風托方便。
犢車薄不乘，步行耀玉顏。逢儂都共語，起欲著夜半。
團扇薄不搖，窈窕搖蒲葵。相憐中道罷，定是阿誰非？
御路薄不行，窈窕決橫塘。團扇鄣白日，面作芙蓉光。
白練薄不著，趣欲著錦衣。異色都言好，清白為誰施？

同前
手中白團扇，淨如秋團月。清風任動生，嬌聲任意發。
同前
團扇復團扇，持許自遮面。憔悴無復理，羞與郎相見。

《樂府詩集》比《玉臺新詠》所記多出第三至第五首，從結構上看，這多出的四首樂府句式、用詞都有相似之處，語義上也連貫，可視為一個整體。

除此之外，〈團扇郎歌〉應還包括其本事中所出的始辭。《樂府詩集》引《古今樂錄》中記載〈團扇郎歌〉的本事所出：「《古今樂錄》曰：團扇郎歌者，晉中書令王珉捉白團扇，與嫂婢謝芳姿有愛，情好甚篤。嫂捶撻婢過苦，王東亭聞而止之。芳姿素善歌，嫂令歌一曲，當赦之。應聲歌曰：白團扇，辛苦五流連，是郎眼所見。珉聞更問之：汝歌何遺？芳姿即改云：白團扇，憔悴非昔容，羞與郎相見。後人因而歌之。」可見，〈團扇歌〉其始辭便是謝芳姿所吟唱的那兩句歌辭：

白團扇，辛苦五流連，是郎眼所見。
白團扇，憔悴非昔容，羞與郎相見。

《古史歸》中亦記載謝芳姿此〈團扇歌〉兩首，並評價其：「清白得妙、兩見字各一意，各有其妙、恨在羞字，為郎憔悴卻羞郎，又道破矣」。

向回在《樂府本事研究》一書中將〈團扇郎歌〉歸為「詞之始辭與曲之始辭」相一致的情況：「樂府詩是詩樂舞結合的一種綜合藝術形態，與一個樂曲之始辭相關的創作本事，就是這裡所說的始辭本事。……始辭為本事主人公自己即興歌唱或特意製作的情況更為常見。如清商曲辭中的〈團扇郎歌〉……此處謝芳姿應聲而歌之兩首歌辭，就是此曲之始辭。從其內容上也可以看出，此兩首歌辭是謝芳姿在其主人王岷之嫂捶撻過苦情況下的即興歌唱，兼有敘事與抒情之特性，它實際上就是〈團扇郎歌〉本事敘述的直接內容。」[7]

（二）本事之舛誤

對於〈團扇歌〉的本事，歷史上有兩種說法。除卻上節中所提到的「王岷謝芳姿」之說，另有一種說法便是「桃葉答王獻之」之說。記錄後一種說法的以《玉臺新詠》為代表。

《玉臺新詠》中將三首〈團扇歌〉記為〈荅扇歌〉，列於王獻之名下，「荅」同「答」，且隻字未提「王岷謝芳姿」之事。〈初學記〉中則明確指出：「王獻之桃葉團扇歌：七寶畫團扇，粲爛明月光。與郎卻暄暑，相憶莫相忘。」《玉臺新詠箋注》則提到：「清商曲詞，吳聲歌曲。樂府作〈團扇郎古詞〉六首，今選前二首。其第三首樂府亦作無名氏古詞，此云：桃葉答王，未詳。」後來也有很多人認為〈團扇歌〉本事出於王獻之和其愛妾桃葉之間的情事，是桃葉回贈王獻之〈桃葉歌〉之作。

但是相較之下，「王岷謝芳姿」之說更為可信。此說法現最早見於《宋書・樂志》：

7　向回：《樂府本事研究》北京：北京大學出版社，2013年，頁49。

「〈團扇歌〉者，晉中書令王珉與嫂碑有情，愛好甚篤。嫂捶抵婢過苦，婢素善歌，而珉好捉白團扇，故制此歌。」和《樂府詩集》所記錄的《古今樂錄》中謝芳姿被捶撻而歌的故事相比，《宋書》中最初的版本並未有那麼詳細的故事刻畫，是只是說王岷喜歡拿白團扇，其情人謝芳姿善歌，便特為情郎制此歌。從時間上相比，《宋書》時間較《古今樂錄》更早，離王岷、王獻之的時代也更近，而且作為官方史書，它並未提到「王獻之桃葉團扇歌」之說。而《古今樂錄》則應是在《宋書》的基礎上對這一事蹟進行了情節上的添加，從而形成了我們看到的「謝芳姿受捶撻而歌」的故事版本，但兩者都認為〈團扇歌〉源自王岷和謝芳姿之間的情事。而在後期的流傳過程中，「王岷謝芳姿」本事說也成為主流之說。《初唐記》雖然提出了「王獻之桃葉團扇歌」之說，但是在單獨的解釋〈團扇歌〉時，其解釋為：「團扇歌，晉中書令王瑨好捉白團扇，其侍人謝芳歌之因以為名。」《舊唐書》中則記載：「團扇：晉中書令王瑨與嫂婢有情，愛好甚篤。嫂捶撻婢過苦，婢素善歌而瑨好捉白團扇，故云：團扇復團扇，持許自遮面。憔悴無復理，羞與郎相見。」

針對同一樂府詩有兩個本事這樣的現象，也有學者進行了自己的判斷，基本都認為「王獻之桃葉」一說為舛誤。《詩話總龜》中提到：「桃葉歌，桃葉，王獻之愛妾名也。其妹曰桃根。詞云：桃葉復桃葉，桃葉連桃根。今秦淮口有桃葉渡，即其事也。古人載桃葉答獻之乃團扇辭，蓋傳者悞也。團扇歌，晉中書令王瑨好持白扇，其侍人謝芳歌之因以為名。一瑨與嫂婢有情好甚篤，嫂鞭撻過苦。婢素善歌，而瑨好持白團扇，故云：團扇復團扇，許持自遮面。憔悴無復理，羞與郎相見。」紀容舒《玉臺新詠考異》中則認為：

> 此歌《樂府》引《古今樂錄》云起王瑨嫂婢謝芳姿，所列古詞八首內，第七首署王金珠，余皆無名。其第八首即此第三首末二句，與謝芳姿歌大同小異，似衍謝歌而為之。均無桃葉之說。然《初學記》《藝文類聚》皆初唐之書，去孝穆時不遠，已皆載為桃葉，與此書同。蓋婦人女子之作，詞人喜傳為佳話，輒轉附會，往往失真。傳聞異詞，歷代皆有，孝穆所據，又當別有一本，今則不可考耳。[8]

而向回則針對這一問題進行了比較詳細的解說：「但實際上《樂府詩集》中另有〈桃葉歌〉，所敘正是王子敬與其愛妾桃葉故事。王運熙《吳聲西曲雜考．團扇歌考》據《晉書．王岷傳》中『（王岷與王獻之）二人素齊名，世謂獻之為大令，岷為小令』的記載認為：原來兩人在當時聲名相亞，更加上與婢妾的風流事蹟，又相仿佛，怪不得要混起來了。可見所謂〈團扇郎歌〉本事異說的出現，實是因後人將其與《桃葉歌》本事相混的結果。」

由此可見，〈團扇歌〉的本事應是出於王岷和謝芳姿，而非王獻之和桃葉。但抑或是謝芳姿〈團扇歌〉流傳開後桃葉據此也作歌，也亦未可知。

---

8 〔清〕紀容舒：《玉臺新詠考異》，文淵閣四庫全書本。

（三）幾首〈團扇歌〉作者問題

《舊唐書》、《通典》以及《詩話總龜》都將謝芳姿的始辭記作《樂府詩集》中無名氏所作的〈團扇歌〉：「團扇復團扇，持許自遮面。憔悴無復理，羞與郎相見」，和上文中提到的說法不同。但是從文獻的流傳演變歷史以及兩個作品的句式成熟度來看，應以《古今樂錄》所記更為貼切，「團扇復團扇，持許自遮面。憔悴無復理，羞與郎相見」應是後人根據謝芳姿所唱的始辭進行整改發揮而創作出來的又一〈團扇歌〉。對於此問題，〈〈團扇郎歌〉音樂形態研究〉一文中進行了比較詳細的論證，他提出「將『團扇復團扇』一首曲辭與謝芳姿聯繫起來，始自《通典》。」[9]

而「青青林中竹，可作白團扇。動搖玉郎手，因風訪方便。團扇復團扇，持許自障面。憔悴無復理，羞與郎相見」兩首詩，《事文類聚》則標為沈約所作。然而這兩首作品並未見於沈約作品集中，亦未有其他證據可明確證實此說。筆者以為，或因《宋書》為沈約所撰，而《宋書》中提及〈團扇歌〉的本事，後世者便結合《玉臺新詠》、《古今樂錄》或者《樂府詩集》中的詩辭，將其附會成沈約所作。

關於《樂府詩集》中所列舉的無名氏所作第三至第六首〈團扇歌〉，比較一致的意見是「郭茂請《樂府》所栽『犢車薄不乘』四首，乃晉宋古辭，失其名氏。」何江波亦從樂府本身的音樂形態上分析，認為這四首〈團扇歌〉：「如此整齊的起句，當不是偶然，而是為了演唱的協調一致與相互關照，更與《詩經》的重章疊唱相呼應」，是〈團扇歌〉三種演繹形式中用來聯章演唱的。

總之，〈團扇歌〉的始辭應是謝芳姿所唱的「白團扇，辛苦五流連，是郎眼所見。白團扇，憔悴非昔容，羞與郎相見」二句，而《樂府詩集》中所記錄的現存的八首〈團扇歌〉無疑都是在其本事的基礎上依照始辭進行再編和創作而成的。

（四）對後世影響

〈團扇歌〉作為樂府民歌，成為後世「清商曲辭」的代表作之一。從後面歷代文獻記錄中我們可以看到，〈團扇歌〉一直流傳於樂坊民間，為人們所熟知。

《通典》就記錄下了「清商曲辭」一支在當時的保留演唱情況：「清樂者，其始即清商三調是也。先遭梁、陳亡亂，而所存蓋鮮。隋室已來，日益淪缺。武太后之時，猶六十三曲，今其辭存者有〈白雪〉、〈公莫〉、〈巴命〉、〈明君〉、〈明之君〉、〈鐸舞〉、〈白鳩〉、〈白佇〉、〈子夜〉、〈吳聲四時歌〉、〈前溪〉、〈阿子〉、〈歡聞〉、〈團扇〉……前為四十四曲存焉。」

9　何江波：〈〈團扇郎歌〉音樂形態研究〉，《樂府學》第八輯。

《洛陽伽藍記》記錄了宋代：「河間王元琛……妓女三百人，盡皆國色。有婢朝雲』善吹篪，能為〈團扇歌〉、〈壟上〉聲。」

到了明代，〈團扇歌〉作為樂曲的演唱功能已經漸漸失傳，但是其在文學方面一直影響著文人創作。王世貞就曾寫〈白團扇歌〉：「郎持白團扇，商風來吹袖。寧為便拆壞，不忍離郎手。」胡應麟則是仿照謝芳姿的兩首歌辭寫作〈白團扇二首〉：「白團扇，含情待郎來，不使路傍見。白團扇，恢恨負情儂，手持不令見。」

民國時期著名戲劇大師吳梅還根據此本事創作了四折雜劇《白團扇》。

四　兩個作品中「團扇」之比較

（一）兩個作品的相對獨立性

在各自梳理了兩個作品以後，筆者認為樂府詩〈團扇歌〉從其本事出發是一個相對獨立的文學作品，並非受到班婕妤〈怨歌行〉中「團扇」意象的直接影響。事實上，〈團扇郎歌〉中的「團扇」有其自身所指。

首先，「團扇」在兩個作品中的指代意義並不相同。在班婕妤的〈怨歌行〉中，「團扇」是宮廷女性常用的物品，更是班婕妤用來自比的象徵。但是在〈團扇歌〉中，「團扇」特指不經染飾的白團扇，而「團扇」指代的也不是女子本身，而是女子所要抒情的對象，即其情郎，對應到本事中，即是指王岷。在這一點上，〈團扇歌〉的原始名稱〈團扇郎歌〉能更好地說明問題。雖然以「團扇」為題，但是亦有一個「郎」字在後，這意味著〈團扇郎歌〉中郎妾對話以及情感互動是重點，而並非如〈怨歌行〉中以抒發女子個人愁怨為主，間接寫君王寡情那般。之所以產生這樣的差異是因為〈團扇歌〉的本事本就是獨立於班婕妤之事而存在的。

本事決定了樂府名。〈團扇郎歌〉，抑或它的別名〈白團扇〉都是緊緊扣住了本事中人物特點而來的：作為東晉文士，王岷平素喜歡手持白團扇。因此「白團扇」在謝芳姿的創作中便代指自己的情郎，是王岷物化的象徵，而〈團扇郎歌〉借「白團扇」實際是謝芳姿在直接對其情人訴衷情，在這個過程中，雙方的互動性更強，更像是來往的音信。如第二首「白團扇，憔悴非昔容，羞與郎相見」，便是在王岷直接問謝芳姿「汝歌何遺？」的情況下，謝芳姿直接應情而作的，表達了自己渴望對方獲悉的情愫。相比之下，班婕妤的〈怨歌行〉更像是自憐自艾的獨自吟歌，她更多的是發洩自己內心的情感，而非和君王產生直接的情感溝通。

再者，仔細分析可以發現兩個作品中的「團扇」意象和情感基調也並不相同。班婕妤的〈怨歌行〉中主要抓取了「團扇」隨季節不同而待遇不同的特點來象徵隨君恩榮衰而命運浮沉的後宮女子，其情感基調是哀怨和淒涼，甚至帶點對君王寡情的愁恨，但是〈團扇郎歌〉並非如此。

閱讀「白團扇，辛苦五流連，是郎眼所見。白團扇，憔悴非昔容，羞與郎相見。」這兩首歌辭是在謝芳姿作為婢女而被主人責罰捶撻的情況下所即興吟唱的，辭中隨處可見的是謝芳姿因自己的地位和遭遇而在心上人面前流露出的羞慚和悲哀。雖然其中也有「怨」，但這種「怨」並非對情人的怨恨，而是對兩人身份地位之間的懸殊和世俗門檻的愁怨，更多的是對自身的一種哀怨。因此，謝芳姿才會渴望借情人手中的白團扇來一遮自己憔悴的容顏，「羞與郎相見」。此處「團扇」被突出的便不再是它隨季節起用的功能，而是可以作為遮羞回避之物的功能了。同時，還有另一種解釋，便是謝芳姿同樣以自身之卑賤欣羨王岷手中時刻不離的潔白高貴的團扇，渴望也能如團扇般伴君身側，而不再受這世俗等級劃分之苦。元代的周南瑞便這樣分析謝芳姿的心聲：「私衣必見汚，葛屨必遭踐。生世不為男托身，況微賤。悲痛只在心，憔悴更障面。出入懷袖中，羨郎白團扇。」整體來看，其感情基調雖也是哀愁淒苦，但卻少了〈怨歌行〉中的「恨」和「深怨」，它主要刻畫的也是當時情況下情人們迫於世俗不得相守卻仍情誼深篤的故事。

且從〈團扇歌〉在樂府集中被收錄的位置來看，也可看出〈團扇歌〉其主旨主要側重於表現魏晉時期不符合尋常等級的世俗情愛。在樂府集中，它屬於「清商曲辭」中的「吳聲調」，和〈桃葉歌〉（王獻之為其愛妾桃葉所作）、〈碧玉歌〉（晉汝南王為其寵妾碧玉所作）等民歌收錄在一起，且世間也多把三者相提並論，主要在於他們都主要寫魏晉名士貴族和其姬妾之間的情事。

由此看來，〈團扇郎歌〉中「團扇」側重指屬於名士的「白團扇」，且用來指代抒情物件即女子之意中人。其所取的也是團扇作為女子遮面之物的功能，用來表現主人公因身份差距而產生的強烈的羞怯怨愁之情，同時「團扇」也寄託了主人公渴望愛情最終圓滿，與情人共度此生的奢侈希冀。

〈團扇郎歌〉和〈怨歌行〉中的「團扇」意象並無直接聯繫。《常用典故辭典》在解釋「班姬詠扇」時便特意提到：「芳姿便應聲歌〈團扇郎歌〉。後亦或以「團扇」、「團扇歌」用典，與此有別。」[10]

（二）對「團扇」意象的選擇

雖然單論班婕妤的「團扇」意象和謝芳姿的「團扇」意象，兩者相對獨立，但是在後世的實際創作過程中，兩個意象進行了融合，其間的界限是十分模糊的，但是傳統的「團扇」意象還是成為了主流。這也是後世文人作為「意象」的接受者時對這兩個意象所作出的不自覺的選擇。

例如以謝芳姿本事為基礎而創作出來的其他八首〈團扇歌〉：「團扇復團扇，持許自遮

10 于石、王光漢：《常用典故辭典》成都：四川辭書出版社，2004年。

面。憔悴無復理，羞與郎相見」，這首〈團扇歌〉明顯是根據謝芳姿的始辭進行創作的，其使用的詞彙、意象以及所表達的語義都和本事基本符合，算得上是符合本事的典型〈團扇歌〉之作。

但是「七寶畫團扇，燦爛明月光。餉郎卻暄暑，相憶莫相忘。青青林中竹，可作白團扇。動搖郎玉手，因風托方便」兩首詩的意象以及內涵卻與傳統「團扇」意象，也就是班婕妤的〈怨歌行〉有一脈相承之感。它們雖重點寫了團扇在夏日可為君去暑的特點，但是側面也暗示了秋冬季節便會被「棄捐篋笥中，恩情中道絕」的下場，尤其是「相憶莫相忘」這一句，更是寫出了女子對情人的叮囑和她內心害怕被棄的惶恐不安。還有「手中白團扇，淨如秋團月。清風任動生，嬌聲任意發」一首，直寫白團扇之潔淨圓滿，「嬌聲任意發」更是直接以團扇比喻女子，寫出了兩人形影不離的恩愛深情。此處「團扇」兼有班婕妤「團扇」和謝芳姿「團扇」意象，既側面寫出了此時恩愛愉快，但時節有限可能會被拋棄的女子命運，又正面寄託了對兩人情誼長久的願望。

而剩下的四首晉宋古辭可視作一組整體，「團扇」在其中並未有十分突出和集中的意象所在，而主要用來刻畫女子行動，或襯托女子面容姣好。但是細細品讀，還是能看出四首詩在氣質上和〈怨歌行〉有相似之處。「在這些詩作中，團扇均成了紅顏薄命、佳人失勢的象徵，是表現宮怨情感的現成思路。宮女被棄的怨恨進一步泛化，就成了普通婦女的閨怨。那些因夫妻分離而產生的閨怨之情，有時也會以團扇這一意象來表現，如〈團扇郎〉古辭……細細品味，讀者均能真切地感受到上述四詩中女主人公與〈怨歌行〉女主人公班婕妤的心靈回應，在她們期待、思念夫君的背後，無一不隱藏著唯恐紅顏衰頹而終遭冷落甚至被遺棄的憂慮，團扇這一意象習慣性地成了她們的情感載體。」

樂府卷四五〈團扇郎〉

犢車薄不乘，步行耀玉顏。逢儂都共語，起欲著夜半。

團扇薄不搖，窈窕搖蒲葵。相憐中道罷，定是阿誰非？

御路薄不行，窈窕決橫塘。團扇鄣白日，面作芙蓉光。

白練薄不著，趣欲著錦衣。異色都言好，清白為誰施？

由此可見，樂府詩的創作，必然會隨著創作者本人的經驗和體會，對本事有所改編甚至捨棄，但是其講述女子情思的基調卻是一脈相承的。而〈團扇歌〉在跳脫出本事之後被進行創作時亦會捨棄原來的意象而沿用班婕妤「團扇」意象，將其從「宮怨」拓展為「閨怨」。

其實這並不值得意外，其根源便在於女子存在較之男性更為強烈的、可以跨越時間、人群，地點的情感共鳴。古來女性創作所擁有的空間和題材便是相對狹小的，因為她們受到整個社會規範和觀念的約束，大多數女子不能如男子一般外出遊歷，而被框束在相對固定的家庭內部之中。同時，她們的人生核心也是相對單調的，不同於男性擁有仕途、友情義氣、家庭宗族等多方面的生活內容和責任，女性所能關注的生活內容有限，而當時女性缺乏自我認同，或者就將自我認同成男性的附屬品，更會讓而情愛成為重中之重。雖然外在身份地位和行為舉止會受到束縛，但是人性之欲望以及意願是相對自由的，文章由心而生，那麼在古代女性筆下，「情愛」便會成為創作的重心。也正是如此，男性文人才會對那些偶爾能夠關注到情愛之外內容的女性文人投以盛讚，在他們看來，說情談愛不過是「閨房之習」而已，畢竟難登大堂。但是從文學價值的角度而言，在當時的社會價值體系之下，往往是這些不脫「閨房之習」的作品才是更能夠貼近古代女性真實心理的作品。

而女性文人在進行意象的建構時，往往傾向於選擇具有強烈女性氣質的物品或和自己經歷密切相關的。因此，女性筆下的意象多見於她們可賞可見的自然存在如月、梅、蘭、竹、菊等，或是相對專屬於她們自身的客觀物品，比如「團扇」。

不論是班婕妤筆下的「團扇」還是謝芳姿吟唱中的「團扇」，其所含所指都不脫女子情怨，那麼在後世創作時，文人們便可籠統用之，用來描寫女子情思之深重哀怨。

但在意象的傳承過程中，不僅僅是班婕妤的「團扇」意象被嫁接到〈團扇歌〉中，更多時候她取代了謝芳姿本事中的「團扇」意象而成為〈團扇歌〉的主要內容。最為典型的便是劉禹錫所作〈團扇歌〉:「團扇復團扇，奉君清暑殿。秋風入庭樹，從此不相見。上有乘鸞女，蒼蒼蟲網遍。明年入懷袖，別是機中練。」雖用了〈團扇歌〉的樂府體，但是所用的意象卻完全是班婕妤所建構的「團扇」意象。劉禹錫所作的〈團扇歌〉實質上和傳統的〈婕妤怨〉、〈班婕妤〉樂府詩並無二致。

這一現象也說明了意象的接受者會根據自身的接受度，對同一物品所擁有的不同意象進行選擇。當然影響這一因素的，也可能在於意象本身塑造時的貼切與否。在筆者看來，就接受程度上而言，班婕妤對於「團扇」意象的塑造更為成功。一方面是因為謝芳姿本事中的「團扇」雖用來寫女子情懷，卻是根據王瑨特點而作的。這樣的先決條件決定了「團扇」意象的使用受到了一定的條件限制。而班婕妤則是根據「團扇」是女性常用之物而建構意象的，其適用性更廣泛普遍，因為歷代女子都常常用到團扇。而在以「團扇」寫情思之時，必然更加容易代入班婕妤所建構的意象之中；另一方面，就意象建構的合理性和有效性而言，班婕妤從團扇出現的季節性銜接到恩寵出現的間斷性，以及隨之變化的女性命運上，進而再引出深宮哀怨，整個過程更為順利和合理，因此才成為歷經多少年代都不衰竭的經典意象。

五　總結

經過上述梳理和分析之後，筆者認為雖然都用了「團扇」作為情感載體，但是班婕妤〈怨歌行〉和〈團扇郎歌〉中的意象是不同的。謝芳姿即興所作的〈團扇郎歌〉有其獨特的內涵和意義，不應被簡單視作是對班婕妤「團扇」意象的再現或發展（可視作「團扇」意象的發展）。兩個作品是相對獨立的作品，並不存在直接的對應關係，後者不是前者的產物。

但是同為表現女子情愁，兩個意象之間存在著情感共鳴，這也使得文人在使用「團扇」意象或進行〈團扇歌〉樂府詩創作時會將兩者融合起來，其界限相當模糊。而又因為班婕妤的「團扇」意象較為典型，在表達方面受限較少，因此在後人對它的接受過程中更為成功，進而出現了雖以〈團扇歌〉為體卻完全使用班婕妤「團扇」意象，而捨棄本事的作品。

不論如何，我們都應在尊重和分析每個作品獨特性的基礎上再去進行作品間的關聯性研究。

陳世驤的《文賦》翻譯與詮釋

李鳳琼
清華大學中文系

近年隨著「抒情傳統」討論的深入，美籍華人學者陳世驤的學術思想重新引起關注。[1]在陳世驤構建中國文學「抒情傳統」論的過程中，有一個重要的基點，就是他對於《文賦》的翻譯與詮釋。

陳世驤在一九五一年的一篇文章中高度評價了《文賦》的地位，他說：「『情』字作為我們的證據，從西元三世紀以降成為新的中國文學批評的整個基調，之所以享有至關緊要的地位，應歸功於陸機用二六四行精美韻文寫就是劃時代的《文賦》（Essay on Literature）。姑不論其性質與內容，就對於一個國家民族的文學批評的歷史重要性而言，《文賦》實可與但丁的《論俗語》相提並論。在西元三世紀，陸機用『情』字創造了『詩緣情』一語，……這與傳統將古語『詩言志』過度闡釋為詩歌的道德目的形成了尖銳的對比。《文賦》的這句名言，明顯強調說『情』乃詩歌本源。……陸機將這種理解詩歌的新方式說得不可謂不清楚：以情感、而非道德為基礎，基於審美的、而非實用的態度。」從這裡，可以清晰看到陳世驤的「抒情傳統」與《文賦》的關係。他還說：「盡管『詩緣情』與漢代對古語『詩言志』的道德主義闡釋形成了鮮明對比，這一新詞也不全是對『詩言志』這一古語本身的反動。相反，正如我們屢屢道及的『志』字關聯於 『心』的重要性，它保留甚至復活了古語之中深刻的心理學興趣。」[2]

正如陳國球所說：「陳世驤以古典文學研究重心，先是一九五一年〈探求中國文學批評的起源〉（The Search of the Beginnings of Chinese Literary Criticism），接著《文賦》英譯開出的思路，從「詩」字意義到「言志」「緣情」到「情志」的觀念變化，去說明中國文學批評思想方式。……其思慮基點亦多牽及詩人心靈世界、內在力量，以至秩序的意義等，可說是陳世驤文學觀的一貫發展。」[3]

---

1 可參考陳國球：〈「抒情傳統論」以前——陳世驤早期文學論初探〉，《淡江中文學報》，18期，頁225-251；陳國球：〈陳世驤論中國文學——通往「抒情傳統論」之路〉，《漢學研究》，29卷2期，頁225-244。

2 陳世驤：〈尋繹中國文學批評的起源〉，收入陳世驤著，張暉編：《中國文學的抒情傳統：陳世驤古典文學論集》北京：三聯書店，2015年，頁25-26。

3 陳國球：〈「抒情傳統論」以前——陳世驤早期文學論初探〉，收入《中國文學的抒情傳統：陳世驤古典文學論集》代序，頁22。

然而，學界對於陳世驤的《文賦》翻譯與詮釋，尚缺乏深入細緻的研究。本文將從陳世驤對《文賦》關鍵概念的詮釋中，選取若干具代表性的概念，分析陳世驤如何從中西詩學匯通的角度來解釋《文賦》，並古今學者的看法、以及宇文所安等漢學家的看法拿來加以對比。

一 陳世驤《文賦》英譯概述

陳世驤的《文賦》翻譯與詮釋，最初於一九四八年在北京面世，當時陳世驤已在美國的加州大學伯克利分校任教。此書書名為《文學以光明對抗黑暗》，是英語世界最早的《文賦》英譯本。此書不僅提供了《文賦》的英譯，還研究了《文賦》的創作時間及其中的重要概念。因此，此書的副題很長，名為「陸機〈文賦〉研究，涉及其生平、時代以及一些現代批評觀念，並附韻體譯文」。[4]

後來鑒於《文學以光明對抗黑暗》一書的流通量較少，在英語世界難以見到，陳世驤於一九五二年開始修訂其《文賦》英譯本，並在一九五三年以《文賦：三世紀中國詩人陸機著，陳世驤譯於一九四八年》為書名，重版於美國。這個重刊本，刪去了譯文之前的長篇研究性文字，另增加一個簡短的緒論，並且在個別字句的譯文有所修訂。[5]

為什麼要翻譯和研究《文賦》？陳世驤在一九五三年修訂版的前言說：

> 從歷史觀點來看，它之為文學批評的極端重要地位則在於它為創造性文學樹立起新的價值標準。

陳世驤還說：

> 我把《文賦》譯成韻文，因為我相信陸機在西元三〇〇年是把它當做詩在寫的，雖然後世的學者一直並沒有錯，總是稱贊它代表中國文學批評的濫觴。但是，唯有以詩之韻文翻譯，才可能充分掌握並欣賞這篇作品的灼見、語言與理路。[6]

---

4 Chen Shih-hsiang, *Literature as Light Against Darkness: Being a Study of Lu Chi's 「Essay on Literature」, in Relation to His Life, His Period in Medieval Chinese History, and Some Modern Critical Ideas, with a Translation of the Text in Verse*, National Peking Semi-Centennial Papers No.11 College of Arts (Peiping: National Peking University Press, 1948).

5 Chen Shih-Hsiang, *Essay on Literature Written by the Third-Century Chinese Poet Lu Chi* (Portland, Me.: Anthoensen Press, 1953). 其緒論之中譯，見陳世驤：〈以光明對抗黑暗：《文賦》英譯敘文〉，吳潛誠譯《中中外文學》，18卷8期（1990年1月），頁4-14。譯文後被收入張暉所編的《中國文學的抒情傳統：陳世驤古典文學論集》。

6 陳世驤：〈以光明對抗黑暗：《文賦》英譯敘文〉，《中國文學的抒情傳統：陳世驤古典文學論集》，頁209、206-207。

對於陳世驤來說，《文賦》不僅為中國抒情傳統提供了最初的價值標準，它的文體形式本身就是中國抒情傳統的完美體現，因為：

> 作為韻文與散文的奇異駁雜體，賦把個體於公於私的感興抒懷，混入客觀的描寫和渺遠的視境之中。……靠近阿博克羅姆比（Laecalls Abercrombie）觀察所得的抒情詩要義：「透過語言中悅耳和令人振奮的音樂性，把要說的話有力地送進我們的心坎裡。」我往往會這樣解說：賦中若有些微的戲劇或小說的潛意向，這意向都會被轉化，轉成抒情式的修辭；賦中常見鋪張聲色、令人耳迷目眩的詞藻，就是為了要達成抒情效應。[7]

陳世驤的一九四八年和一九五三年兩個《文賦》英譯本的差異如下：一九四八年版的英譯《文賦》，共有三部分，第一部分題為「陸機生平及《文賦》創作時間考」，第二部分題為「譯文中的概念及表達」，第三部分是「《文賦》英譯」。一九五三年的重刊本，刪去了第一、二部分，另增加一個簡短的緒論，並且在個別字句的譯文有所修訂，如「寤〈防露〉與〈桑間〉」在一九四八年版中譯為 But its resemblances to the「Dew Shelter」and「Mulberry Grove」is soon betrayed，在一九五三年版中則改為 Beware of resemblance to the「Dew Shelter」and「Mulberry Grove」。此外，一九五三年的重刊本製作更精美，在全書的緒論和譯文之間，印有張充和手書的小楷《文賦》原文，字跡娟秀，封面則是陳世驤題簽的書名，採用了古雅凝重的金文。重刊本還增加了一個「附記」，介紹了陳世驤本人與逯欽立關於《文賦》創作時間問題的辯論。

陳世驤在一九四八年出版的《文學以光明對抗黑暗》的第二部分，分列十六條詳細分析了《文賦》重要概念與難懂字句的理解和翻譯問題，這十六條分別是：一、情，二、意，三、中區，四、批評的角度，五、歎逝，六、六藝，七、古今須臾，四海一瞬，八、班，九、岨峿，十、形內，十一、理，十二、義，十三、賦，十四、姿，十五、嘈囋而妖冶，十六、課虛無以責有。陳世驤討論的十六個術語中，有一些是關乎詞義本身的梳理和英譯的討論，有一些則關乎他研究《文賦》的基本立場和方法。

陳世驤為什麼沒有將這些重要概念與難懂字句的討論處理為附錄或是注腳，一個重要的原因就是因為它們「可以作為具體的例子，來說明第一部分中論述的思想」。最重要的是「《文賦》中的某些表述，被翻譯成英文時，需要另外的解釋以說明其豐富的涵義，或者說，其中某些觀念從文學史和哲學的角度來說很重要，需要特殊的注解。」[8]在這些重要概念與難懂字句的討論中，陳世驤一方面希望向西方介紹中國文學批評的特色，另一方面又

---

7 陳世驤：〈論中國抒情傳統〉，《中國文學的抒情傳統：陳世驤古典文學論集》，頁5。

8 Chen Shih-Hsiang, *Literature as Light against* Darkness, 22.

嘗試將中國文論觀念與西方批評理論相聯繫相對照，比如他認為中國古代藝術觀念往往強調主體客體的不分，這種思想可以和卡西爾（Ernst Cassier，1874-1945）《人論》的類似表述相呼應。

二 情

陳世驤對「情」的翻譯和解說非常特別，與宇文所安等其他漢學家的解釋都不同。本節將集中討論陳世驤和宇文所安兩人的不同看法。

除了「詩緣情」之外，陸機在《文賦》的序言部分就提到了這個概念：「每自屬文，尤見其情」。先看看歷代注家的解釋。李善注此句曰：「《論衡》曰：『幽思屬文，著記美言。』屬，綴也。杜預《左氏傳》曰：『尤，甚也。』士衡自言，每屬文甚見為文之情。」[9] 李善注「情」為「為文之情」。黃侃指：「此言觀他文既知其用意，自作文則知之愈切。」[10] 黃侃認為此句的「情」是指「用意」，即文章之目的。唐大圓曰：「謂不徒見自文之情，亦兼見他文之情。情即情偽，謂才士用心所變現之諸相。」[11] 唐大圓的解釋稍有不同，指出情為情偽，因用心不同有不同形相。徐復觀言：「『其情』與上文的 『用心』同義。但上文係就古之才士作文時之用心而言，此處則就自己作文時之用心而言。」[12]徐復觀則認為「古才士之『用心』，和自己『尤見其情』」，指的是兩個面向：第一，是「苦於意不稱物」，作者想要表達的意與所寫的物有距離，使意不能準確表達；第二，是「苦於『文不逮意』」，文辭未能表達作者由物所形成的意。[13]所以，徐復觀所理解的「情」，應是指作者在作文過程中，「以自己創作的體驗，迎接古人創作的體驗，印證古人創作的體驗」。[14]所謂的體驗，就是指上文所言的兩種苦況和焦慮感。

一般譯者將「情」經常翻譯為「情感」（feeling）或「情境」（situation），宇文所安將其翻譯為「state of mind」，並指出「其情」是「其他作家在遇到創作難題時所體會到的『情』」，即「陸機意識到作家對創作之難的體會」。[15]也就是說，陸機意識到作家在創作過程中，因欲表達的意與物之間有距離，文辭不能準確表達由物所形成的意，而感到困苦和焦慮之體驗。這種解釋，較接近徐復觀的看法。

對於「情」這個概念在《文賦》中的重要性，牟世金曾指出：「陸機的《文賦》，正是

---

9 〔南朝・梁〕蕭統編，〔唐〕李善注：《文選》上海：上海古籍出版社，1986年，第二冊，頁763。

10 〔西晉〕陸機著，張少康集釋：《《文賦》集釋》北京：人民文學出版社，2002年，頁5。

11 〔西晉〕陸機著，張少康集釋：《《文賦》集釋》，頁5。

12 楊牧：《陸機《文賦》校釋》臺北：洪範書店有限公司，1985年，頁3。

13 楊牧：《陸機《文賦》校釋》，頁4。

14 楊牧：《陸機《文賦》校釋》，頁4。

15 宇文所安著，王柏華、陶慶梅譯：《中國文論：英譯與評論》上海：上海社會科學出版社，2003年，頁84。

抛開了六藝而力主『緣情』。在《文賦》中，『德行』、『禮義』一套儒家教義，確是被徹底擯除了。它除旗幟鮮明地提出 『詩緣情而綺靡』外，所論整個創作過程，都貫穿著吟咏情性的觀點……作者在自然萬物的變化中產生了某種情感，才開始進入創作的；無論是『感物吟志』的詩，或是『覩物興情』的賦，其創作就是要表達這種由客觀外物所觸發起來的情。因此，在具體創作過程中，就必然不能離開情。」[16]

陳世驤也認為陸機所指的「情」，本質上一如牟世金所言是徹底擯除儒家思想，一種純個人的情性。但是，這種情由萬物觸發而生，隨萬物變化而變化，作者這種因萬物而生的情，進而促使作者用最美好的藝術形式以抒發。因此，陳世驤有別於其他譯者，將「情」譯為「ordeal」，有別於常見的譯法。

在一九五三年重刊本的導論中，陳世驤就曾比較自己的譯文和修中誠、方志彤的兩種譯文，認為在「精神和面貌」上，他自己的翻譯都與修中誠、方志彤的翻譯「實不相同」。「ordeal」在英文裡的意思指嚴酷的考驗或痛苦的經驗。他自己也承認這樣翻譯有別常規。原因在於陸機用「情」這個字聯繫作家創作的過程。在這過程中，他認為「情」有雙重意義，同時指向「主觀體驗」（subjective experience）和「客觀觀察」（objective observation），就像「情」常常有「情感」（feeling）和「情境」（situation）兩種譯法一樣。[17]因此，陳世驤認為陸機文中的「情」是同時指作者處理困難的情境和作者體會到的強烈感情。

陳世驤進一步指出：「有雙重意義的『情』，幾乎成為中國藝術和文學批評的一個專門術語，因此它是難以翻譯的。也就是說，這個詞的核心意義揭示出中國人的藝術觀念，即藝術在本質上是一個主觀與客觀混沌不分的統一體，並同時具有『再現』和『表現』的功能。」[18]由此可見陳世驤對這個詞的重視，以為這個詞的核心意義正體現中國人的藝術觀念。牟世金提出：「《文賦》是陸機總結其一生的創作經驗之後寫成的。」[19]陳世驤大抵也相信這個「情」字包含了陸機一生創作歷煉的體驗總結，因而，他認為不用「ordeal」不足以表達藝術創作的內蘊：當作家進入創作的狀態，首先是觀察，進而衝破有形的軀體，從有限的世界達至無限，再希望藉以將所感所見的情挫於筆端個，這過程就包含了無盡的痛苦。

對於「情」的解釋，可以看出陳世驤在翻譯與研究《文賦》時所投入的個人情感。陳世驤特別重視從詩人的體驗來評價《文賦》，他引用雪萊（Percy Bysshe Shelley, 1792-1822）詩中論柯勒律治（Samuel Taylor Coleridge, 1772-1834）的片段：「雪萊的片段和陸機的《文賦》都是詩，也都是評價甚高的文學批評。詩人只要願意，總可以成為最卓越、最恰如其分的批評家，這是古今不變的真理。」更重要的是，陳世驤認為陸機身處十分黑暗的時代，而《文賦》「主張人類須釋放心靈，並盈注光明，以對抗外在的黑暗。」因此，陳世驤

16 牟世金：《雕龍集》北京：中國社會科學出版社，1983年，頁127。

17 Chen Shih-Hsiang, *Essay on Literature Written by the Third-Century Chinese Poet Lu Chi.*

18 Chen Shih-Hsiang, *Literature as Light against Darkness*, 24.

19 牟世金：《雕龍集》，頁128。

多次引用馬拉美（Stéphane Mallarmé, 1842-1898）「詩是危機狀態下的語言」之說，來描述《文賦》的特質。[20]這點可解釋為何陳世驤將「情」翻譯為「ordeal」，既然「詩是危機狀態下的語言」，這裡所謂的「危機狀態」就是指在創作過程中情感正一再受到種種考驗、歷煉，在尋找最美好的形式、以及如何將最好的字詞排成最佳的秩序，所帶來的無盡痛苦的一種狀態。因而他對作家創作時的情感和情境別有一番見解，意識到這時刻的情是結合「主觀體驗」（subjective experience）和「客觀觀察」（objective observation）而生。要用語言清楚捕捉到這種複雜的情而將之表達出來，可說更增添一份焦慮。

雖然「ordeal」太個人化，但陳世驤的重點是指向主客合一的一種境界。因而當中所包含的創作的痛苦實意義重大。當中他對屈原的理解便充分體現這一觀點。基於陳氏相信中國文學其中一個重要的特點是「罕有稱頌戰爭或是以尚武的愛國精神為特徵的文學作品，而止戈息戰之作則極為豐富。」追究原因，陳氏認為主要是「中國民眾很難將自身與國家混為一談，而戰爭又主要是國家的事務，是以每逢戰亂之際，詩人或是保持沉默，或是對其大加誅伐。」陳世驤就是基於自己對中國文學特點的這種理解來理解屈原的。因而對於一向以來都被認為是忠君愛國典範的屈原，陳世驤偏偏稱其為「個體意識高度自覺的突出例證」。更拿《離騷》與歐美現代主義的文學作比較，指出這些作品皆是源自作家的「自我焦慮」。[21]這「自我焦慮」正體現出作家在創作過程中情感一再受到種種考驗和歷煉，最終衝破有形的家國限制，而達至無限的境界，得到自我的一種超越。這正是陳世驤所理解的《文賦》中「情」「ordeal」的表現。

陳國球認為，作為批評家和隔世譯者的陳世驤，一方面是要想盡辦法貼近原作者陸機的心靈，另一方面則是要傳達自身的去國之思與個人境遇所帶來的反思，所以他引用陳世驤的朋友艾克敦所說，認為這是一種「艱辛的歷險」。[22]陳國球的說法，把陳世驤自己的身世投射到陸機的創作境況，以及所處的動盪時局以解釋，甚為有理，可備為一說。但是，陳世驤早年的學術經歷，本身已形成了他的文學觀，因而筆者更傾向相信作為新批評信徒的陳世驤，是站在現代文學批評的立場，結合陸機的時代境遇，來理解《文賦》的創作目的以及通篇內容。而他對「情」的翻譯，與他所論中國文學傳統特點息息相通。牟世金認為「從《文賦》的具體論述來看，全賦中心思想是要解決『意不稱物，文不逮意』的問題。」[23]陳世驤同樣相信陸機關注的是內容和形式的關係問題，如何尋找最美好的形式、以及如何將最好的字詞排成最佳的秩序，成為作家創作無盡痛苦的一種考驗。不過，陳世驤將這種詮釋，從中國語境聯繫到了雪萊、馬拉美的論述，為中西詩學的匯通找到了一個入口。

---

20 此處中譯，參用陳世驤：〈以光明對抗黑暗：《文賦》英譯敘文〉，頁209。

21 陳世驤：〈以光明對抗黑暗：《文賦》英譯敘文〉，頁209。

22 陳國球：〈「抒情傳統論」以前——陳世驤早期文學論初探〉，《淡江中文學報》，頁235。

23 牟世金：《雕龍集》，頁128。

三　中區

《文賦》中的「佇中區以玄覽」一句，其「中區」一詞是句中眼目所在。陳世驤在討論這個概念時多次批評李善註的不當。李善註：「《漢書音義》，張晏曰：『佇，久俟待也。』中區，區中也。」[24]陳世驤首先指出李善的註過於簡單，並缺乏對先例的詳列。另外，所引張晏《漢書音義》，因為現存的文本並不完整，所以即使張晏的說法是有價值，其意義亦不大，甚至可說對理解這個概念的意思一點幫助也沒有。最重要的一點，是陳氏認為李善所犯最大的錯誤，就是把這個強調無限的概念，落實在有限，胡亂將「中區」轉作「區中」去解釋。陳世驤對李善註的批評，顯示出他對這個概念的重視。

陳世驤做了一番考證的工夫，來批駁李善。他指出張衡的〈思玄賦〉是用「區中」的重要先例。〈思玄賦〉中「逼區中之隘陋兮」，意思是玄思帶領著詩人漫遊於井然有序的宇宙，以探索域外之世。揭示了這個狹隘的領域與無限宇宙之間的交流，在詩人的視域中欣然完成。陳世驤認為雖然文中看似對「區中」有所貶損，但在張衡的敘述中，表明這個「區中」正是人們從有限出發去追求無限的起點。因為只有這樣，靈感無限的視域才成為可能。可見張衡的「區中」強調的是必須從有限出發去追求無限。

因此，陳世驤認為，張衡的〈思玄賦〉對陸機〈文賦〉的影響十分明顯。在〈思玄賦〉中，張衡所提及的有關黃靈的神話引喻非常重要。張衡描述自己正是從黃靈獲得聖靈而實現無限的。但是，他同時聲稱黃靈所居的正是有限之境，然而他最終能成為人類文明的聖賢全賴創造性思維的運用。在與聖靈的長時間討論後，張衡繼續對無限的探索，回到現實而認識到：不出門，而知天下，我為何還要辛勞長途跋涉？也就是說，居於有限而能到達無限之境，是通過精神的漫遊，而非靠形體的空間漫步。即只要透過心靈的作用，就可從有限之境到達無限之域。

陳世驤認為，陸機用文字和思想，對既是詩人又是天文學家的張衡作了回應。他舉出張衡的「思繽紛而不理」與陸機的「夫何紛而不理」，認為正可作為陸機回應張衡的例證。類似的情況，陳世驤認為幾乎全篇皆有。然而當中有一個重要的區別，張衡的作品比陸機早了差不多兩個世紀，〈思玄賦〉產生於神話思想濃烈的漢代，所以當中充滿神話的色彩和迷信。相較而言，〈文賦〉展現了高度成熟的思想哲學的力量，同時亦展現出清晰的創造性思維能力。

陳世驤的學生楊牧曾這樣評論陳世驤的譯文：「於『耽思傍訊』一句渲染為深長之思維在時空中探索，是為陳先生文學理論的發揮，在廣大空間之外附諸綿亘的時間，與前文『佇中區以玄覽』呼應。按陳先生論古典文學，屢次探討時間的意義，這方面的關注已經

24 〔南朝．梁〕蕭統編，〔唐〕李善注：《文選》，第二冊，頁762。

構成他的文學觀之骨幹。」[25]楊牧提示出時間的意義是陳世驤文學觀的骨幹，因而完全可理解為什麼陳世驤將「中區」翻譯為「Central Realm」，而特別指出陸機在不同的段落一再強調：作為一個詩人其本質性的位置，就是運用普遍的宇宙精神，突破自己形體的限制，從有限擴展到無限的宇宙領域。他一再強調詩人創作時的突破之點在於宇宙精神的普遍運用，並且強調這是詩人的本質性位置，因為只有在綿亘的宇宙時空中，純藝術的一切想像與構想才會變成可能。這點呈現出陳世驤文學觀的特點，同時亦表現出他是站在創作理論的角度對《文賦》作出理解。

對於「佇中區以玄覽」一句，現代學者大多強調其中關於想象力的表述。牟世金說：「在陸機那個時候，傳統觀念對詩文創作的約束力還相當大，他主張創造藝術形象可以離方遁圓，打破常規，是很有必要的，這兩句話的積極意義還在於，為了創造藝術形象，不僅是不惜離方遁圓，而且是必須離方遁圓；如果拘泥於傳統的觀點和正常的表現，是不可能做到『窮形盡相』的。怎樣『離方遁圓』呢？主要就指《文賦》中所講那種升天入地、無拘無束的藝術構思。藝術構思是不能用固定的程式來約束的。……在種種變幻莫測的情況下，只能『因宜適變』，所以，不能為任何規矩方圓所限制。」因此，「『能構象，象乃生生不窮矣。』陸機這樣來強調憑虛構象，就為文學藝術開闢了無限廣闊的天地。」[26]

徐復觀疏云：「『伫中區』有兩種意義：一是站在時代活動的中心來玄覽此一時代，則周遍而無所遺，一是『中區』也可作不偏不倚的客觀態度來玄覽自身所處的時代，則容易得到時代的真相。作者個人創作源泉的深淺，可以說是決定於他的心靈，脈搏，能與他所處的時代相通感的深淺的。所以『伫中區以玄覽』是作者自身所發出的要求，也是作者自身所需要的修養。斷乎沒有與時代隔絕而可以成為成功的作者的。」[27]徐復觀特別強調作者與時代的關係，把」中區」落實在時代活動中心。

陳世驤對這個觀念的理解，特別著重在詩人在創作時如何從有限到無限之境。因而與徐復觀等人的著重點迴異。楊牧指出，陳世驤比較強調詩人的抽象或者甚至是形上的地位—文學創作者所處身的不僅於時代活動的中心，更應是精神宇宙的中心，人情世故的荒漠迷茫是為背景；「故文學之太初大道，是有意志而無意志的，則其發生乃是超越的舉拔，錬入歷史社會關懷之中。」[28]這說明陳世驤對「中區」的理解是形而上的概念，認為如此正可令文學超然的精神以及無限的潛在本質得到擴大。[29]陳世驤的這種理解，與徐復觀等人囿於文學創作與社會現實關係的傳統形而下概念，很不相同。

可以說，陳世驤是通過對「中區」的探討，從而找到了《文賦》創造性思維的源頭。

---

25 楊牧：《陸機《文賦》校釋》，頁22。

26 牟世金：《雕龍集》，頁137。

27 楊牧：《陸機《文賦》校釋》，頁11。

28 楊牧：《陸機《文賦》校釋》，頁12。

29 楊牧：《陸機《文賦》校釋》，頁13。

四　班

《文賦》裡的「選義按部，考辭就班」一句，前人注疏的著重點頗有不同。李善：「《小雅》曰：「班，次也。」[30]李善注甚為簡單。徐復觀曰：「許慎《說文序》『分別部居』，蓋謂將所收文字分為五百四十部，以類相從。則所謂部者，指從整體所分出的單位。『義』指作品之內容……所謂分義按部者，乃分配內容，安置於作品中適當的部位。』，言考覈辭語的性質，安置於適合的班次。」[31]又按文意解釋謂：「寫作須謀篇佈局。『選義按部』兩句，皆謀篇佈局之事，而以『選義按部』句為主；蓋辭附於義，辭之班次乃由義決定。」[32]徐氏純由文章佈局的角度詮釋此句之意，著重在「義」和「辭」。相反，唐大圓從比喻角度揭示此句的隱含意義：「作者結構篇章之際，如考試院之甄別人才，或政府之組織部科，量材授任。故此云按彼各部，選擇其義，考核其辭，使之就班。」[33]將寫文章比喻為政治官場裡的考核人才，量材授任。唐大圓的解釋著重「考」和「選」。前人注疏雖則著重點不同，但結合而言，這一句話的不同面向經此而顯現。文章佈局和如何「考」、「選」、「義」和「辭」，都是創作論裡所關注的問題。徐復觀對於何謂」作品中適當的部位」沒有作更深一層的探討。唐大圓亦沒有解釋「考」和「選」的標準在哪裡而就此打住。倒是宇文所安和陳世驤在翻譯和討論這此的概念的時候，而各自有所闡發。

陳國球指出：「現代學者對『選義按部，考辭就班』的比喻性感興趣，以為這是政治官場的比喻，重點是『考』和『選』。」[34]唐大圓就是堅持這種解釋。宇文所安較偏向唐大圓的解釋，延用官場考核的比喻，著重在「考」和「選」。他將其翻譯為：「Only afterward he selects ideas, setting out categories. Tests phrases, putting them in their ranks.」基於宇文所安在解說這句話時著重放在政治考核人才的比喻上，他將「班」譯作「ranks」。他首先追蹤「按部」一詞應用的源流，指出「按部」和「就班」屬於政治評斷用語，因其「起初用以描述軍事組織的建立」。用在《文賦》是「描一個職能部門即『位』的創立。指根據具體才能安排適當職位。」他認為「就班」是「按部」的補充，「指把具體的人委派到適當崗位。」宇文所安指陸機一旦談論衡量和判斷的問題，就會受當時品題人物之風影響，而想到政府選用人才的模式。所以他認為這裡的「選」和「考」都是」衡量有志者是否具有入仕資格的用語。」運用在討論創作問題，是指詩人在考察用詞和觀點的時候，「其徹底考察的態度儼

30 〔南朝・梁〕蕭統編，〔唐〕李善注：《文選》，第二冊，頁763。
31 楊牧：《陸機《文賦》校釋》，頁28。
32 楊牧：《陸機《文賦》校釋》，頁30。
33 〔西晉〕陸機著，張少康集釋：《《文賦》集釋》，頁62。
34 陳國球：〈「抒情傳統論」以前——陳世驤早期文學論初探〉，《中國文學的抒情傳統：陳世驤古典文學論集》，頁15。

然一個負責為政府選『用』人才的考官。」[35]指出了詩人在創作時的責任和態度。

宇文所安的目的仍是希望透過比較，帶出中國文學觀念的特點。因而他首先說明雖然同是政治比喻，但《文賦》的這個比喻「與西方新古典主義使用這類政治隱喻來暗示某種冷靜的判斷」不同。把西方式的純理性判斷特點否決。指出這個比喻的特點完全沒有擺脫中國悠久的傳統帝王（聖人）觀念：「在陸機的時代，精神之旅很容易與帝王（聖人）的宇宙性權威聯繫起來」。在這裡「詩人與君王—聖人之間的類比始終藏在文字背後，非常隱微。」他強調此句的政治比喻，著重點在「考」和「選」。一再強調詩人與帝王的聯繫，並言陸機「尋找到聖人和他的烏托邦共和國：這個模式向我們承諾人類的理解力，它使人類可以在自己的世界建立 『自然』所具有的和諧秩序，其中，一切都是活生生的關係。」[36]這強調文學創作中，作者建立的文學世界如現實世界的秩序一般。詩人建立文學的系統與現實世界的考賢任能並無不同，因而文學與現實是一體的。「始終」一詞透露出宇文所安又一次從這個例子中證實自己對中國文學的理解：有別於西方文學的虛構，傳統中國文學是一個非虛構的傳統，強調文學與現實是一體的，沒有虛構性創作的觀念。在這句的解說文字中，仍然清楚見到宇文所安對中國文學傳統的這個基本判斷的存在。

宇文所安進一步解釋了這個比喻的深一層意義，認為陸機要說的其實是創作時「各要素之關係的一種結構模式，其中，每個要素都有自己的獨立性格，就像政治結構中的人一樣」。[37] 他又解釋「義在這裡與「辭」相配，是作為判斷對象出現的，並帶有濃厚的道德色彩，所以比意恰當。並指出：「《文賦》把貫穿在一個作品中的結構範疇（部）視為一個充滿差異和關係的系統，而不是一個有邏輯的或有說服力的『論點』」。[38]宇文所安企圖說明中國社會結構的差序格局思維，影響了陸機文學創作的觀念。指出陸機逃不出中國傳統，帶有儒家色彩的思維邏輯。

最後，宇文所安強調陸機主張「言和物有它們自己的固有特性：它們在一個文學作品中的特點不是由詩人『賦予』的，相反，詩人按照它們的特性管理它們，並把它們的潛在特點『召喚』出來。下一部分以一些本質關係進一步引申了這部分內容，那些關係就像組織大自然一樣組織文學作品。」[39]這裡帶出了詩人與辭義之間的關係，文辭各有特性，詩人是辭義的管理者。宇文所安在這裡強調的是語言的獨立性，這種理解亦正印證他的觀點：陸機提出文學自覺性的論述。

對於「選義按部，考辭就班」這句話，陳世驤的理解與宇文所安很不同，從中可看出兩人文學觀點的不同。陳世驤把這句話翻譯為：「Henceforth, since choice ideas are born of

35 宇文所安著，王柏華、陶慶梅譯：《中國文論：英譯與評論》，頁107。
36 宇文所安著，王柏華、陶慶梅譯：《中國文論：英譯與評論》，頁107-109。
37 宇文所安著，王柏華、陶慶梅譯：《中國文論：英譯與評論》，頁107。
38 宇文所安著，王柏華、陶慶梅譯：《中國文論：英譯與評論》，頁109。
39 宇文所安著，王柏華、陶慶梅譯：《中國文論：英譯與評論》，頁109。

close observation of things in categories, and happy expressions must needs fall in nice order.」陳世驤將「班」譯為 order，這看起來與李善注「班」為「次也」相符。[40]其他的譯本，其他的英文譯本，如康達維和巴斯東都將「班」譯為 order。[41]

如只看譯文，陳世驤對於「班」的翻譯與其他譯者無太大的差異，但陳世驤卻對這個詞作了詳細的討論，借此闡明他對創作及文學批評理論的理解。陳世驤在翻譯這句話時，為了使這句話更接近原文，不得已地堅決採用了意譯的方式。他解釋如此翻譯的原因是：這句話以警句式語調出現在整篇文章中，顯然地這種散文體的表達和語調很容易就被後文華麗的詩性語言所掩蓋而相對失色，這導致此句說話很容易在文中被孤立。所以他希望自己的翻譯以及討論，能把這句話的真正意思呈現出來。由此可見，陳世驤特別看重這句話在文中的價值，透過討論亦顯示出他的文學觀點。

在討論「班」字的意義時，他首先引用了柯勒律治在一八二七年發表的《桌邊文談》（Table Talk）裡的名句作為這句話的解釋：「Poetry: the best words in their best order」。他指出柯勒律治所言的詩是最好的字詞排成最佳的秩序，正是陸機這句話要表達的意思。陳世驤認為陸機的這句話完全可以與柯勒律治的這名句互相闡發。

陳世驤指出，柯勒律治這句說話經常被人引用，甚至已被濫用，但是柯勒律治這句話與「選義按部，考辭就班」句一樣，都有一個難點，就是因為表面上看來讓人一目了然，所以容易被略過或被誤解。因而陳世驤堅持，要完全理解這兩句話，必須把它們放回上下文中分析。但問題是，柯勒律治的這句格言，是以單獨的分段形式出現的。因而要尋繹它的語境，就必須透過閱讀他的不同作品，才能廣泛地探尋到他所言的詩歌的「規則」和「秩序」究竟是什麼意思。除此，陳世驤更有興趣知道的是：「我們如何能達到最佳的秩序？」、「最佳的秩序是從何而來？」、「這是依據誰的觀點建立的？」

柯勒律治這句說話是單獨出現的，因而要回答這些問題，只能在其他的篇章找尋真正的意思。陳世驤相信陸機和柯勒律治不但對詩的秩序的理解是一致的，而且同樣重視秩序的價值。最後他從柯勒律治的《文學傳記》第八章中找尋答案，因為這章對「秩序」的意思有非常熱烈的討論，陳世驤認為這當中散發出足夠的光明以幫助理解這句說話。

柯勒律治在《文學傳記》指出：批評的最終目的，是提供創作的準則多於提供規則去判斷別人的作品。陳世驤認為這也是陸機的主張。楊牧也指出，陳世驤相信《文賦》中「述先世之盛藻」和「論作文之利害所由」是為「對等雙重的目的」。[42]因為「就《文賦》本身的立意和架構言，述先士之盛藻並無 『對過去作品的評鑑』的意思；陸機文心並未特

40 〔南朝・梁〕蕭統編，〔唐〕李善注：《文選》，第二冊，頁763。

41 David Knechtges trans., “Rhapsody on Literature,” in *Wen Xuan or Selections of Refined Literature*, vol.3. Princeton: Princeton University Press, 1996; Tony Barnstone and Chou Ping trans., “The Art of Writing, Lu Ji,” in *The Art of Writing: Teachings of the Chinese Masters*, Boston: Shambhala, 1996.

42 楊牧：《陸機《文賦》校釋》，頁8。

別列舉先士的作品來討論，也沒有月旦前人之意……嚴格來說，述先士之盛藻只是概括地表示，作者希望把握住古來作品最上乘的成績，加以宣說，以之為一般的基礎，模範，標準，進一步分析作文之所以失敗和成功，以俾利他日能思維創作的同道，俟後人之體會和增益。就文論文，陸機真正的目的應在於通過個人的創作甘苦經驗以『論作文之利害所由』，否則也不必有取則不遠良難以辭逮之歎了。」[43]可以說，陳世驤在柯勒律治和陸機之間，找到了共同的文學主張。

柯勒律治在他的《文學生涯》中言：

> 如果是給一首符合詩的標準的詩下定義，我的答覆是：它必須是一個整體，它的各部分相互支持、彼此說明；所有這些部分都按其應有的比例與格律的安排所要達到的目的和它那眾所周知的影響相諧和，並且支持它們。[44]

柯勒律治指出了作為一首詩亦即為一個整體的條件，必須各部分彼此支持和說明。柯勒律治也解釋了詩歌產生的因素，他指出：「詩歌確實是自然情感的產物，但是這種情感會因為崇尚秩序的衝動而產生一種創造性的張力，因而激發起具有同化作用的想像力，並且（由於其對立因素，即目的和判斷的平衡作用，加上創作活動本身所具有的熱情）自動組織成一種平常的中介體，其中部分與整體既互相協調，也共同服從於引發快感的目的。」[45]柯勒律治認為詩歌是自然情感的產物，由人的情感激發而生，當中所引發的一切卻是「自動組織」而成。柯勒律治在這裡隱約解釋了「秩序」的由來。

陳世驤認為，柯勒律治和陸機在談到詩的秩序時，都強調詩人內心經驗的必要性和能力，以及需要充分運用他的詩性感悟。所謂「詩性感悟」，柯勒律治指的是由習慣所形成的知識、靈性及修飾的本能。由此，詩的秩序非由外在規律強加而成，一切詩性體悟的自然生成和發展皆受詩人內在力量（inner power）所掌控，這種內在的力量促成了具有秩序的詩歌模式。陳世驤認為，陸機和柯勒律治都深信，詩人必須按能力去組織自己內心的經驗（to order his inner experiences）和充分運用沉積在感官內的詩性體悟才能使最好的字詞排成最佳的秩序。

柯勒律治指出，要達到這創作的最高目的，首要是沉思，然後才是觀察，一篇文章因此而可以形成。陳世驤認為，陸機也是一樣，在他談及詩的秩序之前，他已在文中精心和密切地討論到首先是耽思，然後才是對物質世界的觀察。陳國球強調「文學中『秩序』之

---

43 楊牧認為陳世驤的翻譯與徐復觀的疏之間，大部分契合，極少歧異之處，但對於陸機為文的目的則有不同。相關討論可參考楊牧：《陸機《文賦》校釋》，頁8。

44 曹葆華等譯：《十九世紀英國詩人論詩》北京：人民文學出版社，1984年，頁67。

45 〔美〕艾布拉姆斯（M.H. Abrams）著，酈稚牛、張照進、童慶生譯：《鏡與燈——浪漫主義文論及批評傳統》北京：北京大學出版社，1992年，頁185。

義，更是陳世驤再三致意之處。」不僅如此，他認為陳世驤「對『按部就班』比較感興趣，因為橫亘在他胸中的是『秩序』的重要性。」又言：

> 陳世驤認為陸機對詩的理解和柯立律治一樣，所以「選義按部，考辭就班」的思考不僅止於修辭技巧的經營，而是源於內心世界的一種「秩序」的追求，源於所處世界一切崩壞和混亂所激發的熱忱。文學的理想「秩序」，包含了對新生的盼望，對光明的不斷尋索。[46]

陸機《文賦》在談論到創作的步驟時說：「其始也，皆收視反聽，耽思傍訊，精騖八極，心遊萬仞。……觀古今於須臾，撫四海於一瞬。」徐復觀曾指出：

> 此小段，描述在醞釀中盡思考想像探索之能，使在醞釀時先能意可以稱物，文可以逮意的活動情態。

也就是說：

> 醞釀成熟以後，由題材所形成的世界，以完整統一之恣，呈現於自己心靈之上，……題材至此而完全把握到了。」[47]楊牧認為，陳世驤此段標題為 Meditation Before Writing，「明白揭櫫沉思的重要性，這也就是徐先生注疏中所提示的醞釀過程和文學創作的關係。[48]

然而，陳世驤與徐復觀的最大不同，在於陳世驤由《文賦》的「班」字出發，聯繫到英國詩人、批評家柯勒律治的文學秩序說，更突出了《文賦》的現代意義。

五　姿

對於《文賦》中一個很少引人注意的詞彙──「姿」──的解釋，可以更進一步看出陳世驤在《文賦》研究中的中西匯通方法。

陳世驤在解釋「姿」的意義時，借用了美國批評家布拉克墨爾（R. P. Blackmur, 1904-1965）〈語言作為姿勢〉一文，來解釋《文賦》「其為物也多姿」中的「姿」。他希望在這種

46 陳國球：〈「抒情傳統論」以前──陳世驤早期文學論初探〉，《淡江中文學報》，18期，頁243-244。

47 楊牧：《陸機《文賦》校釋》，頁20-21。

48 楊牧：《陸機《文賦》校釋》，頁21。

中西理論的對照和匯通中，找到中國古代文論觀念的現代意義。[49]

陳世驤在《文學以光明對抗黑暗》中討論「姿」的文字，是《文學以光明對抗黑暗》第二部分中最長的一條，有三千字左右。但是，陳世驤還是覺得意猶未盡，他在三年後將這些英文討論文字，擴充成一篇近二萬字的中文文章〈姿與 Gesture——中西文藝批評研究點滴〉，發表於臺灣的《中研院史語所集刊》，後被收入《陳世驤文存》。雖然用中文改寫，但是其基本思想和論點完全來自英文版，並且是英文版的引申。本節討論主要引自〈姿與 Gesture——中西文藝批評研究點滴〉一文。

陳世驤發現，《文賦》的「其為物也多姿，其為體也屢遷；其會意也尚巧，其遣言也貴妍」，後兩句對仗非常工整，每個詞的詞性和詞義都完全相對。相比之下，前兩句中的「姿」和「遷」看起來不是工對，因為「姿」看起來好像是名詞，「遷」是動詞或最多是動名詞。但是，陳世驤指出，把「姿」看成名詞，是我們受了現代語法觀念的影響，其實，「姿」字的原始含義指的是動態。他說；「『遷』字的基本觀念，自然是一種活動狀態；但『姿』字，以下照字源分析，和正規用法分析，證出也是一種特殊活動狀態。而此所表之活動狀態，又常是用在審美（aesthetic）經驗裡，特示一種物色的形容，和文學及藝術品的鑒賞。」更重要的是，「這樣我們把『姿』字當作中國傳統文藝批評中一個術語來研究，就發現和現代英美批評中 gesture 一個新術語的涵義和用法及其相似。」[50]

西方文學批評中 gesture 這個術語，起源於培基特（Richard Paget, 1832-1908，或譯帕蓋特）的心理學理論，並由兩位美國文學批評家引進文學理論中，發展成一個文藝美學詞彙。培基特提出，人類最初表達意念時，不是用聲音，而是用全部肢體，尤其是手的動作。也就是說，語言的原始形態是肢體活動姿勢，特別是手的姿勢。同時，根據人的生理機能，手的動作和口的動作有著特別敏感的相互感應關係，所以人類最初在傳達意念時，運用肢體特別是手的動作，口腔的肌肉也會隨之活動。口腔各部分的相應活動，會發出各種聲音。人類慢慢發現，這些聲音可以獨立地指示本來由肢體活動來傳達的意念，這就是語言的起源。「因為原始受共同或相關的意念支配，發生肢體口部相關的姿態，而產出聲音共同或相關的字。現在這許多因用久而意義已各自固定不同的字，因為發聲的姿態同，集合運用起來，可以使人對某一特殊意念，在理解與感情上發生特殊的敏感。」[51]

培基特的這個理論，對西方現代文藝思想有很大的啟發。美國的文藝批評家、修辭學家勃克（Kenneth Burke），首先在其專著《文學形式的哲學》（The Philosophy of Literary Form）中，直接引用培基特的語言學發現，來闡發自己的文藝理論。其後，美國新批評中的學者布萊克謨（R.P. Blackmur），亦根據培基特的語言學理論，提出：「當文字的語言不足

---

49 Chen Shih-Hsiang, *Literature as Light against Darkness*, 39-42. 可參考陳國球〈陳世驤論中國文學——通往「抒情傳統論」之路〉，《漢學研究》，29卷2期，頁229-231。

50 陳世驤：〈姿與 Gesture——中西文藝批評研究點滴〉，頁226。

51 陳世驤：〈姿與 Gesture——中西文藝批評研究點滴〉，頁231。

時，我們就要求之於姿態的語言……可是我們若再進一步說，當施用文字的語言最成功時，則在其文字之中可成為姿態，那我們就……窺見一切藝術的語言中（按即包括所謂音樂語言、舞蹈語言等）所有的意味深遠的表情作用內之中心奧秘，或終極奧秘。」陳世驤在引用布萊克謨的觀點之後，接著就說：「在近年西洋文藝理論中，他的意見確也算是新鮮的。但看過這段話細想，其中最重要的兩句意思在悠久（也許太悠久了！）的中國文藝理論傳統中，是說得很熟的（也許太熟了！）。第一布氏所謂『當文字的語言不足時，我們就要求之於姿態的語言』，正令人想起《詩經》的所謂〈大序〉中論詩的話：『言之不足故嗟歎之，嗟歎之不足，故永歌之，永歌之不足，不知手之舞之，足之蹈之也。』」[52]

由此，陳世驤進一步聯繫到《文賦》，他說：「再看布萊克謨更進一步說的話，『當施用文字的語言最成功時，則在其文字之中成為姿態』。這也正是陸機文賦中 『其為物也多姿』的意思。這句話的上文，士衡分言詩賦等十體，並揭出其理想的標準，正也就是『施用語言的文字最成功時』，然後『其為物』乃『多姿』，即『在其文字中成為姿態』。因為布氏的話和《文賦》中的話，其見解用意，確是不假牽強，如此的吻合無間，我們才覺得可以對比，然後考按布氏這一意見的發揮，再回來對陸氏這短短的一句話加以推闡。我們說過布氏的理論，是受了現代科學的暗示，和對近代文藝觀察的結果；而士衡所言概多發於直覺。」[53]也就是說，陸機限於「賦」這種文體所表達的一兩個直覺用詞和一句短短的話，可以在西方文藝理論的燭照下，發揮出新的光彩。

陳世驤接著繼續發揮道：

> 雖然 gesture 一字在現代文藝理論中之選用，是由語言科學之發現及各種藝術綜合研究觀察之結果，而 『姿』則像是在一篇專論文學之賦中，大概憑著直覺的一字之提練，這似乎二者背景極其不同，但用意涵旨竟如此相合者，獨可進一步推究。gesture 一字，根據培氏的語言學之發現，用為專詞，表示原始情意象徵的全肢體活動。擴而用在文藝理論上，則是文藝中一切實感的基本情意之生動的內容和形式的統一，為每一件作品的涵意與外形的同時呈現。gesture 是動狀，但這動狀是意義的化身。一件成功的作品，用布萊克謨的話說，是「姿態在其最富意義時之完成」，是「gesture completed at its moment of the greatest significance」是在其最富意義時「把握住的活動」(movement arrested)。我們轉看文賦中「姿」字所指，也絕不只是外表形貌，而所示乃為動狀。」最後，陳世驤聯係《文賦》的上下文，總結道：「『多姿』與『屢遷』相對互彰，這是我們在本文起首就說過的。而且文賦於此下句，緊接著是『其會意也尚巧』，可說是著明『姿』與『意』的關係。不但此也，如果我們

52 陳世驤：〈姿與 Gesture——中西文藝批評研究點滴〉，頁233。

53 陳世驤：〈姿與 Gesture——中西文藝批評研究點滴〉，頁234。

對陸機選用的『姿』字，予以其應得的重視，稍加辨證，可以看出『姿』本身是動狀也即是『意』，和我們以上所謂『gesture之為動狀乃意義之化身』，正相契合。」[54]

陳世驤從六朝駢儷的基本精神入手，認為「其為物也多姿，其為體也屢遷」二句必有「同氣相求處」，由此初步提出「姿」同「遷」一樣，也是一個指示動態的詞彙。他在論述「姿」字作為一個指示動態的詞彙之後，進一步發現了「姿」與西方文學批評概念 gesture 的相通。在文章的最後，陳世驤又進一步考鏡源流，追溯「姿」字的原始字義，以證明用「姿」來表示動作，是根源於中國傳統思想。陳世驤說：「我們知道『姿』字在漢代直至到後來也常只用來泛指形貌，而且我們自然也絕不是說陸機擇用此字時就有意識的想到後來能同二十世紀西洋的一個專名能如此處處相應，雖然天才的一時舉動，甚至下意識的夢想狂念，可昭驗於千載之下。我們這裡只是想再推求『姿』字是否可能和一說所說的進一步的涵義，而所謂的天才，也不一定是說陸機一個人的天才，而可能是中國文字的天才。」[55]「其為物也多姿，其為體也屢遷」中「姿」的新解，與其對於上下文的理解密切相關—他將「物」字和「體」字都理解為文章、文體。現在很多《文賦》注本將「物」解釋為「客觀事物」[56]。所以，陳世驤的解釋可能會遭到很多人反對，但是它並不是沒有根據的。《文選》五臣注《文賦》就說：「文體非一，故曰多姿。」[57]郭紹虞、王文生主編的《中國歷代文論選》中解釋此句也說：「物，仍指文言，非指物象。」[58]可見，將「物」理解為文章、文體，不是陳世驤的發明。不過，將「姿」與西方的 gesture 相互對照，確是陳世驤的創新。對於其貢獻，我們很難用對或錯來作簡單的判斷。

如果說對《文賦》的「情」字的解釋，主要看出陳世驤的個人情感，和他自己對動蕩時局的思考、對文學價值的信念；那麼，對於「姿」的解釋，可以看出陳世驤對於整個中國文藝批評傳統和詩學傳統的感情。他希望中國文藝批評傳統和詩學傳統在新的應用中發揮其生命，他說：「近代意國最以審美著名的哲學家克魯齊（Benedetto Croce）曾指出一種常有的錯誤觀念：就是以為一個文化中流傳的思想是個結晶凝固的東西，像傳家的寶石，可以歷代相傳，隨時可以拿出來，照樣頂在頭上都一樣光彩。其實思想的流傳正不是這樣，非要加以不斷的努力，在新的應用中使它演化，才能維繫其生命。」[59]

陳世驤還說，他「覺得中國文藝理論，雖向缺系統的發展，少見巨帙的著作，但古籍

54 陳世驤：〈姿與Gesture——中西文藝批評研究點滴〉，頁241。

55 陳世驤：〈姿與Gesture——中西文藝批評研究點滴〉，頁241。

56 周偉民、蕭華榮：《《文賦》《詩品》注譯》鄭州：中州古籍出版社，1985年，頁42。

57 引自〔西晉〕陸機著，張少康集釋：《《文賦》集釋》，頁133。

58 郭紹虞主編、王文生副主編：《中國歷代文論選》上海：上海古籍出版社，2001年，第一冊，頁180。

59 陳世驤：〈姿與Gesture——中西文藝批評研究點滴〉，頁233。

中不少凝練的事實觀察，與一言片語的精到見解，和近代西洋理論合觀，一面可作研究近代西洋文藝思想的佐證，反過來用西洋方法眼光辨析疏通，也許有把傳統中國文藝思想整理起來的希望。」正是從這個立場出發，陳世驤才會指出:「陸機特用 『姿』字，則像是只憑直覺的，此外對這一字更無說明。但是就《文賦》中一章內的上下文，也可看出他用此字時的思路與聯想，細按實與現代的意見，本質暗合。」[60]

由此可見，陳世驤正是站在對中國傳統詩學的深厚感情和殷切希望中，找到了比較詩學之路，嘗試從中西文藝觀念的對話中，找到中國傳統詩學的新價值。這才是陳世驤翻譯和研究《文賦》的最大貢獻。

60 陳世驤：〈姿與Gesture——中西文藝批評研究點滴〉，頁234、228。

魏晉地方官員的三重身份與州郡地記的文體演變*

李翠葉
五邑大學文學院

魏晉時期，地理知識如何逐漸擺脫先秦的行政地理觀，從國家專屬行政知識體系中分離出來，最後形成大量地記作品這一問題，略同於「地記興起原因」的研究，但前人大多是從外部原因看地記的興盛，如郡望門閥制、佛教興起等[1]，其中，早期流行用郡望現象來解釋地記的興起，此一說法已受到學人的質疑。況且，僅從外部原因看，畢竟不知地記發展的學術流脈。因此，必須著力去研究魏晉時人對於地理的認知和把握角度如何，以重新認識地記的生成。魏晉時期，地學知識開始轉變為私人的知識表達，這種文體的生成、演變，是地理知識逐步普及、分化和延展的過程，同時和地方官員的多重身份有關。

一　職官身份

魏晉初期，州郡地記的作者，大多具有職官身份。其創作地記的動機，多在於熟悉郡治境況，以備行政參考。如孔靈符曾任會稽太守，作有〈會稽記〉；晉吳興太守張玄之撰〈吳興山墟名〉；身為益州別駕的李膺作《益州記》三卷，顧憲之在衡陽任職期間作〈衡陽郡記〉；荀伯子在臨川內史任上作〈臨川記〉；盛弘之在臨川王侍郎任上作〈荊州記〉；范汪在荊州留守任上作〈荊州記〉……范汪都督徐、兗、青、冀四州，在身任荊州留守時，亦作《荊州記》一卷。晏謨當時任南燕慕容德的尚書郎，在任上作〈齊地記〉，以使慕容德掌握齊地情況。鮑至隨從蕭繹鎮守襄陽，撰有〈南雍州記〉，以備蕭繹所用。

關於這一現象，學界一般認為：「所以會出現上述這種現象，只要稍加考察便可發現，

* 廣東省高等學校優秀青年教師培養計畫項目「漢魏六朝地記之文體研究」（YQ2015163）；五邑大學「千百十」科研啟動項目「中古地記在學術史與文學史上的地位」（30313011）的階段性研究成果。

1 倉修良：《倉修良探方志》上海：華東師範大學出版社，2005年，頁93。又，王琳先生總結地記興起的原因有：第一，漢末魏晉社會動盪，……地方勢力及地區觀念增強，各地士人紛紛誇耀家鄉地理、人物之美。第二，伴隨儒學的衰微，人們的治學視野及寫作興趣日益廣泛。第三，還與這個極為動盪的時期，人們頻繁遷徙流動，形成地理大交流的局面有關。第四，此外，佛教及道教文化的繁榮以及隱逸之風的盛行也推動了本時期地記在內容上的拓展。總之，魏晉南北朝地記興盛的原因是多方面的。王琳：《中國古代散文國際學術研討會論文集》江蘇：鳳凰出版社，2011年，頁181-183。

有許多地記作者，大都在某地任過官職，有的實際上就在任官期間所作。因為當時社會上特重世家門閥，因此，官吏們到某地任職，必須對當地的世家大族有所瞭解，這樣可以避免在施政過程中觸犯他們的利益。」[2]然地記多寫地理內容，記載世家大族的內容基本上沒有。這種說法有待考慮。以官員身份寫作地記，應是繼承了早期政治教化意識，如《晉書》記載，周處，義興陽羨人。任廣漢太守時，「郡既經喪亂，新舊雜居，風俗未一，處敦以教義」，「著《默語》三十篇及《風土記》，並撰集吳書」[3]。魏晉時，地方官員更注重地理風俗的記錄，這類地記，應是風教下的一種文體形式。

從地記作家的創作身份來看，刺史、郡守至一郡之別駕、留守、從事、侍郎、主簿，均可撰寫地記。可知，地記創作不是如圖經一樣，必須由國家固定官員完成的任務。地方官員觀察地理的角度，非為備檔，而為諮政。這使得地記成為一地長官或士人進行地學修養的一種鍛煉方式。從其內容上看，並不涉及軍事、經濟、險要、關隘等重要的政治內容。以致於後來李元甫在《元和郡縣圖志》序中言：「古今言地理者數十家，尚古遠者或搜古而略今，采謠俗者多傳疑而失實，飾州邦而敘人物，因丘墓而征鬼神」，這些特徵所形成的原因，在於地記文獻在其產生之初，即為非專業的國家地理行政文獻。

私人撰寫地記的同時，在國家層面，則主要是圖和圖記的製作。晉文帝既平吳蜀之後，「晉文帝命有司撰訪吳蜀地圖，蜀土既定，六軍所經，地域遠近，山川險阻，征路迂直，校驗圖記，罔或有差。」[4]開一疆便有一疆之圖、圖記，這種圖籍文獻是國家掌控一地區的主要知識憑藉，強調經濟地理和軍事地理。當時職在地官的裴秀，「儒學洽聞，且留心政事……又以職在地官，以禹貢山川地名，從來久遠，多有變易。後世說者或強牽引，漸以闇昧。於是甄舊文，疑者則闕，古有名而今無者，皆隨事注列，作《禹貢地域圖》十八篇，奏之，藏于秘府」[5]。這是國家文獻體系中主要的地理文獻形態。

二　地學家身份

最初的地記寫作，往往是地方官員為瞭解其管轄之地，由本人或由其組織屬下撰寫地記，而之後所出現的一人開始撰寫幾處地記的現象，說明只要掌握了地記的體例，具有深厚的地學修養，就可以撰寫各地地記。由於地記的創作，並非國家專屬文獻，創作中並不涉及政治敏感的內容，學習和類比者比較多，遂出現了一人而撰寫幾處地記的情況。地記所涉及的州郡非為郡望，和地方勢力無關，也無關與鄉邦的熱愛之情，當然也不會在幾地參政。

2　倉修良：《倉修良探方志》上海：華東師範大學出版社，2005年，頁93。
3　〔唐〕房玄齡等撰：《晉書》北京：中華書局，2011年，頁1571。
4　呂思勉：《兩晉南北朝史》北京：中國友誼出版公司，2009年，頁1071。
5　〔唐〕房玄齡等撰：《晉書》北京：中華書局，2011年，頁1039。

魏晉時，已經逐漸出現了長於州郡地記寫作的地學專門人才。如南朝宋劉澄之一人寫有幾地之記，著有《永初山川古今記》，其中可考的就有〈鄱陽記〉、〈揚州記〉、〈荊州記〉、〈江州記〉、〈豫州記〉、〈廣州記〉、〈司州山川古今記〉，此外還有〈元康三年地記〉等。南朝宋郭仲產寫有〈秦州記〉、〈仇池記〉、〈南雍州記〉、〈荊州記〉、〈湘州記〉。又有一人寫自己所在郡下不同縣的縣記，如山謙之寫有〈丹陽記〉和〈吳興記〉，同時又寫有〈南徐州記〉、〈尋陽記〉。還有雷次宗、郭仲產等，均為地記的多產作家，同時也是當時著名的地學家。

甚至，有些地記的作者在出任地方官員之前，只要具有一定的地學修養，都可以創作，這和先秦兩漢時，地學知識作為國家的話語權力，必須職在地官方可創作不同，如顧野王，《陳書》本傳言「以編著輿地志知名于時，隨其父赴任建安，乃卜居焉」[6]，當時只有十二歲，而作〈建安地記〉兩篇，可見只要具備地記撰寫的知識架構，雖非地方官員，亦可創作。之後顧野王又作《六朝之地記》，其內容應不止一郡一縣。後又抄撰眾志，作《輿地志》三十卷。今有顧恒一所輯注的《輿地志輯注》[7]。《隋書・經籍志》和兩《唐書》經籍志、藝文志又作〈十國都城記〉。可見，在魏晉時，如《輿地志》這樣全國性的地理書，也可以由私人搜集眾志而成。這裡的「私人」雖也具備官員身份，但並不是國家的專屬地官「司空」，而是頗具地學修養的士人。

因為私人創作的原因，地記開始接近文學。首先，同一地方，卻有不同撰者，不同學者其筆下地方色彩不同，記開始有主觀性質。如崔鴻之〈西京記〉、薛真之〈西京記〉，而〈荊州記〉在不同時期、同一時期均有多人撰寫。其次，官方地學文獻中常常記載的疆域、貢賦、戶口等內容，在六朝地記一概不記，這是地記主動區分國家地方行政文獻在文體上表現。這也是地記開始走向一種文學而非專業地學的必然趨向。

三　文人身份

至魏晉時期，地記的創作從國家走向地方，擺脫了參政的束縛，志書作者由地方官員到地方學者。中央到地方，官員到學者，使六朝地記同早期由國家史官負責地志的性質不同。早期史官更多是從知識的角度進行，而作為地方官，在參政之外，又具備一種審美的情愫。

1 地記著作的文學色彩

宋羅原在《新安志》序中記載蕭幾因賞愛新安山水而首次創作新安地記：「新安在秦漢

6　〔唐〕姚思廉撰：《陳書》北京：中華書局，2011年，頁399。

7　顧恒一：《輿地志輯注》上海：上海古籍出版社，2011年。

為黟、歙二縣，漢末別於丹陽，以自為郡，其山川風土則見於中古矣，……至梁蕭幾為新安太守，愛其山水，始為之記。」[8]。可見，至六朝時人們對山水開始具備了一種審美的傾向。在《南史》本傳中，常有寫傳主愛好山水一項，如遊賞山水的孫詵撰有〈臨海記〉。登臨山水，終日忘歸的阮籍撰有〈宜陽記〉、〈九江記〉。「文帝輔政，籍嘗從容言於帝曰『籍平生曾游東平，樂其風土。』[9]帝大悅，即拜為東平相。」地方官員在從政之外，特具的審美傾向開始影響地記的創作。

這種主觀審美動機的發展使地記這一文體開始具備更多人文要素，而忽略地域沿革、山川險要等政治地理內容。唐代的史學家，便常以史學的眼光來評價六朝地記。杜佑《通典・州郡序》:「凡言地理者多矣，在辨區域，征因革，知要害，察風土。纖介畢書，樹石無漏，動盈百軸，豈所謂撮機要者乎！如誕而不經，偏記雜說，何暇編舉。」其注言「謂辛氏〈三秦記〉、常璩〈華陽國志〉、羅含〈湘中記〉、盛弘之〈荊州記〉之類，皆自述鄉國靈怪，人賢物盛。參以他書，則多紕繆，既非通論，不暇取之矣。」[10]言其紕繆，可見部分地記已經偏離了知識記錄的求實性。

比較漢代辛氏〈三秦記〉與晉潘嶽的〈關中記〉，可見後者更偏重於對人文的記載。

〈三秦記〉:「昆明池，漢武帝之習水戰，中有靈昭神池。雲堯時洪水訖，停船此池。池通白鹿原，人釣魚于原，綸絕而去。魚夢于武帝，求去其鉤。明日，帝戲于池，見大魚銜索。帝曰:『豈非昨所夢乎！取魚去其鉤而放之。』」[11]

〈關中記〉:「昆明池，漢武習水戰也。中有靈沼神池。雲堯時理水訖，停舟此池。蓋堯時山已有沔池，漢代因而深廣耳。人釣魚，綸絕而去，夢於帝求去其鉤。明日帝戲于池，見魚銜索。帝取其釣放之，間三日複遊。池濱得珠一雙。帝曰:『豈非昔魚之報也。』」[12]

這種在人文上的細緻誇張，已經超過了〈三秦記〉，而離諮政功能越來越遠。李元甫《元和郡縣圖志》序:「古今言地理者凡數十家，尚古遠者或搜古而略近，采謠俗者多傳疑而失實，飾州邦而敘人物，因丘墓而征鬼神，流於異端，莫切根要。至於丘壤山川，攻守利害，本於地理者，皆略而不書，將何以佐明王扼天下之吭，制群生之命，收地保勢之利，示形束壤制之端，此微臣之所以精研，聖後之所宜周覽也。」[13]顏師古為《漢書・地理志》作注時言:「中古以來，說地理者多矣，或解釋經典，或撰述方志，竟為新異，妄有穿鑿，安處互會，頗失其真。後之學者，因而祖述，曾不考其謬論，莫能尋其根本。今並不

8 〔日〕青山定雄:〈六朝之地記〉,《中和月刊》, 1943（2-5），國家圖書館保存本庫縮微膠片。

9 〔唐〕房玄齡:《晉書》卷四十九，清乾隆武英殿刻本。

10 〔唐〕杜佑:《通典》卷一百七十一，清乾隆武英殿刻本。

11 劉緯毅:《漢唐方志輯佚》北京:北京圖書館出版社，1997年，頁5。

12 劉緯毅:《漢唐方志輯佚》北京:北京圖書館出版社，1997年，頁82。

13 〔清〕王鳴盛:《十七史商榷》卷九十，清乾隆五十二年洞涇草堂刻本。

錄，蓋無尤焉。」[14]六朝地記本非專業的地理書，唐代史學家對於六朝地記的摒棄，象徵著對王朝地理觀念的回歸。

2 文人的游賞與遊覽性地志

地方官員的文士身份，在文人以遊覽、欣賞為主的山水賞會活動中表現的更為突出。《晉書．王羲之傳》:「會稽有佳山水，名士多居之，謝安未仕時亦居焉。孫綽、李充、許恂、支遁等皆以文義冠世，並築室東土，與羲之同好。」[15]魏晉人對於地理的認知開始出現山水遊賞的因素。《晉書．謝安傳》:「（謝安）寓居會稽，與王羲之及高陽許詢、桑門支遁遊處，出則漁弋山水，入則言詠屬文，無處世意。」[16]又《宋書．謝靈運傳》:「靈運既東還，與族弟惠連、東海何長瑜、穎川荀雍、太山羊璿之，以文章賞會，共為山澤之游，時人謂之四友。」[17]〈新安記〉:「錦沙村傍山依壑，素波澄映，錦石舒文。冠軍吳善聞而造焉，鼓枻遊泛，彌旬忘反，歎曰：『名山美石，故不虛賞，使人喪朱門之志。』[18]游賞山水成為士人的一種生活情趣。

士人在遊賞之外，開始安居在山水之間。「孔靈符於永興立墅，周圍三十三裡，含帶二山皆是。」[19]《南史．謝弘微傳》言其曾孫舉「宅內山齋，舍以為寺。泉石之美，殆若自然。」[20]《北齊書．陽斐傳》：東郡太守陸士佩「以黎陽關河形勝，欲因山即壑，以為公家苑囿，此猶是古制之遺」[21]。荀伯子〈臨川記〉:「王羲之嘗為臨川內史，置宅於郡城東高坡，名曰新城。旁臨回溪，特據層阜，其地爽塏，山川如畫。」[22]將住宅建設在山林之中，這種新的生活方式、審美心態所形成的對山水的賞愛不同於州郡地記興起時考索地名、記錄山川民俗的知識興趣。

文人身份，引起地記文體的三種演變形式，第一種是遊覽性州郡志，如〈王羲之遊四郡志〉，其佚文：「永寧縣界海中有松門，西岸及嶼上皆生松，故曰松門」[23]其文體依然採取州郡地記的形式，既然題為「遊」，其中則必然有更為細緻的描寫。第二種是遊覽性名山志。如謝靈運的〈遊名山志〉。第三種是山棲志，宗測的〈山棲志〉，後人稱其「為文甚美」。《南齊書．宗測傳》「宗測字敬微，南陽人，宋征士炳孫也，世居江陵。測少靜退，不

---

14 〔漢〕班固撰，〔唐〕顏師古注：《漢書》北京：中華書局，2011年，頁1543。
15 〔唐〕房玄齡等撰：《晉書》北京：中華書局，2011年，頁2098。
16 〔唐〕房玄齡等撰：《晉書》北京：中華書局，2011年，頁2072。
17 〔梁〕沈約撰：《宋書》北京：中華書局，2011年，頁1774。
18 〔宋〕樂史撰：《太平寰宇記》卷95注引，北京：中華書局，2007，頁1913。
19 呂思勉：《兩晉南北朝史》北京：中國友誼出版公司，2009年，頁865。
20 〔唐〕李延壽撰：《南史》北京：中華書局，2011年，頁564。
21 〔唐〕李百藥撰：《北齊書》北京：中華書局，2011年，頁553。
22 劉緯毅：《漢唐方志輯佚》北京：北京國家圖書館出版社，1997年，頁252。
23 〔唐〕歐陽詢撰：《藝文類聚》卷八十八，清文淵閣四庫全書本。

樂人間。……永明三年，詔征太子舍人，不就。欲遊名山。……又嘗遊橫山七嶺，著衡山、廬山記。」[24]《梁書・劉峻傳》「複以疾去，因游東陽紫岩山，築室居焉，為〈山棲志〉。」[25]記體創作開始成為文人自我的一種審美興趣和情感意蘊的文體形式。

以遊賞和居住為題的山水認知，是魏晉地理認知的一個新特色。這時的地理認知不再為參政議政，而是文人的一種情懷。以謝靈運〈遊名山志〉言，在永嘉太守任內，開始撰寫〈遊名山志〉，完成了「永嘉郡」題下「橫陽諸山」、「樓石上」、「石寶山」、「赤石山」、「石帆山」等條目，歸隱始寧後，完成「會稽郡」題下「石壁山」、「臨江樓」、「南門樓」、「石門山」、「神子溪」等條目，後因與孟顗爭地，謝靈運被派去作臨川內史，在臨川任上，完成「臨川郡」題下「華子崗」等條目。謝靈運對地志的撰寫，其目的在於將大好的山川介紹給世人。山水記，雖從地記中發展而來，但它已完全擺脫了諮政的任何約束，對於謝靈運而言，在其中開始有部分具體的山水描寫。這種遊志呈現的是自己遊覽意識下的情感歷程。

魏晉時期，這種潛在對地學知識關照的轉變，由一郡之長官可以審曲面勢以為治略，到士人可以為私人知識修養和情懷流露，使地記在題材上脫離政治話語體系，成為之後山水遊記的起點。

這種遊覽性地志，在唐宋之後依然存在，其文體的根本特徵，在於它是私人地學認知的一種文體，但在描寫上更具文學色彩。劉知幾《史通》卷十雜述篇：「地理書者，朱贛所采，浹于九州，闞駰所書殫於四國，斯則言皆雅正，事無偏黨者矣。其有異於此者，則人自以為樂土，家自以為名都，競美所居，談過其實，又地池舊跡山水得名，皆傳諸委巷，用為故實，鄙哉。」[26]而這種「等萬物之情狀，而下筆殊形」[27]的創作傾向，正是當時文學勃興時期的主要標誌。

綜上所述，魏晉六朝時期的地學文獻形態，從具有諮政認知視野的地記，衍生出遊覽性的地志、進而演變為了後來唐宋時期的山水文學性遊記，這種轉化，是中國地理知識從官方到私人的傳承，也是地理知識逐步普及、分化和延展的過程。同時，和地方官員的多重身份有關。

---

24 〔唐〕蕭子顯撰：《南齊書》北京：中華書局，2011年，頁940。

25 〔唐〕姚思廉撰：《梁書》北京：中華書局，2011年，頁702。

26 〔唐〕劉知幾撰，〔清〕浦起龍通釋，呂思勉評：《史通》上海：上海古籍出版社，2008年，頁195。

27 〔梁〕蕭子顯：《南齊書》北京：中華書局，2011年，頁907。

《李嶠百詠》的祥瑞傾向及其背後的天命思想

王聰

北京師範大學

李嶠創作了一百二十首五言詠物律詩，古稱為《雜詠詩》、《百二十詠》、《百廿詠》等，因均以單字為題，又稱《單題詩》。《四庫全書總目》明確將《李嶠百詠》歸於類書之列[1]。葛曉音將《李嶠百詠》與《初學記》對比後亦認為：「『百詠』從類目、物名到典故的編排方面，都帶有類書的特色。」[2]而這種類書的性質，即決定了《李嶠百詠》不是一般的詩歌創作，而是為了給士人學詩提供一種詠物用典的範式。因此，集中的詩作並不像其它盛唐優秀的詠物詩一樣，目的在於借物言志，把技巧熔煉在詩歌的內容和情感之中，而是故意將作詩的技巧與方法展示出來，[3]為五律的定型、詠物詩的創作提供一種可參照的範式。

李嶠將這一百二十首詠物詩分成了十二類[4]，上下兩卷，上卷為乾象、坤儀、芳草、嘉木、靈禽、祥獸，側重寫天地自然之物，但不同於一般狀寫自然之物的是，李嶠寫這些自然之物，並非是在純粹的自然狀態下，而是將場景多擬定在宮廷之中。如，〈雲〉「英英大

1　「唐以來諸本駢青妃白、排比對偶者，自徐堅《初學記》始。容鑄故實、諧以聲律者，自李嶠《單題詩》始。」參見〔清〕永瑢：《四庫全書總目》卷一百三十五《類書類一》。

2　葛曉音：〈創作範式的提倡和初盛詩的普及──從《李嶠百詠》談起〉，《文學遺產》，1995年第6期，頁32。

3　參見郭麗：《唐代教育與文學》，南開大學2012年博士論文，頁214。

4　《李嶠百詠》在《全唐詩》中有收錄，其類別順序是乾象、坤儀、居處、服玩、文物、武器、音樂、玉帛、芳草、嘉樹、靈禽、祥獸，徐定祥作的《李嶠詩注》，對於這一百二十首詠物詩，以《全唐詩》為底本，參照了多個本子進行校勘，故這一百二十篇詠物詩基本上也是依照《全唐詩》的編排順序。但是，在上海古籍出版的《海外珍藏善本叢刊》中收錄的《日藏古抄李嶠詠物詩注》中，其目錄分為上下編，且類別順序與《全唐詩》存在差異，上編為乾象、坤儀、芳草、嘉樹、靈禽、祥獸六部；下編為居處、服玩、文物、武器、音樂、玉帛六部。另外，中華基本古籍庫收錄的《李嶠百詠》，採用的是日本寬正至文化間本，也是分為上下兩卷，並且，其類別順序與《日藏古抄李嶠詠物詩注》完全一致。而「李嶠『雜詠』、白居易的新樂府和李翰的『蒙求』，在日本被列為平安時代（794-1192）傳入的中國三大幼學啟蒙書。」由此推知，現存的日版目錄順序，似乎要更接近《李嶠百詠》的原貌，也就是說上下卷的編排方式及順序，似乎更能體現李嶠最初的創作意旨。從整齊有序的分類和編撰情況來看，《李嶠百詠》不同於一般的唐人詩集。很有可能，李嶠是先確定好類別，再有意地逐首創作結撰成集的，即在其創作之初即帶有明確的目的性。

梁國，鬱鬱秘書臺」[5]，〈煙〉「瑞氣淩青閣，空蒙上翠微」寫到的「秘書臺」「青閣」等。下卷為居處、服玩、文物、武器、音樂、玉帛，似乎與文人生活息息相關，尤其是寫富貴文人在日常生活接觸到的物什。整體看來，無論是對自然的描摹，還是對生活的書寫，李嶠的詠物詩意皆不在物象本身，而是將這一百二十種物什置於悠遠廣闊的歷史文化背景之下，賦予所詠物象濃郁的人文氣息和深厚的文化內涵。尤其是上編中的六個部類，無一不是天地所造自然之物，又無一首是從自然的視角出發，而是在「範式」的創作中流露出明顯的祥瑞稱頌之意。

一　《李嶠百詠》的祥瑞特徵

首先，從部類的標題看上，上編的乾象、坤儀、芳草、嘉樹、靈禽、祥獸六部中，象、儀、芳、嘉、靈、祥，是詩人對所詠物類的修飾之語。

《道德經》談到「精象不及無形，有儀不及無儀」[6]，象、儀指眼前所見之物。而《韓非子》又言：「人希見生象也，而得死象之骨，案其圖以想其生也，故諸人之所以意想者，皆謂之象也。」[7]較《道德經》相比，韓非文中的「象」又增加了想像之意，而集中乾象、坤儀諸篇所詠對象雖出於自然，但稱作象、儀，亦意味著經過了詩人主體情志的轉化和加工，乃人主觀所構之象、儀。另外，李嶠在編撰「百詠」時，有意採取唐朝類書的結構方式，將乾、坤置於全集之首，體現了唐人從天道到人事的邏輯慣性和思維方式。

再看芳、嘉二字，芳，《說文解字》注：「香草也。香草當作草香。」[8]嘉，《爾雅．釋詁》注為美，《周禮》釋為善，而鄭玄言「美與善同意」，蓋取美好之意。故芳草、嘉樹，皆重在寫那些芳香、美好，能帶給人愉悅的感官，進而產生美好的心理效應，甚至高潔的精神寄託的草木。

至於靈，有多重內涵，這裡的靈禽主要取兩種含義，一是語義上接近神靈，突出其靈性的一面，如，《說文解字》言：「靈，或從巫，指靈巫以玉事神。」[9]二是突出其美好、珍稀的一面。如，《詩經》言：「靈雨既零。」鄭玄箋：「靈，善也。」潘岳〈閒居賦〉寫道：「竹木蓊藹，靈果參差。」因此，靈禽，蓋謂美好、珍稀，具有靈性的禽類。祥，《說文解字》注：「福也。凡統言則災亦謂之祥。析言則善者謂之祥。」[10]也就是說，祥既是祥瑞、

5　本文引用的李嶠詩皆引自徐定祥注：《李嶠詩注》上海：上海古籍出版社，1995年，後面相關內容不再另行注釋。

6　《道德經》上篇第二十五章。

7　《韓非子》卷六〈解老〉。

8　《說文解字》卷一篇下。

9　《說文解字》卷一篇上。

10　《說文解字》卷一篇上。

災異的統稱，也可單指祥瑞，而李嶠集中所選，則是明顯側重「析言則善者」，即多是那些寓意吉祥的獸類。在諸多的動物中，李嶠尤其選了靈禽、祥獸兩個部類，且占了全書總篇幅的六分之一，足見李嶠對祥瑞的傾好。

因此，從部類的選取和各類標題的限定字眼來看，詩人並不是要讚美這些物類的自然之美，而是很明確地要賦予它們美好的寄託，凸顯它們對人不同尋常的祥瑞之意。

其次，從所詠意象和詩歌的風格來看，祥瑞在集中占了很大的比重。

一是在所詠對象中，含有諸多的祥瑞之物。在《藝文類聚》重點闡釋的二十四種祥瑞中，《李嶠百詠》中除騶虞、比肩獸等生活中比較罕見的祥瑞外，慶雲、甘露、龍、麟、鳳、雀等普遍觀念中的祥瑞屢屢見諸筆端，這可能和李嶠的創作傾向有很大關係，李嶠撰寫這部詠物詩集，選擇的是生活中常見或常被提及的事物。而在這些事物中，李嶠更傾向於選取祥瑞的物象加以歌詠。像珍禽部的鳳、祥獸部的龍，都屬於祥瑞中的大瑞，文化內涵也比較深厚，故李嶠在其詩中鋪排了大量祥瑞的典故，加以歌詠。與此同時，李嶠不但以單篇的形式詠贊這些祥瑞，而且還常常將之作為意象或典故，頻繁應用在多首詩中。經統計，《李嶠百詠》中寫道「龍」的有〈日〉、〈風〉、〈雲〉、〈田〉、〈道〉、〈河〉、〈竹〉、〈瓜〉、〈柳〉、〈龍〉、〈馬〉、〈市〉、〈池〉、〈簾〉、〈燭〉、〈書〉、〈弓〉、〈旗〉、〈戈〉、〈笛〉、〈錢〉二十一首作品，寫到「鳳」的有〈風〉、〈野〉、〈田〉、〈洛〉、〈竹〉、〈槐〉、〈柳〉、〈桐〉、〈梨〉、〈鳳〉、〈雀〉、〈雉〉、〈龍〉、〈麟〉、〈城〉、〈池〉、〈車〉、〈帷〉、〈鏡〉、〈瑟〉、〈簫〉、〈笙〉、〈舞〉、〈珠〉二十四首作品，其中，在〈風〉、〈田〉、〈竹〉、〈柳〉、〈池〉五首詩中，龍、鳳皆有所涉及，合計下來，在李嶠一百二十首的詠物詩中，共有四十首詩寫及龍、鳳，佔據了集中詩歌總量的三分之一，使用頻率頗高，甚至成為了李嶠的一種作詩用語習慣。

二是突出日常之物的祥瑞特色。《李嶠百詠》中，有些事物本身並非祥瑞，但是，或是因為其特定的象徵含義，或是因為在長期的文化傳承中牽涉到祥瑞的內容，故常常在詠贊的過程中，附著上一定程度的祥瑞傾向。如，乾象部的〈日〉寫道「雲間五色滿，霞際九光披」，《淵鑒類函》引《易傳》言：「聖王在上，則日光明而五色備。」《開元占經》引《尚書緯．考靈曜》言：「日照四極九光。」因日位於天中，播光萬物的特點，故古人多以日象徵君主，故李嶠在對日的描摹中添加了不少的祥瑞之意。又如，坤儀部的《河》中談到「德水千年變」，《史記．封禪書》言：「秦始皇既並天下為帝，或曰：『黃帝得土德……夏得木德……周得火德……今秦變周，水德之時。昔秦文公出獵，獲黑龍，此其水德之瑞。』於是秦更命河曰『德水』。」[11]黃河，在一般情況下，並不具備祥瑞意味，但是在特定的朝代，在秦尚「水德」的五德運次中，即成為了「水德之瑞」，並被封為對秦代君主有

11 《史記》卷二十八《封禪書》。

特殊意義的「德水」。另外，《拾遺記》言：「黃河千年一清，至聖之君，以為大瑞。」[12]日常的事物一旦出現異常的形態，並且這種異常的形態傾向於美好的一面，如此處的「德水千年變」，指具有「水德之瑞」的黃河出現「千年一清」的奇觀，那麼，在陰陽五行天人感應的思維理念中，也往往被視為彰顯「至聖之君」德行的休征。

三是相當一部分詩歌整體呈現出祥瑞的氛圍。《李嶠百詠》的一些詩作中，在言及祥瑞時，並非真的有祥瑞出現，而是為了渲染和烘托一種祥瑞的氣氛。如，乾象部的〈煙〉：「瑞氣凌青閣，空濛上翠微。迴浮雙闕路，遙拂九仙衣。桑柘迎寒色，松篁暗晚暉。還當紫霄上，時接彩鸞飛。」這首詩並不見明顯的祥瑞典故，但瑞氣、青閣、翠微、雙闕、紫霄、彩鸞等意象組合在一起，卻在整體上勾勒出一幅典麗清雅的圖畫，營造出一種祥瑞和樂的氣息。這種手法常見於唐代宴飲應制之作，是典型的宮廷詠物詩的寫法，在繼承了南朝詩刻畫精微等優長的同時，使整首詩籠罩在富麗的皇家氣象之中。又如，珍禽部的〈雀〉、〈燕〉兩首，「大廈初成日，嘉賓集杏梁」與「相賀雕闌側」用的是同一典故，「大廈成而燕雀相賀」[13]。比起罕見的龍、麟之瑞，燕、雀這種日常生活中常見的小鳥，更容易激起一種愉悅的主觀共鳴，且這些充滿生機的鳥兒要麼「暮宿江城裡，朝游漣水傍」，要麼「差池沐時雨，頡頏舞春風」，具有一種靈動之美，使整首詩仿佛是隨著燕、雀等鳥兒的飛翔將喜慶和樂的氛圍播灑至每個角落。可見，這種整體祥瑞氛圍的營造，要更近生活化，更具動態美，在生機和希望中也更具有穿透人心的力量。故讀了這兩首詩，似乎也更能體會杜甫在戰亂未熄，長安剛剛收復之際，用「宮殿風微燕雀高」歌詠皇家氣象的妙處所在了。

再次，從創作手法來看，《李嶠百詠》典故的密集程度遠遠超過一般的詠物之作，而且在這些典故中，包涵了大量的祥瑞用典，如，乾象的〈星〉：

> 蜀郡靈槎轉，豐城寶劍新。將軍臨北塞，天子入西秦。
> 未作三臺輔，寧為五老臣。今宵潁川曲，誰識聚賢人。

八句詩用了七個關於星的典故，前兩句的典故都與西晉重臣張華有關，深得唐代文人所喜。「蜀郡靈槎轉」出自張華《博物志》，用蜀人乘槎，客星犯牽牛宿事。[14]「豐城寶劍新」出自《晉書・張華傳》，用鬥牛之間常有紫氣，龍泉、太阿寶劍精氣上徹於天事。[15]頷

---

12 〔晉〕王嘉：《拾遺記》卷一〈高辛〉。

13 《淮南子》卷第十七〈說林訓〉。

14 「舊說雲天河與海通，近世有人居海渚者，年年八月有浮槎去來不失期。人有奇志……乘槎而去……奄至一處……見一丈夫牽牛渚次飲之。牽牛人乃驚問曰：『何由至此？』此人見說來意，並問此是何處。答曰：『君還至蜀郡訪嚴君平則知之。』竟不上岸，因還如期。後至蜀問君平，曰：『某年月日有客星犯牽牛宿。』計年月，正是此人到天河時也。」參見〔晉〕張華：《博物志》卷三。

15 張華見斗牛之間常有紫氣，命雷煥視之。煥曰：「寶劍之精，上徹於天耳。」於是華補煥為豐城

聯兩句用天象中某些星的隱現出沒和光色的變化解釋人間的吉凶及兵戰的勝負。因為在古人的觀念中，天上的星象往往是人間重大事件的一種徵兆。「將軍臨北塞」用衛青、霍去病事，「（元狩四年）春，有星孛于東北。夏，有長星出於西北。大將軍衛青四將軍出定襄，將軍去病出代，各將五萬騎……青至幕北圍單于，斬首萬九千級……去病與左賢王戰，斬獲首虜七萬余級，封狼居胥山乃還。」[16]「天子入西秦」用漢高祖入關事，「元年冬十月，五星聚于東井，沛公至霸上。」應劭曰：「東井，秦之分野，五星所在，其下當有聖人以義取天下。」[17]

頸聯「未作三臺輔，寧為五老臣」中的「三臺」、「五老」，皆以星名喻輔臣，具有一語雙關之妙。「三臺」出自《漢書》：「魁下六星，兩兩而比者曰三能（蘇林曰：能音臺），三能色三君臣和。」[18]「五老」出自王嘉《拾遺記》：「虞舜在位十年，有五老游于國都，舜以師道尊之，言則及造化之始。舜禪于禹，五老去，不知所從。舜乃置五星之祠以祭之。其夜有五長星出，熏風四起，連珠合璧，祥應備焉。」[19]故，此聯上言帝王以德聚人，有三臺為輔，下言以德應天，五長星出，祥瑞見，且與詩的末句「誰識聚賢人」相呼應，尾聯「今宵潁川曲，誰識聚賢人」用的是東漢潁川陳寔的典故，「陳仲弓從諸子侄造荀季和父子，于時德星聚。太史奏：『五百里內有賢人聚』。」[20]整首詩七個典故，除首個之外，其餘六處皆直接間接與祥瑞相關。表面在詠星，實則在暗贊君主求賢之德。

像這樣的情形在《李嶠百詠》中並非個別情況，甚至有些時候，所詠物件本是日常習見之物，但李嶠在詩中卻喜用征應之典。如，下編居處類的〈井〉：

> 玉甃談仙客，銅臺賞魏君。蜀都宵映火，杞國旦生雲。
> 向日蓮花淨，含風李樹熏。已開千里國，還聚五星文。

在這首〈井〉中，八句詩寫及了六七個典故，其中，徵應的典故占到了一半左右。「杞國旦生雲」出自《白氏六貼事類集》：「孫堅討董卓，至杞園，井出五色雲。」[21]「向日蓮花淨」出自《隋書．李景傳》：「景府內井中甃上生花如蓮，並有龍見，時變為鐵馬甲士。」[22]「已開千里國，還聚五星文」與〈星〉中「天子西入秦」用的是同一個典，皆言漢高祖入

令，煥到縣得龍泉、太阿雙劍，華與煥各佩其一。煥死，子持劍行經延平津，劍忽於腰間躍出墮水，使人沒水取之，不見劍，但見兩龍各數丈，蟠縈有文章。參見《晉書》卷三十六〈張華傳〉。

16 《漢書》卷六〈武帝紀〉。

17 《漢書》卷一上〈高帝紀〉。

18 《漢書》卷二十六〈天文志〉。

19 〔晉〕王嘉：《拾遺記》卷一《虞舜》。

20 〔南朝〕劉敬叔《藝苑》卷四。

21 《白氏六貼事類集》卷三〈出雲〉條。

22 《隋書》卷六十五〈李景傳〉。

秦，五星聚於東井事。其中，五星，指東方歲星（木）、南方熒惑（火）、中央鎮星（土）、西方太白（金）、北方辰星（水）。而在陰陽五行思想中，五星聚於一方為祥瑞之兆。

通過上面兩首詩的用典分析可見，集中詩作呈現出的大量祥瑞，乃是李嶠的刻意摹寫，是當時文人所學知識的重要構成。李嶠無論是寫自然之侯、天地之景，還是服玩居處、玉帛文物，常常用到祥瑞的典故。而從集中祥瑞的使用頻率和思想傾向來看，這些祥瑞的用典，在李嶠的詠物詩中並非只是點襯，而是帶有明顯的傾向性和目的性，不但能增強詩歌的歷史、文化內涵，而且有力地加深了詠物的思想厚度，甚至在某些特定的情境下，成為詩歌寫作的一項必備材料。

二 《李嶠百詠》的創作宗旨與武后時期宮廷詠物詩的祥瑞風尚

根據詩集中「大周天闕路，今日海神朝」等內容，大體可以判定《李嶠百詠》作於武周時期（西元690-705年）。而聖曆初（西元698年），李嶠「遷同鳳閣鸞臺平章事，俄轉鸞臺侍郎，依舊平章事，兼修國史」，久視元年（西元700年），「嶠轉成均祭酒，罷知政事及修史」，長安三年（西元703年），「嶠複以本官平章事，尋知納言事。明年，……複拜成均祭酒，平章事如故。」[23]在武后執政期間，李嶠多次擔任宰相，並前後擔任成均祭酒之職近五年之久。另外，聖曆二年（西元699年），李嶠以宰相的身份兼任珠英學士，和張昌宗一起主持類書《三教珠英》的編撰。因此，《李嶠百詠》很有可能是出於任職的需要和類書的啟發，作於李嶠任成均祭酒和編撰《三教珠英》這一時期。而這樣的一部詩集，雖然在後來的流傳過程中，張庭芳為之作注強調「庶有補於琢磨，俾無至於疑滯，且欲啟諸童稚，焉敢貽於後賢」[24]，東傳至日本後，也是作為基本幼學書目在宮廷貴族及士族間廣泛流傳[25]，但李嶠擔任成均祭酒和編撰《三教珠英》是在武周時期（西元690-705年），去世於開元元年（西元713年），而張庭芳作注是在天寶六年（西元747年），東傳日本，更是在張注完成後，那麼，從詩集完成到張庭芳作注，期間至少相隔了四十幾年。而考慮到這四十幾年正是律詩由定型到蓬勃發展的關鍵時期，再綜合李嶠在武周時期的任職情況，推測李嶠當初創作這一百二十首五言律詩的目的，很有可能如陳鐵民所言，「當是為了給國子監諸學生徒提供學作律體的範文」[26]。

---

23 《舊唐書》卷九十四〈李嶠傳〉。

24 徐定祥注：《李嶠詩注》附錄三〈故中書令鄭國公李嶠雜詠百二十首序〉，上海：上海古籍出版社，1995年，附錄頁42。

25 現存最早抄本為嵯峨天皇（西元809-823年在位）宸翰本，存詩二十一首。參見〔唐〕李嶠撰，〔唐〕張庭芳注，胡志昂編：《日藏古抄李嶠詠物詩注》前言部分，上海：上海古籍出版社，1998年，頁2。

26 陳鐵民：〈論律詩定型於初唐諸學士〉，《文學遺產》，2000年第1期，頁63。

而《李嶠百詠》集中呈現出的祥瑞傾向，很有可能是受當時的宮廷詠物詩風的影響。一方面，如果李嶠在創作這一組「範文」的時候，所面向的正是「國子監諸學生徒」的話，那麼，其時干謁、飲宴、遊覽、文會等社交活動頻繁，「右職以精學為先，大臣以無文為恥」[27]，這些士子若要進入仕途，參照《百詠》學習、效仿主流詩歌樣式是很有必要的。另一方面，或許與李嶠的人生閱歷和創作經驗有一定關聯。李嶠一生的大部分時間是在臺省、宮廷中度過的，其詩亦多為應制應詔、文人雅會之作，故集中的五律很能體現當時主流宮廷詩風的創作傾向。

相比之下，四傑等人長期沉居下僚，他們的詠物之作，即幾乎很少涉及到祥瑞，他們往往選擇借詠物來描寫個人生活、抒發個體情志，如，盧照鄰寫「荷」，前兩句在描摹其芳潔的外形後，筆鋒一轉，感慨「常恐秋風早，飄零君不知」，自是聯想起自身懷才不遇的處境。又如，駱賓王寫「月」，不在於突顯月的祥和圓滿，而是以月寫人，「自能明似鏡，何用曲如鈎？」亦成為其內心光明磊落、正直不屈的寫照。但宮廷詩人的詠物詩卻沿襲了南朝詩歌華靡纖麗的特徵，並在詩中極力地營造一種莊重大氣、祥瑞和樂的氛圍，如，《全唐詩》中收有李嶠另一首單題為〈雲〉的五言律詩，與《李嶠百詠》乾象部的〈雲〉相比，二者無論是在所用意象、所引典故，甚至是表達出的思想情感，皆十分的相似。試看：

《李嶠百詠》乾象部的〈雲〉：

英英大梁國，鬱鬱秘書臺。碧落從龍起，青山觸石來。
官名光邃古，蓋影耿輕埃。飛感高歌發，威加四海回。

《全唐詩》中李嶠的另一首〈雲〉：

大梁白雲起，氛氳殊未歇。錦文觸石來，蓋影凌天發。
煙煴萬年樹，掩映三秋月。會入大風歌，從龍赴圓闕。

比較二首詩可見，在八句之中，用到相同典故的地方有五處之多，且這些典故中，三處寫到祥瑞，一處講天地萬物相感，一處歌詠君王。三處祥瑞分別為：一、兩首詩的首句都用到了「大樑國」的典故，《藝文類聚》引《歸藏》言：「有白雲出自蒼梧，入於大梁。」[28]又引《洛書》：「蒼帝起，青雲扶日，赤帝起，黃雲扶日，有白雲出自蒼梧，入于大梁。」[29]二、「青山觸石來」、「錦文觸石來」，則是將雲與「運」、「德」聯繫起來，「雲之為

27 〔唐〕張說：〈唐昭容上官氏文集序〉，見《全唐文》卷二百二十五。
28 《藝文類聚》卷一〈天部上〉「雲」條。
29 《藝文類聚》卷九十八〈祥瑞部上〉「慶雲」條。

言運也，動陰路觸石而起謂之雲」，[30]「德至山陵，則景雲出」[31]。三、「蓋影耿輕埃」、「蓋影淩天發」，言雲形如車蓋，《藝文類聚》引《魏志》言：「文帝生時，有雲氣青色，圓如車蓋，當其上終日，望氣者以為至貴之證。」[32]而「碧落從龍起」、「從龍赴圓闕」用到的都是《周易》中的典故：「飛龍在天，利見大人，何謂也？子曰：同聲相應，同氣相求。水流濕，火就燥，雲從龍，風從虎。聖人作而萬物覩，本乎天者親上，本乎地者親下，則各從其類也。」[33]用以比喻事物之間的相互感應，而龍的意象又恰好和劉邦的典故銜接起來，故兩首詩的結尾，「威加四海回」也好，「從龍赴圓闕」也好，皆效仿太宗〈詠風〉中的詩句「勞歌大風曲，威加四海清」，將這些祥瑞之典，休征之象，指向共同的旨歸，即借詠雲暗贊君主德應天地，威加四海，令天下臣服。

除李嶠外，同時期其他宮廷詩人也不乏詠物之作，共同構成了競藝切磋的創作氛圍。其中，比較有代表性的，如，董思恭共留下了十三首詩[34]，其中，有九首是詠物詩，吟詠物件分別為日、月、星、風、雲、雪、露、霧、虹，除〈詠虹〉外，其它所詠之物在《李嶠百詠》中皆能看到相關主題。同時，《全唐詩》卷六十五收錄蘇味道詩作十六首，其中有五首為詠物詩，也幾乎占到了現存蘇詩總量的三分之一。這五首作品分別是〈詠霧〉、〈詠虹〉、〈詠霜〉、〈詠井〉、〈詠石〉，其中，霧、井、石三首，《李嶠百詠》中也都有同題之作。董思恭，高宗時官中書舍人，「所著篇詠，為時所重。初為右史，後知考功舉。事坐預泄問目，配流領表而死」。[35]蘇味道，弱冠擢進士第，曆遷鳳閣舍人、檢校鳳閣侍郎、集州刺史、天官侍郎等官，後居相位多年。[36]故二人亦多宮廷之作，作品風格與李嶠類似，偏於華麗精工一類。如，董思恭〈詠日〉言「滄海十枝暉，懸圃重輪慶……更也人皆仰，無待揮戈正。」〈詠風〉言「蕭蕭度閶闔，習習下庭闈。花蝶自飄舞，蘭蕙生光輝。」蘇味道〈詠虹〉言：「紆餘帶星渚，窈窕架天潯……逸照含良玉，神花藻瑞金。」〈詠井〉言「玲瓏映玉檻，澄澈瀉銀床……桐落秋蛙散，桃舒春錦芳。」二人詩中皆屢見祥瑞，尤為側重祥瑞氛圍的烘托，藉以渲染富麗壯美的皇家氣象，歌詠安定祥和的天平盛世。

三　武后對祥瑞的看重及其背後的天命思想

武后在建周的過程中，屢屢藉助祥瑞進行輿論造勢。嗣聖元年「九月，大赦天下，改

30 《初學記》卷一〈天部上〉「雲」第五。

31 〔漢〕班固：《白虎通德論》卷第五〈封禪〉。

32 《藝文類聚》卷九十八〈祥瑞部上〉「慶雲」條。

33 《周易・乾卦》「九五爻」〈文言傳〉。

34 《全唐詩》卷六十三錄其詩十九首,其中〈守歲〉兩首、〈詠桃〉、〈詠李〉、〈詠弓〉、〈詠琵琶〉共六首,《初學記》均作唐太宗詩，故這六首詩姑且存疑。

35 《舊唐書》卷一百九十〈文苑傳上〉。

36 《舊唐書》卷九十四〈蘇味道傳〉。

元為光宅……改東都為神都」。垂拱四年（西元688年）「夏四月，魏王武承嗣偽造瑞石，文云：『聖母臨人，永昌帝業。』命雍州人唐同泰表稱獲之洛水。皇太后大悅，號其石為『寶圖』」。秋七月，「改『寶圖』曰『天授圣圖』，封洛水神為顯圣，加位特進，并立廟」。十二月己酉，「神皇拜洛水，受『天授聖圖』。是日還宮，明堂成」。[37]改東都洛陽為神都，因為洛陽為天下之「中」，尤能凸顯武周的神聖性與天命所歸，《周禮》言：「日至之景，尺有五寸，謂之地中。天地之所合也，四時之所交也，風雨之所會也，陰陽之所和也。然則百物阜安，乃建王國焉，制其畿方千里，而封樹之。」[38]西周初期，周公為了營建東都洛邑，曾親赴登封嵩山立圭測影，以求地中。洛陽為天下之中因周公的實踐和提倡而具有了傳承上的天命意義。武則天遷都洛陽本身，就是以洛陽「土中」或者天下之中的地位否定長安政權的合法性。[39]既然洛陽為「神都」，那麼，能證明其天命的祥瑞最適合出現在這適宜建國的天下「土中」，故武承嗣刻意偽造瑞石出自洛水，武后將之視為大興武周的「河圖」「洛書」，稱之為「天授聖圖」並親拜洛水，凸顯其奉天承命的正統意義。相應地，官員們寫作了大量表奏祥瑞的詩文，如，李嶠〈為百寮和瑞石表〉、崔融〈洛圖頌〉、蘇味道〈奉和受圖温洛應制〉、李嶠〈奉和拜洛應制〉、牛鳳及〈奉和拜洛應制〉、陳子昂〈洛城觀醴應制〉等，以文學的方式為武后稱帝制造有利的政治輿論。

而武后時期的宮廷詠物詩之所以對祥瑞如此強調和重視，目的即是以皇權為中心，迎合帝王的喜好。《李嶠百詠》作於武周時期，其反復摹寫祥瑞，也是因為，武后要借祥瑞表徵天命，凸顯其皇權的正統性，故祥瑞成了皇權視角下深受喜愛和推崇的詩歌創作元素。其中，在整體的祥瑞氛圍和祥瑞思想下，有些在於凸顯皇權的至高無上，稱喻帝王萬象所歸。如，〈日〉中「傾心比葵藿，朝夕奉光曦」，是臣子向皇帝表達自己的忠心。在唐朝，有一種祥瑞的天象，是太陽周圍出現一圈光暈，稱作「日抱戴」，因為被附加了大臣環繞君主的象徵意義，所以一旦有「日抱戴」出現，一些大臣即會趁機進言表奏，稱頌皇帝的德行，順帶表示自己的忠心。又如，〈海〉首聯「習坎疏丹壑，朝宗合紫微」，「朝宗於海」《尚書》《詩經》皆有提及，《尚書．禹貢》言：「江漢朝宗於海。」《詩．小雅．沔水》言：「沔彼流水，朝宗於海。」而紫微則是喻帝王居處。詩開篇言江漢朝宗於海，然五字之中卻話頭一轉，銜接到位於眾星中樞的紫微，即中央的皇權所在。

有些為了美贊君主德應天地，宣揚君主的正統地位和治理之功。如，〈山〉尾聯言「已開封禪所，希謁聖明君」，封禪，為了報天地之功，聖明君，強調君主之德，故李嶠以山為媒介，突出天地之功與君主之德之間的內在聯繫。又如，〈雪〉末二句言「大周天闕路，今日海神朝」，用的是周朝的典故：武王伐紂，都洛邑。陰寒，雨雪十餘日，深丈餘。甲子平

37 《舊唐書》卷六〈則天皇后本紀〉。

38 〔清〕阮元校刻：《十三經注疏．周禮注疏》卷十〈地官司徒〉。

39 參見孫英剛：《神文時代——讖緯、術數與中古政治研究》上海：上海古籍出版社，2015年，頁53-54。

旦，不知何五大夫乘馬車從兩騎止門外。王使太師尚父謝五大夫。尚父謂武王曰：「五車兩騎，為四海之神與河伯雨師耳。」[40]由此可見，海神朝的典故，以雪為背景，卻是為了說明，武王建周，連海神都來稱賀朝拜，突出周朝的建立乃天命所歸。〈雪〉的前六句皆著重從自然物象角度刻畫雪的特點，然詩的末二句李嶠卻言「大周天闕路，今日海神朝」，運用典故中的雪天背景，以武則天比附周武王，以文學的方式為武后稱帝張本樹威，雖然筆法不可謂不巧妙，但仍無法掩飾其刻意的稱頌謳歌的性質。

還有些則是為了突出皇帝的恩澤，表達自己的忠心和對君主的感激之情。如，車本是生活中的習見事物，但李嶠寫的卻是不同於一般的天子「金根」瑞車，並且反復以富麗祥瑞的意象和典故吟詠天子所馭之車的不凡，最後二句「無階忝虛左，珠乘奉王言」在表面自謙下，是侍奉君王的虔敬與自得。同樣，在〈瓜〉中，在前六句寫道「五色瓜」[41]、「六子一蒂」[42]、「三仙化鶴」[43]等與瓜相關的歷史典故與祥瑞傳說後，尾聯「終朝奉絺綌，謁帝佇非賒」出自《禮記》：「為天子削瓜者副之，巾以絺。為國君者華之，巾以綌。」[44]言願終日侍奉在皇帝身邊，恭行「削瓜」之禮，藉以表示對帝王的忠心與感激。

綜上可見，無論是強調天命所歸，還是讚美君主的德行，亦或是凸顯帝王的恩澤，皆可以借助詩歌意象、典故、意境中祥瑞的象徵特性。《李嶠百詠》所寫，「都是天地人文的明象、政治光輝的飾物和日常生活中富貴的陳設，這只有在天道地理的禮秩觀念和祥瑞政治的現實讚美中，才顯示出它們在朝廷和皇家語境中具有的意義」。[45]而喜歡描摹祥瑞的意象，引用祥瑞的典故，營構祥瑞的氛圍，製造祥瑞的意境，是武后時期宮廷詠物之作的一種重要審美取向。在這種審美取向背後，蘊含著濃厚的陰陽五行觀念和天命思想。《白虎通》曰：「天下太平，符瑞所以來至者，以為王者承天統理，調和陰陽，陰陽和，萬物序，休氣充塞，故符瑞並臻，皆應德而至。」[46]故帝王喜見祥瑞，不僅因為祥瑞的事物能帶給人美好的感官效果，更在於祥瑞之征背後的天命之應。因為祥瑞是「陰陽和」「萬物序」的一種自然符號，是「王者承天順理」的一種外在表徵，是「天下太平」、政通人和的一種盛世圖景，意味著天地對君王治理之功的肯定和嘉獎。故在看重天命的皇權統治時期，藉助文學凸顯祥瑞、宣傳天命是武后在建周前後進行文化建構和輿論宣傳的有效手段，在某種程度上實現了引導主流思想的治理效果和輔助皇權軟著陸的政治意義。

---

40 《藝文類聚》卷二《天部下》「雪」條。

41 《史記．蕭相國世家》：「召平者，故秦東陵侯。秦破，為布衣。貧，種瓜于長安城東。瓜美，故世稱謂之『東陵瓜』。」南朝梁任昉《述異記》卷下：「吳桓王時，會稽生五色瓜。吳中有五色瓜，歲時充貢獻。」

42 「六子方呈瑞」句，出自《淵鑒類函．果部．瓜》：「李融為政，得吏人有祥瓜，六子而共一蒂。」

43 「三仙實可嘉」句，見《太平廣記》卷三八九引〈祥瑞記〉，傳說三國吳主孫權之祖孫鐘，以種瓜為業，有三仙人詣門乞瓜，鐘厚待之。因指以葬地，謂當出天子，言訖化為三鶴飛去。

44 〔清〕阮元校刻：《十三經注疏．禮記正義》卷一〈曲禮〉。

45 李俊：〈初唐時期的祥瑞與雅頌文學〉，《中國青年政治學院學報》，2005年5期，頁116。

46 〔漢〕班固著，〔清〕陳立注：《白虎通疏證》卷六〈右論封禪之義〉。

寇謙之道教著作考論

李亞飛
北京師範大學哲學學院

寇謙之為北魏著名道士，生平活動略早於南朝陸修靜，因改革天師道首次使民間道教成為國家宗教而名垂青史，是研究早期道教史無法忽略的關鍵人物。對於寇謙之的著作再做考證，有其必要性，因其尚存爭議，並影響到對寇謙之思想的客觀研究。其實，現僅存寇謙之作品二十卷之一的殘卷《老君音誦誡經》。爭論所起因湯用彤、湯一介先生先後著作文章，推測《道藏・洞神部・戒律類》大體為寇謙之的作品，並且二位先生只用「大體為」等措詞，表明學術的嚴謹，認為並非定論。之後部分中國學者附會未做考證，把《道藏・洞神部・戒律類》的所有作品坐實為寇謙之的作品，出現了研究寇謙之思想的很多偏差，把很多非寇謙之的思想強加於他，導致歷史與邏輯的較為突出的對立，出現寇謙之思想產生時間先後發生次序混亂，內容思想邏輯混亂，出現了許多寇謙之思想不可能出現的相互衝突。但凡做《道藏・洞神部・戒律類》考證的學者，皆和二位湯先生的觀點不一致，看似激烈的爭議，其實並不存在。本文從諸爭議緣起，爭議的內容以及爭議應該取消等三方面略作說明，期為研究者提供參考，避免以後出現不應有的錯誤認識。

一　爭論的緣起

《道藏・洞神部・戒律類》中的道經《雲中音誦新科之誡》又名《老君音誦誡經》，為寇謙之的作品，在學術界早已達成共識，諸如二位湯先生、唐長儒先生、楊聯陞先生、陳國符先生、小林正美先生等，故這裡不做深入討論。寇氏著作爭論緣起於湯用彤、湯一介先生在雜誌《歷史研究》一九六一年第五期第六十四至七十七頁發表文章〈寇謙之的著作與思想—道教史雜論之一〉，該文查閱《隋書・經籍志》與《魏書・釋老志》有關寇謙之的著作與思想的內容，認為寇謙之作品《雲中音誦新科之誡》原為二十卷，認為今本有《老君音誦誡經》固為寇謙之作品，《道藏・洞神部・戒律類》的其他所有作品也應是寇謙之作品二十卷的部分，即《隋書・經籍志》上說：「後魏之世嵩山道士寇謙之自云：……遇太上老君授謙之為天師，而又賜雲中音誦科誡二十卷……」。《隋書・經籍志》所言《雲中音誦科誡》當即〈釋老志〉所言《雲中音誦新科之誡》，卷數相同。今《道藏》洞神部、戒律類（力上力下）有《太上老君戒經》、《老君音誦誡經》、《太上老君經律》、《太上經戒》、《三洞法服科戒文》、《正一法文天師教戒經》、《女青鬼律》等七種。白雲霽《道藏目錄詳注》

作九卷。以上各戒經除《女青鬼律》有卷數外，其他均不注卷數，但按分量看，原每種戒經均應分為若干卷。《太上老君戒經》文至「夫為惡者始起」下有「原缺文」三字，已有二十九頁，且在標題下有「戒上」兩字，於文中不見「戒下」，故知原文當較現存者為多，所分卷數當亦與現存者不同，如《正一法文教戒科經》與《大道家令戒》今同在一卷，原可能分為兩卷，其中有些戒經包涵了若干種經戒，並有闕文。這樣看來，現存《道藏》力上力下各戒經，當保存了寇謙之原書之骨骼，故《雲中音誦新科之誡》當為上述各戒經之總名。如《太上老君經律》為〈道德尊經戒〉、〈老君百八十戒〉、〈太清陰戒〉、〈女青戒律〉之總名然。今存上述《道藏》中各戒經大體上是寇謙之的著作，其文句在展騎抄錄中或有錯落，或有為後人增改者，《道藏目錄詳注》中於〈三洞法服科戒文〉下有〈三洞弟子京太清觀道士張萬福編錄〉等字，可證寇謙之原書曾為後人編修過。但是，各戒經之內容與〈釋老志〉所藏的寇謙之思想基本相同。」[1]二位湯先生主要從卷數方面推測寇謙之道教作品的完整性尚存，至於對寇氏著作的內容加以分析來支持其觀點，二位先生先生則主要按《魏書・釋老志》所提寇謙之主要改革道教的內容為「清整道教，除去三張偽法，租米錢稅，及男女合氣之術」，並分析《老君音誦誡經》的主要內容與其一致，另外還捎帶分析了《正一法文教戒科經》、《女青鬼律》的主旨也與寇謙之改革道教的主題基本一致。

依照諸經內容來推測，湯用彤、湯一介先生認為《道藏・洞神部・戒律類》全部為寇謙之的作品，其邏輯是《老君音誦誡經》按其內容言與〈釋老志〉所提到的寇謙之的主要思想一致，故《老君音誦誡經》確定是寇謙之的作品，這在學術界已經得到公認，確定無疑。但《老君音誦誡經》僅為殘留的一卷，原書據〈經籍志〉、〈釋老志〉記載為二十卷，其餘十九卷去哪了呢？其還存在嗎？湯一介先生後在其經典著作《早期道教史》引「宋賈善翔《猶龍傳》謂：太上老君所賜寇謙之書為九卷。又宋謝守灝《混元聖記》亦謂：『（老君）賜謙之經戒凡九卷。』而『力』帙中除《女青鬼律》分六卷外，其他各種均不注卷數，但按每種的分量看，原來每種戒經均應分若干卷。」[2]接著又認為《太上老君戒經》有「戒上」篇無「戒下」篇，認為原貌分卷數與現在不同，其餘誡經的卷數亦與現存不同，似更同意九卷說，並且該戒律部經過唐朝道士張萬福編錄，導致其經卷錯落是有可能的。但二位湯先生認為只是其個人對可能為寇謙之著作的推測，絕非絕對的不變的觀點：「今《道藏》所存上述各戒經大體上是寇謙之的著作」[3]，「各戒經之內容與〈釋老志〉所藏的寇謙之思想基本相同。」[4]所以不管《雲中音誦新科之誡》為二十卷還是九卷，二湯先生把《道藏》戒律類卷數錯亂並殘缺的經典整合為《雲中音誦新科之誡》，又大致結合各卷內容

---

1 湯用彤、湯一介：〈寇謙之的著作與思想——道教史雜論之一〉，《歷史研究》1961年第5期，頁64-65。

2 湯一介著：《早期道教史》北京：昆侖出版社，2006年，頁203。

3 同上註，頁204。

4 同註1，頁64-65。

主題分析方法，總體上大致認為《雲中音誦新科之誡》為《太上老君戒經》、《老君音誦誡經》、《太上老君經律》、《太上經戒》、《三洞法服科戒文》、《正一法文天師教戒經》、《女青鬼律》等七部誡經之總名。這一觀點除得到許多學者附會認同外，亦在學術界引起了一些爭議。

二　認同與不同於二位湯先生的觀點

現舉認同二位湯先生觀點的主要學者及其觀點。牟鐘鑒、張踐所著《中國宗教通史》顯然受到湯用彤、湯一介觀點的影響，未作考證，至少同意《道藏・洞神部・戒律類》除《老君音誦誡經》外的部分作品為寇謙之所作，他們引用《正一法文天師教戒科經》中的資料「魏氏承天驅逐，曆使其然，載在河洛，懸象垂天。」來說寇謙之「直接為北魏政權的合理性大造輿論。」[5]謝路軍教授分別發表過〈寇謙之援儒入道思想述評〉和〈寇謙之與佛教〉兩篇論文，多次引用《道藏・洞神部・戒律類》的作品，未做考證並認同二位湯先生的觀點[6]。中央民族大學碩士生雷麗萍畢業論文《寇謙之的道教改革及其歷史地位》未做考證認同湯用彤、湯一介二位先生的觀點，認為在《太上戒經》中「寇謙之提出了〈道德遵尊經想爾注〉、〈道德尊經戒〉、〈老君說百八十戒〉、〈太上經戒〉、〈太霄琅書十善十惡〉、〈思微定志經十戒〉、〈老君二十七戒〉等戒經」[7]又引用《太上老君戒經》、《正一法文天師教戒科經》、《女青鬼律》、《太上老君經律》等文獻的內容歸為寇謙之的思想是其明證。張迎春教授未做考證，在文章〈寇謙之的教育思想〉[8]中直接把《正一法文教戒科經》、《女青鬼律》、《太上老君戒經》的內容作為寇氏思想加以引用。此外還有未考證直接同意二位湯先生的觀點的有韓府、劉偉航等學者，不一一列舉。

認為《老君音誦誡經》為寇謙之遺留的唯一作品的學者有卿希泰和任繼愈分別主編的《中國道教史》團隊學者、唐長儒、陳寅恪、陳國符、劉屹、鐘國發、丁培仁、小林正美（日）、福井康順等監修（日）、窪德忠（日）、陶奇夫（俄）先生等等，這裡只列舉對《道藏・洞神部・戒律類》作品做過考證的學者。

鐘國發先生認為「《正一法文天師教戒科經》是天師道張氏神聖家族所造，與寇謙之立場完全不同……《老君音誦誡經》屬於寇謙之所謂《雲中音誦新科之誡》，則可肯定。至於其他四部，證據不足，也不能排除與《雲中音誦新科之誡》有關的可能。」[9]國外研究者皆

---

5 牟鐘鑒、張踐著：《中國道教宗教通史》北京：社會科學文獻出版社，2003年，頁356。

6 詳見謝路軍教授的文章：《寇謙之與佛教》，《哈爾濱市委黨校學報》2014年第2期，頁18。

7 雷麗萍：《寇謙之的道教改革及其歷史地位》，中央民族大學2005年碩士論文，頁24。

8 文章發表於《教育史研究》創刊二十周年暨中國教育史研究六十年學術研討會，北京，2009年9月。

9 鐘國發著：《陶弘景評傳》南京：南京大學出版社，2005年，頁487-488。

認為《老君音誦誡經》為寇謙之唯一作品：例如小林正美、窪德忠、福井康順等監修、陶奇夫等。

對於《大道家令戒》，丁培仁先生說「日本《東洋的思想與宗教》一九八五年第二號載小林正美〈關於大道家令戒〉一文，列舉大淵忍爾和陳世驤認為形成於三國魏；楊聯陞認為北魏成立，假託三國魏，吉岡豐贊贊同此觀點。」[10]小林正美認為「把《大道家令戒》的成立，歸到北魏新天師道是沒有道理的。因為斥責張衡、張魯的寇謙之思想，和重視張魯、其子孫以及教團的《大道家令戒》的思想是不一致的、在《家令戒》中，讚美在漢中張魯的五鬥米道自治國的光榮，成為『吾國之光』，還有尊崇張魯，稱其為『國師』，更進一步是稱讚說張魯的孩子們也是『七子五侯，為國之光』。『從新出老君』、『三天』思想是南朝天師道的東西來看，也不能把《大道家令戒》和寇謙之的新天師道聯繫起來。」[11]還認為《大道家令戒》引用成立於劉宋中期或末期的《妙真經》的內容，最終把《大道家令戒》定位在劉宋晚期。鐘國發先生在其著作《陶弘景評傳》中附有幾十頁的〈寇謙之陸修靜評傳〉，該書對寇謙之著作略作考證，不認可二位湯先生的觀點，認為《正一法文天師教戒科經》可能是天師道在曹魏時為整頓內部運動所作，該經包括《大道家令戒》、《陽平治》等五篇。[12]丁培仁先生認為《大道家令戒》成書年代當作於三國魏正元二年當二五五年。因為《家令戒》文中提到了魏太和五年，當是西元二三一年，「自今正元二年正月七日」是西元二五五年。並且該戒提到「魏氏（指三國曹魏）承天，驅除曆使其然，載在河雒，懸象垂天，是吾順天奉時，以國師命武帝行天下，死者填坑。即得吾國之光，赤子不傷身，重金累紫，得壽遐亡，七子五侯，為國之光，將相緣屬，侯封不少，銀銅數千，父死子系，弟亡兄榮，沐浴聖恩。」丁先生認為「吾國之光」，當為張魯的漢中政權，該戒的作者以此為榮。丁先生並不同意小林正美認為《家令戒》是劉宋中期到末期的作品，丁先生認為「子念道，道念子；子不念道，道不念子也。」「道在一身之中，豈在他人乎？」其中思想與契合，該戒提到黃石之書以授張良，未確說張氏祖先為張良，該戒還有出自漢代的老子化胡思想，綜而觀之，不可認為該戒晚至劉宋。雖有厄運觀，但未有東晉靈寶經「五運」說，所以應在東晉前。丁先生認為《正一法文天師教戒科經》「主體部分約撰於魏末，是張魯後裔的教戒、教令。由一篇無標題的教戒和《大道家令戒》、七言歌行《天師教》、〈陽平治〉、《天師五言牽三詩》十一首所組成，成書時間稍有不同。」[13]認為《天師教》成書年代為東晉之前，因其行文七言用韻，為三國晉代的文學風格。「觀視百姓夷胡秦，不見人種但屍民。」反映的是西晉五胡亂華的慘狀。認為該經提到「黃泉」為秉承先

10 丁培仁文章〈戒律類道經說略〉收入於朱越利主編：《道藏說略》北京：北京燕山出版社，2009年，頁368。。

11 小林正美著：《六朝道教史研究》成都：四川人民出版社，2001年，頁325。

12 詳見同註9，頁487-488。

13 同注10，頁368。

秦中國人的觀念，而不說「地獄」，表明受佛教思想影響尚淺，故可認為是東晉以前的道經；認為《陽平治》成書年代為也不晚於東晉，因文中說：「諸祭酒主者中頗有救人以不？從建安、黃初元年以來，諸主者祭酒人人稱教，各作一治，不復按舊法為得爾，不令汝輩按吾陽平、鹿堂、鶴鳴教行之。」認為明顯為以張天師的為主體的思想，並且從時間座標上說漢建安年為東漢末，魏黃初為曹魏年號，並且文中的《天師五言牽三詩》又是三國晉代文論之風，所以認為《陽平治》也不晚於東晉。唐長孺先生認為《正一法文天師教戒科經》是為五篇天師道經的總名：「大道家令戒記有兩個曹魏年號，一是明帝曹叡的太和五年（二三一），二是高貴鄉公曹髦正元二年（二五五）；陽平治記有一個曹魏年號，文帝曹丕黃初元年（二二零）。這兩篇明言講的是曹魏時的天師道情況。」[14]

小林正美認為《女青鬼律》裡說到了終末論，並可見受到佛教的佛陀觀影響了太平之世的救世主「神仙君」和種民的觀念。基於佛教的劫的思想的終末論，是東晉中期（西元360年前後）上清派之人開始提倡的，太平種民也是在上清派終末論中開始被說到，這以前的道教文獻和中國古典裡是看不到的。因此，《女青鬼律》上溯不到東晉中期以前，可推定為是東晉中期（360年前後）以降所作的。[15]丁培仁先生不認可有的日本學者認為是南北朝時作品，認為「這是一部大約編成於東晉中葉的道書。」[16]此成書時間的推斷與小林正美一致。丁先生認為最早不當為張陵、張魯所作的東漢末，因其言正一道新舊科文。律文所說三天生炁、三五七九之生，以與天民；又說三五七九之日慎行生炁。道士雖知《黃書》契令，不知二十四神人，故為偽人。《黃書》乃正一道書，有「三五七九」的論言，表明「三五七九」乃行房中日，表明《黃書》作者當見過。又言人身之二十四神，乃存思之神。葛洪《抱朴子內篇》錄《二十四經》，表明正一道士在東晉前亦存二十四神。該律作者承正一舊說，未提上清、玉清，只認玄都太清為高。這些都證明為東晉前之作。作者熟悉黃老道思想，提到道在不遠，三五來反。提出天道以鬼助神施炁，且有種民、天地運會觀，未說「劫難」、「五運」等常出現於東晉末的以後的道經思想。只說「天皇元年」，還有論述西晉五胡亂華事，提到西晉沒有的「庚子年」。但傳統說法是庚子年代表動亂、改遷時。「方外故州」、「今來入國」等語表明應是東晉四世紀之作。又提到晉代民間常作亂的李弘。還有提到仿《黃庭經》的《黃庭內外經》之文字，故成書不早於《黃庭內景經》，不早於東晉中葉前。所以「這是一部大約編成於東晉中葉的道書。」[17]鐘國發先生認為「《女青鬼律》雖與誡律有關，但主要屬於張道陵系統的鬼神方術，自稱是太上『記天下鬼神姓名、吉凶之術，以敕天師張道陵，使敕鬼神不得妄轉東南西北』與寇謙之的旨趣不大一致，而且其問

---

14 唐長孺著：《魏晉南北朝史論拾遺》北京：中華書局，1983年，頁224。

15 同注11，頁360。

16 同注10，頁382。

17 同注10，頁382。

世時間相對早」[18]，並引用施舟人意見，即「實際上在《大道家令戒》之前，因此可能是現存最早的天師道經典」[19]。

《太上老君經律》分為道德尊經戒、老君百八十戒並序、太清陰戒（闕）、女青律戒（闕）。小林正美認為「〈老君百八十戒〉及其〈敘〉是在劉宋初期或中期成立的。其原因是〈老君百八十戒〉在《陸先生道門科略》的注裡被引用；還有，因為劉宋的仙公系《靈寶經》之一的《太極真人敷靈寶經齋戒威儀諸經要訣》裡也觸及到老君百八十戒。」[20]即認為〈老君百八十戒〉為南方天師道系統，影響南方諸道教思想。對於《太上老君經律》成書年代，丁培仁先生未直接說明，而是指出書中所收道德尊經戒、老君百八十戒並序、太清陰戒、女青律戒中的《老君說百八十戒》「造於東晉，而此書編成於南北朝。」認為其語言風格諸如供養、滅度及思想與東晉後道經類似。丁先生不認為《太上老君經律》是寇謙之作品，他從側面說明寇謙之《老君音誦戒經》所說的道官祭酒濁亂道法的『前造詐言經律』的『經律』非也批判男女道官祭酒不守道教律法混亂行為的《太上老君經律》。強昱先生在他的文章《老君說一百八十誡的律法精神》中認為在《道藏．洞神部．太上老君經律》中的「《老君說一百八十戒》是現存最早的道教戒律著作，其出世最晚當在三國時期。」[21]表明他沒有意向此經是北魏寇謙之《雲中音誦新科之誡》的作品。鐘國發先生認為道德尊經戒與張魯天師道團經典《老子想爾注》有關，贊同饒宗頤的推考此戒（又稱訓）與注的關聯性，「《想爾》一書，有〈戒有訓〉，「《想爾》與《大存思圖》相輔為用」[22]。鐘國發先生認為〈老君百八十戒〉是托老君授《太平經》與干君之後，再遇干君，才授〈老君百八十戒〉，非為寇氏作品。

關於《太上經戒》成書年代，丁先生認為該經「所引《玉清經》是北周或隋唐之作，此書當晚出。」[23]因為該戒類似於《雲笈七籤》的〈說戒〉，可能是後人參照《雲笈七籤》摘錄。編成是博采諸經。鐘國發先生認為《太上經戒》多屬於南方仙道教團，托名元始天尊，與寇謙之肯定無關，而只有〈老君二十七戒〉是天師道系統。

鐘國發先生認為《太上老君戒經》與寇謙之無關，是說老君講授戒經於尹喜的內容，該經的五戒與佛教五戒完全相同，該戒經可能為樓觀道之作品，而非寇氏天師道之作。其成書年代，丁先生認為「則時代當在北朝末至隋、唐初之間。」[24]認為文中「老君西遊，將之天竺」，與《西升經》同。文章內容依託老君與尹喜一問一答的形式，文稱《老子》為

---

18 同注9，頁487。

19 系王承文引施周人意見，出於王承文《古靈寶經的定期齋戒考論》，陳鼓應等主編《道家與道教：第二屆國際學術研討會論文集（道教卷）》廣州，廣東人民出版社2001年，頁184。

20 同注11，第329頁。

21 強昱：《老君說一百八十戒的律法精神》，《中國道教》2000年第6期，頁36。

22 饒宗頤著：《老子想爾注詳證》上海：上海古籍出版社，1991年，頁130-131。

23 同注10，頁372。

24 同注10，頁371。

「經」，尹喜注本書「非如《五千》是老子自出」。還注「邊夷，狸獠也，其人相食」，與「中國」相對舉。還注「三寶」亦稱三尊、三師，為太上之法。是其時代特徵。該經稱《智慧本願大戒上品經》是老君說嵩三章所抄而改動。文中又提到傳誦於南北朝時的《玄妙內篇》。且稱上清法為大乘、「太上經」為上清法，列諸經最高。北魏末後樓觀道士主要習上清法，表明此經與注為樓觀道士所作。善男子、善女人等表明其文風與北朝隋唐道經同。和《出家因緣經》稱道士為出家人同。綜觀所有時代特徵，應為「北朝末至隋唐之間。」唐高宗《道教義樞》尚引此書，為其下限。

關於《三洞法服科戒文》，鐘國發先生認為「是講道士穿著制度的科戒，也號稱太上張陵所授。」[25]最後他總結說老君五戒、想爾戒和老君百八十戒都早於寇謙之，但他們與《三洞法服科戒文》的內容可能被寇謙之的《雲中音誦新科之誡》所容括。

三　回歸史實，澄明被誤讀的歷史

二位湯先生按卷數劃分寇氏著作只是一種形式推測，無法合理確定《雲中音誦新科之誡》囊括所有《道藏‧洞神部‧戒律類》「力」字帙篇各道經。二位湯先生認為寇謙之著作經後人抄錄輾轉錯落或後人增改，《三洞法服科戒文》下有「三洞弟子太清觀道士張萬福編錄」等字是為其證，導致寇氏著作二十卷散亂於「力」字帙篇道經各篇。這是二位先生的邏輯，但唐代道士張萬福「是整理編撰齋醮科儀的重要人物。」[26]《正統道藏》有張萬福編錄的齋醮科儀經書《傳授三洞經戒法籙略說》、《三洞眾誡文》、《太上洞玄靈寶三洞經誡法籙擇日曆》、《醮三洞真文五法正一盟威籙立成儀》等，張萬福專注於修編齋醮科儀，故張萬福只編修了《道藏‧洞神部‧戒律類》中的《三洞法服科戒文》而並未涉及寇謙之的作品。至於二位湯先生說的宋賈善翔編的《猶龍傳》卷七說老君賜寇謙之經戒「九卷」乃後來的說法，不符〈釋老志〉與《隋書》所說的二十卷的史實。所以按照卷數劃分法證明寇氏作品囊括「力」字帙篇道經各篇是沒有說服力的。證明的關鍵要靠時間定位法並結合各篇道經的內容的一致性來看是否和寇氏《老君音誦戒經》以及魏舒所作《魏書‧釋老志》的內容一致。二位湯先生也認為思想主題大致一致也是各篇都為寇氏作品的重要原因。但「力」字帙篇大部分道經出現的時間相近，有著共同的時代的主題，歷史事件具有時代性，歷史事件的主題內容也具有一致性，但因為非同時一人所作，亦具有思想與時間的細微差異，上章各位先生的考證已經證明了各篇內容有許多不一致之處，發現這些不一致之處就可證偽二位湯先生的推測。

如《太上老君戒經》裡出現「邊夷，狸獠也，其人相食。此謂殺害之報，受生此地，

---

25 同注9，頁488。

26 張洪澤〈科儀類道經說略〉收入朱越利主編：《道藏說略》，2009年，頁404。

若生中國，則短命及形體不具。」，此以「邊夷」與「中國」相對舉，很明顯非起源於東胡族的少數民族鮮卑族統治下，尚未完全漢化的拓跋燾北魏政權的概況，寇謙之的新道教依附拓跋燾鮮卑少數民族國家政權，也絕無可能會提出這樣不符合史實與邏輯的論述與思想。我同意丁培仁先生的觀點，該戒經為樓觀道的作品，體現了樓觀道思想的主題。該經提到樓觀道經典《西升經》，該經內容以太上與尹喜一問一答的形式出現也為其佐證。該經提到上清經典《黃庭內景經》及其二十五體內神，還說「悉歸太上經，上清法也。」表明還融入了上清法的思想。該經還受佛教果報思想與上清派思想的影響極深，故成書時代當往北魏以後再推。二位湯先生誤認為該經為寇氏作品，從該經的「夫上士學道，下士遠處山林……」論述中認為寇謙之也受魏晉玄學影響，並結合《太上經戒》的《太宵琅書十善十惡》「十善遍行謂之道士，不修善功徒勞山林。……」認為寇謙之也討論「名教」與「自然」的問題。我們只能說從《老君音誦誡經》中看不到寇氏受玄學影響，但也可能魏晉玄風或多或少也對寇謙之有所影響吧。

《太上經戒》中除了老君二十七戒提到老君外，其餘各戒只提到元始天尊、太極仙公、太極真人，未提到天師道的太上老君，我認同鐘國發先生的觀點，該戒經主體是托名元始天尊，是南方仙道教團，故可認為非寇謙之天師道系統經典。從〈釋老志〉的記載可以看出，寇謙之極力推崇天師道祖師太上老君，並且強調自己為老君玄孫李普文的義子，並得到老君與李普文授予的正統教權來統一天師道組織，並與天師道近年成仙的張陵等為師友，而並未參入上清、靈寶或者南方融合上清派的天師道神仙體系。從丁先生的考證中可以看出該經與南方上清派較為接近，時代出現可能晚於北魏。該戒經中的〈老君二十七戒〉與《太上老君經律》中的道德尊經戒極其相似，為其簡化版。其為三張《想爾注》道經系統，非為寇謙之著作（下文將作細論）。

二位湯先生認為依據《女青鬼律》批判起義者犯上作亂的內容，與道官道民亂道法的混亂局面，認為這與寇謙之所面對的情況完全一致，故認為是寇謙之的作品。但西漢末至南北朝大小起義不斷，特別到曹魏時代，天師道號召統治力下降，不僅僅是寇謙之時代所面對的時代問題。並且《女青鬼律》為太上大道勒令張道陵天師號令鬼神之律，與〈釋老志〉記載太上老君令寇謙之統一鬼神與天師道不一致。認為「方外故州胡夷人」乃「交頸腫領惡逆民」，詛咒其「化生風毒身奉天」，譴責胡人之鬼傷人性命：「餘有胡鬼億萬千，食人血性逆毛遷，今來入國汝何緣。「寇賊充斥，侮辱中華」等痛斥少數民族給漢族政權與人民帶來痛苦災難，與寇謙之新道教依附於北魏少數民族政權存在時代不相一致。此為明顯斥責「五胡亂華」的禍害，我認可小林正美和丁先生的考證，此為「衣冠東渡」後的東晉作品。此外還出現「五體神」、「太一仙人」、「黃庭」、「太清」等辭彙表明為南方天師道融合了上清派的宗教教派。「庚子之年其運至，千無一人可得托」中的「庚子年」乃宗教建構的亂世劫運時間，「天皇元年」的「天皇」乃「天之皇清明」，是天師道建構的時間座標，非某一官方政權年號。此外該經提到近世王長、趙升二人成仙與《音誦誡經》、〈釋老志〉

提到的李譜文、趙道隱、赤松、王喬、韓終、張安世、劉根、張陵等近世成仙者不同。故非同一時代。

證偽《三洞法服科戒文》是寇謙之的作品也不難，開篇講「太上」授「天師」法服，表明有天師道的思想存在，但該經名冠以「三洞」，提及「元始天尊」、「上清法王無名天尊」、又提及「正一」、「洞真」、「洞玄」、「洞神」等道教九階以及「三洞符籙經戒」、「三洞講法師」，這是在南方出現的天師道、上清派後的混合教派的特徵，小林正美稱之為「天師道三洞派」。反觀〈釋老志〉與《音誦經誡》，並未提到三洞說與上清說等，故非寇謙之之著作。

我同意鐘國發先生的觀點，認為《太上老君經律》中的〈道德尊經戒〉與張魯天師道團經典《老子想爾注》有關，贊同饒宗頤推考此戒（又稱訓）與注的關聯性，綜觀全文，很明顯承襲《老子想爾注》的思想，把張魯天師教的「注」、「教誡」轉換成了「戒」以讓道民奉行，故可能為三張天師道時期作品。至於〈老君百八十戒〉的老君授戒的對象非為《音誦誡經》和〈釋老志〉所提的寇謙之，而是太平道的於吉，不符合記載寇氏宗教活動的史實，我認可小林正美的觀點，認為此戒經很可能是南方天師道系統。再則寇謙之完全沒有必要再借助於吉分散自己的天師權威，如果是寇氏作品，寇氏會像《老君音誦誡經》一樣直接會用自己來作為老君所授戒經的對象。最後該戒經第十六戒說「不得求知軍國事及占吉凶」，第二十戒說「不得數見天子官人，妄與為親」，第七十六戒說「不得為世俗人作禮頭主」，這些內容都表明了，該教團對統治者及國家政權的有意疏遠與懼慎的態度，可能與於吉被三國孫氏政權所戕害以及對道教的警惕有所關聯，強昱先生說：「在《百八十戒》中，既有維護順從現實的社會一面，「不得多蓄女婢」等等，又有與當時社會王朝疏離的一面，不允許同天子締結婚姻，保持了自己的獨立性與身後的平民意識」[27]，是為經典論述。反觀寇謙之的新道教，則主動與北魏統治者接近，並最終贏得統治者的寵信而首次把民間道教上升為國家宗教，則與該戒經遠離政權的思想內容不符。該經以於吉為老君代言人，我同意強昱先生所說該經最晚不晚於三國所出的時間定位。所以可證《百八十戒》非寇謙之的作品。

《正一法文天師教戒科經》及其中的《大道家令戒》等著作的歸屬，明顯為曹魏時期張氏天師道的作品，上一章各位先生已說明，下文還有說明。我再補充一下該科經無標題的首篇講到「國家不和，陰陽相陵，夷狄侵境，兵鋒交錯，天下擾攘，民不安居」的內容描述的是漢末三國的混亂局面，講到「夷狄」也很明顯是以漢族天師口吻所說，如果是與鮮卑族政權合作的寇謙之所作，就有孛邏輯，「君臣相給，轉相屬托」，文中批判國君昏庸與臣子逆亂，所以很可能是漢末曹操時代張氏天師道所作。而湯一介先生認為《大道家令戒》、《陽平治》「也往往把張魯和張角看成一類加以攻擊」可證就是與寇謙之反對的「三

27 同註21，頁40。

張」一致性來證明為寇謙之作品，我認為從《老君音誦誡經》可看出寇謙之並不反對三張天師道，而且極其認可張陵的天師道教權，該戒經和所有《道藏》作品並未出現「三張偽法」的辭彙，該辭彙出現在《魏書》以及佛教典籍中，「《魏書》『三張偽法』之說，為史籍中儒家人士的話語，佛經中言及早期五斗米道，也同樣沿襲儒家的論點，屢屢出現『三張』的話語。」[28]可見寇謙之只是反對張魯遷出漢中並去世，後代失去對道教的控制權道官、祭酒、道民濁亂三張天師道的偽法。從《大道家令戒》、《陽平治》也可以看出，當時曹魏的張氏後人失去絕對的教權，出現道民道法混亂的局面，這才是史實，此系科經並未攻擊三張天師道。與二位湯先生一樣，唐長孺先生也講到《家令戒》的這一段話：

> 昔漢嗣末世，豪傑縱橫，強弱相陵，人民詭黠，男女輕淫，政不能濟，家不相禁，抄盜城市，怨枉小人，更相僕役，蠶食萬民，民怨思亂，逆氣幹天，故令五星失度，彗孛上掃，火星失輔，強臣分爭，群奸相將，百有餘年。魏氏承天驅除，曆使其然，載在河雒，懸象垂天，是吾順天奉時，以國師命武帝行天下，死者填坑。既得吾國之光，赤子不傷，身重金累紫，得壽遐亡。七子五侯為國之光，將相緣屬，侯封不少，銀銅數千，父死子系，弟亡兄榮，沐浴聖恩。汝輩豈志德知真所從來乎？昔日開門教之為善，而反不相聽，從今吾避世，以汝付魏，清政道治，千裡獨行，虎狼伏匿，臥不閉門。

二位湯先生認為「按文中所言『魏』當是『北魏』，從漢末到北魏（西元220-385年）實是一百六十餘年」[29]，認為該文斥責起義者與認為《音誦誡經》所批判的「李弘」等反叛者特徵一致。我認為這只是大時代國家政權所面臨的共同問題，從漢末至南北朝，各種起義不斷，不可就此只認為該文定是寇氏著作所作所批判的內容。關於『魏』是『曹魏』還是『北魏』，我認可上章丁培仁與小林正美定為「曹魏」的合乎邏輯的論斷。唐先生也認為該篇講的是漢末時社會危機，「民怨思亂……強臣分爭，群奸相將」，是指農民起義和董卓之亂，軍閥割據，歌頌「魏承天驅除」，一統北方。「武帝」指曹操。「身重金累紫，……沐浴聖恩」，說的是張魯降於曹操，受到曹操寵待，所以對曹魏感恩戴德。唐先生和楊聯陞先生都認為「吾國」似指漢中張魯政教合一政權。唐先生認為有一個值得注意的問題是「篇中敘述這段歷史從『漢嗣末世』到『魏氏承天驅除』，說是經過『百有餘年』。通常稱漢末從桓帝、靈帝算起，從桓帝建和元年（西元147年）到曹魏黃初元年（西元220元）只有七十四年，不足百年。他以為這段先只是泛論漢末社會危機，所云『豪傑縱橫，強弱相淩』那種豪強兼併和欺壓小民，以致『民怨思亂』的情況也不妨推得更早一些，『百有餘年』也說

28 卿希泰主編：《中國道教思想史》北京：人民出版社，2009年，頁430。
29 同註1，頁67。

得通。如果把這個『魏』下屬北魏，一來篇中明舉曹魏年號，二來『身重金累紫』到『沐浴聖恩』一段話明指張魯降曹，其三，從桓、靈到北魏道武帝拓跋珪天興元年（西元398年）滅燕達二百五十年之久，數字更為懸殊。」還認為說曹魏的時事，不等同於寫作時代就是曹魏。楊聯陞也先生認為這裡的「魏」似指曹魏，但「百有餘年」只有上溯至桓靈之際，才符合，只有大膽假設「這個魏，名說是曹魏，意中卻暗指拓跋魏。」[30]然後以此邏輯，認為「以汝付魏，清政（整，正）道治」可能是寇謙之這類人在北魏政權下做的清整道教運動。楊先生很不確定自己的推論，認為也許是自己想入非非。我認可唐先生的判定，把「魏」為論為「曹魏」。此外，《家令戒》中提到「胡人叩頭數萬，貞鏡照天，髡頭別須，願信真人。」我認為這明顯是以漢族為中心的早期道教價值觀，不可能是寇謙之拉攏北魏鮮卑統治者並作為國教道教之價值觀。

我同意唐先生認為的《正一法文天師教戒科經》不分標題的第一篇寫於南北朝之前，因其稱奉道者為「道人」而非「道士」。[31]因《老子想爾注》中使用「道人」指奉道教之人，而南北朝稱「道人」為「沙門人」，「道士」為「道教人」。〈家令戒〉與〈天師教〉兩篇留有寫作時代的特徵。〈家令戒〉有述化胡事，結尾說「胡人叩頭數萬，貞鏡照天，髡頭別須，願信真人。於是真道興焉。非但為胡不為秦，秦人不得真道。」認為曹魏時已有原始化胡之記載，認為這裡明顯以漢族人為秦人。我認為這裡所說的乃是佛教興起，西北胡人最先開始佛教信仰，以佛陀為真人，以佛教為胡人的宗教，以道教為以漢族人為中心的宗教，所以這裡的「秦人」定為漢人，並且可看出早期道教尊重佛教，相互依附來共同取得國家政權的支持的早期特徵，這與寇謙之要與佛教競爭使道教成為國家正統宗教的史實不符。唐先生舉「秦人」為「漢人」又見於〈天師教篇〉：「走氣八極周複還，觀視百姓夷、胡、秦，不見人種但屍民。」但唐先生按西漢匈奴還稱漢人作「秦人」，只是個例，他舉了道安的摩訶缽羅若波羅蜜經抄序「譯梵為秦有五失本焉。一者梵語盡倒，而使從秦，一失本也。二者，」認為道安稱的「秦」和「秦人」指稱符秦，此經譯時，道安已入關，從符氏的國號。他引僧叡〈大品經序〉：「以弘始五年（西元403年）歲在葵卯四月二十三日，於京城之北，逍遙園中出此經。法師手執梵本，口宜秦言，兩釋異音，交辨文旨。」

---

30 民族與社會編：《中研院歷史語言研究所集刊論文類編二．文獻考訂篇》北京：中華書局，2009年，頁986。

31 唐先生引史料與論述：「詳見錢大昕《十駕齋養新錄》卷一九道人道士之別條：『六朝以道人為沙門之稱，不通於羽士。南齊書顧歡傳：『道士與道人戰儒墨，道人與道士辨是非。』南史《陶貞白（弘景）傳》：『道人、道士並在門中，道人左，道士右。』是道人與道士教然有別矣。南史宋宗室傳，前稱『慧琳道人』，後稱『沙門慧琳』，是道人即沙門。」唐先生按：「按南北朝道人即沙門，但早期，羽流也稱『道人』。《老子想爾注》以其無屍故能成其屍條注：『道人所以得仙壽者，不行屍行』；又曰餘食餟行物有惡之條注雲：『故有餘食器物，道人終不欲食用之也。』又重為輕根，靜為燥君條注雲：『道人當自重精神，潔淨為本。』《想爾》所云『道人』當然指奉道之人，而非沙門。」

認為僧叡說的「秦」是姚秦，但把秦言作漢語，這種例子很多。所以唐先生認為《大道家令戒》、《天師教》的「秦」是姚秦或符秦也非臆說，似乎又不確定二篇把「秦人」定為「漢人」的推測，但他最後還是認為的該兩篇以漢（或曹魏）為秦，但受佛教等史料指稱「秦人」為「姚秦」、「符秦」的影響，干擾了他對《大道家令戒》、《天師教》的成書時代的定位，他認為應不早於符秦，不晚於北魏初。張松輝先生認為此「秦」實初指以戰國「秦」、「秦朝」政治文化中心的漢中地區，後包括三張的漢中道教政權中心，進而指整個中國。而非姚秦的「秦」[32]。此為正論。如果該此道經系統作於少數民族符秦或北魏政權，這顯然與《教戒科經》等系道經將少數民族稱「胡」、「戎」，少數民族國家「狄夷侵境」的內容相衝突的。馬成玉先生的觀點很有說服力，他認為「《大道家令戒》、《天師教》、《陽平治》乃是天師教主在正元二年（西元 255 年）正月七日的三會日上發佈的系列教戒。」[33]他認為此天師為第四代天師張盛發佈，張盛並未遷徙南方，有其碑在洛陽出土為確證。此說具有極大參考價值。

---

32 詳見張松輝先生論文：〈《正一法文教戒科經》成書年代考〉，《世界宗教研究》，1994年第1期，頁21。

33 馬成玉：〈正一法文教戒科經的時代及與《老子想爾注》的關係〉，《中國道教》，2005年第2期，頁13。

詞學傳統的接受與建構
——論唐圭璋的「南唐二主詞」研究

曾智聰
香港公開大學人文及社會科學院

一　引言

唐圭璋以詞籍輯佚校勘著名，所編撰的《全宋詞》、《詞話叢編》、《宋詞四考》等均為世所推崇。此外，唐圭璋的詞選箋釋之學亦卓然有成，近年學者們嘗試從其《唐宋詞簡釋》及《宋詞三百首箋注》探論其詞學思想。[1]不過，對於唐圭璋唯一一部傳世的詞集箋注——《南唐二主詞彙箋》，至今仍未見專論文章。其實，唐圭璋對南唐二主詞有深入研究，除《南唐二主詞彙箋》外，還撰有多篇專論李煜詞的論文，反映唐氏的詞學偏好。其實，以賦體白描為特色的南唐二主詞，與晚清以來崇尚比興寄託的詞風不同，唐圭璋之偏好透露了其與晚清詞學傳統不同的美學取向。本文細讀唐圭璋對南唐二主詞的不同研究，分析當中蘊含的詞學主張，並將之與晚清「拙重大」詞學作比較析論，嘗試探討唐圭璋對晚清詞學傳統的接受與建構。本文發現唐圭璋詞學重視真摯直率而不尚寄託，雖然也講「拙重大」，但其內涵卻與晚清詞學傳統不同。而通過對唐圭璋身世交遊的考察，本文以為唐圭璋之偏好南唐圭二主詞還應與其鄉土情結有關，藉此發揚與建構晚清以來「金陵詞派」的觀念。

二　唐圭璋與民國初年的南唐二主詞研究

唐圭璋的南唐二主詞研究始於一九三〇年代，其中最重要的成果是《南唐二主詞彙箋》。其實，《南唐二主詞彙箋．序》早於一九三一年寫成，當時已明確交代《南唐二主詞》歷代版本及其優劣，更說明了彙箋原則。一九三四年，唐圭璋發表〈李後主評傳〉，從李煜的生平、性格講起，並以描寫與抒情兩方面析論後主詞的特色，而此文所彙輯的後世評論更成為了日後《南唐二主詞彙箋》中「南唐二主詞總評」。一九三六年十二月，《南唐

1　案：相關研究如：巨傳友：〈唐圭璋對「重、拙、大」理論的接受——以《唐宋詞簡釋》為中心〉，《江西師範大學學報（哲學社會科學版）》，2008年4月，頁46-53；劉興暉：〈從《宋詞三百首箋》到《唐宋詞簡釋》〉，《蘭州學報》2009年9期，頁174-176；彭玉平：〈唐圭璋與晚清民國詞學的源流和譜系〉，《南京師大學報（社會科學版）》，2012年1月，頁128-137。

二主詞彙箋》由南京正中書局出版。此後，唐圭璋專論後主詞的文章分別有：〈屈原與李後主〉（《時事新報．學燈》，1943年）、〈李後主之天性〉（《中央日報》，1947年6月20日）、〈論李後主的後期詞〉（與潘君昭合著，《江海學刊》，1962年1期）、〈南唐二主詞總評〉（原載《南唐二主詞彙箋》，《詞學論叢》出版時修訂，1986年）等。總計唐圭璋的南唐二主詞研究成果共六項，數量是唐氏各專家詞研究之冠，[2]可見唐圭璋的詞學偏好。

雖然，唐圭璋在〈李後主評傳〉中嘗稱民國初年對後主詞「尚未有人仔細談過」，[3]但事實上也不少論及後主詞的專書或文章，其中版本校勘方面的成果尤為豐碩，值得留意的有三種：劉繼增《南唐二主詞箋》（1918年）；王國維及劉毓盤校勘的《南唐二主詞》（1909年及1920年），這三種更成為唐圭璋彙箋時的主要參考。關於後主詞的生平考據亦有不少，如：衣虹〈南唐李後主年譜〉（《新文化》，1934年1月）、郭德浩〈李後主評傳〉（《文學年報》，1932年7月）、章崇義《李後主詩詞年譜》（南京書店，1933年2月）；有關詞作賞析，分析較詳的如：天行的〈南唐後主詞〉（《晨報．副刊》，1926年11月），此文篇幅很長，分兩期刊載、韓書文〈讀李後主詞書後〉以王士禎「神韻說」析後主詞（《津逮》，1931年6月）、[4]王國維《人間詞話》以「神秀」、「赤子之心」、「血書」等論後主詞更是民國初年的重要觀點。[5]至於一九三〇年由商務印書館出版的管效先《南唐二主全集》則是研究較全面的著作，性質與唐圭璋《南唐二主詞彙箋》相近。書中對李璟、李煜生平考述尤詳，佔全書近半篇幅。另此書唯獨對於詞作加以校訂箋注，既引述劉繼增《南唐二主詞箋》，也有自行增補。不過，比較起來，唐圭璋彙箋之《南唐二主詞》還是較為全面而深入。

唐圭璋《南唐二主詞彙箋》以明朝萬曆庚申（1620）春呂遠刻「墨華齋本」為底本，並「綜合三氏（案：劉繼增、王國維、劉毓盤）所校，復搜輯其他筆記選本詳校之。」[6]箋釋方面，唐氏對劉繼增《南唐二主詞箋》「補其所未備」，[7]而對「詞之高妙，與夫詞句出處，為人所共喻，或不必注釋者，並從省略」，[8]可見唐箋不執著於字詞訓詁。唐箋引用的典籍，除詩話、詞話等文藝類書籍外還遍及各部，史傳類如：馬令《南唐書》、毛先舒《南唐拾遺記》等；筆記類如：陳善《捫蝨新語》、梁紹壬《兩般秋雨盦隨筆》等。而近世著作如況周頤《蕙風詞話》、王國維《人間詞話》、劉毓盤《詞史》等亦能捃摭集錄。唐箋博引群

2　案：此統計據「唐圭璋先生著述年表」中所列，詳參《詞學的輝煌──文學文獻學家唐圭璋》南京：南京大學出版社，頁336-349。

3　唐圭璋：〈李後主評傳〉，《詞學論叢》上海：上海古籍出版社，1986年，頁905。此文原載《讀書顧問》創刊號，1934年3月。

4　案：關於民國初年李煜詞研究回顧，詳參王秀林、劉尊明：〈「亡國之音」穿越歷史時空：李煜詞的接受史探賾〉，《江海學刊》2004年4期，頁170-174。

5　王國維著、彭玉平疏證：《人間詞話疏證》北京：中華書局，2011年，頁356、359、364。

6　唐圭璋：《南唐二主詞彙箋．自序》，《南唐二主詞彙箋》臺北：正中書局，1966年，頁1。

7　同上註，頁1。

8　同上註，頁1。

籍並非只為堆砌，其實是想藉此示明詞作本事或提示賞析方向，以李煜《虞美人》（春花秋月何時了）為例，唐箋共二十二條，涉及十九本書籍。首四條針對後世詩人詞家對「問君能有幾多愁，恰似一江春水向東流」之襲用與轉化；之後八條則發明本事，說明李煜被宋太宗以牽機藥賜死一事；最後十條則為前人總評此詞情意與作法；[9]又如李煜《玉樓春》（晚妝初了明肌雪），唐箋共十二則，首七則言詞作本事，說明昭惠后翻譜《霓裳羽衣曲》事；之後五則引述前人詞評賞析。[10]除了對詞作正文作詳盡箋注外，唐圭璋對詞牌、調名等都能詳箋其出處，如箋注李煜《望江南》（多少恨）時，唐圭璋便詳析了「望江南」與「憶江南」、「江南好」「夢江南」等名字異同源流的問題。[11]凡此種種，反映了唐圭璋豐富的詞學知識。總而言之，唐箋可謂博涉群籍，既能發明二主詞作本事，又足以指示詞作情意技法，實較同時代其他南唐二主詞研究更為全面且深入。

其實，《南唐二主詞彙箋》繼承了清代詞學箋注傳統，受清代查為仁、厲鶚《絕妙好詞箋》影響頗大。蓋《絕妙好詞箋》以全面博採稱著，厲鶚自序嘗言：「不獨諸人里居出處十得八九，而詞中之本事，詞外之佚事，以及名篇秀句，零珠碎金，摭拾無遺。俾讀者展卷時，恍然如聆其笑語，而共其游歷也。」[12]因此，趙尊嶽在《南唐二主詞彙箋．序》亦指：「唐氏乃追蹤樊榭，綜覈諸家，申以漢人治經之法，用立學者箋詞之型。」[13]這種箋注詞籍的原則，應與唐圭璋詞籍輯佚校勘中強調「全」的詞學觀一脈相承。[14]

三　重視真摯之情、不言寄託的詞學觀

「全」固然是唐圭璋詞學的重要觀點，指導他各種詞籍輯佚校勘工作。不過，這並不代表唐圭璋論詞沒有偏好。清代以來，詞學家喜歡通過選政來樹立學習楷模，宣揚詞學主張，例如朱彝尊藉《詞綜》標舉姜夔、張炎二家來推舉南宋詞，；周濟藉《宋四家詞選》推舉周邦彥、辛棄疾、吳文英、王沂孫等四家詞等。到了民國初年，詞學家則通過箋注詞

9 同上註，頁5-6。

10 同上註，頁19-20。

11 同上註，頁9。

12 〔清〕厲鶚：《絕妙好詞箋．序》，〔南宋〕周密輯，〔清〕查為仁、厲鶚箋：《絕妙好詞箋》上海：上海古籍出版社，1984年，頁1。

13 趙尊嶽：《南唐二主詞彙箋．序》，《南唐二主詞彙箋》，頁2。

14 謝桃坊：「唐圭璋一生主要致力於詞籍和詞學文獻的編輯整理工作，但合觀其整個編著時，便可發現他有一種『全』的宏觀意識。《全宋詞》、《全金元詞》、《詞話叢編》，三巨編都突出了完整的一代文獻與詞體文學理論總匯的觀念。」謝桃坊：《中國詞學史》四川：巴蜀書社，1993年，頁434。另曾大興：「唐圭璋的輯佚之學，校勘之學、目錄之學、批評之學和詞史之學，有一個顯著特點，這就是自始至終體現一種『盡全意識』。」曾大興：〈唐圭璋對朱、況詞學的繼承與超越〉，《中國韻文學刊》2007年4期，頁66-73。

集來展示詞學宗旨。例如龍榆生以《東坡樂府箋》推廣坡詞「清雄」的特色，強調東坡重情感懷抱、輕修辭音律一面，欲藉此改變晚清以來因推尊夢窗詞而致的雕琢之弊。[15]同理，唐圭璋選擇彙箋南唐二主詞亦具有一種近似選政的目的。蓋《南唐二主詞彙箋》既考訂文字異同，提供通行善本；又藉詳盡的箋注指導賞析、度人金針，這無疑有助推廣以南唐二主詞為代表的詞風。至於這種詞風有何特色，則要從唐氏其他論文談起。[16]

唐圭璋在彙箋《南唐二主詞》期間曾發表〈李後主評傳〉，文章大力標舉後主詞真摯深情及不言寄託的特點，他說：「中國講性靈的文學，在詩一方面，第一要算十五〈國風〉。兒女喁喁，真情流露，並沒有絲毫寄託，也並沒有絲毫虛偽。在詞一方面，第一就要推到李後主了。他的詞也是直言本事，一往情深。」[17]除了把後主詞上接《詩經》外，唐圭璋更稱之「萬中無一」、「空前絕後」，[18]讚譽可謂極隆。蓋《南唐二主詞彙箋》以資料編集為主；〈李後主評傳〉則致力於析論闡發，二者正好互為發明。此後，唐圭璋又撰〈屈原與李後主〉，以屈原與李煜並舉說：「今傳之屈賦及後主詞，純任性靈，不假雕飾，真是字字血淚」。[19]文末總結時，唐圭璋除了再次肯定李煜詞「純任性靈」的文學價值外，更強調了其白描技巧對後世詞學的影響說：

> 在我國古代文學史上，屈原為最早之大詩人，李後主為後來之大詞人，自思想性方面觀察，後主自不能與屈原相提並論；但後主詞純以白描手法，直抒內心極度悲痛，其高超之藝術造詣，感染後來無數廣大群眾，影響後來詞學發展，此亦其不朽之處。[20]

另外，唐圭璋在晚年手訂《詞學論叢》時，嘗把原載《南唐二主詞彙箋》的「南唐二主詞總評」另行刊出，他在文章開首特加按語重申：

> 自來論南唐二主詞者，無不賞其藝術高奇，秀逸絕倫，既超過西蜀《花間》，又為宋人一代開山。尤其後主晚期，自抒真情，直用賦體白描，不用典，不雕琢，血淚凝成，感人至深。[21]

---

15 詳參拙文〈龍榆生的東坡詞研究略論〉，香港中文大學中國語言及文學系編：《民初以來：舊體文學論集》香港：香港中文大學出版社，2017年，頁849-870。

16 案：南唐中主李璟詞存世只4首，故唐圭璋論文以研究後主李煜詞為主。

17 唐圭璋：〈李後主評傳〉，《詞學論叢》，頁905。

18 唐圭璋：〈李後主評傳〉：「後來詞人，或刻意音律，或賣弄典故，或堆垛色彩，像李後主這樣純任性靈的作品，真是萬中無一。因此我們說後主詞是空前絕後，也不為過分吧。」同上註，頁914。

19 同上註，頁915。

20 同上註，頁922。

21 唐圭璋：〈南唐二主詞總評〉，同上註，頁900。

總結唐圭璋對李煜詞的研究，其主要觀點有三：

（一）李煜詞情感真誠，感人至深；
（二）這種感人之情均通過白描直抒，不講寄託；
（三）這種賦體白描以抒性靈的特色，上承《詩經》，且對後世詞學有頗深影響。

回顧李煜詞在後世詞學的接受史，以上第一種觀點一直是主流意見，李清照〈詞論〉早持此說：「語雖奇甚，所謂『亡國之音哀以思』者也。」[22]後人多由此闡發，如王士禛稱：「鍾隱入汴後，春花秋月諸詞，與『此中日夕，只以眼淚洗面』一帖，同是千古情種」；[23]另譚瑩《論詞絕句》亦云：「傷心秋月與春花，獨自憑欄度年華」（其十一）、「念家山破了南唐，亡國音哀事可傷」（其十二）。[24]然而，唐氏的第二及三個觀點，不但前人甚少談及，更與晚清常州詞派推崇寄託的詞學傳統略有不同，透露了唐圭璋對晚清詞學傳統獨特的接受與建構。[25]

唐圭璋獨取南唐二主詞真摯情感、崇尚白描的詞風，反映了唐氏重視真情、不講寄託的詞學觀。而此觀點亦可從唐圭璋對納蘭詞的研究得到驗證。其實，在《南唐二主詞彙箋》之前，唐圭璋嘗作《納蘭詞箋》，只可惜原稿散佚不傳。[26]後主詞與納蘭詞有明顯共通點，都以情感真摯見稱，二家詞更常被後世相提並論，好像陳維崧嘗言：「飲水詞哀感頑艷，得南唐二主之遺。」[27]而況周頤則稱納蘭性德是李煜「後身」。[28]《納蘭詞箋》是唐圭璋詞學生涯中第一部箋注的詞集，可見唐圭璋對此特別欣賞。《納蘭詞箋》今雖不存，但唐氏撰有〈納蘭容若評傳〉，從中可見其對納蘭詞之看法。總括而言，唐圭璋尤其欣賞納蘭性德的「真」，此文開首即道：「待人之推心腹，披肝膽，無事不真，無語不摯，尤為後世之文人才士所景仰。昔蕙風論詞嘗云：『真字是詞骨。』若容若者，蓋全以『真』勝者。待人真、作詞真、寫景真、抒情真，雖力量未充，然以其真，故感人甚深。」[29]而在文章結論

---

22 〔南宋〕李清照著、王仲聞校注：《李清照集校注》北京：人民文學出版社，1979年，頁194。

23 〔清〕王士禛：《花草蒙拾》，唐圭璋編：《詞話叢編》北京：中華書局，1996年，頁677。

24 程郁綴、李靜：《歷代論詞絕句箋注》北京：北京大學出版社，2014年，頁332-333。

25 案：詳下文。

26 唐圭璋：〈納蘭容若評傳〉：「憶民國二十二年時，予嘗據各本，分調重編，字句異同，並加校注，凡碑誌、序跋、詞話、詞評及容若之小影、墨蹟、印章，皆附及之。卷首又冠以張惠衣兄之年譜，此稿原付上海神國光社排印，詎知社中一度被人搗毀，此稿散佚於外。」《詞學論叢》，頁999。案：此文原載《中國學報》1944年1期。

27 〔清〕馮金伯：《詞苑萃編》卷八引，唐圭璋編：《詞話叢編》，頁1937。

28 況周頤：《蕙風詞話》：「寒酸語不可作，即愁苦之音，亦以華貴書之。飲水詞人所以為重光後身也。」同上註，頁4410。

29 唐圭璋：〈納蘭容若評傳〉，《詞學論叢》，頁993。

時，唐氏亦呼應開首說：「以上述容若之為人及其詞境，深覺其情真、詞真，高處有宋賢意度，次則足以媲美清真。」[30]而唐圭璋在文中分析納蘭詞例子時，多會拈出其真情感人之處加以析論，如評《點絳唇》（五夜光寒）為「不假雕琢，自見荒漠之境，苦寒之情，令人慷慨生哀」；[31]評《減字木蘭花》（相逢不語）為「寫人之情，尤繾綣纏綿」[32]等。由此可見，〈李後主評傳〉與〈納蘭容若評傳〉兩篇文章的目的一致，都是在偏重資料考據的箋注本外，另撰論文作具體而深入的析論以作補充，藉以指引讀者閱讀與賞析。而從文中特別標舉二人詞情感真摯直率的特點，可見這就是唐圭璋論詞的重要標準。

此外，這種詞學觀也影響唐圭璋對王國維《人間詞話》的評價。對於王國維詞學推重後主詞，唐圭璋並無異議。但對於王國維講「境界」時，所舉例子多偏重於景物描寫，唐氏卻表示不滿：「境界固為詞中要緊之事，然不可舍情韻而專倡此二字。境界亦自人心中體會得來，不能截然獨立。五代、北宋之所以獨絕者，並不專在境界上，而只是一、二名句，亦不足包括境界，且不足以盡全詞之妙。上乘之作，往往情景交融，一片渾成，不能強分。」[33]循此標準，對於王國維論秦觀詞為「皮相」，唐圭璋便批評說：

> 東坡極賞少遊之『郴江幸自繞郴山，為誰流下瀟湘去』兩句，正以其情韻綿邈，令人低徊不盡，而王氏譏為『皮相』，可知王氏過執境界之說，遂並情韻而忽視之矣。[34]

從以上唐圭璋對李煜、納蘭性德詞的析論，及其對王國維「境界說」之評議，可見情感真摯直率是唐氏論詞的重要準則。由此觀之，在眾多唐宋詞人之中，唐圭璋選擇以《南唐二主詞》為主要研究對象，可謂他重視真情詞學觀的實踐。

四　對晚清「拙重大」詞學的接受與轉型

唐圭璋重視真摯情感的詞學觀其實與晚清「拙重大」詞學一脈相承，唐氏晚年致施議對的信函直言：「拙重大是主要傾向，風騷以來無不如此。這不等於抹殺一切日常見聞、清新俊逸的作品。杜甫有『數行秦樹直，萬點蜀山尖』，多麼深刻、形象、重大；但『細雨魚兒出，微風燕子斜』，又何等輕靈細緻。顏魯公書力透紙背就是拙重大，出於至誠不假雕飾就是拙重大。因此，真摯就是拙，筆力千鈞就是重，氣象開闊就是大。」[35]由此觀之，以情

---

30 同上註，頁1007。

31 同上註，頁1001。

32 同上註，頁1003。

33 唐圭璋：〈評《人間詞話》〉，同上註，頁1028。案：此文原載《斯文》1938年3月。

34 同上註，頁1028。

35 唐圭璋〈1983年9月23日致施議對信〉，施議對、秦惠民輯：〈唐圭璋論詞書札〉，《文學遺產》2006年3期，頁127-132。

感真摯真率見稱的李煜詞，尤其他被虜北上後之作，多以直率自然的筆法抒發國破家亡悲慨，實在十分符合唐圭璋所言之「拙重大」。

而且，李煜詞與「拙重大」詞學思想的關係，還可在唐圭璋的《唐宋詞簡釋》中體現出來。此書雖在唐氏晚年出版（八十歲，1981年），但其中內容其實早於一九三〇年代寫成，[36]反映了唐圭璋一九三〇年代的詞學觀，此書「後記」明言：「余往日授課之暇，曾據拙重大之旨，簡釋唐詞五十六首，宋詞一百七十六首。小言詹詹，意在輔助近日選本及加深對清人論詞之理解。」[37]在《唐宋詞簡釋》中，唐圭璋對每首詞的結構脈絡、情感寄意都作出簡釋，並時以「拙重大」作為評語，其中評李璟詞《浣溪沙》（手捲真珠上玉鉤）末句「回首綠波三楚暮，接天流」曰：「大筆振迅，氣象雄偉，而悠悠此恨，更何能已」；[38]又如釋李煜詞《相見歡》（林花謝了春紅）末句：「『自是』二字，尤能揭出人生苦悶之義蘊。此與『此外不堪行』，『腸斷天無疑』諸語，皆以重筆收束，沈哀入骨」；[39]又如評釋李煜《子夜歌》（人生愁恨何能免）時曰：「此首思故國，不假采飾，純用白描。但句句重大，一往情深。」[40]《唐宋詞簡釋》是了解唐圭璋「拙重大」思想的重要依據。[41]

值得留意的是，《唐宋詞簡釋》收六十七位詞人共二三二首詞作，其中選李璟詞二首及李煜詞十九首，數量是唐宋詞人之首，比第二位周邦彥十六首及第三位姜夔十四首多。而且，李煜存世詞作只有四十六首，《唐宋詞簡釋》選入十九首，所佔比例達四成之多，這也是書中唐宋詞人之冠，可見李煜詞在《唐宋詞簡釋》中的超然地位。對於《唐宋詞簡釋》偏好李煜詞這一現象，許總、許結曾經論及：「對於李煜詞的思想性的評價，學界頗有爭議，但對其藝術性的讚美，則歷代相同。……歸納起來看，皆不出重、大二字之範疇。因而，《簡釋》擇其詞境尤為沉雄闊大者十九篇入選，不僅數量佔全書首位，且對其評價極高。」[42]許氏此文應反映了唐圭璋本人的觀點，因為許氏撰此文時曾多次徵詢唐圭璋意見，[43]而唐圭璋在此文出版後，除寫信答謝外，更邀請許氏為他另寫一篇關於《南雲小稿》

36 案：唐圭璋有〈南唐二主詞釋〉及〈辛棄疾詞釋〉，分別發表於一九四三年的《中國學報》及一九四四年的《軍事與政治》上，經對比後，選目與內容幾乎與後來《唐宋詞簡釋》中「南唐二主」及「辛棄疾」詞相同。

37 唐圭璋：《唐宋詞簡釋》上海：上海古籍出版社，1999年，頁241。

38 同上註，頁28。

39 同上註，頁40。

40 同上註，頁41。

41 詳參巨傳友：〈唐圭璋對「重、拙、大」理論的接受——以《唐宋詞簡釋》為中心〉，《江西師範大學學報（哲學社會科學版）》，2008年4月，頁46-53。

42 許總、許結：〈苦心抽繹蘊義宣揚——評《唐宋詞簡釋》〉，《文學評論》1984年3期，頁134-138。

43 許總：〈唐圭璋先生給我的22封來信〉：「為了這兩篇文章（還有〈時代脈搏與心靈悲歌——試論唐圭璋先生《夢桐詞》〉），曾與先生多次交談，想盡量多地了解先生的詞學思想和創作主張。先生除了詳談外，仍不時寫信加以闡述。」鍾振振編：《詞學的輝煌——文學文獻學家唐圭璋》，頁163。

的書評，[44]可見唐圭璋對許氏之信任。據此可知，唐圭璋喜好二主詞的原因之一便是其詞符合「拙重大」的詞學觀。

雖然，唐圭璋之「拙重大」詞學觀是繼承晚清而來，但其標舉情感真摯直率、不言寄託的觀點，並以南唐二主詞為學習模範，這又似乎與晚清詞學傳統略有不同。晚清詞學中「拙重大」之說源於端木埰及王鵬運，後經況周頤發揚光大。由於端木埰及王鵬運論詞文字較少，後人談到晚清「拙重大」詞學時，便多以況周頤《蕙風詞話》為依據。總括而言，況氏所論「拙重大」亦重視詞人真誠之情，他說：「問哀感頑豔，『頑』字云何詮。釋曰：『拙不可及，融重與大於拙之中，鬱勃久之，有不得已者出乎其中而不自知，乃至不可解，其殆庶幾乎。猶有一言蔽之，若赤子之笑啼然，看似至易，而實至難者也。』」。[45]況氏所講的是一種自然流露的赤子之情，夏敬觀將之詮釋為「哀之極不可感化釋之」。[46]況周頤既重視真誠，故嘗拈出「真」字作為填詞之重要標準：「真字是詞骨。情真、景真，所作為佳，且易脫稿。」[47]可見，況氏「拙重大」詞學的關鍵之一便是自然真誠之情。

不過，在「拙重大」之外，況周頤詞學也講究「寄託」，他說：

> 詞貴有寄託，所貴者流露於不自知，觸發於弗克自已。身世之感通於性靈，即性靈，即寄託，非二物相比附也。[48]

所謂「即性靈，即寄託」其實是追求一種流露於不自知的真情，他說：「意內者何？言中有寄託也。所貴乎寄託者，觸發於弗克自已，流露於不自知，吾為詞而所寄託者出焉，非因寄託而為是詞也。」[49]蓋「寄託說」自常州詞派張惠言提出後，常為人詬病過於深求，因為張惠言把詞體定義為「意內言外」，強調詞人不論在創作時還是賞析時都應追求「賢人君子幽約怨悱不能自言之情」。[50]這種以寄託為詞體主要價值的觀點，導致詞人出現「深文羅織」[51]之病。對此，況周頤雖講究「寄託」，但強調寄託出於自然流露之情，此說實與其「拙重大」理論互為表裏，似有意藉此補救常州詞派「寄託說」之弊。

相對而言，唐圭璋所講的「拙大重」雖也重視真摯情感，但卻不講寄託，甚至以後主

---

44 同上註，頁163。

45 況周頤：《蕙風詞話》，唐圭璋編：《詞話叢編》，頁4527。

46 夏敬觀：《蕙風詞話詮評》，同上註，頁4598。

47 況周頤：《蕙風詞話》，同上註，頁4408。

48 同上註，頁4526。

49 況周頤：〈詞學講義〉，《詞學季刊》創刊號1933年4月（臺北：臺灣學生書局，1967年），頁109。

50 〔清〕張惠言：《詞選・序》：「《傳》曰：『意內而言外謂之詞』。其緣情造端，興於微言，以相感動。極命風謠里巷男女哀樂，以道賢人君子幽約怨悱不能自言之情。」唐圭璋編：《詞話叢編》，頁1617。

51 王國維：「固哉，皋文之為詞也！飛卿《菩薩蠻》、永叔《蝶戀花》、子瞻《卜算元》，皆興到之作，有何命意？皆被皋文深文羅織。」王國維著、彭玉平疏證：《人間詞話疏證》，頁277。

詞不言寄託為佳，這在理論的本質上便與況周頤有所不同。而且，本文留意到，在況周頤的詞學體系中，李煜詞的地位似未見重要。查《蕙風詞話》論及後主詞的只有六則：三則關於詞作本事；[52]兩則以後主詞跟納蘭性德與倪瓚詞作比擬；[53]只有其中一則論五代詞時兼及後主詞：「唐五代詞並不易學，五代詞尤不必學，何也？五代詞人丁運會，遷流至極，燕酣成風，藻麗相尚。其所為詞，即能沉至，祇在詞中。豔而有骨，祇是豔骨。學之能造其域，未為斯道增重。其錚錚佼佼者，如李重光之性靈，韋端己之風度，馮正中之堂廡，豈操觚之士能方其萬一。」[54]況周頤雖然肯定後主詞在五代詞中「錚佼者」之地位，但卻不建議以此為學習對象，因為五代詞風在獨特的時代背景下形成，後人難學亦不能學。其實，李煜詞在常州詞派崇尚比興寄託的理論體系下常被視為「變體」，張惠言嘗言：「五代之際，孟氏、李氏君臣為謔，競作新調，詞之雜流，由此起矣。」[55]而周濟《詞辨》分唐宋詞人為正、變兩派，李煜詞則被列入「變」。[56]另一位折服於常州詞派「寄託說」，標舉「沉鬱」論詞的陳廷焯，對後主詞哀傷感人之處雖表認同，但亦嘗批評說：「後主詞淒婉出飛卿之右而騷意不及」，[57]又「後主詞思路淒婉，詞場本色，不及飛卿之厚，自勝牛松卿輩。」[58]以上所舉，反映了晚清常州詞派雖重視李煜詞情感真摯動人一端，但卻不滿於其賦體白描的特色。民國初年，常州詞派之風仍盛，恰若龍榆生言：「常州派繼浙派而興，宣導於武進張皋文、翰風兄弟，發揚於荊溪周止庵氏，而極其致於清季臨桂王半塘、歸安朱彊村諸先生，流風餘沫，今尚未全衰歇。」[59]而唐圭璋論後主詞時獨取其賦體白描之特色，實與時流有所不同。

以上從「拙重大」與「寄託」之關係，及後主詞之美學接受兩方面來看，唐圭璋「拙重大」理論的家法師承應與況周頤及常州派詞學傳統不同。此種不同反映了唐氏對晚清詞學傳統的個人理解與轉化。究其原因，或與唐圭璋的身世性格有關。

唐圭璋有著「不幸的童年」，[60]他七歲喪父，十一歲喪母，童年生活無依艱苦。辛亥革命爆發，年僅十歲的唐圭璋便被迫與兄弟姊妹分離，輾轉投靠了舅父，過著「困厄」的生

---

52 況周頤：《蕙風詞話》，唐圭璋編：《詞話叢編》，頁4490、4511、4581。

53 同上註，頁4410、4549。

54 同上註，頁4418。

55 〔清〕張惠言：《詞選・序》，唐圭璋編：《詞話叢編》，頁1617。

56 詳參王秀林、劉尊明：〈「亡國之音」穿越歷史時空：李煜詞的接受史探賾〉，《江海學刊》2004年4期，頁170-174。

57 〔清〕陳廷焯：《詞則》上海：上海古籍出版社，1986年，頁26。

58 〔清〕陳廷焯：《白雨齋詞話》，唐圭璋編：《詞話叢編》，頁3779。

59 龍榆生：〈論常州詞派〉，《龍榆生詞學論文集》上海：上海古籍出版社，1997年，頁387。

60 案：「不幸的童年」是唐棣棣（唐圭璋女兒）、盧德宏（唐圭璋女婿）撰寫〈詞學大師唐圭璋──記爸爸的一生〉所訂之標題，鍾振振編：《詞學的輝煌──文學文獻學家唐圭璋》，頁14。

活。[61]自幼面對家庭分離及時代變遷，塑造了唐圭璋重情的性格，其學生楊海明形容：

> 先生極重感情，具有一種「泛愛」的性格。他少年孤貧，父母早亡，中年又不幸喪偶，晚歲復先後痛失兩女，真是嚐盡了人間生離死別之大痛苦。而此種充滿憂患的人生經歷，就越發「反彈」了先生關愛親人、關愛朋友、關愛蒼生的「泛愛」之情。[62]

而唐圭璋這種「泛愛」的性格其實與李煜有相似之處。唐圭璋有〈李後主之天性〉一文，文中對李煜真誠深情的性格多作讚賞，他說：「後主事父母，極盡孝道；待諸弟又極盡友愛之道；其於妻子臣民，無不一本真誠，愛之唯恐不至。推其不忍之心，甚至澤及禽獸。」[63]文章在舉出不同例子及詞作加以說明後歸結到李煜的詞作：「天有至性，乃有至文。後主之偉大，觀此當可愈明。」[64]談及李煜的性格感情，其與大、小周后的愛情最為後世所道，唐圭璋對此尤賞後主用情之深：

> 其妻周后有疾，後主朝夕視食，藥非親嚐不進，衣不解帶者累夕，如侍父母之疾然。迨周后卒，自製誄詞數千言，皆極酸楚。且將赴井以殉，賴救之獲免。嗚乎！一往情深如是耶。[65]

其實，唐圭璋不只對人「泛愛」的性格與李煜相似，唐圭璋對妻子亦用情至深，令人感動。唐圭璋與妻子尹孝曾於一九二四年結婚，渡過了十年溫馨幸福的時光，一九三四年尹孝曾患上骨髓炎，病延兩年後於一九三六年除夕逝世。唐圭璋悲慟不已，嘗作《憶江南》悼念：「綿綿恨，受盡病魔纏。百計不邀天眷念，千金難覓返生船。負疚亦多端。」[66]此後，唐圭璋每有空閒便到妻子墳前吹簫懷緬。蓋尹孝曾患病之時，唐圭璋便正彙箋《南唐二主詞》。既同是深情之人，唐圭璋對於李煜詞中別離哀怨之情當別有懷抱，更或因而體會到二主詞中一種前人未有留意的特點，並將之融入其「拙重大」詞學觀中。

其實，唐圭璋自己所寫之詞也崇尚自然真誠之情。《南唐二主詞彙箋》出版不久後，抗戰爆發，唐圭璋隨軍隊四處流徙並把所見所感寫成《南雲小稿》，集中詞作皆以賦體白描抒

---

61 案：「困厄」一詞，取自唐圭璋自述：「在當時那樣困厄境況中的我，得到陳先生慈祥的慰藉和物質上的支持，就像和煦的春風，吹拂著曾經受到嚴冬的冰霜雨雪侵襲過的幼苗。」同上註，頁15。

62 楊海明：〈回憶唐圭璋先生二三事〉，同上註，頁61。

63 唐圭璋：〈李後主之天性〉，《中央日報》1947年6月20日。

64 同上註。

65 同上註。

66 唐圭璋：《夢桐詞》南京：江蘇古籍出版社，1987年，頁40。

發對家國的深厚情感，如《行香子》：「狂虜縱橫。八表同驚。慘離懷、甚飲芳醽。忍抛稚子，千里飄零。對一江風，一輪月，一天星。　　鄉關何在，空有魂縈。宿荒村、夢也難成。問誰相伴，直到天明。但幽階雨，孤衾淚，薄帷燈。」[67]上片開首寫出詞人對戰亂的痛恨，下片則一直抒發他對家園故鄉的感念之情。《南雲小稿》中詞作直抒胸臆的特點正與李煜詞特點相近，唐圭璋嘗稱「李（李煜）則白描之先，開宋詞先聲」，[68]而他在介紹《南雲小稿》時亦明言：「楊萬里論性靈，袁子才講性靈，我也想直寫性靈。讀者少，不會用典；功力薄，不會用華麗詞藻。即景抒情，一直用的賦體白描，不尚比興。」[69]

五　「金陵詞派」的繼承與構建

對於唐圭璋與晚清詞學的承傳關係，除了上文提到的「拙重大」詞學思想外，近年有學者提出「金陵詞派」之說。前賢學者以為，晚清詞家王鵬運、朱祖謀、文廷式、鄭文焯、況周頤等直接或間接師承金陵籍詞人端本垛，且亦推崇「拙重大」詞學主張，他們之間或存在一種詞派意識。而籍貫金陵的唐圭璋在論述晚清詞學時，不時強調王鵬運、朱祖謀、況周頤等詞學實淵源自金陵詞人端木埰，尤其在〈端木子疇批注張惠言《詞選》跋〉一文中特別記下朱祖謀晚年向夏仁虎稱「僕亦金陵詞弟子」一筆，似有意為「金陵詞派」張目。[70]前賢的研究多集中論及上述晚清諸家的詞學交流與淵源，本文嘗試把唐圭璋的「南唐二主詞」研究納入討論，並通過考察唐氏交游師承深入析論其與金陵詞人的關係，望進一步了解晚清詞學中「金陵詞派」的議題。

「金陵詞人」的觀念實可追溯至晚清年間，當時著名經學家、史學家陳作霖以編集金陵一地文獻為職志，嘗編《金陵文鈔》、《金陵詩鈔》及《金陵詞鈔》。《金陵詞鈔》收有清一代一〇六詞人共一一〇二首詞，於光緒二十八年（1902）出版。陳作霖還與金陵詞先輩端木埰有唱和因緣，分纂《江寧縣誌》時對端木埰的《粉槃錄》與《耆舊軼事》多所採錄，認為端木埰亦為金陵文獻之「有心人」，[71]入都後經朱子期介紹往謁，二人共遊崇效寺時更「題詠積成卷軸」。[72]在陳作霖編《金陵詞鈔》後，另一位金陵詞人仇埰於一九二七年開始著手《金陵詞鈔續編》的工作，中經戰亂，此書延至一九四四年出版，補收詞人一〇

---

67 同上註，頁35。

68 秦惠民、施議對：〈唐圭璋論詞書札〉，《文學遺產》2006年3期，頁127-132。

69 許總：〈唐圭璋先生給我的22封來信〉，鍾振振編：《詞學的輝煌——文學文獻學家唐圭璋》，頁163。

70 案：此說最先由王水照提出，其後彭玉平、曹辛華等也有論述。詳參：王水照：〈況周頤與王國維不同的審美範式〉，《文學遺產》，2008年2期，頁4-16；彭玉平：〈唐圭璋與晚清民國詞學的源流和譜系〉，《南京師大學報（社會科學版）》，2012年1月，頁128-137；曹辛華：〈民國詞群體流派考論〉，《中國文學研究》，2012年3期，頁18-26。

71 陳作霖：〈端木侍讀傳〉，何廣棪：《宋詞賞心錄校評》臺北：正中書局，1975年，頁113。

72 同上註。

八位共七七六首詞作。其實，有關「金陵詞人」或「金陵詞派」的概念，近世研究詞學者極少提及。[73]至於少數關於清代以及民國初年南京詞人的文章雖曾提及「金陵詞人」，但仍未見觸及「金陵詞派」的概念。[74]而前賢學者時常談及的朱祖謀自稱「金陵詞子弟」一語，實出於夏仁虎在一九五一年為端木埰手批張惠言《詞選》所作識語，全文如下：「清咸、同間，金陵詞人在京朝者，先王父《篆枚堂詞》、何青士丈《心盦詞》先出，而子疇《碧瀣詞》繼之，半塘、彊村並問業於丈。彊村晚年嘗語余曰：『僕亦金陵詞弟子也。』」[75]在有關「金陵詞派」的研究中，朱氏此語是關鍵論據，然而前賢學者在析論時多未留意此語背後的語境因素。

夏仁虎與「金陵詞」淵源甚深，他是一位方志學家，年少時嘗師從陳作霖學習方志之學，對金陵一地的鄉土文獻十分關心，著有《金陵歲時紀》、《秦淮志》等。而且，夏氏本身也是詞人，與仇埰友好。夏仁虎年少時本不好填詞，但「見到兩個哥哥博言，枚叔與仇老『分題限韻，日有唱酬』，才見措而喜。這時，夏仁虎已三十多歲（比仇老少一歲），中過舉人，當過京官。他表示『復理舊業，更為新聲』，仇老『實贊成之。』」[76]蓋晚清詞學一向以常州詞派為宗，而朱祖謀亦被目為常派殿軍，因此，作為「金陵詞人」的夏仁虎見端木埰手批張惠言《詞選》出版，而特別記下朱祖謀稱「僕亦金陵詞子弟」，似乎意圖突出兩點：第一， 強調晚近詞學的另一種淵源關係；第二，拈出「金陵詞人」此一概念。至於朱祖謀說話之意圖為何？由於未知他當時的說話語境，確切意思難以知曉。至少，朱氏意欲表明自己詞學師承於端木埰的觀點是明確的。值得細想的是，朱氏既非金陵人，為何他不直接說「僕詞受教於端木丈」之類的話，卻以「金陵詞人」代替「端木埰」。他這樣說或許反映了在晚清民初詞壇上，「金陵詞人」不僅是一個指涉金陵籍詞人的用語，而是一個含有群體、組織或派別意義的名詞。事實上，端木埰在民國初年詞壇，尤其在金陵詞人心目中地位崇高，除了唐圭璋曾撰文頌揚外，王瀣亦嘗言：「《碧瀣詞》雖未脫盡碧山面目，然矩

---

73 案：嚴迪昌《清詞史》、孫克強《清代詞學》、皮述平《晚清詞學的思想與方法》、朱惠國《中國近世詞學思想研究》、楊柏嶺《晚清民初詞學思想建構》等均未提及。楊柏嶺的《晚清民初詞學思想建構》中有「鄉邦之戀與文獻存錄意識」一章，曾整理晚清民初地方詞徵、詞集，並列成一表，其中有著錄陳作霖編《金陵詞鈔》，但在正文中卻沒對「金陵詞人」作探究，楊柏嶺：《晚清民初詞學思想建構》合肥：安徽大學出版社，2004年，頁19-34。

74 案：相關研究如有：吳白匋：〈金陵詞壇盛會——記南京如社詞社始末〉，南京市秦淮區地方史志編纂委員會編：《秦淮夜談》第6輯（出版社不詳，1993年），頁1-9。黃漢文：〈金陵詞人仇埰〉，同上註，頁35-37。黃漢文之〈清代金陵詞苑〉分三期刊出，分別是：《秦淮夜談》第十輯（1995年），頁107-128；《秦淮夜談》第十一輯（1996年），頁128-155；《秦淮夜談》第十二輯（1997年），頁116-145。值得一提的有南京師範大學袁美麗，其博士論文《清代金陵詞壇研究》（指導老師：陳書錄教授）對清代的金陵詞壇發展有非常詳盡且深入的析論。

75 唐圭璋：〈端木子疇批注張惠言《詞選》跋〉，《詞學論叢》，頁1059。案：此文原載《江海學刊》1982年2期。

76 黃漢文：〈金陵詞人仇埰〉，《秦淮夜談》第6輯（1993年），頁44。

步正行，三百年一大作手，不獨吾鄉詞人之最。」[77]另盧前亦說：「晚近詞學之盛，啟風氣者，實惟吾鄉端木子疇先生。」[78]總上所言，「金陵詞人」應是晚清民初的一個詞學觀念，指晚清以來以端木埰為首的一個詞人群體。而作為金陵詞的重要傳人，唐圭璋對金陵詞學的傳承與發揚有一定責任。

唐圭璋在南京出生及成長，其交遊師承與「金陵詞人」甚有淵源。唐氏詞學除了受「金陵詞子弟」朱祖謀影響外，[79]編撰《金陵詞鈔續編》的仇埰更是其恩師之一。仇埰，字亮卿，南京人，早年專注教育事業，作育英才，一九二七年退休後潛心作詞，活躍於一九三〇年代詞壇，嘗與同好組織「如社」，著有《鞠讌詞》。唐圭璋年幼家貧，勤奮好學，特別喜歡古典詩詞，小學畢業考獲南京市第一名後，得小學校長陳榮之推薦入讀南京江蘇省第四師範學校，時任校長正是仇埰。仇埰在任校長期間曾招攬不少年輕優秀教師，其中一位就是吳梅，即唐圭璋的另一位恩師。唐圭璋是四師高材生，喜歡作詞，因此受到本是詞人的仇埰關注。[80]後來，唐圭璋進入東南大學，並師從吳梅學習詞曲也與仇埰有關。[81]抗戰期間，唐圭璋逃難入蜀，仇埰除了時常書信問候外，更對留守在南京故鄉的唐氏家人多所關懷，這種恩情令唐圭璋終身難忘。[82]因此，唐圭璋視仇埰為他一生中三位恩師之一，唐氏說：「『五四』以後，我師範畢業，仇先生退休居家，專治詞學，他輯過《金陵詞鈔》，又自作《鞠聲詞》二卷。由於共同愛好詞學，我們師生間的情誼更加深厚。」[83]仇埰去世後，詞集《鞠讌詞》亦交唐圭璋校訂出版，足見二人師生情深。仇埰曾繼陳作霖《金陵詞鈔》而

---

77 盧前：《冶城話舊》引，《盧前筆記雜鈔》北京：中華書局，2006年，頁404。

78 同上註。

79 唐圭璋：〈朱祖謀治詞經歷及其影響〉：「余少時就學南京，雖未曾趨前請益（指朱祖謀），然讀其詞作與論著，受益良多。」《詞學論叢》，頁1025。

80 黃漢文：〈金陵詞人仇埰〉：「在師範學校，詞不是必修課，沒有大力提倡。看到唐圭璋偶有詠吟，對教師王東培說：『圭璋的詞風接近你，也有些接近我，但又都不大像，比我們兩人『秀』。若能努力不懈，當出你我之上。』」《秦淮夜談》第6輯（1993年），頁37-38。曹濟平：〈唐圭璋先生對詞學的貢獻〉：「仇校長不但在經濟上給予接濟，而且在學習上也給先生以多方面的啟迪，使先生得以精讀大量的古典文學名著。仇埰校長是江寧聞名的詞學家和教育家，著有《鞠讌詞》，並輯有《金陵詞續鈔》，是唐先生愛好詞學的引路人和啟蒙者。」《詞學的輝煌——文學文獻學家唐圭璋》，頁209-210。

81 黃漢文：〈金陵詞人仇埰〉：「師範生一般地說家境比較清寒。有的畢業生教了幾年書，積累了一部分費用準備深造，往往請教老師怎樣安排自己的前途。仇老就根據他的主客觀條件提出初步意見：有的繼續從事小學教育（如馬登瀛）。有的進一步研究自己愛好的學科。如唐圭璋考入東南大學，在吳梅教授（本係四師教師）教導下研究詞曲。」《秦淮夜談》第6輯（1993年），頁38。

82 唐棣棣、盧德宏：〈詞學大師唐圭璋——記爸爸的一生〉，《詞學的輝煌——文學文獻學家唐圭璋》，頁16。

83 唐圭璋：〈雪深一尺憶師門〉，蔡玉洗主編：《南京情調》南京：江蘇文藝出版社，2000年，頁401-404。另唐圭璋有〈南京近代教育家、詞家仇埰〉向後世頌揚仇埰對教育及詞學之貢獻，《南京史志》1986年2期，頁2-4。案：其餘兩位是唐圭璋的小學校長陳榮之及大學老師吳梅。

編《金陵詞鈔續篇》，其對鄉土文獻之情，尤其對「金陵詞」的重視相信對唐氏不無影響。

加上，唐圭璋對故鄉南京亦具深厚的情意，這從其在抗戰期間所作的《南雲小稿》可見一斑。《南雲小稿》共三十三首詞，最早收錄於楊公庶編的《雍園詞鈔》。唐圭璋在一九三七年抗戰爆發後離開南京的家人隨軍校西遷成都，一九三八至一九四六年則轉任重慶中央大學教授。在這段離開家鄉的流離歲月中，他藉寫詞抒發對家人及故鄉的思念之情，唐氏自述：

>（《南雲小稿》）內容大體抒寫破國（南京將淪陷）、亡家、悼亡、懷鄉之哀。……宋趙崇嶓有《白雲小稿》，我因亂離中懷念南京，故這一段題作《南雲小稿》。[84]

後來部分《南雲小稿》收入唐氏晚年手訂的《夢桐詞》，《夢桐詞．自序》云：「自幼失父母，中年喪偶，晚復悼長女，自念平生憂患，獨我何多！外敵窺寧，萬戶奔亡。我亦孤身飄泊成渝，備嘗艱辛，思念家園梧桐，更覺淒零，破國亡家之痛，時寄於詞。」[85]詞集名為「夢桐」正代表唐圭璋對家園故鄉的懷念。《南雲小稿》寫盡唐圭璋在亂離中對故鄉人事的感念，情真意切，詞中很多「江南」意象，流露的盡是哀思，如：

>鳳城戈遠留無計。未飲心先醉。夜來皓月一窗含。送我悠悠尋夢到江南〔《虞美人》（杜鵑啼徹垂楊岸）〕[86]

>江南三月鶯聲亂。花外飄金絲。……背人已自不勝愁，那有心情，再繫木蘭舟」〔《虞美人》（江南三月鶯聲亂）〕[87]

>離愁無數。夢斷江南路。一夜寒溪流不住。錯計滿山風雨〔《清平樂》（離愁無數）〕[88]

>烽火亂神州。消息都休。便無猿嘯也生愁。自念江南憔悴客，不是英遊〔《浪淘沙》（峰際霧初收）〕[89]

唐圭璋寫詞重率真白描，詞作中對江南感念之情都表露無遺，充分表現唐氏對鄉土情之重視，甚有李煜詞遺風。明乎此，回看唐圭璋之南唐二主詞之研究，可謂與唐氏的金陵鄉土情意結不無關係。

---

84 許總：〈唐圭璋先生給我的22封來信〉，鍾振振編：《詞學的輝煌——文學文獻學家唐圭璋》，頁163。

85 唐圭璋：《夢桐詞》，頁1。

86 同上註，頁33。

87 同上註，頁34。

88 同上註，頁39。

89 同上註，頁43。

南唐二主與金陵一地淵源深厚，金陵是南唐政權的都城，二主詞更開創了金陵一地詞風，胡小石嘗標舉中國文學史上「在南京本地創成者」凡四種，[90]其中「聲律及宮體文學」一項便以南唐二主詞為代表，並讚其接武晚唐宮體文風而變為長短句，成為南京文學典範，對後世影響深遠，胡氏說：

> 後主為詞中聖手。影響北宋，詞家如二晏（晏殊、晏幾道）、歐陽修皆不宗蜀詞而偏重南唐之詞。……（後主詞）其境地之悲哀與高邈，古今詞人殆無有出其右者。[91]

南唐二主被視為金陵詞宗，陳作霖在《金陵詞鈔．凡例》已有提及：「金陵詞人，南唐二主實開其先，宋元以來作者代有。」[92]另秦際唐《金陵詞鈔．序》開首亦即道：「金陵倚聲之學，濫觴於南唐二主，歷宋迄明，代有作者，至國朝而極盛。」[93]這種金陵詞學淵源觀點，在仇埰《金陵詞鈔續編》也有繼承，他述說金陵歷代文學淵源時說：「至於詞學，尤有宗門。六朝煙水，久貯詞壇。二主風流，厥為先導。」[94]由此可見，「南唐二主詞」是金陵詞人宗祖的歷史地位，於晚清年間已有共識。唐圭璋既身為金陵詞人，亦受教於仇埰，南唐二主詞對唐圭璋而言，必然也有一種特殊的鄉邦文獻地位。因此，唐圭璋對南唐二主詞之研究，除了出於自己喜愛外，應有一種為金陵詞派追溯源頭之意。

此外，一向為唐圭璋重視的「拙重大」詞學觀其實也是金陵詞人重要之傳統。「拙重大」之說雖由況周頤發揚光大，但實導源於端木埰，陳匪石跋《宋詞賞心錄》時說：

> 近數十年，詞風大振，半塘老人偏歷兩宋大家門戶，以成「拙重大」之詣，實為之宗，論者謂為清之《片玉》。然詞境雖愈闢愈進，而啟之者，則子疇先生。《薇省同聲》，《碧瀣》居首，非僅以行輩尊也。[95]

仇埰自序《金陵詞鈔續編》時亦嘗以為「拙重大」之旨令「詞道益專」，他說：

> 顧文學隨時代演進，趨向亦各有不同。杏花春雨，藉寄閒情；香草美人，曲抒孤抱；或則市簫巷筑，遇井水而能歌；鉄板銅琶，唱大江之東去；亦有汰其艷冶，重

---

90 胡小石：〈南京在中國文學史上的地位〉，《胡小石論文集》上海：上海古籍出版社，1982年，頁139。

91 同上註，頁145。

92 陳作霖：〈國朝金陵詞鈔．凡例〉光緒二十八年刊本。香港大學圖書館藏本。

93 〔清〕秦際唐：〈國朝金陵詞鈔．序〉，陳作霖：《國朝金陵詞鈔》，同上註。

94 仇埰：《金陵詞鈔續編》，南京市文獻委員會《南京文獻》7號，南京：南京市通志館，1947年，頁11。

95 〔清〕端木埰選錄；何廣棪校評：《宋詞賞心錄校評》，頁111。

拙且大，歸於正雅，詞道益尊。[96]

可見，「拙重大」之說實為金陵詞學的重要傳統。值得注意的還有，端木埰嘗批注張惠言《詞選》與《續詞選》二書中凡十首詞作，書中批注的第一首詞正是李煜的《浪淘沙》（簾外雨潺潺）。端木埰一向選取精嚴，其選李煜詞為批注，不正說明了他對李煜詞的欣賞與認同。

總上所言，「拙重大」由晚清金陵詞人端木埰提出，並成了金陵一地的詞學傳統，其理論內涵亦能體現於金陵詞宗南唐二主詞之上。因此，為宣揚這種金陵詞學傳統及追溯詞派譜系，民國初年的金陵詞傳人唐圭璋，便選擇對南唐二主詞作深入研究，彙箋其詞集並撰寫文章析論，藉此建構「金陵詞派」思想。

五　總結

唐圭璋對南唐二主詞的研究一向注意不多，其實他標舉南唐二主詞真摯直率、不言寄託的觀點，實突破了晚清常州詞派的藩籬，從中更可見唐圭璋對「拙重大」詞學的個人接受與轉型。而《南唐二主詞彙箋》既考訂文字異同，又藉箋注引文指導賞析，亦有助這種詞學觀念的推廣與發揚。此外，唐圭璋欲藉宣揚南唐二主詞而為「金陵詞」建立派別宗祖，並強調鄉先輩端木埰與晚清詞學之關係，打破時人對晚清詞學淵源的一般看法，描繪出一種「金陵詞派」的師承譜系。總而言之，唐圭璋對南唐二主詞的閱讀與接受，不只出於一種文學的審美愛好，而是源於其對晚清詞學的繼承及其建構「金陵詞派」之意圖。

---

96 仇埰：《金陵詞鈔續編》，南京市文獻委員會《南京文獻》7號，頁11。

論釋守卓詩歌的價值
——平衡詩歌的傳法與藝術功用

葉德平*
香港中文大學專業進修學院

釋守卓是北宋閩籍詩僧，同時也是臨濟黃龍宗第四代高僧，是一個具有雙重身份的特殊人物。根據現存文獻統計，釋守卓詩歌創作量僅次於釋惠洪。這些詩歌題材十分豐富，有專寫公案的，也有山居雜記，題材豐富多變。釋守卓之詩嚴守傳法宗旨，傳承僧詩的基本法度，又能有所變通。雖然詩歌藝術性稍不及於類近儒生的釋惠洪，卻又優於一般不善變通的詩僧。守卓詩歌既能與士大夫接通，又不失僧詩本色，恰到好處地平衡詩歌的傳法功用與藝術功用。

一　「僧詩」與「禪詩」

僧詩，顧名思義，即是僧侶創作的詩歌。僧侶，是為了佛教信仰修行而離開世俗生活的人。他日常的生活，主要是修道與傳道，務求把無量眾生超度到彼岸。因此，由僧侶創作的詩歌，思想內容與傳意功能都較一般詩歌不同。

這些參與創作詩歌的僧侶，文學上，稱之為「詩僧」，而其所創作之詩歌，即是「僧詩」。

「僧詩」與「禪詩」相似，但兩者存有不同之處。禪詩是以「禪」為詩歌創作的主題，作者一般是文人。這些作品大多反映了他們對現實和人生的深刻感悟，處處滲透著禪悟意蘊，具有禪機、禪趣和禪意。對詩人來說，禪宗思考模式有效提昇個人思考深度，擴闊作品維度。藉著禪悟，他們能夠以一個嶄新的視角觀照世界，既能觸動自身，也能使他人獲得覺悟。同時，禪宗獨特的審美思想，也為文人帶來一個突破的契機，讓他們可以在詩的「審美」上另闢蹊徑。這種「內」與「外」的「新變」使禪詩成為唐宋詩壇的一硌生力軍。

僧詩一樣充滿禪意、禪趣，而且也處處浸透著禪悟，所以它與禪詩是有著異曲同工之

* 葉德平，男，文學博士，香港中文大學專業進修學院講師，香港歷史文化研究副會長，研究方向為宋代文學、禪詩。

妙。縱使兩者都是以「禪」作為寫作主體，但因為其創作意圖不同，結果造成詩歌主題迥異。詩人寫作禪詩，主要的意圖有二：一則，以禪理提昇其詩的藝術層次，正如元好問所說「詩為禪客添花錦，禪是詩家切玉刀」；[1]二來，詩人借詩歌展示個人的悟境。然而，詩僧寫作僧詩並不只為了提昇其詩的境界與展示悟境。寫作詩歌是僧人用來領會禪法的一種重要方法，講究準確表述禪法，美感倒成為其次。例如釋守卓創作的〈和昭默老人寄示拂子頌〉，就是一首典型的僧詩，守卓藉著詩歌闡述、總結他從其師釋惟清〈寄示拂子頌〉領略得到的禪理。

二　和意亦和韻——〈和昭默老人寄示拂子頌〉

〈和昭默老人寄示拂子頌〉是守卓的四首唱和詩之一，其餘三首分別是：〈劉公任侍郎，比乞法名，示之以「妙通」。茲承佳偈，因和以答。〉、〈即來言和答公任侍郎〉和〈和答妙靈修撰謝法名〉。然而，遍查所有典籍，只有〈和昭默老人寄示拂子頌〉一首能肯定地指出和詩對象，可以完整地了解守卓的寫作意圖。

唱和，顧名思義，需要一個「先發者」與一個「後應者」，[2]也就是這種詩本應是由二個或以上的人，一先一後、發聲和應而成。白居易在〈和答詩十首並序〉提出了「唱和」詩的規律：「纔成十章，亦不下三千言。其間所見，同者固不能自異，異者亦不能強同。同者謂之和，異者謂之答」。[3]其中重點是「同者謂之和，異者謂之答」，意思是後者須與先者有相同的立意，才能稱為「唱和」。[4]

要解讀唱和詩，必須掌握它的唱和對象；瞭解兩者之間的關係，才能掌握彼此的特點。〈和昭默老人寄示拂子頌〉的「昭默老人」就是守卓的恩師—釋惟清。因他居於黃龍山昭默堂，故守卓稱呼他為「昭默老人」。《東京天寧萬壽禪寺長靈卓和尚語錄・行狀》記載了這首唱和詩的成詩經過：

> （孫公）以甘露闕人，請師主之。懃與眾咸以荒村破院，欲其無行。師曰：「政不以此為慮，顧在我者如何耳。」腰包而往，衲子歸之。各以巾橐長余，增修堂室。舒民素號難化，至是亦翕然信向，樂於不斁，竟化草菜，為寶坊也。或曰：「剛強受化，何道致之耶？」曰：「吾豈暇家至戶到而化之耶？然吾佛祖兒孫，但不乏吾事。」莫知其所以然而然也，或者賞歎其言之異。開堂後，靈源睹書，則曰：「吾之

1　元好問：〈答俊書記學詩〉，載姚奠中主編：《元好問全集》太原：山西人民出版社，1990年，頁435。

2　《禮・樂記》曰：「倡和清濁」；其疏曰：「先發聲者為倡，後應者為和」

3　〔清〕彭定求等編：《全唐詩》第十三冊，北京：中華書局，1996年，頁4680。

4　趙以武：《唱和詩研究》蘭州：甘肅文化出版社，1997年，頁368。

責可付，而積翠之風，可追矣。」遂以拂子，表法信，示偈曰：「即此用，離此用，一鏃離弦墮喝中。紅心心裡中紅心，發我江西大機用。付爾宜將振祖風，荷擔勿憚千鈞重。鍛聖鎔凡善放收。會應不與諸方共。」。又曰：「世稱承紹者，多名存而實亡。予於此時，法爾不能忘，有望於汝，汝亦能不法爾所慮哉。」又曰：「執善應之樞，處會通之要。理須遵古，事貴適時。委靡結佗緣，孤標全己任，是必自勉，不待吾言也。」[5]

守卓應舒州太守孫傑之請，到了幾如「荒村破院」的甘露寺擔當住持。在守卓的努力下，舒州居民雖素以「難化」見著，但最後也「翕然信向，樂於不斁」，而「荒村破院」也變成「寶坊」。[6]惟清禪師有感於守卓之不避艱難，於是以拂子為法信，並示偈一首，表示守卓可嗣其法。下為這首偈詩的內容：

即此用，離此用，一鏃離弦墮喝中。紅心心裡中紅心，發我江西大機用。付爾宜將振祖風，荷擔勿憚千鈞重。鍛聖鎔凡善放收。會應不與諸方共。[7]

這首偈詩並沒有被《靈源清禪師語》收錄，只見於《東京天寧萬壽禪寺長靈卓和尚語錄．行狀》。首三句惟清以「箭鏃離弦」比喻「禪道」之「無常」，讚揚守卓既能「即此用」，也能「離此用」，不觸也不背，均當大任。四至七句是惟清對守卓的寄望，他期望守卓能負上這「千鈞」重任，振興黃龍祖風。最後兩句是惟清對守卓的寄語，希望他能掌握「放收」之要，在適當的時候，用適當的方法傳法予「諸方」。

守卓收到惟清的「拂子頌」後，隨即賦了一首和意又和韻的詩──〈和昭默老人寄示拂子頌〉：

即此用，離此用，箭未離絃的先中。萬仞崖前撒手歸，一句機玄無用用。此時針芥審無差，戴恩奚翅丘山重。誓捐軀命壯縣絲，隨波聊與人天共。

據趙以武《唱和詩研究》指出，「和意」是指「和詩即事、抒情、寫意，必須與唱詩相一。換句話說，和詩作者需要設身處地站在唱詩作者的立場上，重複表現唱詩中的情事，反映

5　〔宋〕介諶編：《長靈和尚語錄語錄》，收入《大正藏》冊69，經1347，頁257-272。

6　〈東京天寧萬壽禪寺長靈卓和尚語錄．行狀〉云：「年來乍住甘露，癡鈍無可作做。剛被王官差排，業緣無能回互。只得逐浪隨波，從教諸方流布。門前旋買新鹽，甕裡有些陳醋。來者覓茶與茶，大似雖貧而富。更問祖師西來，老也得住且住。」又云：「甘露無底缽，禪人要拈掇。浩浩塵土中，一佛二菩薩。撞著老維摩，輕輕共伊說。施者非福田，是誰納敗闕。」

7　〔宋〕介諶編：《長靈和尚語錄語錄》，收入《大正藏》冊69，經1347，頁257-272。

唱詩作者的情意」。[8]比較惟清的〈寄示拂子頌〉與守卓的〈和昭默老人寄示拂子頌〉兩首，兩句所說的事，就是同一件事。惟清借詩寄望守卓能不避艱難，「發我江西大機用」；守卓則藉詩回道：「誓捐軀命壯縣絲，隨波聊與人天共」，是「一問一答」的關係。而二人在「一問一答」詩句以前，同樣以「箭鏃離弦」比喻對「禪道」的感受，守卓的「箭未離弦的先中。萬仞崖前撒手歸」也就是與「一鏃離弦墮喝中，紅心心裡中紅心」互相呼應。

兩首僧詩的主題十分明確，就是：寄託與答允（傳法的責任）、考問與回應（宗門思想的理解）。惟清通過詩歌寄託黃龍宗傳法責任予守卓，並藉詩歌考問守卓對宗門思想的領略；反過來，作為黃龍宗重要的傳人，守卓必須在詩中明確地展示他對繼承衣鉢的信心，並且好好回應業師的提問，讓惟清知道無論是在學問上還是心態上，他都已經準備好。正如上文所說，「傳法」是僧詩最根本的意圖，〈和昭默老人寄示拂子頌〉中的「準確」，正是達成這意圖的重要元素。

另外，從這首詩中，可以看到守卓既能做到藉詩歌傳法，也能平衡詩歌的藝術功用。前文提及「唱和詩」，除了需要「和意」外，也需要「和韻」。所謂「和韻」是指和詩與「先發聲者」同用某一韻部。下面是惟清〈寄示拂子頌〉與守卓〈和昭默老人寄示拂子頌〉的比較表：

〈寄示拂子頌〉	即此用，離此用，一鏃離弦墮喝中。紅心心裡中紅心，
〈和昭默老人寄示拂子頌〉	即此用，離此用，箭未離弦的先中。萬仞崖前撒手歸，

〈寄示拂子頌〉	發我江西大機用。付爾宜將振祖風，荷擔勿憚千鈞重。
〈和昭默老人寄示拂子頌〉	一句機玄無用用。此時針芥審無差，戴恩奚翅丘山重。

〈寄示拂子頌〉	鍛聖鎔凡善放收。會應不與諸方共。
〈和昭默老人寄示拂子頌〉	誓捐軀命壯縣絲，隨波聊與人天共。

根據上表分析，可以發現守卓〈和昭默老人寄示拂子頌〉與惟清〈寄示拂子頌〉是和韻的。二詩共有六處和韻，同屬仄聲。此六處和韻的分別關涉四個字：「用」、「中」、「重」、「共」；而其韻當是：「用」，去聲二宋；「中」，去聲一送；「重」，上聲二腫；「共」，去聲二宋。除「用」與「宋」外，都不是同一個韻部。故此，無論從「和意」的角度，還是從「和韻」的角度，〈和昭默老人寄示拂子頌〉都確是一首合乎傳統格式的唱和詩。

唱和詩寫作難度頗高，寫作時必須要同時顧及「和意」與「和韻」。守卓並沒有因為遷就傳法的需要，而忽略了詩歌本身的藝術要求，恰當地平衡了二者。

8　趙以武：《唱和詩研究》蘭州：甘肅文化出版社，1997年，頁372。

三　圓通亦融和——〈國師三喚侍者〉與〈外道問佛〉

詩歌之於守卓之手，成為與僧俗交往的重要工具。他長年擔任寺廟的住持，雲遊機會並不多，故他的交往範圍並不廣，對象一般都是信眾與僧侶。面對普羅大眾時，守卓其實並不太需要藉詩說禪；僧詩，一般都是他在面對文人居士時使用。因為對著士大夫，守卓是不可能祭出德山棒、臨濟喝，這未免過於粗暴，難為文人接受。因應他們的學養需要、生活品味，守卓必須使用「時代流行物」——詩歌作為媒介，引導文人居士領略佛法之真諦。

根據現存十四部有關釋守卓的禪典統計，[9]他一生寫作了九十一首以宣揚黃龍宗的宗門思想與信仰為主題的偈頌詩。這些詩歌都是守卓對前代某一件「公案」發表的見解、體會，而且大量地使用禪家語彙。

「公案」，是佛教禪宗前輩祖師的言行範例，是後學參悟禪理、判別是非、破迷啟悟的「文字禪」。而彼等公案落在守卓手上，即生動起來，也由「死」變作「活」。守卓把「公案」視為「引子」，引領學人進入自己的議論之中，然後導引他們領略箇中真諦。守卓不重視記述公案內容，反而重視對其義理的把握，並利用它去言說禪理。他信奉道是不假外求，只須返本溯源就可之說，於是便在〈珊瑚枝枝撐著月〉一詩，以「傴重三千不可圖，從教千古強名模」強調「道」這不可刻意追求的本質。

公案本身已存在很多的詮釋方向，後學其實不易把握，稍一不慎，很可能就往錯裡去想，結果只有迷頭認影。故此，從傳法角度去看，守卓的僧詩正是他啟悟學人、傳播佛法的重要工具。下面就以〈國師三喚侍者〉和〈外道問佛〉為例，說明一下這首詩的傳法功能。

千古以來，「道」這個名稱都是強加上去，因為「道」本來是無形無相的，所以從來沒有一個合適的名稱，用黃龍慧南的說法：「大道無中，復誰前後？長空絕跡，何用量之！空既如是，道豈言哉？」守卓也認同這個觀點，但是既然「無形無相」，又如何傳授給學人呢？於是他就在〈國師三喚侍者〉（其二）一詩謂：

> 國師有語不虛施，侍者三喚無消息。平生心膽向人傾，相識不如不相識。

「喚處分明應處親，不知誰是負恩人」，其實「道」從出生的一天已存在心中，並且常常在呼喚著我們；它與我們十分親近，因為它本來就在身體裡面，可是我們卻因種種因由而著

9　現存有關釋守卓的史料不多，十居其九只能見諸於佛教叢書《大正新脩大藏經》（下簡稱《大正藏》）之中。《大正藏》一共收錄了14部有關釋守卓的典籍，分別是：《東京天寧萬壽禪寺長靈卓和尚語錄》、《聯燈會要》、《嘉泰普燈錄》、《五燈會元》、《續傳燈錄》、《指月錄》、《宗統編年》、《聖箭堂述古》、《禪林寶訓順硃》、《禪林寶訓筆說》、《五燈嚴統目錄》、《教外別傳》、《五燈全書目錄》、《禪宗雜毒海》。此十四部經典中，資料有詳有略，而且大部分是依據釋守卓徒弟釋介諶所撰之《行狀》寫成。

了邪道，用了錯的方法去求道。這首詩的本源是一則名為〈國師三喚〉的公案。故事的國師三喚侍者，侍者也三次回應國師的呼喚，國師因此感歎地說：「將謂吾辜負汝，元來卻是汝辜負吾！」。公案中的侍者明顯是執著了文字的表相，迷頭認影，未能真正悟道。針對這種情況，守卓認為為師必須要想法子用語言文字而不執於語言文字，只接引而不開示。

另外，守卓在〈外道問佛〉又寫道：

> 外道麤心慣嶮夷，老胡鞭影露針錐。行人拾得東門兔，誰管韓獹精力疲。

這首詩是針對著名公案〈外道問佛〉而寫，公案原文是：

> 外道問佛：「不問有言，不問無言。」世尊良久。外道讚歎云：「世尊大慈大悲，開我迷雲，令我得入。」外道去後，阿難問佛：「外道有何所證而言得入？」佛云：「如世良馬，見鞭影而行。」

外道向佛祖問如何成佛，佛祖給予的答案只是「良久不語」，一般人看來並沒有答案，但外道卻認為佛祖「開我迷雲，令我得入」。何以如此？皆因佛祖早知外道機緣已熟，只須接引一下，便可悟道。守卓所說「老胡鞭影」就是這個意思。不過，要留意一下，這裡其實揭示了悟道的兩個必要條件：第一條要機緣成熟，這就是黃龍宗所倡的悟道前的修行；第二條就是有接引之機。在黃龍宗而言，接引之機除了「德山棒」、「臨濟喝」，就是用「活句」去接引學人。另外，這首禪詩也寄寓了守卓對世人迷於枝節，捕風捉影的遺憾。本詩最後一句「誰管韓獹精力疲」用了「韓獹逐塊」的典故，說明人們迷於水月鏡花。「韓獹」是戰國時代韓國的名種犬隻，牠雖然資質優良，但是人們向牠投擲土塊，牠卻同樣是礙於見識而誤認土塊為食物，競相追逐。「韓獹逐塊」就好比〈國師三喚侍者〉的侍者過於執迷，反被迷惑的情況。

這兩首詩恰到好處地展現了守卓詩歌的傳法功用，他在詩歌反復提醒學人「道」的真正意思，反復勸誡學人不要迷頭認影，最後認賊作父，落下圈套。而撇開傳法功用不論，只「以詩論詩」，其實〈外道問佛〉也是及格的詩歌。這詩押上平四支韻，符合近體詩的平仄要求，雖然藝術感稍欠，但卻是一首工整的詩歌。然而，這也正是僧詩獨特之處—既重藝術功用，也重實際功能；而二者之間，又以實際功能為最重要。故此，僧詩在藝術審美的層面上，是難以與禪詩企及，而這正好符合守卓僧詩的突出處—雖不甚美，但不流俗，而且能準確地傳播佛法。

四　與同期同宗僧人比較：半僧半儒的釋惠洪

與同期同宗的詩僧比較，守卓的詩歌數量只僅次於釋惠洪。這說明了，最少在數量上，守卓對詩歌的運用是比其他詩僧為多。事實上，用數字去說，守卓只有一六二首詩，而惠洪有一七八〇首。必須注意的是，這不只是守卓遠遠落後於惠洪，而是同期同宗的，根本無人能比惠洪寫得多，而守卓已經是最接近惠洪的一個。

其次，惠洪基本可以說是「半僧半儒」，而非全職「僧人」。考惠洪之生平，他自言「十三環坐同賦詩，出語已能驚怯懦」，[10]少依三峰靘禪師為童子，十九歲於東京天王寺得度。[11]二十二歲拜入黃龍宗釋克文門下，二十九歲得其印可，但是因違禪規，旋即被克文逐出山門。自此，惠洪展開了他半僧半儒的雲遊生活。他交遊甚廣，與黃庭堅、張商英等朝中文士相交甚深。時為丞相的張商英讚揚他是：「天下之英物，聖宋之異人。然古之高僧，以才學名世。殆與覺範並驅者多矣」，[12]評價極高。可惜，惠洪命途多舛，曾經五次下獄，[13]甚至被發配到朱崖軍。

惠洪被逐出山門之後，雖然心裡仍以僧人自居，但是他實際上也不在寺院掛單落戶。出色的詩才、廣闊的交遊、大起大落的人生，以及半僧半儒的生活成就了惠洪的詩名。沒有了沙門的規限，惠洪的創作自然較守卓的大膽。而且因為沒有傳法的使命，惠洪的詩作可以一味追求藝術美，不用像守卓般平衡二者。於是，惠洪的詩作，間有出色的禪門作品，同時也有一些綺靡忘情之語。

〈題言上人所蓄詩〉就是其中具代表性的一首。他在〈題言上人所蓄詩〉自道：「予幻夢人間，遊戲筆硯，登高臨遠，時時為未忘情之語，旋踵羞悔汗下」，[14]可見他不像僧人，反類似狂放文士，既不受清規所囿，又好為忘情之語。事實上，這種忘情語在他的《石門文字禪》之中，摭拾可得。例如他在讀林和靖集戲書後曾賦詩一首云：

> 長愛東坡眼不枯，解將西子比西湖。先生詩妙真如畫，為作春寒出浴圖。[15]

蘇軾曾寫過一首詩歌〈飲湖上初晴後雨〉，其中有兩句：「欲把西湖比西子，淡妝濃抹總相宜」；惠洪以之作為興起，讚揚東坡好眼力，並把他這詩比喻為初春美女出浴圖。假如

---

10 〔宋〕德洪：《石門文字禪》，載於《嘉興藏》，冊23，經號B135，頁696。

11 〈贈蔡儒效〉，詳見〔宋〕德洪《石門文字禪》，《嘉興藏》冊23，經號B135，頁579。

12 〔宋〕惠洪：《僧寶正續傳》，載於《卍續藏》，冊79，經號1561，頁563。

13 李貴：〈宋代詩僧惠洪考〉，載於《文學遺產》，2000年，3期，頁115。

14 〔宋〕德洪：《石門文字禪》載於《嘉興藏》，冊23，經號B135，頁707。

15 〈偶讀和靖集戲書小詩〉，詳見〔宋〕德洪：《石門文字禪》，《嘉興藏》，冊23，經號 B135，頁624。

這首詩歌出於普遍文士之手，其實也無不可，但偏偏惠洪是一個出家人，這樣的文字、這樣的書寫，確實是大膽出格，他的好友也為此而大怒，特意作詩規勸。[16]

像這樣的「忘情之語」，惠洪實在寫過不少，再舉一例說明之。例如他的《次韻通明更晚春二十七首》，就是一組惜春怨晚的詩歌，其中也有不少忘情之語，例如：

> 花落片片怨春陰，霧雨那堪更作霖。小院晚春猶惜掃，欲穿準擬倩金針。
> 枝上啼禽毛羽光，商量密葉恰能藏。路旁垂柳陰堪歇，墻外櫻桃小可嘗。
> 春心百種竟衰殘，幽事侵尋尚數端。清晚閑題記新竹，粉衣香滑一竿竿。
> 紅梅真是醉吳姬，浴罷偎風事事宜。吟次紛紛落紅雨，小禽飛去動危枝。
> 劇笑自知躋奧室，好詩安敢望門墻。饒君麗句春難敵，輸我朱顏鬢未蒼。
> 清絕新詩寫硬黃，著籤端為密收藏。自驚短拙知何限，愛子高才見未嘗。[17]

這組詩歌顏色鮮豔，如「墻外櫻桃」、「粉衣」、「紅梅」、「紅雨」、「朱顏」，與一般僧詩的清枯色調全然不同。又惠洪在詩中盡是惜春之語，如「花落片片怨春陰」、「輸我朱顏鬢未蒼」等，也與僧人追求清空靜寂之心相去甚遠。

總的來說，惠洪的詩歌題材豐富，而且又好遊於公卿之間，全然不像一名僧人，而這形象也見之於《四庫全書總目提要》：

> 惠洪頗有詩名，其所著作多授引黃庭堅諸人為重。然喜遊公卿間，初以醫術交結張商英，復往來郭天信之門……有「十分春瘦緣何事、一掬鄉心未到家」句，為蔡卞之妻所譏，有浪子和尚之目。則既役志於繁華，又溺情於綺語，於釋門戒律，實未精嚴。在彼教中，未必據為法器……蓋惠洪雖僧律多釖，而聰明特絕；故於禪宗微義，能得悟門。又素擅詞華，工於潤色；所述釋門典故，皆斐然可觀；亦殊勝粗鄙之語錄。在佛氏書中，固猶為有益文章者矣。[18]

「浪子和尚」（轉引自蔡卞妻之語）、「溺情於綺語，於釋門戒律，實未精嚴」、「未必據為法器」、「素擅詞華，工於潤色」，此等評語把惠洪描繪成一個落拓才子，完全不像一個僧人，甚至驟眼看來，更像是在形容柳永、秦觀。《四庫全書總目提要》並不否定惠洪的禪門修行，更讚揚道：「於禪宗微義，能得悟門」、「所述釋門典故，皆斐然可觀」，然而必須注

16 詩後云：「（友人）廓然見詩大怒，前詩規我」。詳見〔宋〕德洪：《石門文字禪》，《嘉興藏》，冊23，經號B135，頁624。

17 〔宋〕德洪：《石門文字禪》，《嘉興藏》，冊23，經號B135，頁648。

18 〔清〕永瑢、紀昀主編：《四庫全書總目提要》北京：中華書局，1965年，頁1238。

意惠洪的身份——他早已被逐出山門，業已不是僧侶，換言之，他已無傳法使命。[19]反觀守卓，他一生命途平坦，先後應邀住持，多間寺院均備受好評，又受到朝廷禮待。一個是飄泊不定的僧人，一個是德高望重的住持，此差異造成了二人詩歌題材內涵的不同。

五 結論

惠洪詩歌的確擺脫了僧詩的「酸餡氣」、「蔬筍氣」，更為後世不少評論者讚揚，[20]從藝術角度而言，顯然優於守卓的詩歌。然而，有別於惠洪，甚至世俗文人，守卓不是借助禪意提煉詩境，也不是藉詩歌顯露藝術才華；相反，作為一個擁有高僧與詩人雙重身份的人物，守卓的詩歌有更實質、更單純地表達宗教意義與責任。釋守卓詩歌的價值在於它能精準地傳遞佛法，又頗有意趣。雖然它的藝術性遜於惠洪，然又因為放棄了藝術性的過份追求，所以能堅守僧詩的傳法宗旨。守卓之詩既能與士大夫接通，又不喪失僧詩本色，但與普通詩僧相比，他不惟詩作數量大，且內涵豐贍，技法多變，勇於創新，與士大夫親近之意畢顯。其價值在於：處於一般不善變通之僧與士大夫化之僧如惠洪之間，平衡了詩歌的傳法功用與藝術功用。

---

19 惠洪二十九歲時，被其師克文逐出山門，雲遊四海，後來應邀住持北景德寺、金陵清涼寺，均被眾人排擠而去。

20 惠洪詩歌屢受後世詩評者讚譽，例如清人賀裳評其詩：「僧詩之妙，無如洪覺範者，此故一名家，不當以僧論也。」、又如吳之振評他的詩為「詩雄健振踔，為宋僧之冠」。詳見李貴：〈宋代詩僧惠洪考〉，載於《文學遺產》，2000年，3期，頁115。

經學的理學化與理學的經學化

田智忠
北京師範大學

一 前言

要討論經學與理學的關係，先要明確何謂經學、何謂理學？我們知道，經之為經，是因為其出自聖賢之手，這是狹義的經學；廣義的經學，既包括聖賢之原典，也包括後人對於經的研究成果，以及由此而形成的一系列學科和研究方法。本文稱前者為經學原典[1]，稱後者為經學傳注[2]，以示區別，並強調經學特指前者。在此意義上，經學與先秦儒學的內涵大致相當，但也未必重合。這樣的處理，固然不免把對問題的討論限定在「哲學」層面，忽略作為「學科」的經學的獨特性，但其好處是更能明確經學的核心和本源，而且使話題更為集中。

理學之為理學，因為其是以「理」為核心的思想體系，並以複性、成聖為基本主題[3]。當然，理學中包含大量對經學原典的注釋之作，在此意義上將理學納入經學的範圍，當不存在爭議。不過，如果我們僅把理學視為是在討論經在說什麼的話，不足以揭示出理學的特質。顯然，理學雖本於經學，但不囿於經學。對此，我們提出經學的理學化與理學的經學化的觀點，來概括二者之間的微妙關係，就正於方家。

二 經學傳統：理學本於經學

理學本於經學，意在強調理學與經學的繼承性。這是對那種認為理學不同於經學主張的反動。我們知道，廣義的經學涵蓋甚廣，涉及文學，政治、歷史、音樂、社會和文化等多個領域，後來更是延伸到語言文字、章句訓詁、名物度數、地理沿革，詮釋體例等多種內容，並形成了自己的方法論。因此，經學與儒學的領域必然無法重合。而理學更具哲理化，也更自覺的排斥漢唐經學和文學、訓詁和章句之學。這就造成了理學與經學不同的表像。在部分清儒看來，理學對於「經」的詮釋談不上忠實；而在思想解讀的層面，理學又過於集中在心性之學上，有悖於「經」的本意。因此，理學之於經學，更類似於舊瓶裝新酒，而瓶中的新酒，就是佛老思想。理學的本質是外儒內佛。

1 通常有六經和十三經之不同說法，這裡採取後者的說法，更強調五經與《論語》《孟子》的貫通性。
2 《易傳》是對《易經》的注釋，但通常學界都視二者為一體。
3 學界目前也存在對理學一致的定義。

對此，我們要有一個全面的判斷。首先，經學當然不限於訓詁章句之學，更不是一個體系龐雜的大雜燴，而是有其核心的精神。在清儒眼中，經學就應該是五經四書的文本，但實際上，孔子在經學上的貢獻，恰恰體現在其能夠賦予原本是文學（《詩經》）、史料（《春秋》《尚書》）、社會禮俗（《儀禮》）的材料以哲理性，賦予原本只是卜筮之書的《易經》以德性和教化的精神。由此，經學不只是純粹的學問和知識的雜燴，而是具有實踐性、和精神性的修齊治平之學。我們更應該從中華文明發展的整體脈絡中定位經學，以此為基礎來討論理學與經學的關係。

其次，多數理學家對於經學原典有著強烈的認同感。雖然他們中的許多人都有出入佛老的經歷，但是還是能夠自覺地區分儒學與佛老之間的界限，自覺地維護儒學的核心價值，承擔起儒者應有的擔當。這是理學與經學原典之間天然的紐帶，不容否定。當然，理學註定不會是對先秦儒學的簡單複製。理學對於經學原典，採取了有選擇的繼承和創造性的詮釋。這是一種創新之學，僅憑理學強調心性形上學和理學化約了經學原典這一點，就說理學背叛了經學傳統，並不嚴謹。

我們認為，至少從以下幾個方面看，經學與理學之間具有內在的關聯性。

（一）人本

人本相對於神本而言，是指人非神才是中心。西方文明在很大程度上是神本，而中華文明則是人本。人本這一特質，又與孔孟對於中華文明發展方向的引導是分不開的。在孔子之前，中華文明已經在經歷著一場由神本到人本，由蒙昧到理性、德性的漫長演化進程。這一進程，又具體通過天人關係表現出來。孔子雖然聲稱「述而不作，信而好古」，但他在繼承了周人重禮樂、尊「天命」傳統的同時，又極大地賦予了天命概念以新的內涵，強調天命不再是決定人一切的超自然存在，而是與人性、與人的「義」密切相關，體現出德性和理性的因素。「天命」必須經由人的自身努力來實現的價值性因素。隨之而來，人內在的本質是天賦的善性，這也是天與人之間的「通性」。由此，人面對天，不是要拜倒在天之下，做天的奴僕，人只要能做到「盡人事」，就可以實現內在超越，與天為一；而人的自我完成的過程，正是天命之性在人身上充分呈現的過程。孔子正是通過對「命、義」觀念的重新詮釋，賦予了天人關係以新的內涵，也實現了文化價值由神本向人本的轉換。在孟子那裡，首次有了對人之為人者的定位：「仁者，人也」，預示著人與仁的相互定義（即「人者仁也」）[4]，預示著「仁」成為人之為人者的本質規定。孟子還首次明確提出性善是人的類本質。在孟子那裡，天或者神已經隱身在人之後，轉換為人性之深刻性、超越性的注腳。總之，在孔孟那裡已經將天性轉化為人性的本質，認為人的自我實現，不是要否定人性

4 陳來：〈緒言〉，《仁學本體論》北京：三聯書店，2014年，頁4。

並拜倒在神性之下，而是走盡心知性知天之路，在人性的完成中呈現天命，實現內在超越。

與之相對，理學也面對著以「解脫」為導向的佛老思想的挑戰，而如何重新高揚起人道、人文的大旗，延續中華文明基本理念，這是理學必須面對的課題。顯然，理學與佛老之爭，既涉及人本與神本之爭，也涉及到是去還是存人的社會價值之爭。在這場爭論中，理學所堅持的恰恰是由孔孟所高舉的人本大旗，堅持從人倫物理角度來定位人，接續了經學原典的基本精神。其次，理學在繼承經學精神的同時，強調以「理」釋天，強化了天理的理性內涵，並以「性即理」為立論基礎，進一步密切了天人之間的關聯性，極大的擺脫了神學的影響（在一定程度上，秦漢經學又有神學化的趨勢），接續了經學原典的人本特色。

（二）性本

在儒學中，性是溝通天人的重要媒介，「天命之謂性」也是儒學論性的基本表述方式：性是天命向人的投射，也是人之為人的基本規定性（荀子的看法或有不同）。本來孔子論「性」，只有「性相近也，習相遠也」一句。這裡，「性相近也」並非是說眾人之性在「量」上的相近，而是指在「質」上，人生而必有的一種通性。就此而言，孔子對性的理解就不只是感性的、經驗的、情感的，而是觸及到了所謂「性的一般」。既然孔子對天命的理解已經包涵了德性義，那麼他所理解的人性，也必然是德性和善性的，這不只是一種可能性，而是必然性。孟子論性，則明確強調性善是人天賦的類本質，是一種恒定、惟一的指向性。[5]人可能會「放心」，但是卻不可能沒有本心。顯然，孟子明確強調了人性善的必然性和先驗性，否定了人為惡的內在根據，這對儒學的發展，產生了深遠的影響。

理學尤其重視對心性問題的討論。程頤在其《顏子所好何學論》中強調，顏子之學不同於孔子其他弟子之處，就是學以至聖人之道，「凡學之道，正其心養其性而已」（《二程文集》卷九，〈顏子所好何學論〉）。這一點，也是理學的共識。可知，理學本質上就是成聖之學，而心性修養工夫則是成聖之學的根本。再者，經學原典強調天命是人性之所本；而理學則強調天理與人性的貫通。「天理」與「天命」的差別，更突出了理性的一面，表明理學對「本體」和人性的看法不止是善性的，更是理性的。而在天理與人之間，理學突出天人一本：人之性，就是在人身上具體呈現出的天理，人之性善根源于天理之善。

（三）情本

經學原典和理學都重「情」。雖然《論語》中並沒有多少討論「情」的內容，不過孔子

---

5 孟子提出「可欲之為善」，這裡的「可欲」，是一種不容已的必然性傾向。孟子認為，這種恒定的指向性，是人的類本質。

論仁，歸結為「愛人」之情，並主張孝悌為仁之本，體現出其對情的重視。孟子對性善的論證具體落實在「四端」之情上，認為「普遍的道德原則乃內在於人的情感生活，因而為人所本有、所固有」[6]。顯然，無論是孔子的「仁」，還是孟子的「性善」，都只能通過「情」體現出來，從而成為人最真實、最本己的表露。

漢唐儒學受陰陽尊卑觀念和佛學的影響，「性善情惡」、「滅情復性」的說法一度非常流行。理學再次給予了「情」字以足夠的重視。張載首先提出「心統性情」的說法，但卻沒有展開具體論證，朱子則認為，論心必須要包括情在內：

舊看五峰說，只將心對性說，一個情字都無下落。後來看橫渠「心統性情」之說，乃知此話有大功，始尋得個情字著落，與孟子說一般。孟子言「惻隱之心，仁之端也」，仁性也，惻隱情也，此是情上見得心。(《朱子語類・性理二》)

性是理之總名，仁、義、禮、智皆性中一理之名。惻隱、羞惡、辭遜、是非，是情之所發之名，此情之出於性而善者也。其端所發甚微，皆從此心出，故曰「心統性情」者也。(《朱子語類・性理二》)

朱熹注意到了「情」在孟子思想中的特殊地位，認為只有情才能體現出心的現實性與鮮活性。不僅如此，朱熹還在其著名的「已發未發說」中，提出「情之未發者性也……性之已發者情也」(《朱文公文集》卷六十七，〈太極說〉) 的觀點，給予了情以足夠的重視。這可以說是對經學原典重「情」特色的回歸。

總之，孔孟較之於前人的突破，是強調人的本質是德性，人性本於天性。因此，理學強調心性義理之學，並未偏離經學固有的邏輯。當然，雖然理學的主體部分是「心性義理之學」，但這並不代表「心性義理之學」就是理學的全部。那種認為理學已經完成不同于傳統經學，甚至主張只有走出理學才能回到傳統經學的觀點，是片面的。

三　理學氣質，理學不囿於經學

理學之於經學，「接著講」多於「照著講」。理學本質上是對經學是一種再理解、再詮釋，再創造。理學有自己獨有的時代精神、運思視角和問題意識，有需要面對的時代問題，因此理學必然會有自己獨有氣質，理學也敢於提出「六經之所未載，聖人之所未言」(范育：〈正蒙序〉，載呂祖謙著，《宋文鑒》卷九十一) 者，這是理學與經學關係中的又一面。

理學自身孕育的歷程，是一個不斷揚棄漢唐儒學、玄學和佛老思想基礎上重建儒學主體性的複雜過程。由此，理學較之于經學原典，必然會體現出獨有的氣質。

6　李景林：〈倫理原則與心性個體——儒家「仁內義外」與「仁義內在」說的一致性〉，載《教化視域中的儒學》北京：中國社科科學出版社，2013年，頁54。

其一，運思視角有異

經學原典和理學本質上都屬於天人之學。不過，由於整個先秦思想史都表現出一個不斷祛魅的過程，在不斷地解構神秘之天、宗教之天和主宰之天，從而體現由神本向人本的轉變轉變，因此經學原典也表現出對於「天」敬而遠之的態度（《易傳》有所例外），這在一定程度上代表了強調天人適度相分的觀點（不是說天人之間毫無關係，而是說天有天道，人有人道，人更應該關注人之道）。在此前提下，經學原典多將目光主要聚焦在人的身上，集中討論仁、性和禮等核心範疇。與之相應，「天」似乎已經隱身在「人」之後，只是發揮著為人道奠基的作用。而在荀子那裡，則更明確地主張「唯聖人為不求知天」、「故君子敬其在己者，而不慕其在天者」，主張不能錯人而思天。雖然如此，經學原典仍然認為天是人之所本（可以稱其為本源之天）。由此，經學原典並非不再提及天，而是對天的詮釋趨於理性化，德性化，更強調天德與人性的貫通。雖然如此，經學原典中對天道的理解並未上升到本體論的高度。

與之相對，理學則把「天」理解為天理流行和現實世界之形而上的根源，進而形成一物兩體、理一分殊等獨特的「本體之學」。由此，理學更多是在本體論層面（具體又有理本、氣本、性本、數本和仁本之不同）討論人和世界的問題。這一視角與經學原典有著很大的不同。當然，理學初期學者如周敦頤、張載，主張由天道下貫到人道，以天道為人道立法，從而賦予人以與天地一體的超越性；而二程和朱熹則直接主張天人不二，以理本論的思路直探人與萬物存在意義，這是更為純粹的本體之學。可以說，理學正是以「理」為媒介，實現了天道與人道的深度融合，是對經學原典的巨大突破。

其二，從理學的問題意識出發，對經學原典進行重新整合

我們知道，經學原典體系內容異常豐富，每本書也各有所側重。例如，《論語》和《尚書》、《詩經》、《禮》、《春秋》中幾乎不提「性與天道」，而《孟子》、《中庸》則大談心性，卻很少提到「天」，而《易傳》則大談天道、陰陽、精氣，而《荀子》講天人相分，卻也討論心。可知，經學原典之間並沒有真正實現一體性的融合。

從先秦到漢唐，沒有人自覺去做這一經典融合的工作，因為漢唐治經崇尚師法和家法，專治一經，並不越界。治《論語》者不知有《孟子》，治五經者不知有《論》《孟》，甚至注〈學而〉時不知有〈為政〉，很難完成對經學原典的融合。與之相對，理學開創時期的一大任務，就是對經學原典做出體系性的整合，以實現天道與人道的貫通。當然，理學家們的這種整合有著極強的目的性，那就是要解決其所面臨的時代性問題，因此這種整合也必然有著極強的選擇性，必然僅僅圍繞其所關注的核心問題來展開。

第一，周敦頤以貫通性與天道為目的，積極尋求《易傳》與《中庸》[7]思想的融合。在《太極圖說》的結尾，周敦頤強調「大哉《易》也，斯其至矣」，表明《太極圖說》是詮釋《易經》的作品。關於《太極圖說》的貢獻，學界也存在著爭議，如日本學者土田健次郎即認為《太極圖說》是在重覆道家的宇宙生成論，沒有新意[8]；而李景林師則認為《太極圖說》的言說方式，「《圖說》在形上學上乃更轉進一步，它把《中庸》以『誠』為核心的逆行系統拓展至於宇宙萬物的生化和形化。由此，《圖說》在無極而太極而五行而四時而萬物化生的下行系統中，內在地蘊涵了『五行一陰陽也，陰陽一太極也，太極本無極也』這樣一個逆行回環的系統」[9]，由此，周敦頤對太極本體的理解就不是生成論的，而是本體論的。同時，《太極圖說》明顯有借助天道為人道「立本」的意味。其實，在經學原典如《中庸》中，早已提出了天為人之所本的觀點，而《太極圖說》則進一步提出了太極為人極之所本的觀點。由此，太極也成為了人道「定之以中正仁義而主靜」的超越性根據。同時，正因為太極表現為動極而靜，靜極複動，變動不居，因此人的主靜所立之極，也絕非那種絕對的「靜止不動」，而是體現為仁義在生意流通中而又恒常不易的「主靜之體」。值得注意的是，周敦頤這裡所理解的天（太極），更應該有「本始」、「本源」的含義，是一種充滿價值性內涵的範疇。

周敦頤的上述說法，也是對《易傳》之「生生之謂易」精神的發揮，對經學原典重視人文精神傳統的繼承。同時，周敦頤又特別強調了人極本於太極，人之仁義本於太極之生生的觀點。由此，太極之生生是大的仁，而人之仁義則是小的仁。這就體現出了天人一本的思路。顯然，周敦頤此論並非是純粹的自然之學，而是深深包含了德性元素，具有鮮明的儒學特質。

同時，周敦頤在綜合《易傳》與《中庸》的基礎上，嘗試對「誠」這一概念做出「心性本體化」的詮釋，這才真正彰顯出了理學的獨有氣質：周敦頤一方面強調「誠者，天之道」，同時又引進了《易傳》「繼善成性」的說法，明確點出「誠」具有「純粹至善」的本質，又體現為在個人的心性上體認天道，做到實有諸己。這就很好的賦予了「太極」以至善的內涵，實現了為儒學的人文主義「立大本」的難題。周敦頤的上述說法，是對經學原典的再整合，再創造，創新之功不容掩蓋。

第二，再如張載，《宋史．道學傳》稱「其學以《易》為宗，以《中庸》為體，以孔孟為法」，表明張載有著整合經學原典的高度自覺。在《正蒙．太和》篇中，張載強調佛老對

---

7 《中庸》和《大學》都是《禮記》中的篇目（也有可能是先以單篇的形式流傳，後來才被收入《禮記》當中），而《禮記》則是孔子後學們對於五經中《禮經》的詮釋之作。《中庸》和《大學》雖然是孔子後學對於《禮經》的詮釋之作，但畢竟屬於先秦經典，因此可以被納入到經學原典的範圍內。

8 土田健次郎：《道學之形成》上海：上海古籍出版社，2010年，頁137-138。

9 李景林：《教化的哲學》哈爾濱：黑龍江人民出版社，2005年，頁419。

於儒學最大的衝擊就是「虛無之學」：老子主張「有生於無」，把「無」和現實世界割裂為二；佛學將世界的本質定性為空，認為現實世界在本質上虛幻不實，這些言論都對儒家基本價值理念帶來根本性的衝擊。對此，張載選擇以《易傳》中的「太和」概念為基礎[10]，對於現實世界的實在性給予了明確的說明。張載指出，這個世界雖然千變萬化，而其本質無非是氣的聚散、升降、沉浮而已。氣之聚，則暫時性的形成「客形」(「客」即暫時性)，是為人和萬物之生；氣之散，則萬物又回復到氣之本然，隨之開始新的聚合。這個聚散的過程沒有開端，也沒有結束，也不是一個整齊劃一的過程（此處氣聚，彼處氣散）。張載又提出了「虛空即氣」的觀點，強調這世界無時無氣，無處無氣。在張載眼中，我們通常所說的生死，只是氣的存在形式發生了變化，而不是氣本身消失了，這就是「死而不亡」，「有而不無」。總之，張載從時間和空間上否定存在「無」的可能性（無無），這就為儒家倫理名教思想，奠定了堅實的形而上學基礎。從這一點說，張載思想的問題意識是虛實之辨。

張載雖然憑藉「太和觀」肯定了世界的實在性，但他仍然面臨著如何處理「太虛（氣）之性如何轉而為仁義禮智（理）」[11]的難題：張載論氣，突出清通湛然的自然屬性，這和儒家以明德為本的特質有很大的差距。另外，無論是周敦頤還是張載，都有忽視天理與人道差異的一面。對此，張載似乎也有所注意：

《系》之為言，或說《易》書，或說天，或說人，卒歸一道，蓋不異術，故其參錯而理則同也。「鼓萬物而不與聖人同憂」，則於是分出天人之道。人不可以混天，「鼓萬物而不與聖人同憂」，此言天德之至也（《橫渠易說》，卷三)。

天理尚自然，人道尚有為，二者本該有所不同。張載所理解的天道以自然為法則，而人道則以人文倫理精神為特質。因此，簡單地強調天道為人道之所本，只能導致對道理解的自然化，難以彰顯儒學的特質。對此，張載同樣選擇了整合《易傳》與《中庸》的做法，嘗試以「誠」來溝通天人：

> 天人異用，不足以言誠；天人異知，不足以盡明。所謂誠明者，性與天道不見乎小大之別也。(《正蒙・誠明篇》)
>
> 天所以長久不已之道，乃所謂誠。仁人孝子所以事天誠身，不過不已於仁孝而已。故君子誠之為貴。(《正蒙・誠明篇》)
>
> 虛者，仁之原，忠恕者與仁俱生，禮義者仁之用。(《張子語錄》)
>
> 虛則生仁，仁在理以成之。(《張子語錄》)

---

10 關於張載思想的核心概念，學術界有氣、太虛和太和之說等多種說法，本文則取「太和說」，強調張載對於整體世界的定性。

11 陳來：《宋明理學》瀋陽：遼寧教育出版社，1997年，頁69。

可見，張載在努力以「誠」為核心，嘗試賦予天道以倫理和德性的因素，從而為世界的統一性上增添儒學的本色，這也是通過對經學原典的整合實現的。

不止是早期理學家注重對於經學原典的整合。在朱熹那裡，對經學典籍整合的例子，不勝枚舉。如，在對「仁」這一概念的詮釋上，朱熹就注意整合《易傳》中的「天地之大德曰生」說和「元亨利貞」說、《論》《孟》中的「仁者愛人」說與《中庸》中的性情說，進而提出「仁之四德」說、「生氣流行」說和「仁愛性情」說[12]，嘗試將其打通為一。由此，原來基本上各不相關的經學原典，在理學中就被整合為一個有機的整體，煥發出新的生機，從而可以與佛老之學相抗衡。

其三，理學化約了經學原典的龐雜話題，突出明善和成德的主題

經學原典的內容龐雜，而的發展更是日漸壯大，這在一定程度上淡化了傳統儒學的主題。

早期理學家們在抨擊漢唐文學、章句、傳注之學的同時，更注意突出自身的主題。如，程頤在〈顏子所好何學論〉一文中就高調的宣稱，孔孟之學的精髓是復性和成聖，與述經者注重以文字解析、物件化的講論經典不同，成聖之學則以切己實踐為導向，「凡學之道，正其心、養其性而已」[13]。理學將成聖之學進一步落實為心性修養的實踐，承接了孔、孟講求養「浩然之氣」、講求慎獨與反躬的傳統，但理學家普遍主張行重於知，甚至認為主張「是否有『踐履功夫』是區別傳統儒林文士與理學思想家的重要標準」[14]，這就大大提升了修養實踐在理學中的地位，這是對先秦經學原典思想的創造性化約。不過，經學原典本為內聖外王之學，包含修齊治平在內，而理學過分重視內聖之學，這勢必給人以忽視外王之嫌。對此，理學家們堅持了《大學》中「壹是以修身為本」的原則，主張由內聖開外王，努力與佛老的玄學劃清界限。

這裡需要明確一點，理學對於經學原典，不以文字訓詁為惟一目的。理學有自己的問題，有著像佛老這樣的強大對手，這都需要理學借助對經學原典的詮釋來尋求解決現實問題的途徑。這就出現了一種吊詭：在對經學原典的注釋中，雖然理學家們無一不聲稱以還原孔孟本意為宗旨，但也無一不把對現實問題的思考融入對經學原典的解釋中，以舊瓶來裝新酒。從這個角度來說，理學對經學原典的詮釋是在「接著講」。

理學將經學原典的主題化約為身心修養之學，這受到了清儒的強烈抨擊。的確，理學所詮釋的已發、未發，居敬、窮理等話題，的確與經學原典的本意有所不同，而理學家們又大多給人以「內聖」有餘，「外王」不足的印象。由此，明清學者紛紛指責理學過於玄

12 陳來先生在其《仁學本體論》中，對此有全面的論述，此不贅述。
13 〔北宋〕程顥、程頤著:《二程集》北京：中華書局，2004年，頁577。
14 陳來：《宋明理學》瀋陽：遼寧教育出版社，1997年，頁28。

虛、過於內心化，過於重視「語錄」，背離了經學原典的基本精神。我們早已指出，理學對經學思想的化約，不是在把異質於經學原典的話題強加在其頭上，而是對經學基本精神的延續。同時，王陽明就曾提出：「夫學貴得之心，求之於心而非也，雖其言之出於孔子，不敢以為是也，而況其未及孔子者乎？求之於心而是也，雖其言之出於庸常，不敢以為非也，而況其出於孔子者乎？[15]」顯然，很多理學家能夠做到不孔子之是非為是非，而是要以自己的本心為尺度來判斷問題，希望以六經來注我，這在絕大多數清儒看來，是無法理解的。不過，儒學本來就是開放的，發展的，自然不存在一個一塵不變的「儒學」，我們對孔孟之學的詮釋，也完全可以是開放的，前提是不要背離孔孟之學的根本。

其四，結合理學精神，對經學原典的創造性詮釋

清儒對於理學的指責，還包括理學對於經學經典的錯讀。不容否認，理學家們很難有媲美於清儒的學術功力，因此在對名物度數的解釋上常常會犯錯。不過，理學對經學原典的詮釋本來就是偏義理的。事實上，理學家們在對經學原典在思想層面詮釋上的某些「誤讀」，更是一種創造性詮釋，是發展。如，朱熹將《論語》中的「獲罪於天」的「天」，訓解為天理；將《論語》中的「仁」，訓解為「天地生物之心」；把「子曰：逝者如斯夫，不舍晝夜」，訓解為「乃道體之本然」；將《中庸》的「喜怒哀樂之未發謂之中，發而皆中節謂之和」，訓解為主靜涵養的工夫論實踐；這都屬於對經學原典的引申性解讀，沒有完全忠實於原典。

理學對經學原典創造性詮釋的典範，當屬其對《大學》中「格物致知」的詮釋。在理學中，圍繞對「格物致知」的詮釋之爭，是一個非常重要的問題。王守仁的基本學術宗旨，就建立在對「格物致知」異於朱熹的詮釋之上，而無論是朱熹以天理論為本還是王守仁以致良知為本來解釋「格物致知」，這都超出了《大學》文本本身對這一範疇的規定性，有「誤讀」的因素，但是從哲學史的角度看，朱熹的天理論和王守仁的致良知學說，無疑是理學史上的開拓性貢獻，也是理學原創性的集中體現。

以現代詮釋學的角度來看，理學的這種「誤讀」，明顯屬於「創造性詮釋」，是要接著孔孟講，我們不能完全以清儒的框子來評價理學。這也是理學不囿於傳統經學的一面。從詮釋學的角度來說，基於經學原典之上的創新性詮釋較之「回到孔孟本身」更有意義，因為對於當代儒學來說，尋求儒學與當下生活中的融合，尋求儒學的進一步發展，顯然更為重要。今天，我們要破除「聖人之言，萬世無弊」的誤區，破除後人只要尊重聖人的指導行動就萬事大吉，不需要有自己獨立思想的意識。

15 〔明〕王守仁撰，陳榮捷注疏：《王陽明傳習錄詳注集評》上海：華東師範大學出版社，2009年，頁148。

其五，「語錄」大量湧現，彰顯出理學的巨大原創性

語錄形式本為禪宗所創，多是一些弟子對師徒間談話的記錄，內容則多涉及對於禪機的探討，頗具隨機性和情境性。在理學中，也有大量語錄的湧現。張載，二程，謝良佐、楊時、朱熹、陸九淵、王守仁，陽明後學等，都有語錄傳世。在部分明清代學者眼中，理學家們的上述「壯舉」，頗有禪宗「擬經擬聖」的嫌疑，因此其舍經學而談語錄，就是空談，就是玄虛。不過，上述「語錄」的編訂，多是出自其弟子後學之手，而其編訂這些「語錄」的初衷，只是要保留下「老師」的思想而已，並沒有要以此來取代經學原典的意思。此外，理學家們有「語錄」傳世的畢竟少之又少，而以「語錄」為作品代表的，也就是無意著述的二程、陸九淵、王陽明等人而已，因此我們很難僅憑理學中大談語錄這一點，就得出理學背離了經學原典的結論。在內容上，多數理學家的「語錄」都以對「經典」討論和引申為中心。事實上，這類「語錄」已經成為我們把握理學家思想的重要材料，這對於那些較少著述的學者如二程、陸九淵和王守仁來說，更是如此。與注經之作相比，理學家們的「語錄」更能擺脫對經學原典文本的束縛，相對自由和深入的就某些話題展開充分的討論，極大加強了理學的原創性。客觀的說，詮釋經典才是理學的主流，而理學的詮釋手段，既包括傳統形式的注經作品，也包括書信、語錄這樣的新形式。可以說，理學在發展中，內在的包含著向經學回歸的一面。

上述五點，頗能說明理學的獨特氣質。那麼，強調理學特質，是否會與「理學本於經學」的說法有衝突？其實這恰恰是問題的一體之兩面：在理學家那裡，與經學原典溝通的途徑固然可以是文本，但也可以是本心，或者是「以意逆志」。理學家之所以以「學以成聖」為理想，正是因為聖人能夠做到見道分明，從心所欲不逾矩；而他們之所以推崇經學原典，不僅因為經典記錄著聖人之言行，還因為經學原典記載了聖人體道的情境與歷程。由此，天理首先是可以時時彰顯出來的「實存」，因此可以被任何人觸摸到，並實有諸己。聖人之經典固然是理的呈現方式，但並不能等同於理的全部。因此，聖人所沒有說出來的，後人完全可以依據「理」本身的邏輯予以補充和創建。這麼做不但不違背聖人之意，還有功于聖人。那麼，又如何保證理學家的補充既符合「天理」之本然，又符合聖人之言的固有邏輯呢？朱熹的建議就是虛心涵養和「以意逆志」（如王陽明嘗試思考「因念聖人處此，更有何道？」）此外就是格物窮理——你對天理的體認越透徹，那對聖人之言的把握也就越契合。朱熹的這一建議，也可以用存「誠」來概括。「誠」首先是天之道，而人要是能夠做到「自誠明」，就能夠上與天通，並遙契聖人之心，也把握經學原典的精髓。在此意義上，朱熹所主張的格物致知，更是一種「實有諸已」和「反身而誠」，是一種以成聖為目的的身心修養之學。在創造中詮釋經典，在創造中重建經典，這是理學對經學原典的致敬方式。

四　理學的經學化

經學與理學的關係，還有另外一個方面，那就是理學在後來發展中的經學化趨勢，簡稱理學的經學化。

通常，任何思想的發展，都會有回到原初、回到原典的呼聲，文藝復興如此，佛學的發展也是如此。經學的理學化，固然體現了經學與理學的一貫性和儒學的發展性，但隨著理學的日漸成熟，其與經學的張力也在逐漸顯現（如「我注六經」與「六經注我」之爭）；而理學的經學化，則指理學又將理學精神貫徹到對經學原典的詮釋中，並在一定程度上體現出「回到原典」的趨勢。另外，理學家們自己的典籍，也有被經典化的一面，而其所討論和關心的話題，也主要集中在經學原典和理學原典的範圍之中。這也是一種「述而不作」，但已經不像是理學開創期的那樣突出以「述」的形式而創新，而是對理學開創時期理論的「傳述」。我們固然可以把這一現象歸納為「此亦一述朱，彼亦一述朱」，認為理學的經學化趨勢會導致理學在後來發展中日漸僵化。不過，我們不應忽視此趨勢對於理學精神的推廣之功。這一趨勢，不但在明清之際的部分理學家身上表現的極為明顯（如王船山和黃宗羲等人），就是在宋元之際的大多數朱子後學身上，也有明顯的體現。當然，理學家從一開始就不認為理學超出了經學的範圍。因此，我們提出理學的經學化，也是想要突出在理學中同樣始終存在著呼籲回到經學原典呼聲。

理學經學化的另一個主要表現，就是理學家們在注釋理學原典時，將很大精力投入到了名物度數和文字訓詁上，從而體現出了明顯的注經化趨勢。這也給那些強調宋學偏重義理而漢學偏重訓詁，從而將宋學和漢學截然對立的說法，乃至於將理學和經學完全對立化的說法，提出了挑戰。同時，上文提到，陳來師曾提出「是否有『踐履功夫』是區別傳統儒林文士與理學思想家的重要標準」，但事實上有相當多的理學家有學術卻沒有「踐履功夫」，和皓首窮經的漢儒、清儒已沒有多大區別。

我們認為，理學經學化有其必然性。本來，理學就本於經學，因此理學家們自然也會注釋和討論經學原典上的諸多問題：張載（注《易經》，作《經學理窟》），二程（注《易經》），二程後學（呂大臨、楊時、謝良佐、張九成等人注《中庸》和《論語》、《孟子》），尤其是朱熹本人更有大量的注經之作。這表明，理學家勢必會將大量精力投入到對四書和五經的關注上。只不過，朱子本人一生精力都主要停留在了對四書和易學的詮釋上，沒有精力去完成對其他經典的注釋工作，但其一生對於經學原典的濃厚興趣，也對其及門弟子產生了深刻的影響。朱子在自知無力完成對五經的全面注釋之後，已經在安排門人後學去完成他的未竟事業。今天廣為流傳的署名為宋元人注的《五經四書》中，五經的《尚書》、《春秋》、《禮》都出自朱熹安排的後學之手。這也造成了朱子門人將理學重新引向經學化的發展趨勢。

再者，考察朱熹一生的思想發展脈絡，有一個經由二程後學如李侗、謝良佐到二程，再由二程回到孔、孟原典的歷程；而《四書集注》和《周易本義》之作，本身也體現出在文字層面忠實文本的訓詁和在思想層面大有創新的統一。但是朱子門人在對其思想的繼承上，無法複製朱熹在個人思想發展歷程上的艱辛探索，而更多只能在朱熹所留下的文字、文本成果的發揮上，這也就造成了從朱子後學開始，理學走向訓詁化的趨勢。而朱熹在理學中的巨大影響力，也勢必會對理學的整體發展產生相應的影響，導致理學話題向經典的集中，而王守仁一生推尊《大學》，其所提出的理學核心話題，始終也在圍繞經典文本而展開。理學的經學化，讓我們看到了後人對於理學原典的再理解，這也成為我們把握理學發展脈絡的一個有益視角。

五　結論

從理學的立場看，學只有一個，理學屬於儒學，也屬於經學，這一點毫無疑義。對於理學家們來說，立志繼承孔孟之道統、學以成聖是其真誠的信念。他們研讀和注釋經學原典，也是出於這一目的。而理學的經學化，也恰恰體現出了理學以「經」為本的一面。

回到我們最初提出的問題，理學與經學的關係如何？這個問題其實也好解答。如果以發展的眼光對待儒學，我們只能承認經學原典和理學都只是儒學發展中的一個階段，而經學只是儒學建立的基礎、儒學發展的一個載體。以今天的眼光審視儒學，我們沒有必要完全以孔孟的是非為是非，一味地去搞什麼「還原孔孟之學」，而是要關注儒學在當下生活中的生命力。但另一方面，儒學無論怎樣發展都不會離開其一貫的精神，都有一種回歸傳統的衝動。因此，理學與經學原典的「異」，更多是以「舊瓶裝新酒」的形式實現的。今天我們再來審視理學與經學的關係，固然不能忽視在今天過分強調學科劃分的時代，二者各自有著自己的問題意識和研究方法，正在相互遠離的事實。但也必須承認，近來的中國哲學界也開始對經學、四書學表現出了足夠的關注，這是試圖回到儒學的整體性、回到儒學自身獨有問題意識的一個很好的嘗試。

論幕府背景下張栻「致用」之學的「知」與「行」

田萌萌*

北京師範大學文學院

張栻（1133-1180），字敬夫，又字欽夫，號南軒，漢州綿竹（今屬四川）人。張栻為南宋湖湘學派的主要代表人物和集大成者，其思想兩大主要特點：一為融理入心，強調「性」為萬物之本源；二是明顯的經世致用、躬行踐履傾向。

學界對張栻的「經世致用」之學多有論述，而對其「重行」思想傾向的背景卻論及較少。張栻一生幾次輾轉於幕府，多年幕府生涯對其為學中的「行」有著很重要的意義。本文試結合張栻生平經歷及其思想，分析「幕府」在張栻「致用」之學中「知」與「行」的作用和影響。

一

張栻主張理學為「致用」之學。所謂「致用」，即將「學問」應用於現實生活，服務社會政治。這與「通經致用」的儒家傳統[1]一脈相承。然自唐末五代始，連年戰亂割據、加之佛道思想衝擊，致使政教廢弛，儒學衰微，宋初儒學家為了復興儒學，直面現實，尋求解決社會危機的實體達用之學，這便促使北宋道學家尋求新儒學的產生。在二程、張載的思想中，已有「學貴於有用」之說。如張載：「為天地立心，為生民立道，為去聖繼絕學，為萬世開太平。」[2] 張載認為，學之貴，在於其用。程頤「讀書將以窮理，將以致用也」，「窮經，將以致用也，如『誦詩三百，授之以政不達，使於四方不能專對，雖多亦奚以為？』今世之號為窮經者，果能達於政事專對之間乎？則其所為窮經者，章句之末耳，此學者之大患也。」[3] 二程認為，為學目的在於窮理致用，應該將知識運用於實際生活，在政事及外

* 田萌萌（1989-），女，博士研究生，主要從事唐宋文學研究。

1 如孔子釋「仁」曰：「夫仁者，己欲立而立人，己欲達而達人，能近取譬，可謂仁之方也。」；子路問「君子」時，孔子答：「修己以敬，修己以安人，修己以安百姓。」孟子：「得志，澤加於民；不得志，修身現於世。窮則獨善其身，達則兼濟天下。」等。參見朱熹《四書章句集注》。

2 〔宋〕張載，章錫琛點校：〈近思錄拾遺〉，《張載集》北京市：中華書局，1978年，頁376。

3 〔宋〕程顥、程頤，王孝魚點校：《二程集》，《河南程氏粹言》卷一，北京：中華書局，1981年，頁1187。

交社會活動中發揮作用。所以理學於北宋發軔之期，便有著「致用」性的一面。

在張栻看來，「理學」不只是抽象的道德、性理之辯，他反對空談性理；而「致用」也不能只停於言論層面，而應落實於「行」，重踐履。這種「為學務實」、「貴在踐履」的主張，在張栻文章中多有論及。如〈仰止堂記〉[4]，張栻云：「然而聖人之教人求仁，則具有途轍。《論語》一書，明訓備在，熟讀而深思，深思而力體，優遊厭飫，及其久也，當自知之，有非人之所能與矣……是道也，夫人皆可勉而進，而用力者鮮，無他，所以病之者多矣。」[5] 張栻認為《論語》中用以教化求仁的「聖人之教」不僅要熟讀深思，而且要知之力行，不可僅僅停留於知，更要落實在行為上。然而，恰恰相反，今人「用力者鮮」，所以多不得其道。此外，在《論語解》中，張栻亦有云：「而曰『吾默識矣』，不知聖門實學，貴於踐履，隱微之際，無非其實，蓋所謂存乎德行者也。」[6]「聖人發斯言，欲使學者稽古務實，而不敢苟作也。」[7] 同樣認為聖門之學，應務實、重踐履。雖文本局限於《論語》，但亦可看出張栻治學務實、重行的思想傾向。

同期理學家呂祖謙的金華之學，雖主學之「經世致用」，卻與張栻的「務實、踐履」不同，而以「重史」為特色。正如呂祖謙所云「觀史當如身在其中，見事之利害，時之禍患，必掩卷自思，使我遇此等事，當作如何處之。如此觀史，學問亦可進，知識亦可高，方為有益。」[8] 通過觀史以見「事之利害，時之禍患」並掩卷自思，用以增進學問，在「經世致用」的思考中，以察學識。與張栻主張在切實的「行」中實現「經世致用」，以「行」獲「知」則完全不同。

當然，張栻並不認同只「行」而不「知」的過度踐履行為。這與朱熹的主張略有相通之處。朱熹〈答詹體仁〉云：「湘中學者之病誠如來教，然今時學者大抵亦多如此。其言而不行者固失之，又有一種只說踐履而不務窮理，亦非小病。欽夫往時蓋謂救此一種人，故其說有太快處，以啟流傳之弊。」[9] 朱熹既不認同「言而不行」，亦不贊許「只行不知」。朱熹認為湘中學者「言而不行」固有不妥，但過分強調踐履而不窮理，更是為學之「大病」，在朱熹看來，「經世致用」的前提應為格物窮理，欲將「致用」，必先「窮理」。朱熹與張栻為至交好友，乾道三年朱熹往潭州求教張栻，二人會友講學歷時二月。自此，二人又多有書信往來，或談生活瑣事，或言性理之學。可以說，朱熹與張栻二人之學，在相互探討中，互有體悟，不斷生髮。「欽夫往時蓋謂救此一種人」，即朱熹言張栻糾往過偏而導致湘

---

4 此文系張栻為宋翔所作。文前載「武夷宋子飛，蓋遊從之舊也，戊寅之夏，自其鄉觸熱來訪予瀟水之上。留既越月，念無以答其意者。」可見，此記應寫於紹興二十八年（1158）或稍後。

5 〔宋〕張栻：《張栻集》北京：中華書局，2015年，頁947-948。

6 〔宋〕張栻：《張栻集》北京：中華書局，2015年，頁157。

7 〔宋〕張栻：《張栻集》北京：中華書局，2015年，頁156。

8 〔宋〕呂喬年輯錄：《麗澤論說集錄》，文淵閣四庫全書本，卷八。

9 〔宋〕朱熹：《朱子全書》上海：上海古籍出版社、合肥：安徽教育出版社，2002年，頁1705。

中學者今日之弊，也就是說張栻同樣認為「只行不知」的過度踐履行為是錯誤的，但與朱熹的「格物窮理」不同，他認為應在「行」中獲得「知」，知行互進，「知」是指導，「行」是實踐，「行」是「知」的最終指向。

張栻將「行」視為本體，認為在致用之學裡，「行」是「知」的內在動力與依據。總的來說，可將其內涵歸結為三點：

第一，行是知的實踐，是知存在的意義。

張栻於《答朱元晦》云：「如曾點舞雩之對，其所見非不高明，而言之非不善也，使其能踐履，實有諸己而發揮之，則豈讓於顏、雍哉？惟其於踐履處未能純熟，此所以為狂者也。又況世之人徒務知之，而不以行為事，雖終身汲汲，猶失人也，矧知之而未必得其真歟？」[10] 引曾點之事，言今之人只務求知而不「行」，其所得之無「行」之知不是「真知」。又「今人之不踐履，直是未嘗真知耳；使其真知，若知水火之不可蹈，其肯蹈乎？」[11] 進一步表明觀點，不踐履，便不能獲得「真知」，也就不能稱得上獲得了「知」。即沒有「行」，則沒有「知」。行是知的實踐，是獲得知的動力，也是知存在的意義。

第二，知指導行，行又是知的動力。

周必大乾道九年（1173）曾寄書於張栻，探討「知與行」的關係：「頃見士友云，人患不知道，知則無不能行。及以《五經》、《語》、《孟》考之，竊恐不然……只一事，欲請教者甚多。」[12] 周必大認為，「知則無不能行」是不正確的，並舉《五經》等書為例與張栻探討。張栻回信後，周必大就此問題繼續追問，其下一封書信寫於淳熙元年，即此次探討前後長達兩年。張栻回信〈寄周子充尚書〉云：

> 垂諭或謂人患不知道，知則無不能行。此語誠未完。知有精粗，行有淺深。然知常在先，固有知之而不能行者矣，未有不知而能行者也。語所謂：「知及之，仁不能守之。」是知而不能行者也。所謂：「知之者不如好之者，好之者不如樂之者。」是不知則無由能好而樂也。且以孝於親一事論之，自其粗者知有冬溫夏清，昏定晨省，則當行溫清定省。行之而又知其有進於此者，則又從而行之。知之進，則行愈有所施；行之力，則知愈有所進，以至於聖人。……蓋致知、力行，此兩者功夫互相發也。[13]

認為「知先行後」是毫無疑問的，並指出「有知之而不能行者矣，未有不知而能行者也。」知是行的先導，並引《論語》「知之、好知」之語來印證此觀點。但張栻認為這樣的表述不夠完善，「知與行」應為致知、力行。若粗知淺行、功夫未至，那麼「知則無不能

---

10 〔宋〕張栻：《張栻集》北京：中華書局，2015年，頁1216。

11 〔宋〕張栻：《張栻集》北京：中華書局，2015年，頁1217。

12 〔宋〕周必大：《文忠集》，文淵閣四庫全書本，卷一八六。

13 〔宋〕張栻：《張栻集》北京：中華書局，2015年，頁1047-1048。

行」的觀點便不能成立。因為「知」不夠，只停留在想像層面或一知半解，則無法指導行。在「知之至」、「行之力」的基礎上，知行是相互作用的。知之越深，則行之越力。反過來，行之力，又可促使獲得更深的知。由此，行促進了知，行是知的動力。

第三，行是知的依據，知與行的相互作用是一個循環往復的過程。

張栻〈答陸子壽〉有云：「行之理則知愈進，知之深則行愈達。」又載「元晦卓然特立，真金石之友也，然作別十餘年，書問往來，終豈若會面之得盡其底裡哉！伯恭一病，終未全複，深可念。」朱熹與張栻最早的正式會面論學，應於乾道三年。那麼此答應寫於乾道三年後，又「作別十餘年」以及「伯恭一病，終未全複」，可推測，此答問應寫於淳熙年間[14]，此正為張栻開府期間。張栻認為，依「理」之行，在理學指導下，更具理學意義和實踐價值。在如此之「行」中，可生發愈加深刻的「知」，行亦由此成為知的依據。而在行中所得到知，再次指導行，則使行更加通達。因此，知與行的相互作用，是一個不斷循環往復的過程。

總之，在張栻思想體系中，「致用」之學的「行」是「知」的內在動力與依據。只有將「知」轉化為「行」，「知」才具有了真正的意義，也就是說「行」是「知」的最終指向。那麼，為何張栻會對「行」有如此深入的認識與傾向？與其生活閱歷又有何種關係？

張栻一生，與幕府淵源頗深。宋廷為適應周邊嚴峻局勢需要，設置如都督、宣撫使、招討使、制置使、經略使、安撫使、轉運使、發運使等府司，均允許其開設幕府，奏辟僚屬。從史學角度看，幕府在宋代的含義大致與唐代相似，多指地方最高行政單位及長官，有時也指所辟幕僚。如宋人將宣撫、安撫等府司稱為幕府或戎幕，其屬官被稱為幕僚，或幕官，充當幕僚稱為入幕、從軍。[15] 與唐代相比，雖然宋庭對幕府許可權有所限制，但宋代幕府的操作運行模式與唐朝的藩鎮大體類似。[16] 其幕僚具體職能亦與唐頗多相似之處，幕職有參議官、參謀官、主管機宜文字、幹辦公事、準備差使等。[17] 以宣撫司或安撫司等府司為依託，幕府既統領各方軍事，又負責下轄各州政事。張栻早年隨張浚四處奔走，隆興元年（1163），張浚進為樞密使，兼都督江淮諸路軍馬。張栻入其幕府為宣撫司都督府書寫機宜文字；淳熙元年（1174），張栻居家三年，孝宗詔其舊職，經略安撫廣南西路。張栻此時開府靜江；淳熙五年（1178），除秘閣修撰、荊湖北路轉運副使，改知江陵府，安撫本路，開府江陵；直至淳熙七年（1180）二月，病逝於江陵。可以說，幕府在張栻一生中扮演很重要的角色，無論是其入張浚幕府為僚屬，還是在靜江、江陵開府辟僚，幕府對張栻思想中的「行」都有一定影響。

---

14 〔宋〕張栻：《張栻集》北京：中華書局，2015年，頁1167。

15 周國平：《宋代幕府研究》，河北大學碩士學位論文，2003年。

16 參看〔美〕羅文〈北宋安撫使制度的淵源〉，鄧廣明、漆俠主編《國際宋史研討會論文集》保定：河北大學出版社，1992年。

17 參看王曾瑜〈岳家軍的兵力和編制〉，《文史》第十一輯，北京：中華書局，1981年。

二

入幕之前，對張栻而言是學識的獲取期。而入幕後，幕府則給了張栻將「經世致用」之「用」轉化為「行」的機會，且幕府的切身經歷使他獲得更多關於「用」、「行」的知。

未入幕府時，張栻「致用」之學的外部因素主要為師承。首先是家學淵源。張栻自幼便受張浚之教，《張宣公年譜》載：「（張栻）紹興六年（1136）四歲，受學於家庭。」[18] 又：「張栻生有異質，穎悟夙成。（浚）深愛之，自幼常令在旁，教以忠孝仁義之實。」[19]「紹興十六年，張浚謫居連州，命張栻『日夕讀《易》，精思大旨，述之於編，親教授其子栻。』」[20] 且多有學者認為，張栻之學深受張浚影響[21]。張浚之學，一本於天理，尤深於《易》、《春秋》、《論語》、《孟子》。張浚的理學思想中，亦可以看出明顯的「致用」傾向。張浚主張識心、明心，覺心悟性，重視「心」的作用。據楊萬里《張魏公傳》載，紹興四年（1134），張浚平湖寇有功。高宗大喜並予以賞賜，張浚則藉此進言高宗：

> ……今日之事，雖有可為之幾，而其理未有先勝之道。蓋不在於交鋒接戰之際，而在得天下之心。……心念之間，一毫有差，四海共知。今使天下之人皆曰吾孝悌之心，寢食不忘父兄，則當思共為辟邪雪仇恥矣。……聽雜則易惑，多畏則易移。以易惑之心，行易移之事，終歸於無成而已。是以自昔人君修己正心，惟使仰不愧於天，俯不愧怍於人，持剛健之志，洪果毅之姿，為所為當，曾不他恤。……臣願萬幾之暇，保養天和，澄淨心氣，庶幾利害紛來，不至疑惑，以福天下。[22]

此語言「心」，張浚將其研學所得進言高宗，並希望以此能夠為家國大業謀利，可見其致用之思想傾向。張浚亦曾進言曰：「人主以務學為先，人主之學以一心為本，一心合天，何事不濟？所謂天者，天下之公理而已。人主之心一為嗜欲私溺所亂，則失其公理矣。必兢業自持，使清明在躬，則賞罰舉措無有不當，人心自歸，醜虜自服。」[23] 此句言君主當以務學為先，而所務君主之學以「心」合天理為本，天理之失，在於嗜欲私溺，所以君主要修身養性，去嗜欲，主誠敬，天下方可大治。又「紹興三十二年正月，高宗既至建康，浚迎見道左，衛士見浚，以手加額。乘輿入行宮，首見浚，浚言國如身也，元氣充則外邪遠。

18 胡宗楙：《張宣公年譜》，于浩輯《宋明理學家年譜》（第七冊）北京：北京圖書館出版社，2005年，頁263。

19 〔宋〕楊萬里，辛更儒箋校：《楊萬里集箋校》北京：中華書局，2007年，頁4434。

20 〔宋〕朱熹：《朱子全書》上海：上海古籍出版社、合肥：安徽教育出版社，2002年，頁4859。

21 金生楊〈張栻與張浚學術的繼承與揚棄〉，胡傑〈張浚對張栻一生學問德行的影響〉等。見蔡方鹿《張栻與理學》北京：人民出版社，2015年。

22 〔宋〕楊萬里，辛更儒箋校：《楊萬里集箋校》北京：中華書局，2007年，頁4410-4411。

23 〔宋〕楊萬里，辛更儒箋校：《楊萬里集箋校》北京：中華書局，2007年，頁4416。

朝廷元氣也，用人才、修政事、治甲兵、惜財用皆壯元氣之道，高宗嘉納之。」[24] 以「身」與「氣」喻國與朝廷之關係，並提出養元氣之道。張浚將「學」應用於國家治理，並進於君主，其為學之「致用」由此可見。那麼，也可說，張栻的「致用」之學，來源於張浚。

其次，五峰之學。紹興三十一年（1161），張栻奉父命拜胡宏（1105-1155）為師，學習河南程氏之學。胡宏為學亦強調道學的致用性，如「三綱絕息，人道大壞，亂之所由作，兵之所由起也。中原無中原之道，然後夷狄入中原也。中原複行中原之道，則夷狄歸其地矣。」[25] 胡宏認為中原之所以遭夷狄侵淩，是由於三綱絕息，人道大壞。若中原複行其道，則夷狄歸其地。將「道」置於國家時事之中，正是「致用」之意。據史料載，張栻初學於胡宏，胡宏一見知其為大器，即以所聞孔門論仁、親切之旨告之。[26] 所以，張栻的「致用」之學應與二程本屬一脈。

然而，值得注意的是，無論是受之家學，還是師從五峰，此時在張栻觀念中的「理學」作為一種「致用」之學，更多的是停留於「認知」層面，並沒有深刻的「踐履」經歷，也並未真正落實到「行」。

據《張宣公年譜》記載，直到張栻入張浚幕府始，其「致用」之學才有了「用」之機會。張栻早年隨張浚四處戎馬，然而有確切記載的為隆興元年（1163）正月，張浚進為樞密使，都督建康、鎮江、江州、池州、江陰軍屯駐軍馬，建康開府視事。此時張栻三十一歲，以蔭入為宣撫司都督府書寫機宜文字，除直秘閣。朱熹〈右文殿修撰張公神道碑〉云：「忠獻公亦起謫籍受重寄，開府治戎，參佐皆極一時之選。而公以藐然少年，周旋其間，內贊密謀，外參庶務，其所綜畫，幕府諸人皆自以為不及也。」[27] 記載了張栻在幕府期間出色的政治才幹。楊萬里〈張左司傳〉載：「間以軍事入奏，始得見於上。即進言曰：『陛下上念宗社之仇恥，下憫中原之塗炭。惕然於中而思有以振之，臣謂此心之發，即天理之所存也。誠願益加省查，而稽古親賢以自輔，無使其或少息也。則不惟今日之功可以必成，而千古因循之弊，亦庶乎。其可革矣』。上異其言，於是始定君臣之契。」[28]張栻在都督府作為書寫機宜文字，才始得以面聖。入對即將「天理」之思進言孝宗，並使孝宗「異」其言，甚至定下「君臣之契」。此可以視為張栻「致用」之學始有意為「用」之開端。投身幕府，張栻有了將「致用」之學得以進言皇帝、應用於時事之機。

幕府給了張栻將「致用」之「用」轉化為「行」的機會，且戎幕生活，亦使張栻對

---

24 〔宋〕楊萬里，辛更儒箋校：《楊萬里集箋校》北京：中華書局，2007年，頁4416。

25 〔宋〕胡宏：《胡宏集》北京：中華書局，1987年，頁208。

26 胡宗楙：《張宣公年譜》，于浩輯《宋明理學家年譜》（第七冊）北京：北京圖書館出版社，2005年，頁273。

27 〔宋〕朱熹：《朱子全書》上海：上海古籍出版社、合肥：安徽教育出版社，2002年，頁4132。

28 〔宋〕楊萬里，辛更儒箋筆校：《楊萬里集箋校》北京：中華書局，2007年，頁4435。

「致用」之「用」有了更深刻、全面的思考和認識，生髮出更多將「用」致於「經世」的思想。

隨著北伐失敗，張浚仕途失意，不久便離世。張栻離幕送其父靈柩歸鄉，後在長沙開始了與諸學友過從講習的生活。[29] 這期間張栻對戎幕生活所親身體驗的國事、民情，有了深刻的反思與心得，其〈寄劉共甫樞密〉[30]云：「某幸安湘濱，不敢廢學，無足廑記念……方將沛然用力於古道……靖康之變，亙古所無。夷狄腥膻中原四十餘年矣。三綱不明，九法盡廢，今為何時耶？士大夫宴安江左，而恬莫知其為大變也。此無他，由不講學之故耳。」[31] 張栻在張浚幕府之時，正處北伐之際。而北伐失敗，幕府戎馬經歷卻使張栻更深切體會到國土被奪的仇恨以及當今朝廷士大夫偏安江左的憂患。在張栻看來，只有「講學」，弘揚「理學」才能「明三綱、立九法」，方可解決當今國難。正如其所云「識其端則大體可求，明其體則妙用可充。」[32] ，對於國事，理學有著無限、巨大的應用潛能。這是張栻對「用」進一步、更深刻的「經世」認知。

乾道五年（1169），張栻由劉珙舉薦，除知撫州，未上，改嚴州。嚴州任上，張栻訪聞百姓丁鹽、錢、絹負擔過重，上奏朝廷，得以蠲免其半。期間，張栻進言孝宗云：「欲復中原之地，當先有以得中原之心；欲得中原之心，當先有以得吾民之心。求所以得吾民之心者，豈有他哉，不盡其力，不傷其財而已矣。」[33] 張栻對「用」有了更全面的認識，在其「識心、見性」基礎上，認識到「民心」的重要性，並認為「得中原之心」，需先具備「得吾民之心」。

六年五月，朝廷召張栻為尚書吏部員外郎。不久兼侍講，除左司員外郎。期間孝宗詔對達六、七次之多，所言大抵皆「修身務學，畏天恤民，抑僥倖，屏諂諛。」[34]之語。如：「陛下之心，即天心也。欲定未定，故上天之應乍陰乍晴。天人一體，眾類無間，深切著明，有如此者。臣願陛下毋以此為祥瑞，而於此存敬戒之心。試思夫次日禦樓肆赦之際，日光皎然，四無纖翳，天其或者何不早撤雲陰於行事之時，使聖懷坦然無複憂慮，而必示其疑以為悚功？然則丁寧愛陛下之意深矣。天意若曰：『今日君子、小人之消長，治亂之勢有所未定，皆在陛下之心如何耳。若陛下之心嚴恭兢畏，常如奉祠之際，則君子、小人終可分，治道終可成，強敵終可滅，當如祀事終得成禮。惟陛下常存是心，實天下幸

29 胡宗楙：《張宣公年譜》，于浩輯《宋明理學家年譜》（第七冊）北京：北京圖書館出版社，2005年，頁286。

30 劉共甫，即劉珙（1122-1178），崇安人。與張栻、朱熹情好、甚密。朱熹《劉樞密墓記》云「乾道三年十一月，除中大夫，同知樞密院事。四年八月，除端明殿學士，在外宮觀。改知隆興府、江南西路安撫使。」因此可以斷定，張栻此書信應寫於乾道三年十一月—四年八月間。

31 〔宋〕張栻：《張栻集》北京：中華書局，2015年，頁1040-1041。

32 〔宋〕張栻：《張栻集》北京：中華書局，2015年，頁1040-1041。

33 〔宋〕楊萬里，辛更儒箋校：《楊萬里集箋校》北京：中華書局，2007年，頁4463。

34 〔元〕脫脫：《宋史》，道學三，北京：中華書局，1977年，頁12770。

甚！』」[35] 張栻多將理學思想滲入進言以明孝宗，或言政治、或言國勢，其用意大概如〈答朱元晦〉所云：「上聰明，所恨無人朝夕講道至理，以開廣聖心。此實今日興衰之本也。」[36] 講道明理，開廣聖心，並希冀其「道」能治國之興衰，這正是張栻基於理學「明其體則妙用可充。」總結後，對「用」的進一步實踐行為。

三

張栻開府靜江、江陵，時間上相互繼起，從淳熙元年一直到淳熙七年逝於江陵，整整七年時間，張栻都是以幕主的身份開府辟僚。這樣的身份和經歷，既為其思想體系的形成提供便利，又使其「致用」之「用」，真正落實於行。

首先，在政務的處理上，張栻真正身體力行地做到「行」，不再局限於以言行教化君主，而是直接將所有的經世致用之思，都落於實實在在的政治舉措上，使其理學主張轉化為實踐。

政事治理過程中，張栻本著一心為民的原則，正是其進言孝宗「得中原者，先得吾民之心」言論的踐行。廣西地處西南邊陲，統領二十五州，民族混雜，俗尚仇殺，荒殘多盜，治安混亂。張栻「簡州兵，汰冗補缺。」「申嚴保五法」整頓社會治安，施行安撫少數民族政策，以使「群蠻服帖。」又除馬政積弊，致使「諸蠻感悅，爭以善馬來。」[37]〈答朱元晦〉中，張栻提及此時境況「邊備兵政，亦隨力葺理。保甲一事，亦頗有條理。惟是靜江之外，諸郡歲計闕匱異常，甚至官吏之俸，軍兵乏糧，此亦何以為郡，坐視民愈困……」[38] 他主動為民請命，奏改諸州息錢，並減陽朔、荔浦、修仁三縣稅米，重定鹽法並官賣鹽價等。[39] 一系列措施有效地減輕了百姓負擔，深得民心。朱熹〈右文殿修撰張公神道碑〉載：「而它所以立恩信、謹關防、示形制者，亦無不備。於是境內正清，方外柔服，幕府無南鄉之慮矣。」[40] 可見，此時張栻幕府在廣西治理中取得了很大成效，政績頗豐。江陵任上，湖北多盜，州縣不以為意，更共縱釋，百姓多受滋擾，生活苦不堪言。張栻到任後，首先嚴緝捕之令，肅清盜賊，整頓軍政、吏治，有「一日去貪吏十四人。」[41] 之績；又彈劾信陽守劉大辯，劉大辯怙勢希賞，誘致流民，奪民熟田，張栻請論其罪。

張栻治幕下所轄之地的政治措施，是將「致用」之「用」真正轉化為行，使其「用」

35 〔清〕畢沅：《續資治通鑒》，卷一百四十二，北京：中華書局，1957年，頁3788。

36 〔宋〕張栻：《張栻集》北京：中華書局，2015年，頁1096。

37 〔宋〕朱熹：《朱子全書》上海：上海古籍出版社、合肥：安徽教育出版社，2002年，頁4137。

38 〔宋〕張栻：《張栻集》北京：中華書局，2015年，頁1102。

39 〔宋〕張栻：《張栻集》北京：中華書局，2015年，頁10。

40 〔宋〕朱熹：《朱子全書》上海：上海古籍出版社、合肥：安徽教育出版社，2002年，頁4237。

41 〔宋〕張栻：《張栻集》北京：中華書局，2015年，頁10。

成於現實生活，為社會政治服務。

其次，張栻以幕主身份積極營造治學氛圍，努力將理學從道德性命的空談層面融入到切實生活當中，試圖使其成為真正的「致用」之學。這亦是對「行」的踐行。

張栻開府期間，幕僚為時所稱者有王炎、遊九言等人。王炎，字晦叔，號雙溪，婺源人。自幼篤學，乾道五年（1169）進士，調明州司法參軍，再調崇陽簿。據《新安文獻志》載：「時南軒先生張公帥江陵，聞而器之，檄於幕府，議論相得。」[42]「議論相得」，即二者之間存在著一定的交流、探討。張栻有詩〈遊誠之來廣西相從幾一年今當赴官九江極與之惜別兩詩餞行〉，由詩題便可知，誠之曾入張栻幕。遊誠之，即遊九言（1141-1206），初名九思，字誠之，號默齋，建陽（今屬福建）人。早年從學張栻，後入張栻廣西、江陵幕。孝宗淳熙十年（1188），監文思院上界。寧宗慶元二年（1196），為江東撫幹。開禧初，辟為淮西安撫司機宜文字，以不附韓侂胄罷。誠之本為張栻學生，又入其幕府，張栻在為其踐行的詩中寫到：「士學端成己，工夫要自程。聖門窺廣大，中德養和平。美玉咨勤琢，亮彩詎小成。心期須後會，拭目更增明。」[43] 臨行之際，張栻於詩中提出對誠之的勸勉與期待，是幕主對僚屬的送行，更是一位師者對學生的殷切期盼。且張栻開府期間，有〈中秋與僚佐登江陵郡城觀月〉、〈重九日與賓佐登山〉等詩歌，由此可以猜測，張栻幕府並非是只為公務的嚴肅氛圍，應是閑時賓主盡歡，或可互論學術。

此外，《張栻集》共收十篇州府學記，其中寫於開府期間便有六篇，分別為淳熙元年三月〈邵州複學舊學記〉、淳熙四年〈雷州學記〉、淳熙四年〈欽州學記〉、淳熙四年〈宜州學記〉、淳熙五年秋〈袁州學記〉，其內容大都與理學相關。可以看出，張栻通過寫學記，以「教育」的途徑，在有意地將理學抽離空談道德性命的神壇，而融入學子的日常教化中。

如果說張栻各個州府學記中將理學思想滲透於其中，那麼從其五篇濂溪先生祠堂記，更能窺測出張栻幕府期間的治學思想傾向。除〈永州州學周先生祠堂記〉寫於紹興二十八年外，其餘均寫於開府時期。而〈永州州學周先生祠堂記〉主要寫濂溪先生之豐偉，並未從治學角度切入，正如其結尾所寫：「後之登斯祠者，睹先生之儀容，讀先生之書、賦，求先生之心，真積力久，希聖希賢，必有得顏子之所樂者矣。」[44] 滿腔都是讚揚、崇敬之情。與此明顯不同的是，開府期間所作四篇與濂溪先生祠的相關記文，都或多或少與為學產生關係。如作於淳熙二年冬的〈濂溪周先生祠堂記（韶州）〉，是為應廣南東路提點刑獄公事詹儀之的邀請而寫，其內容從治刑法角度出發，引先生：「刑者，民之司命，情偽微曖，其變千狀，苟非中正明達果斷者不能治也。」之言，云：「夫中正者仁之所存，而明達者知之所行，果斷者又勇之所施也。以是詳刑，本末具矣。詹君之立祠，為詳刑者設也，

42 〔南宋〕程敏政輯：《新安文獻志》，何慶善、于石點校，卷六九，合肥：黃山書社，2004年，頁1706。

43 〔宋〕張栻：《張栻集》北京：中華書局，2015年，頁791。

44 〔宋〕張栻：《張栻集》北京：中華書局，2015年，頁913。

故某複以此系於終焉。」[45] 雖與治刑相關，亦寫「治刑」應所尊之道。淳熙二年（1175）張栻於靜江修「三先生祠」並作〈三先生祠記〉[46]，是為濂溪周先生、明道程先生、伊川程先生所立。張栻於〈三先生祠記〉自言，之所以修祠是為傳「師道」，「良才美質，何世無之。而後世之人才所以不古如者，以夫師道之不立故也。」「師道雖在天下，而學者亦莫知其立也。」[47] 張栻認為後世之人之所以才不如古者，是因為師道之不立。其所謂「師道」，從「三先生」便可看出，更多的為「理學」之「師道」，是為當時的「道學」正名。又云「桂之為州，僻處嶺外，山拔而水清，士之秀美者賦豈乏人？惟見聞之未廣，而勉勵之無從，故某之區區，首以立師道為急。繼自今瞻三先生之在此祠也，其各起敬其慕，求其書而讀之，味其言，考其行，講論紬繹，心存而身履，徇之以進於孔孟之門牆，將見人才之作興，與麗江為無窮矣。」[48] 在〈答朱元晦〉中亦有云：「學校略與整修，士子中亦有好資質，時呼一二來郡齋，與之講論，庶知方向。」[49] 張栻認為，桂林之地不是缺少有資質之人，而是由於地處偏僻，見聞未達。於是立師道，以廣士人之思，明士人之聞。並在此舉措中，取得一定成效。張栻立「三先生祠」，名為「宣揚師道」，實際藉宣揚「師道」之機，主要宣揚的仍是理學。使「學」聞達於諸士子之間，並「時呼一二」來郡齋，親自與之講論為學之事。可見張栻雖於偏遠地區開府，但並未廢學，且在踐行之餘，繼續求知，並以啟發的方式教化廣西士人。淳熙五年四月所寫的〈道州重建濂溪周先生祠堂記〉，則是從治學角度言濂溪先生之重，如「儒而言道德性命者，不入於老，則入於釋……言學而莫適其序，言治而不本於學，言道德性命而流入虛誕，吾儒之學其果如是乎哉？」「道德性命不外乎日用之實。其於致知力行，具有條理，而詖淫邪遁之說皆無以自隱，可謂盛矣。然則先生發端之功，顧不大哉！」[50] 行文間對治學需力行，亦有所強調與論述。而淳熙六年六月，朱熹為南康守，立濂溪周先生祠，求張栻記，張栻寫〈南康軍新立濂溪詞記〉應之。文中借寫濂溪先生，言今人治學不踐其實，反以為病，認為這樣的治學是道學之「罪」。如「蓋自近歲以來，先生之書遍天下，士知尊敬講習者寖多，而期間未免或失其旨，妄意高遠，不由其序，遊談相誇，不踐其實，反以病夫。真若是者，是為物道之罪人耳。夫惟淳篤懇惻，近思躬履，不忽於卑下而審查忽細微，是則不負先生之訓。」在這裡，張栻對不踐履的行為批評意味已經很深刻，且再次強調躬履踐行的重要性。與未入幕府期間的作品相比，張栻開府期間四篇作品分別從治刑、師道、為學以及踐履重行四個角

45 〔宋〕張栻：《張栻集》北京：中華書局，2015年，頁915。

46 雖為〈三先生祠記〉，文中獨引濂溪先生「師道立則善人多，善人多則朝廷正而天下治。」之語以論師道，所以亦視為與濂溪先生相關之文章。

47 〔宋〕張栻：《張栻集》北京：中華書局，2015年，頁1102。

48 〔宋〕張栻：《張栻集》北京：中華書局，2015年，頁917-918。

49 〔宋〕張栻：《張栻集》北京：中華書局，2015年，頁1102。

50 〔宋〕張栻：《張栻集》北京：中華書局，2015年，頁907。

度，對理學展開論述。既是對理學氛圍營造的表現，又強調了重行，在生活實際與作品中對「行」進行了強調與實踐。

與唐人入幕明顯不同的是，張栻先入張浚幕府為僚屬，後又自身為幕主開府靜江、江陵，這一前一後發生變化的，不僅是身份、地位的轉變，更是生活環境和閱歷的轉變，這樣的轉變在張栻整個思想體系的形成過程中，不同時期發揮著不同的潛移默化作用。幕府經歷，給張栻「致用」之學，提供了一定的實踐機會，並使其「用」，有了真正的「可經於世」的實際行為，使「致用」之「用」，真正落實於行。

對「析心與理為二」的反思性批判
——以朱熹、王陽明「心」與「心體」的差異為基礎

龔業超*

北京師範大學哲學學院

前言

朱熹與王陽明在「心」與「心體」方面的論述，既有相同，亦有不同。我們秉持異大於同說。同時，我們認為，由於王陽明與朱熹的在「心」與「心體」問題上的不同主張，直接導致了王陽明對朱熹「析心與理為二」的批判在邏輯上的不成立。

雖然王陽明對朱熹的批判並非建立在互不理解的基礎上，而是為了防止以朱熹為代表的理學家造成的理論弊端，即「諸君要識得我立言宗旨，我今說個心即理是如何。只為世人分心與理為二，故便有許多病痛。」[1]又：「晦庵謂人之所以為學者心與理而已。心雖主乎一身而實管乎天下之理。理雖散在萬事而實不外乎一人之心。是其一分已合之間，未免啟學者心理為二之弊。此後世所以有專求本心遂遺物理之患，正由不知心即理耳。」[2]也就是說，王陽明認為朱熹「析心與理為二」的命題造成了學者割裂心與理關係的弊端，故而提出了「心即理」的命題。但是，王陽明批判朱熹的原因並非本文探討的宗旨，本文關注的僅僅是王陽明對朱熹批判這一命題的邏輯分析，即在承認現有命題的基礎上，單單從邏輯上分析這一命題是否成立。

一　「心」的差異

學術界對這一問題大多主張朱子之「心」為感官之心，是形而下的「心」，王陽明之「心」則側重「本心」，即本體層面。本文則不限於此，我們擬從一個新的角度分析朱熹思想中「心」的功能即「思」與「感」，並且認為王陽明與朱熹在「心」的觀點上差異是非常大的，而王陽明對朱熹「析心與理為二」的批判是立足在自己的哲學立場對朱熹的指責，因此，這種批判在邏輯上是不能成立的。這就好像一個人手裡拿著一個蘋

---

* 龔業超（1992- ），男，山東淄博人，北師大哲學學院研究生，研究興趣為宋明理學、中國古代哲學。

1 〔明〕王陽明：《象山語錄・傳習錄》上海：上海古籍出版社，2013年，頁182。

2 〔明〕王陽明：《象山語錄・傳習錄》上海：上海古籍出版社，2013年，頁216。

果，卻說別人手裡的梨不是蘋果，然而事實上梨就是梨，不可能是蘋果。

（一）王陽明主張「心」就是本體

王陽明曾公開表示「心即理」，又說：「心即道，道即天。」[3]「心即理也。此心無私欲之蔽，即是天理，不須外面添一分。以此純乎天理之心，發之事父便是孝，發之事君便是忠，發之交友便是信與仁。」[4]「人之學而敏求此心之理耳，心即理也，學者學此心也，求者求此心也。」[5]又，「愛問：『至善只求諸心，恐於天下事理有所不盡。』先生曰：『心即理也，天下又有心外之事心外之理乎？』」[6]「理」、「道」、「天」這些特征使「心」脫離了一般所理解的「血肉之心」，成為一個形而上的本體的存在，「王守仁主張的心即理，這裡的心並不是指知覺而言，『心即理』的『心』只是指『心體』或者『心體』而言，這個心體也就是從孟子到陸九淵的『本心』概念，它不是現象意識層面經驗的自我，而是先驗的純粹道德主體」[7]「所謂汝心，亦不專指那一團血肉，若是那一團血肉，如今已死的人，那一團血肉還在，緣何不能視聽言動？所謂汝心，卻是那能視聽言動的，這個便是性，便是天理。」[8]又，「問：『延平雲當理而無私心，當理與無私心如何分別？』先生曰：『心即理也。無私心即是當理，未當理便是私心。』」[9]王陽明將「心」歸結為「天理」，並且與「性」相聯系，「所謂汝心，卻是那能視聽言動的，這個便是性，便是天理。」[10]「心之體，性也，性即理也。故有孝親之心，即有孝親之理，無孝親之心，即無孝親之理矣。」[11]心的具體特征就是為感官作支撐，使感官得以可能，即「那視聽言動的」存在，這便是存在於一切現象之後的本體。這並非一個可見可感的存在，但又不是不存在，是事物之「所以然」，也就是說，陽明的「心」指的是形而上的「本心」，也就是「良知」本體。

（二）朱熹認為「心」是欲望產生的一個條件

朱熹對心的認識較王陽明比較複雜。[12]其中之一，朱熹曾將「心」分為「人心」與「道

---

3 〔明〕王陽明撰、吳光等編校：《王陽明全集》上海：上海古籍出版社，2011年，頁20。
4 〔明〕王陽明：《象山語錄．傳習錄》上海：上海古籍出版社，2013年，頁177。
5 〔明〕王陽明：《象山語錄．傳習錄》上海：上海古籍出版社，2013年，頁210。
6 〔明〕王陽明：《象山語錄．傳習錄》上海：上海古籍出版社，2013年，頁177。
7 陳來：《宋明理學》上海：華東師範大學出版社，2004年，頁203。
8 〔明〕王陽明撰、吳光等編校：《王陽明全集》上海：上海古籍出版社，2011年，頁34。
9 〔明〕王陽明：《象山語錄．傳習錄》上海：上海古籍出版社，2013年，頁178。
10 〔明〕王陽明：《象山語錄．傳習錄》上海：上海古籍出版社，2013年，頁182。
11 〔明〕王陽明：《象山語錄．傳習錄》上海：上海古籍出版社，2013年，頁211。
12 陳來認為：「在朱熹哲學中心的主要意義指知覺。朱熹所說的『知覺』應有廣狹不同意義。狹義的

心」。「道心是義理上發出來底，人心是身上發出來底。」[13]認為「道心」是合「義理」的，「人心」是人欲望的產物。又說：「心之虛靈知覺，一而已矣。而以為有人心道心之異者，則以其或生於形氣之私，或原於性命之正……」[14]朱熹看來，前者是「私心」的發用，後者是「性命之正」的發用。但是朱子此番論述，更多的是定義了「心」的表現形式，並沒有說清楚「心」到底是什麼。[15]

那麼，朱熹的「心」到底指的是什麼？或者說，「心」在朱熹那裡具有怎樣的功能呢？

心至少應該具有「思」、「感」的功能，並且二者是有區別的。「能思者心，所思而得者理。」[16]「如無耳目心，則視聽與思尚能存乎？」[17]在朱熹看來，「能思」的就是「心」，這即是「心」的功能。有時朱子也說：「蓋善固然是心」「是乃心所以為用，感而遂通者也。」[18]也就是說，「感」同樣也是「心」的一個功能。

同作為「心」的功能，二者有何不同？「能思者心，所思而得者理。」也就是說，「思」的內容是「理」，可見，「思」是偏向「理性」的，暫且可以用「理性的思維」來定義。「感」則是使「心體」與外界事物相通的橋梁，「及其動也，事物交至思慮萌焉，則七情迭用，各有攸主。」在人與事物接觸之時「感」才會「萌」，並且在此過程中，「七情」也就是情感從這產生。換句話說，由於「感」所以產生了「喜怒哀樂」的情感。那麼「感」的這個功能意味著什麼呢？

「感」變成了欲望產生的一個條件。「感」的過程中，「心體」由於受到「氣」的干擾變得「發而不中節」，也就是「性」的發用變得不合情理，不合「道」，偏私由此產生。[19]朱熹將欲望的產生僅僅歸結於「氣」，但是需要注意的是，「氣」的發用還必須以「心」的

知覺指人的知覺能力，即精神，也就是能知能覺。……廣義的知覺則不僅指人的知覺能力，而且也包括人的具體知覺，即知覺能力的具體運用。作為思維活動，既包括感覺也包括思維，人的心理活動統被稱為『知覺』。」（陳來：《朱子哲學研究》上海，華東師範大學出版社，2008年，頁213。）又，一般學界對心的認識比較廣泛，大致有「心統性情」「心具眾理」「心為主宰」並且將心分為」道心與「人心」。

13 〔宋〕黎靖德編：《朱子語類》北京：中華書局，1986年，頁2010。

14 〔宋〕黎靖德編：《朱子語類》北京：中華書局，1986年，頁2753。

15 我們已經知道朱熹的理論中，「心統性情」，心具有「知覺」的功能，心有「人心」「道心」的區分並且「心包性情」等等，此文中我們只選取代表性的一種觀點加以論述，朱熹對心的並非論述僅限於此。

16 〔宋〕黎靖德編：《朱子語類》北京：中華書局，1986年，頁232。

17 〔宋〕黎靖德編：《朱子語類》北京：中華書局，1986年，頁234。

18 〔宋〕黎靖德編：《朱子語類》北京：中華書局，1986年，頁310。

19 陳來認為：「在朱熹哲學中，也承認意識活動有其內在的依據，就是說，如果意識活動是『用』，那麼也有決定意識活動的『體』，這個體就是『性』而不是什麼『本心』。因而事實上在朱子哲學的結構中並不需要『本心』這一類概念。」（陳來;《朱子哲學研究》上海，華東師範大學出版社，2008年，頁248。）

「感」為前提。人欲產生在「七情」的基礎上，是受到「氣」的干擾而形成的，「七情」的產生來自於「心」的「感」，所以，「心」間接為欲望的產生提供了條件。這個可以用朱熹的「種子」說來說明：「種子」的「生之理」是「性」也就是「心體」[20]，所生之物是「情」，「心」則是「種子」，也就是說，「種子」的「性」決定了所生長出的植物的屬性，但是，在種子生長的過程中，種子自身從泥土中吸取養料的多少，則決定了種子能否生長成一個正常健康的植物。「心」作為種子吸取養料的，但是，在吸取養料的過程中，由於種種的原因，會使得養料的吸取不充分而導致種子的不正常，而這，恰恰是對欲望與「心」的關系的一個很好的比喻。換句話說，欲望是在種子吸取養料的過程中即「心」上產生的，「心」是欲望產生的一個條件。

朱熹認為，「心體」在未動或者是「未發」之時，是「中」也就是合情合理的。「然方其靜也，事物未至，思慮未萌，而一性渾然，道義全具，其所謂中，是乃心之所以為體。」[21]並且，在「心體」「已發」或者說是當「心」感受到外物的刺激而使「心體」由「寂然不動」變為「感而遂通」之時，原本也應該是「和」的，雖然主體產生了「七情」即人的各種情感，仍是「各有攸主，其所謂和。」即主體產生的各種情感也是合情合理的。實際上只有聖人才能達到這個境界，普通人「但為氣稟所拘，人欲所蔽則有時而能。」也就是說，普通人在「感」的同時，會受到「氣」的遮蔽，「心體」會變得無法恢複本來的光明，從而會造成「心體」在「已發」時未能達到「和」的狀態。

通過以上論述，我們可以概括以下幾點。首先，朱子的「心」不僅具有「思」的功能，至少應該還有另一個「感」的功能。其次，「思」屬於理性的範疇，是獲得形而上之「理」的方式，欲望似乎不會由此產生。但需要注意的是，作為理性的「思」也是「心」的功能，但這種功能是有條件的。只有當「感」產生了欲望之後，「思」的存在才有意義。

「存天理，滅人欲」是「思」的體現，但前提是「人欲」已經產生，換句話說，「思」是對欲望負責的，「思」只有在欲望產生之後才會變得有意義。倘若人心的「感」從一開始就是「中和」即合情合理的，是「心體」的本來發用即是「性」的自然流露，自然無須「思」的存在。但即便這樣，「思」並非不存在，只是不再發揮作用或者說沒有了顯現的意義，此時的」思「已經與「心體」融為一體了。

但這種情況並不具有普遍性，普通人都會在心的「感」後生出欲望，「思」存在的

---

20 朱熹云：「心是包得這兩個物事，性是心之體，情是心之用。」（〔宋〕黎靖德編：《朱子語類》北京：中華書局，1986年，頁324）又：「仁義禮智，性也，體也；惻隱羞惡辭遜是非，情也，用也。統性情該體用這，心也。」（〔宋〕黎靖德編：《朱子語類》北京：中華書局，1986年，頁354）又：「以其體謂之易，以其理謂之道，這正如心性情相似。易便是心，道便是性。」（〔宋〕黎靖德編：《朱子語類》北京：中華書局，1986年，頁364）

21 〔宋〕黎靖德編：《朱子語類》北京：中華書局，1986年，頁398。

意義也就在此。從這個層面講，「思」在「感」之後。心之「感」產生的欲望，是無法被同作為心的功能的「思」所幹涉或者消滅的，只能在「感」產生了欲望之後才會顯現出來。

由以上論述我們可以得出，在朱熹思想中，心的意義之一便是欲望產生的條件或者「土壤」，心只是思慮活動的已發狀態，也就是說，在朱熹哲學中，心本質上還是意識活動的一種表現，「就是說，心（意識狀態）有不同的時態，思慮未萌、未接外物時的意識狀態為靜；既接外物，思慮已萌時的意識狀態為動。用朱熹的另一種方式區分，前者為未發時心，後者為已發時心。這裡『未發』與『已發』的區分不是指前述那種本體——現象的內外體用關系，而是一種前後源流的關係，是意識過程不同階段的呈現而已。質言之，朱熹所說的『心體』指未發時心，它與已發時心並不是不同層次的東西，而是同一層次上不同時態的表現而已。」。[22]由此可見，朱熹與王陽明主張「心」具有本體化的意義相異，也是在此邏輯基礎上，我們認為王陽明對朱熹的批判並不能成立。

王陽明的命題中，「心」毋庸置疑指「本心」也就是「良知」本體，是一種「至善」的「天理」，也即心學家一直主張的「心即理」。而朱子哲學中，「心」並不是本體的概念，而是指感覺認知的心，是個思維的器官，本質上是意識活動的一種表現。那麼，王陽明對朱熹的批判更像是王陽明自己對朱熹「心」這個概念的偷換，換句話說，王陽明先將朱熹的認知心的概念內涵換成了自己「良知」本心的概念，然後又批判朱子的「心」與「理」沒有統一，這在邏輯上似乎是不能成立的。王陽明利用自己思想體系中「本心」的概念，或者說「心即理」的命題，定義朱熹的「性即理」的命題是「析心與理為二」，顯然是很牽強的。王陽明認為朱熹的「心」並不是理，但在朱熹的哲學體系中，「心」與「理」本就相異，理與氣相合才成就了朱熹理論中的心，朱熹理論中的心中之性才是理，而王陽明主張心與理是同一的，在此基礎上王陽明批判朱熹的心與理為二，在邏輯上顯然不能成立。

二　「心體」的差異

朱熹與王陽明在「心體」的觀點有同亦有異，二人都認為「心體」是「至善」、是「未發」。[23]對於「心體」的差異，朱熹主張「心體」是宇宙統一的實體，王陽明則強調「心

---

22 陳來：《朱子哲學研究》上海，華東師範大學出版社，2008年，頁249。

23 王陽明認為：「無善無惡心之體，有善有惡意之動。」（〔明〕王陽明：《象山語錄・傳習錄》上海：上海古籍出版社，2013年，頁221）又云：「至善是心之本體，只是『明明德』到『至精至一』處便是。」（〔明〕王陽明：《象山語錄・傳習錄》上海：上海古籍出版社，2013年，頁168）又曰：「或曰：『人皆有是心，心即理。何以有為善為不善？』先生曰：『惡人之心失其本體。』」朱熹繼承了宋明理學家們一貫的主張認為：「心之體即是性，性即是理。」

體」的本來意義，即心體的本體意義。其雲：「心之本體，即是天理。」[24]又：「心體即無時無刻不是此道，亙古亙今無始無終。」[25]「心體明即是道明，更無二：此是為學頭腦處。」[26]「心之體，性也，性即理也。故有孝親之心，即有孝親之理，無孝親之心，即無孝親之理。」[27]也就是說，王陽明將「心體」與「性」、「道」等同，是一種「廓然大公」並且「無有不當」的狀態，即「故欲修身在於體當自家心體，常令廓然大公無有些子不正處。」[28]由此來看，王陽明建立在自己思想體系基礎上的對朱熹的批判也是很牽強的，在邏輯上也是難以成立的，因為王陽明還是延續偷換概念的方法，「心體」的概念在朱熹與自己的體系中原本就是不同的，但是王陽明卻立足於自己的理論體系中將朱子對「心體」的論述偷換成自己「心體」的概念，然後再批判朱熹。

（一）朱熹主張「心體」為萬物一體的橋梁

朱熹認為「心體」是萬物統一的橋梁。其「格物致知」思想是要人們在「格」自然之物以及「人倫事物」的基礎上求得天地萬物的本源之「理」，而此命題成立的前提是「天下萬物之理」與「天地之理」的關系。而對此問題的闡發，涉及朱熹哲學的根本。

朱熹認為，「人人有一太極，物物有一太極。」[29]「太極」在這指的就是「天道」「天理」，也就是說，「天理」萬物都具有，萬事萬物都有一個「太極」。又說，「萬物皆有此理，理皆同出一原，但所居之位不同，則其理之用不一。」[30]朱熹在此進一步指出，萬事萬物都有的那個「太極」，是「同出一原」的，也就是說萬事萬物的「太極」是一個。也就是「理一」。萬物在具體層面上，只是「分殊」，即「完整的分有了」[31]作為天地之根本的「理」。因此，雖然在表面上，桌之「理」與車之「理」是不同的，但是在根本上，兩者的「理」是一個，只是一體的天道流行，賦予在不同事物上的體現。

朱熹曾論「枯槁有性」。「問：『枯槁之物亦有性，是如何？』曰：『是他合下有此理，故雲天下無性外之物。』」[32]由此推之，枯槁乃至天下萬物未嘗不是如此，「性」或者說是「理」根本上是一樣的，而人之所以與其他生物不同，就在於「惟人也得其全。」[33]「性即

24 〔明〕王陽明：《象山語錄‧傳習錄》上海：上海古籍出版社，2013年，頁177。
25 〔明〕王陽明：《象山語錄‧傳習錄》上海：上海古籍出版社，2013年，頁235。
26 〔明〕王陽明：《象山語錄‧傳習錄》上海：上海古籍出版社，2013年，頁195。
27 〔明〕王陽明：《象山語錄‧傳習錄》上海：上海古籍出版社，2013年，頁177。
28 〔明〕王陽明：《象山語錄‧傳習錄》上海：上海古籍出版社，2013年，頁254。
29 〔宋〕黎靖德（編），《朱子語類》北京：中華書局，1986年，頁542。
30 同上註。
31 李景林，鄭萬耕主編：《中國哲學概論》北京，北京師範大學出版社，2010年。頁272。
32 〔宋〕黎靖德編：《朱子語類》北京：中華書局，1986年，頁578。
33 同上註。

是理，有是性即有是氣，是他稟得許多氣，故亦只有許多理。」[34]也就是說，人與物的「性」本無不同，差異的原因在於「氣稟」，故所表現出來的具體的「理」有所不同。

至此，朱子很自然的把天下萬物乃至整個宇宙都統一了起來，而這個橋梁就是「理」。天下萬物也因為「理」的一體性從而實現了與人在本體上的一致性，因為在朱子的哲學中，「心體」就是「性」，而「性即理」，很自然的便實現了天地萬物在「理」的層面的統一性，也就是我們所說的「心體」是宇宙的統一性基礎。這類似於「民吾同胞，物吾與也。」的狀態，也只有這樣，朱子通過「格物致知」的方法求「理」才能實現。

由此可見，朱子傾向於認同「心體」是宇宙統一的實體。這樣能更好的為自己的哲學理論做一個形而上的說明與鋪墊。在這個層面上，「心體」是一個實有的「大全」，是一個真實的存在，並貫他穿在天地萬物之中，成為了天地萬物統一性的原因。

與朱熹相異，王陽明主張的「心即理」將「心體」與「心」等同，「心」就是「心體」。將二者統一起來，強調了「心體」的「本體」意義。在王陽明那裡，事物之「理」或者說是宇宙的根本之「理」並不需要向外求，工夫只需要在自己身上做即可求得「理」。「始知聖人之道，吾性自足，向之求理於事事物物者，誤也。」[35]因此，王陽明便很有必要強調「心體」的本來意義。

通過以上論述，王陽明在「心體」這一主張上與朱熹的差異還是很明顯的，因此，王陽明建立在自己的理論基礎上對朱熹的評價與判斷顯然是知得商榷的，在邏輯上也是很難立足的。

（二）王陽明「心即理」實現的一個可能性視角

論述至此很自然地產生了一個問題：王陽明是如何將「心」與「心體」統一起來的？兩者在王陽明思想中都出現過，在王陽明的論述中，並不是所有的都將「心」與「理」等同起來，看似不同的兩個概念是如何被統一起來的？只有說明這一問題才能更好的、更徹底的表明朱王的異質性，才能在邏輯上全面的推翻王陽明對朱熹的批判，更好的說明這一判斷的實質。

根據前文的論述，王陽明在很多地方也明確的指出了「心體」才是「理」，才是「性」，[36]那麼，「心」與「心體」是什麼關系？「心體」是「理」這一點毋庸置疑，但是「心」是如何是「理」的？換句話說，王陽明是如何克服朱子將「心」與「理」看作二而

34 同上註。

35 〔明〕王陽明撰、吳光等編校：《王陽明全集》上海：上海古籍出版社，2011年，頁78。

36 陽明曾說：「性是心之體，天是性之源，盡心即是盡性。」（〔明〕王陽明：《象山語錄・傳習錄》上海：上海古籍出版社，2013年，頁172）

將「心體」與「心」統一起來的？

首先，王陽明跟朱熹相似，認為「心體」或者說「性」是有「已發」「未發」的。比如，「劉觀時問：『未發之中是如如何？』先生曰：『汝但戒慎不睹，恐懼不聞，養得此心純是天理，便自然見。』」[37]王陽明認為「心純是天理」就是「未發」，這也就是「心體」或者說是「性」的模樣。又說，「然心者，固所以主於身而無動靜語默之間也，然方其靜也，事物未至，思慮未萌，而一性渾然，道義全具，其所謂中。是乃心之所以為體，而寂然不動者也。及其動也，事物交至，思慮萌焉，則七情迭用各有攸主，其所謂和。」[38]這表明在王陽明看來，「心」既有「思慮未萌」也有「思慮已萌」，「未萌」即是「未發」，「已萌」就是「已發」。

其次，王陽明便把「已發」「未發」都定義為「心」。因為「心體」本身就在「心」中，並且是「至善」的，是「未發」的，即「喜怒哀樂之未發指其本體而言也。」[39]又「自家心體，常要鑑空衡平，這便是未發之中。」[40]只要解決了「已發」為也是「至善」的問題，便能解釋我們一開始提出的問題。

我們用王陽明自己的話來回答這一問題。「這性之生理，發在目便會視，發在耳便會聽，發在口便會言，發在四肢便會動，都只是那天理發生，以其主宰一身，故謂之心。這心之體，原只是天理，原無非禮。」[41]，王陽明認為「性之發動」「原無非禮」，顯然，「性之發」是「已發」，那麼，「已發」便具有了「至善」的屬性。

雖然這種「至善」針對的是上根器的人或者說指代那些已經成為聖人的人說的，但是，「已發」確實在本原上是至善的，也就是說，只要心體呈顯的時候，自然發而皆中節，即「先生曰：『人只要成就自家心體，則用再其中，如養得心體，果有未發之中，自然有法而皆中節之和，自然無施不可。」也就是說，「未發」與「已發」因具有相同的屬性而實現了統一，「未發」是「心體」，「已發」是「心之意」，二者統一於「心」，心因此具有了「至善」的屬性，「心即理」的命題至此也合乎邏輯的成立了。

綜上所述，我們發現，在朱子哲學體系中，並不是沒有與王陽明所謂的「心即理」意義相一致的命題，只不過朱熹主張的是「性即理」。在朱熹理論中，心體本質上並不是決定意識現象之後的心之本體，朱熹反對把心之本體理解為意識中的另一實體，反對在操存舍亡的意識過程之外尋找本體。正是由於他所理解的心體與感應的知覺之心是同一層次的東西，而不是不同層次的東西，所以他強調道德意識狀態即是心體的呈露，也正是由於在朱熹哲學中，操存者代表的道德意識與舍亡者代表的非道德意識狀態，都是

---

37 〔明〕王陽明撰、吳光等編校：《王陽明全集》上海：上海古籍出版社，2011年，頁56。

38 〔明〕王陽明撰、吳光等編校：《王陽明全集》上海：上海古籍出版社，2011年，頁85。

39 〔明〕王陽明撰、吳光等編校：《王陽明全集》上海：上海古籍出版社，2011年，頁147。

40 〔明〕王陽明撰：《象山語錄．傳習錄》上海：上海古籍出版社，2013年，頁186。

41 〔明〕王陽明撰、吳光等編校：《王陽明全集》上海：上海古籍出版社，2011年，頁123。

同一層次的心，是同一個心，所以朱熹的哲學立場上斷不能講心即是理。心與心體本質上仍然是同一意識層次不同時態的表現，因此，在本體的層面上，朱子並不是王陽明所批判的「析心與理為二」，反而在「形而下的層面上，朱熹的確」析心與理為二「，因為這是與其哲學體系的建構相關的，並不是故意的「析心與理為二」。王陽明以自己獨有的哲學體系的「形而上」的概念內涵批判朱熹哲學體系中獨有的「形而下」的概念內涵，這種邏輯學上內涵的偷換，顯然是不能讓人信服的。

三　結論

通過以上的分析我們可以知道，王陽明對朱熹的批判在邏輯上的確是很難成立的，但是否也意味著王陽明或者朱熹本人對彼此學派的觀點不熟悉呢？顯然不是，二者同為儒家學派的代表人物，這種理論上的分歧也只是儒家內部之爭。

王陽明雖然生於朱熹之後，但其實以王陽明為代表的心學的觀點都是建立在朱熹的思想之上的，基本上王陽明的觀點是來自朱熹的，在這個意義上講，王陽明不可能不了解朱熹的思想，或者應該說是很了解，同樣，朱熹也不可能不了解王陽明為代表的心學的思想，「吾以心與理為一，彼以心與理為二，亦非固欲如此，乃是見處不同。彼見得心空而無理，此見得心雖空而萬理咸備也。近世一種學問，雖說心與理一，而不察乎氣稟物欲之私，故其發亦不合理，卻與釋氏同病，不可不察。」[42]因此，王陽明提出的對朱熹的批判顯然不是因為不了解朱熹或者說是誤解了朱熹的思想，那到底是什麼原因導致這樣呢？這顯然是一個很複雜的問題，也非本文關注的重點，在此不做贅述。

本文要關注的重點並非是王陽明對朱熹做如此批判的原因，而是王陽明對朱熹做的這些批判能否在邏輯上成立的問題。換句話說，不管是為了讓後世學者在做工夫的時候不要支離，還是因為自己的「立言宗旨」以及後世學者的「知行」不能合一，王陽明對朱熹做了「析心與理為二」的批判，單純從邏輯上講此命題能否成立，才是我們這篇文章研究的主題。對此的結論顯然是否定的，王陽明是用自己理論體系中對「心」與「理」的理解對朱熹思想體系中的同樣名稱的概念做批判，這顯然是建立在自己哲學立場的一種強加的、在邏輯上是主觀隨意的一種判斷，在邏輯上是十分牽強的。

先哲們肯定不會誤解或者不懂這些道理，只是有些時候，他們批判的出發點並不是為了讓字義或者語義更清楚明白，而是有別的良苦用心。本文的研究也並不是否定或者指責他們不理解這些思想，僅僅只是在邏輯上做一些嘗試性的研究，對於梳理王陽明與朱熹的思想也會有一定的幫助。

42　〔宋〕朱熹：《朱子全書》（修訂本）上海：上海古籍出版社，2010年，頁2691。

物自身存在嗎？
——論陽明心學中「物」的涵義[*]

雲龍[**]
北京師範大學哲學學院

陽明心學肇端於「格物」之問，明悟於「心外無物」之見，而終成於「萬物一體」之境。因此，「物」的問題是貫通於陽明心學中的核心問題。本文試圖對如何理解陽明心學中「物」的內涵提出一點淺見，以就教於方家。

一　問題的提出

龍場悟道之後，陽明一方面同朱子一樣，以「事」訓「物」；另一方面又提出了自己獨特的見解——「意之所在便是物」，由此實現了「身、心、意、知、物是一件」的論證。

> 心者，身之主也，而心之虛靈明覺，即所謂本然之良知也。其虛靈明覺之良知應感而動者，謂之意。有知而後有意，無知則無意矣。知非意之體乎？意之所用，必有其物，物即事也。如意用於事親，即事親為一物，意用於治民，即治民為一物，意用於讀書，即讀書為一物，意用於聽訟，則聽訟為一物。凡意之所用，無有無物者：有是意即有是物，無是意即無是物矣。物非意之用乎？[1]

> 身之主宰便是心，心之所發便是意，意之本體便是知，意之所在便是物。如意在於事親，即事親便是一物；意在於事君，即事君便是一物；意在於仁民愛物，即仁民愛物便是一物。意在於視聽言動，即視聽言動便是一物。所以某說無心外之理，無心外之物。[2]

以「事」訓「物」並非是陽明與其論敵的根本分歧所在，因為朱子學者也都承認「物

---

* 本文為國家社科基金重大項目「中國傳統價值觀變遷史」（14ZDB003）的階段性成果，為國家社科基金項目「情禮關系下的《禮記》禮義學研究」（16BZX040）階段性成果。

** 雲龍，北京師範大學哲學學院中國哲學專業博士生。

1 〔明〕王陽明著，鄧艾民註：《傳習錄註疏》上海：上海古籍出版社，2012年，頁104。

2 同上註，頁13。

猶事也」的論斷。其根本分歧，還是在於如何解決在外之物的客觀存在性問題，這主要反映在對陽明「意之所在便是物」詮釋的反對上。

首先，以湛若水、羅欽順、顧東橋為代表的陽明論敵無不圍繞「意之所在便是物」這一論題來對陽明展開激烈的批判。其中，湛若水更是撰〈答陽明王都憲論格物書〉一文，直接批評陽明訓「物」為「意」，解「格物」為「正念頭」有「四不可」，並多次作書對陽明提出批評：

> 昨承面諭大學格物之義，以物為心意之所著，荷教多矣。但不肖平日所以受益於兄者，尚多不在此也。兄意只恐人舍心求之於外，故有是說。不肖則以為人心與天地萬物為體，心體物而不遺，認得心體廣大，則物不能外矣。故格物非在外也，格之致之之心又非在外也，於物若以為心意之著見，恐不免有外物之病，幸更思之。老兄仁者之心，欲立人達人甚切。故不免急迫，以召疑議。在易之鹹，以無心感物，物之感也深。[3]

其次，以朱本思、陸九川等為代表的陽明弟子也都以求教的方式對陽明「」「意之所在便是物」的解讀產生著懷疑。

> （陽明）先生與甘泉先生論「格物」之說。甘泉持舊說。先生曰：「是求之於外了」，甘泉曰：「若以格物理為外，是自小其心也。」九川甚喜舊說之是。先生又論「盡心」一章，九川一聞卻遂無疑。後家居，復以「格物」遺質。先生答云：「但能實地用功，入當自釋。」山閑方自錄《大學》舊本讀之，覺朱子「格物」之說非是；然亦疑先生以意之所在為物，物字未明。……九川疑曰：物在外，如何與身、心、意、知是一件？[4]

> 先生遊南鎮，一友指巖中花樹問曰：「天下無心外之物，如此花樹，在深山中自開自落，於我心亦何相關？」[5]

其實，無論是陽明論敵還是陽明弟子，其反對陽明「意之所在便是物」的核心論點只有一個——「物」在外。在他們看來，訓「物」為「事」是可以的；但講「意之所在便是物」是不行的，因為「意」僅代表人的主觀性，這和在外之物的客觀實在性是徹底相沖突的。因此，甘泉承認「格物非在外也，格之致之之心又非在外也」，即承認格物之「事」不

3　黎業明：《湛若水年譜》上海：上海古籍出版社，2009年，頁52。

4　〔明〕王陽明撰，鄧艾民註：《傳習錄註疏》，頁179。

5　同上註，頁231。

在外與格物之「心」不在外，從而才能說格物之「物」不能外，「則物不能外」，「能」正是在強調外在客觀之物只有在人事之中才是不「外」的；但是這恰恰暴露出甘泉是絕對拒絕承認「物」是不在外的，「物不能外」這種情形只能在人與外物的關係態——事——中才能成立起來。同樣，陸九川也直接拋出「物在外，如何與身、心、意、知是一件？」的問題；特別是「南鎮觀花」一事，問題矛頭非常犀利，其友以山中花樹的自開自落的常識直接考驗著「心外無物」的合理性。這裡的「外」，也就是我們常說的一種不以人的意誌為轉移的客觀存在。其實，陽明在龍場悟道之前，其對「物」的理解也是在「外」的。在庭前格竹時，陽明不但拒絕將「物」解為「意」，甚至拒絕將「物」解為「事」，「物」就是外在的客觀之物：

> 「眾人只說『格物』要依晦翁，何曾把他的說去用！我著實曾用來。初年與錢友同論做聖賢要格天下之物，如今安得這等大的力量：因指亭前竹子，令去看。錢子早夜去窮格竹子的道理，竭其心思至於三日，便致勞神成疾。當初說他這是精力不足，某因自去格，早夜不得其理，到七日，亦以勞思致疾，遂相與嘆聖賢是做不得的，無他大力量去格物了。」[6]

這種經歷固然反映了陽明的偏執，但也反映了陽明對成聖的執著與對待問題的認真。此時，「物」被陽明理解為客觀之竹，格物就是格竹。當然，將「物」理解為外在客觀之物的理路並不能解決陽明的困惑，其格竹完全以失敗而告終。但由此可以看出，陽明論敵及陽明弟子對「物」的理解是與陽明在龍場悟道之前對「物」的理解是比較一致的，其共同點是：物，就其自身來講，是外在於人的客觀存在。無論甘泉等人怎樣以「事」訓「物」，將「物」納入到人與物的關係中來講「物」，其根本前提——物在外——是不會改變的。

在甘泉等人看來，「意之所在便是物」的本質在於否認了物理的客觀實在性，而對物理客觀性的否認，要麼是以否認外物的客觀存在為前提的；要麼就是雖然承認外物的客觀性，但是卻對外物的客觀性視而不見為前提的。「南鎮觀花」的問答在前一種意義上拷問著陽明；而甘泉「於物若以為心意之著見，恐不免有外物之病」則在後一種意義上拷問著陽明。用現代的話講，前者屬於主觀唯心論，後者屬於不可知論。這正是陽明論敵及其弟子之所以對陽明「意之所在便是物」進行反對的根本原因。

今人多立足於主體性的角度，對陽明的「物」以及「心外無物」的命題進行詮釋。楊國榮先生認為，陽明所言之「物」「不是在實存的意義上強調外部對象依存於人，而是著重指出草木瓦石的意義總是相對於人而言。天地、草木、瓦石本是自在的……草木作為草木，其意義只是對人才敞開」。[7]陳來先生也認為，「陽明討論和關注的並不是那個山河大地

6　同上註，頁265。

7　楊國榮：《心學之思》北京：中國人民大學出版社，2009年，頁71。

的實然世界，而是與主體活動相關的意義世界」。[8]兩位先生的說法從本質上來講都是以「事」訓「物」，「事」是物我之間關係態，是人物之間一種客觀發生建構。從這一點上來講，以「事」訓「物」固然是合乎陽明思想的；但是其弊端卻是將實存世界與意義世界分裂為二，誠如陳來先生所言，陽明的對「心外無物」的「解答不能說是令人滿意的」，「如果說他（陽明）不能完滿的回答關於外界事物獨立於人的意識的客觀實在性問題，在很大程度上也是因為他本來不是面對這一問題的」。[9]可見，僅僅由以「事」訓「物」的朱子學理路解陽明之「物」並不能回答外界事物的獨立存在問題，也無法平息陽明與甘泉的爭論。

島田虔次先生深刻地指出「物」在陽明體系中的矛盾性：

> 把理給予事事物物，完全只根據自己的力量而讓自然和人倫成立，這種『內』的設想，在邏輯上已經預先拒絕『外』的實在性。如果嚴密的追究陽明的主張，即如果把理完全作為內在於心中的話，那麼在邏輯上就無論如何也不能承認事物的客觀實在性，因為陽明連物自體都不保留。然而不把事物，即「外」的客觀實在性作為前提，實踐本身就不能具體的成立。在陽明那裡，作為理論，應該揚棄的這個二律背反的高層次的邏輯——例如，像客觀精神之學說——最終沒有展開。而且，雖然與自己的邏輯歸結相反，但陽明還是徹底把「外」——這個「外」在現實上是怎樣的——作為前提保留。被他的士大夫性所制約的這樣的矛盾，當然是不能忽視的。[10]

島氏雖然敏銳地指出了這種矛盾，但是並沒有對其提供一種解答，而是將這種矛盾看做陽明體系本身具有的矛盾。

由此可見，如何理解外物的客觀實在性，無論是在陽明龍場悟道之前，還是在龍場悟道之後與其論敵的爭辯中，皆作為一核心問題而出現，這一問題如果不能在邏輯上得到合理解決，陽明的良知體系本身可以說就是無法成立的。那麼，龍場悟道之前，陽明所理解的客觀外在之物在其悟道之後的良知體系中「逃遁」到哪裡去了呢？

二　意之所在便是物

欲解決這一問題還必須從陽明的根本問題意識來著眼：陽明自幼即立成聖之志，而成聖之方在陽明看來是「格物」。由陽明所立成聖之誌可以看出，其所要解決的不是知識問題，而是存在問題。悟道之前，陽明受朱子影響，將格物的前提理解為「人心之靈莫不有

8　陳來：《有無之境》北京：北京大學出版社，2013年，頁54。

9　同上註，頁56。

10　島田虔次著，甘萬萍譯：《中國近代思維的挫折》江蘇：江蘇人民出版社，頁16。

知，而天下之物莫不有理」，因此，格物問題的本質是「心」「理」關係或「心」「物」關係問題。這正是為什麼陽明一生都在糾結「格物」問題的深層原因。由此而言，存在問題包括人的存在與世界的存在兩個方面，由於人的存在問題在中國哲學中被歸結為「心」的問題，因此，陽明哲學中存在問題的本質上即是一心物關係問題。

悟道之後，陽明所講的心，不是一個空空寡頭的本體；物，也不是一個外在的現成存在者，二者從根源上是一種緣構關係。由此，存在只有在當下的心物感應關係中才能綻放出來。「目無體，以萬物之色為體；耳無體，以萬物之聲為體；鼻無體，以萬物之臭為體；口無體，以萬物之味為體；心無體，以天地萬物感應之是非為體。」[11]這裡的「體」是內容的含義，這句話大意是講，目、耳、鼻、口、心本身是沒有固定內容的，而是以它們所遇到的萬物的色、聲、臭、味、是非為內容的。目、耳、鼻、口、心都是作為存在的顯現原則出現的；而色、聲、臭、味、是非皆是作為存在的顯現內容出現的。就心物關係而言，「心」是存在的顯現原則，「物」是存在的顯現內容。

> 問：「人心與物同體，如吾身原是血氣流通的，所以謂之同體。若於人便異體了，禽獸草木益遠矣。而何謂之同體？」先生曰：「妳只在感應之幾上看，豈但禽獸草木，雖天地也與我同體的，鬼神也與我同體的。」……天地鬼神萬物離卻我的靈明，便沒有天地鬼神萬物了；我的靈明離卻天地鬼神萬物，亦沒有我的靈明。如此便是一氣流通的，如何與他間隔得？」又問：「天地鬼神萬物，千古見在，何沒了我的靈明便俱無了？」曰：「今看死的人，他這些精靈遊散了，他的天地鬼神萬物尚在何處？」[12]

其弟子問陽明為何「人心與物同體」，陽明著重強調在「感應之幾上看」。這裡的「感應之幾」指的是使存在在場的機制，是心物關係的緣構機制。「靈明」正是在強調「心」是存在的顯現原則，這一顯現將作為天地鬼神的萬物拉入在場之中，使天地鬼神作為存在綻放出來；反過來講，離開天地鬼神之顯現內容，靈明之心也根本無從顯現、無法存在。因此，心和物，人的存在與世界的存在從根本上來講同屬一個存在——在場存在。如果借用海德格爾（Martin Heidegger, 1889-1976）的話說，「感應之幾」是人最為本己性的生存方式，人被拋入「感應」之中，也就是被拋入世界之中。「世儒之支離，外索於刑名器數之末，以求明其所謂物理者，而不知，初無假於外也。佛老之空虛，遺棄其人倫事物之端，而不知，不可得而遺也。」[13]「初」並不是在懸設一個本體，而是說「吾心即物理」本身就

11 〔明〕王陽明撰，鄧艾民註：《傳習錄註疏》，頁232。

12 同上註，頁279。

13 〔明〕王陽明撰，錢明、董平等編校：《王陽明全集》上海：上海古籍出版社，2011年，頁224。

是人的生存結構，人是逃不掉的；「不可」也並不是講「不應當」的意思，而是說人本身就沈陷在「物理即吾心」的生存境況之中，是無法避免的。因此，一方面，「心」將「物」拉入在場之中去；另一方面，「心」也將自身投入「物」中去。沒有心的存在是盲的，而沒有物的存在是空的。盲的存在或空的存在根本就不是存在本身，或者說是無法存在起來而成為在場的現實性的。由此，心物只有在彼此對對方的規定與融合中成為在場的現實性。

陽明將這種即心即物的在場存在稱為「意」或「念」，「意」一方面聯通著「心」，「心之所發便是意」，意為心之內容；另一方面聯通著「物」，「意之所在便是物」。心與物在相互緣構之中都掙脫了各自的抽象性，而落實為實實在在的「意」。「意」正是在心物「感應之幾」中綻放出來的在場存在，因此，「意」「念」也便構成了人的生存結構整體，人「實無無念時」，「意未有懸空的，必著事物」。由此可以理解，陽明訓解《大學》必以「誠意」為頭腦，而不是以「格物」或「正心」為頭腦，其內在緣由是「意」直接指向在場存在本身的，可以說就是在場存在；相對來講，「心」與「物」則缺乏此明確的指向性。

> 「大學工夫即是明明德。明明德只是個誠意。誠意的工夫只是格物致知。若以誠意為主，去用格物致知的工夫，即工夫始有下落。即為善去惡，無非是誠意的事。如新本先去窮格事物之理。即茫茫蕩蕩，都無著落處。須用添個敬字，方才牽扯得向身心上來。然終是沒根原。若須用添個敬字，緣何孔門倒將一個最緊要的字落了，直待千餘年後要人來補出？正謂以誠意為主，即不須添敬字。所以舉出個誠意來說。正是學問的大頭腦處。於此不察，真所謂毫厘之差，千里之繆。」[14]

「心」與「物」就其自身來講都不是首出的，只有「意」才是首出的。「意」中之「物」才是本真之「物」。在此視域下，「物」也就表現為具有價值色彩並且能夠在時空進行流變的東西。「物」的本然狀態必然是在心物關係中「物」，即必然是在事態關係結構中的「物」。「物」之為物，其首出原則必然作為在場之物而出現，即作為「心」中之物而出現，或者講必須作為「意」中之物而出現。陽明關於「物」的這種觀點，頗類似於海德格爾的「錘子」，海德格爾認為，錘子並不是一個提前存在著的現成之物，錘子只有在被作為錘子使用的時候，它才是「錘子」，它的本性才真正顯現出來；相反，脫離開具體的在場情形，錘子便失去其自身而不是錘子了。同樣，「物」必須在其具體情形的在場性中，才是其本真存在，否者便不是真正的物，物的存在不但先於物的本質，而且物的存在決定著物的本質。由於「物」依賴於「心」將其拉入存在在場之中，因此，「心」作為「物」的顯現原則也即是「物」的存在原則，心將物的本質綻放了出來。「以不忍人之心，而行不忍人之政，則雖茅茨土階，固亦明堂也；以幽、厲之心，而行幽、厲之政，則雖明堂，亦暴政所

14 〔明〕王陽明撰，鄧艾民註：《傳習錄註疏》，頁88。

自出之地邪」，[15]「明堂」並不是預先設定之物，而是必須在「心」的顯現原則中當下綻放生成的。

相反，脫離開心物關係中的事態結構來談論「物」，「物」只能是一種不可理解的抽象。「先儒解格物為格天下之物，天下之物如何格得？且謂一草一木亦皆有理，今如何去格？」[16]龍場悟道之後，陽明認為在外之物從根本上與人是絕緣的，人不可能將外在之物拉入人「事」之中來，「天下之物如何格得？」正是從根源上否認了外在之物能夠進入人的世界中來，兩個外在的東西無論如何也不能有機的融合為一體。「格物」之所以可能，「物」絕不能是外在客觀之現成存在，而只能理解為「物」在原初之際與人就是一體的，這意味著人與「物」最為原始的關係是一種內在交互關係，「物」是存在於人最本己性的生存方式之中的，「吾性自足」「吾心即物理」「物理即吾心」即表明了這一點。我們所說的與人割裂的外在之物本質上是對這種人物本原一體的破壞，因此，外在獨立的客觀物根本不具有先在性，具有先在性的物只能是心物關係結構中的事態之物。

三　心物同體

物作為存在的顯現內容完全來源於物自身固有的內容，心僅僅作為一個通孔將物自身固有的內容綻放出來。因此，「心」既不是指對象性的認知原則，也不是「無中生有」造物性原則，而是指物自身創生自身過程中的顯現原則、綻放原則。在此意義上，心物感應關係固然表現為一物對人的呈現過程，但其深層本質更在於物自身創生自身，使自身綻放出來的內在機制，物的生成即意味著心將物本有的內容顯現出來。「聖人之心如明鏡。只是一個明，則隨感而應，無物不照。」[17]陽明以鏡喻心，其意在說明心只是物自身的顯現原則，從而保證物的客觀真實性，這一點絕不同於西方哲學中「人為自然立法」、「人是萬物的尺度」之類的觀念。由此，「意」從本質上也就完全掙脫了人的主觀任意而成為物的客觀真實顯現，「意」由人意而超越為天意。在後者的意義上，陽明稱「意」為「良知」。張學智先生指出：「良知既是天理，又是此天理的『昭明靈覺處』，天理和覺此天理是合二而一的。良知即性，良知即覺」。[18]良知繼承了意的雙重內涵，既包含「心」的顯現原則，又內涵「物」的本質內容，因此，良知的核心含義是指物固有本質的自身顯現。

> 朱本思問：「人有虛靈，方有良知。若草木瓦石之類，亦有良知否？」先生曰：「人的良知，就是草木瓦石的良知，若草木瓦石無人的良知，不可以為草木瓦石矣。豈

---

15 同上註，頁112。

16 同上註，頁263。

17 同上註，頁26。

18 張學智：《心學論集》北京：中國社會科學出版社，2006年，頁106。

> 惟草木瓦石為然，天地無人的良知，亦不可為天地矣。蓋天地萬物與人原是一體，其發竅之最精處，是人心一點靈明，風雨露雷、日月星辰、禽獸草木、山川土石，與人原是一體。故五谷、禽獸之類皆可以養人，藥石之類皆可以療疾，只為同此一氣，故能相通耳。[19]

陽明弟子沒有意識到陽明說的良知不僅僅作為人的意識，而更是作為物的本質而存在，所以問了草木瓦石有無良知的問題。「天地萬物與人原是一體，其發竅之最精處，是人心一點靈明」，包括人在內的天地萬物只是一物，而「一點靈明」正是這一物本質的自身顯現，「以形體而言，天地一物也；以顯晦而言，人心其機也」。[20]良知不僅僅是人的良知，不僅僅是人的真實顯現，同時也是草木瓦石的良知，也是天地萬物的真實顯現。陳立勝先生指出，「天地萬物是在人這裡發竅的，而良知便是這個發竅的之最精處，由此，人心的一點靈明固然是屬於人的，但亦應該說是屬於天的，是天地之心發竅之最精處的一個結果。天地萬物便是這個發竅的最精處透顯出來的」。[21]陽明以「良知」實現了對《中庸》「性之德也，合外內之道也」的重新詮釋。人與天地萬物在同一系統內，從而構成一個大物，人與天地萬物的感應也就轉變成了此大物自身的通體感應，良知也就是此大物在自身通體感應中的客觀呈現。良知不但是人的心，而且是天地萬物的心，「要其極致，乃見天地無心，而人為之心……此所以為天地立心，為生民立命，惟在於吾心」。[22]因此，「物」的客觀真實性根本不是來自人的私意安排，而是來自物的自身顯現。

同時我們發現，人物同體這一「物」是在人與萬物的事態感應關係中被拉入在場存在的，「物」在其本然狀態中是包含一事態結構的。張載講：「二端故有感，本一故能合」，（《正蒙・乾稱篇》）本原上一體之物的兩端才能在其內部相互感應；陽明也講，「若果靜而後生陰，動而後生陽，則是陰陽動靜，截然各自為一物矣。陰陽一氣也，一氣屈伸而為陰陽；動靜一理也，一理隱顯而為動靜」[23]感應只能發生在本然即為一物的內部。正因為人與天地萬物本然為一物，所以良知之理才能通過人與天地萬物的感應呈現出來。如果說人與天地萬物相感構成的是一個事態結構的話，那麼人物同體這一「物」則是在此「事」中才成立起來的。所以，不但「物」具有事態性的結構，而且「事」也具有物態性的結構。由此可見，作為「意」的在場存在，從主體的角度稱作「心」；從客體的角度稱作「物」；從主客體統一的角度稱作「事」。正是在此意義上，陽明將心、意、物、事看做一個東西，這個東西即是指存在整體。

---

19 〔明〕王陽明撰，鄧艾民註：《傳習錄註疏》，頁230。

20 陳來：《中國近世思想史研究》北京：生活・讀書・新知三聯書店，2010年，頁724。

21 陳立勝：《王陽明「萬物一體」論》，上海：華東師範大學出版社，頁43。

22 陳來：《中國近世思想史研究》，頁725。

23 〔明〕王陽明撰，鄧艾民註：《傳習錄註疏》，頁133。

既然「物」只能在「意」中成為在場存在，「意」作為在場存在也即是物的本真存在，因此陽明從根本上就反對「心內物外」的講法。《傳習錄》：

> 「格物」者，格其心之物也，格其意之物也，格其知之物也；「正心」者，正其物之心也；「誠意」者，誠其物之意也；「致知」者，致其物之知也。此豈有內外彼此之分哉？[24]

> 先生曰：「此『格物』之說未透。心何嘗有內外？即如惟濬今在此講論，又豈有一心在內照管？……後在洪都，復與於中國裳論內外之說，渠皆云物自有內外，但要內外並著功夫，不可有間耳，以質先生。曰：「功夫不離本體，本體原無內外：只為後來做功夫的分了內外，先失其本體了，如今正要講明功夫不要有內外，乃是本體功夫」[25]

> 先生曰：「人必要說心有內外，原不曾實見心體。我今說無內外，尚恐學者流在有內外上去。若說有內外，則內外益判矣。況心無內外，亦不自我說。明道〈定性書〉有云：『且以性為隨物於外，則當其在外時，何者為在內？』此一條最痛快。」[26]

物之為物在本原上乃是一種「獨」在，它自身作為在場的「意」而顯現著，故而根本不能說心內物外，陽明講良知「與物無對」、「良知即是獨知」皆是此意；相反，以湛若水為代表的陽明論敵則堅持朱子的講法，提倡「內外交養」「合內外」的修養功夫，這種修養工夫是以心內物外、心物相對為前提的。「夫所謂支離者，二之之謂也，非徒逐外而忘內謂之支離，是內而非外者亦謂之支離，過猶不及耳。」[27]心物相對的自然觀點使陽明在庭前格竹的經歷中吃了大虧，其龍場悟道從本質上講即是拋棄這種心內物外的自然觀點，而頓悟出世界是在心物緣構中生成的，存在只能是即心即物的存在。因此，陽明絕對不會接受這種自然觀點的，陽明批判這種以自然觀點為前提的格物方式是「求之於外」的格物方式，這一點正是陽明和甘泉的核心爭端所在。

需要強調的是，「意」並不僅僅是一種主觀意識，而是具有物質實存基礎的，這一點通過中國哲學的「氣」表現出來。「天地鬼神萬物離卻我的靈明，便沒有天地鬼神萬物了；我的靈明離卻天地鬼神萬物，亦沒有我的靈明。如此便是一氣流通的，如何與他間隔得？」[28]靈明之「意」的實存基礎即是「氣」。天地萬物與「我」的感應機制被陽明理解為「一氣流

---

24 同上註，頁152。

25 同上註，頁185。

26 〔明〕王陽明撰，錢明、董平等編校：《王陽明全集》，頁1293。

27 黎業明：《湛若水年譜》，頁71。

28 〔明〕王陽明撰，鄧艾民註：《傳習錄註疏》，頁278。

通」之氣自身的感應機制。「天地氣機，元無一息之停。然有個主宰。故不先不後，不急不緩。雖千變萬化，而主宰常定。人得此而生。若主宰定時，與天運一般不忌。雖酬酢萬變，常是從容自在。」[29]人與天地萬物從實存的角度來講都是由氣構成的，而人與萬物的感應之機即是「氣機」，這種「氣機」不是盲目的流變，而是具有內在的主宰性，陽明將這種主宰稱作「心」；「氣機」的內在主宰性是一個運行著的條理系統，陽明將這種條理系統稱為「理」。[30]「理者，氣之條理；氣者，理之運用。無條理則不能運用；無運用則亦無以見其所謂條理者矣。」[31]理是氣之理，氣是理之氣。從理氣不離的角度講，陽明並沒有背離朱子，陽明的良知與意從來不脫離實存之氣來講，意只是實存之氣的內在顯發機制。因此，陽明既講「有善有惡意之動」，又講「有善有惡氣之動」，「意」從實存性的角度來講即是「氣」；而「氣」從發動感應之機的角度來講即是「意」。「物」雖在「意」中，但卻是有實存基礎的「氣」構成的，而絕不是一個空洞的精神概念。陽明的這種觀點是與中國哲學中對「氣」的看法是頗為一致的，李澤厚先生指出，「氣可以是活動著的物質，也可是生命力的精神概念」；[32] 劉毅青先生也認為：「氣作為一個哲學概念，實不同於西方形而上學的任何一個概念，並不是一個純粹的意識或者形式，它兼具物質性和精神性，是心物一元的結合體。」[33]

靈明之「意」不僅僅作為個體的主觀意識而存在，同時還作為人與萬物所構成一氣流通的「氣機」而存在，那麼「物」也就不能僅僅被理解為人的意識中「物」，而更應該被理解為客觀實存之物自身，物通過良知顯現的過程也就是物通過大化流行的創生過程，因為良知作為物之心（當然也是人之心）緣構著物的存在與生成。誠如牟宗三先生所言：「這個『物』同時是道德實踐的，同時也是存有論的，兩者間並無距離，亦並非兩個路頭。這個物當該不是康德所謂現象，乃是其所謂物自身。」[34]所以，在良知之前，陽明決不允許有一個物自身存在著，來等著人對這個物自身賦予意義。

由心物關係構成的存在是一個內在關係性的整體系統，「存在」作為一獨立的整體本身就具有完滿的自足性，它從不依賴別的東西來使自身綻放出來。存在之物如果能獨立存在，那麼就絕對不是僵死的現成的東西，它內部必然包含著一個事態關係結構，此事態結構使物成為緣構之物，由此，物自身必然是時時刻刻都在流動與生成中，此流動與生成也必然顯現在時空之中，而這一顯現只能是物之「心」的顯現功能；反過來講，物的自身顯

---

29 同上註，頁69。

30 需要指明，「理」在朱子哲學中其首要含義指向的是超越的天理，是形上之體，其次才是具體事物的條理，而陽明更強調經由具體事物之條理以見形上之天理。因此朱子與陽明的區別是朱子更強調超越的天理，而陽明更註重從具體之條理講起。

31 〔明〕王陽明撰，鄧艾民註：《傳習錄註疏》，頁129。

32 李澤厚：《論中國的智慧》北京，中央編譯出版社，1996年,頁38。

33 劉毅青：〈中國哲學的生存論特質〉，《淮陰師範學院學報（哲社版）》，第33卷，2011年6月。

34 牟宗三：《從陸象山到劉蕺山》長春：吉林出版集團有限責任公司，2010年，頁143。

現即是物之「心」，「心」也只能是物的顯現原則。所以，一物能夠存在起來，其必然內涵「心」、「氣」、「事」等結構於自身之內。由此，物中必然含有心，心中也必然含有物，陽明「心外無物」的命題正是對這一內涵的精準表達。作為儒者，陽明多從人的存在上來講「心外無物」，這樣就容易給人造成誤解。其實，「心」在陽明系統中作為物存在起來的顯現原則，完全可以指「物」之心來講的（物之心當然是經由人心而顯的），物自身必須依靠物之「心」將其拉入存在之中，其存在才能綻放出來。因此，陽明的「心外無物」不但沒有否認山川草木等自然物的存在，而且肯定了自然物本身即是有「心」的存在——即具有自身價值內容的存在，它們和人一樣，本然地具有著實存內涵與價值內涵。從物有心的角度來講，心意使物在場，亦即物的自身顯現。陽明並沒有否定朱子「在物為理」「事事物物皆有定理」的命題，而是認為物之理必須是在物之心中綻放出來的，「在物為理，在字上當添一心字。此心在物則為理」。[35]陽明從另一條進路完成了對朱子哲學的重新詮釋，與朱子哲學殊途而同歸。由此，從人作為主體的角度來講，致良知的過程即固然是人的良知創生萬物、人的實現的過程；但亦更是萬物自身綻放出自身，天道自身開顯的過程，人與物是同時來到世界之中的。反過來講，脫離開人並不存在著一個抽象的物自體，康德所講的物自體純粹是基於在場存在而形成的一種抽象觀念，這一點黑格爾已經指明。脫離開人來思考自然物是否獨立存在的問題本質上是一個假問題，這正如砍下人的胳膊來考察它還是不是胳膊一樣，此時胳膊完全喪失了其作為胳膊的功能本質而成為一塊腐肉。在陽明看來，那種心內物外的自然觀點便是如此，「天地皆仁之滓」[36]「天地萬象，皆吾心之糟粕也」，[37]從究竟意義上來講，離開在場存在來談論物，物也就喪失其本質而成為不存在，這正如不能認腐肉為胳膊的道理是一致的。所以，心內物外的自然觀點與陽明即心即物存在論在根本上就不是在同一論域中進行的，外在自然物是否獨立存在這一問題在陽明的良知系統中根本就是一個假問題，如果非要追問的話，那陽明的答案只能是不存在。島氏所講的客觀精神在陽明體系中已經作為良知出現，這點決定了現成的物自體在陽明體系中根本沒有容身之所，物自身只能存在於具體的良知流行之中。同樣，世界從本原上也不存在著實存世界與意義世界的的劃分，那個一氣貫通的實存世界本身就內涵著它的意義，而那個條理分明的意義世界本身就具有著它的客觀實存性。在場存在之物即是獨在，物由意而在場，物顯現其自身即是「物自身」，「天下歸仁，萬物皆備於我也」，[38]「我」就是那個獨在，此時萬物融為一物，此物即可稱為「良知」。陽明這種人與天地萬物同心同氣的存在論為其晚年的萬物一體觀打下了堅實的基礎。

綜上所述，陽明是從存在論的角度對「物」進行理解的，「物」必然是心物關係或者說

35 〔明〕王陽明撰，鄧艾民註：《傳習錄註疏》，頁267。

36 陳來：《中國近世思想史研究》，頁724。

37 陳來：《中國近世思想史研究》，頁725。

38 陳來：《中國近世思想史研究》，頁724。

是事態結構中的「物」；反過來說，「物」也必然本真地內涵來著一個心物關係結構或者說事態結構，否者物便是不在場的抽象。同時，陽明雖然堅持「意之所在便是物」，但陽明並沒有打掉「物」的實存性，而是以「氣」作為「物」和「意」的根基。由此，對於自然物而言，在場之物具有絕對的先在性，脫離開人來思考外在自然物是否獨立存在的問題，只有在這種源始在場之物存在的前提下才是可能的，物只能在良知流行中成為其自身，而不是事先存在著一個抽象的物自身，物或世界在本原處即是一內含價值意義與客觀實存性的內在統一體。

「三言」與人間異類

楊永漢

香港樹仁大學

一　前言

神仙、鬼物、精怪的概念，不論在中西各國，早已有之。人類智慧未啟之時，對自然界的突發現象都會出現驚恐，例如地震、雷電、水災等，繼之認定宇宙有統治者，控制人類禍福。至於人死後成鬼，甚至出現人間，古籍亦有紀錄。

人類透過巫、覡可以與鬼神接觸，《國語．楚語》載昭王問觀射父言：

> ……古者民神不雜，民之精爽不攜貳者，而又能齊肅衷正，其知能上下比義，其聖能光遠宣朗，其明能光照之，其聰能聽徹之，如是神明降之。在男曰覡，在女曰巫。……於是乎有天、地、神、明、類物之官，謂之五官，各司其序，不相亂也。[1]

而萬物四方均有相關神祇負責，如《左傳．昭公二十九年》記五行之官：

> 夫物，物有其官，官修其方，朝夕思之，一日失職，則死及之，失官不食，官宿其業，其物乃至，若泯棄之，物乃坻伏，郁湮不育，故有五行之官，實列受氏姓，封為上公，賜為貴神，社稷五祀，是尊是奉。木正曰勾芒，火正曰祝融，金正曰蓐收，水正曰玄冥，土正曰后土。……

及《周禮》記祭祀之方：

> 以禋祀祀昊天上帝；以實柴祀日月星辰；以槱燎祀司中、司命、風師、雨師。[2]（祀天神）
>
> 以血祭祭社稷，五祀、五岳；以貍沉祭山川澤；以融辜祭四方百物。[3]（地祇）

1　徐元誥：《國語集解》北京：中華書局，2002年，頁512-513。

2　楊天宇：《周禮譯注》上海：古籍出版社，2007年，頁275，〈大宗伯〉。

3　同上註。

以肆獻祼享先王！以饋食享先王，以祠春享先王，以禴夏享先王，以嘗秋享先王，以烝冬享先王。[4]（人鬼）

所謂「神」，是擬人的，是具有人格的神，神能降福受享。中國古代基本上是多神，有掌管自然現象的神，亦有掌管山水四方的神，所以說「制神之處外位次主」。先秦時，專門事神的官，應是部落中較高級的主權。《史記・封禪書》載「於是始皇遂東遊海上，行禮祠名山大川及八神，求僊人羨門之屬。」[5]

精怪之說，記載於不同典籍，如王充《論衡》，歷代討論不輟，一般是物老而成精。古代所指的「鬼」是祖先，《論語・為政》載：「子曰：非其鬼而祭之，諂也。」鬼，訓為祖先。當然，民間傳說，鬼類繁多，道教及佛教流行，「鬼」的種類，更見複雜。再加上政治的需要，鬼神之說，又受到管治者的支持，如漢武帝，是「尤敬鬼神之祀」(《史記》)。

「三言」是指《喻世明言》、《醒世恆言》及《警世通言》三本話本小說，由明代馮夢龍編。由於「三言」版本甚多，本文引用「三言」內容，將簡單註明出處，例如《喻世明言》第一回，將以（《喻》一）列出，不另立註腳。

二　神仙

神仙兩字，本來是有分別的，所謂「神」是先天的，有帶領或孕育萬物的功能，《說文解字・示部》載「天神引出萬物者也。」；仙則是後天的，可修煉而至，《說文解字・人部》解釋「僊」：「長生僊去。」，段玉裁註「僊，昇高也。」是動詞。發展至秦漢，兩字開始連用，如《史記・封禪書》：「其明年，東巡海上，考神仙之屬，未有驗者。」[6]聞一多解釋「神仙」兩字聯用的原因是人經過修煉成仙，身體不壞，精神上昇，達至與神人共處的境界，故稱之。

「神」，未必是人身，但可賜福人類。《墨子・明鬼下》載：

昔者鄭穆公，當晝日中處乎廟，有神入門而左，鳥身，素服三絕，面狀正方。鄭穆公見之，乃恐懼奔，神曰：「無懼！帝享女明德，使予錫女壽十年有九，使若國家蕃昌，子孫茂，毋失。」鄭穆公再拜稽首曰：「敢問神名？」曰：「予為句芒。」[7]

4　同上註，頁276。

5　〔漢〕司馬遷《史記・封禪書》（中華書局排印本二十四史），頁611。

6　〔漢〕司馬遷：《史記・封禪書》（中華書局排印本二十四史）。

7　〔清〕孫詒讓著、小柳司氣太校訂《墨子閒詁》卷八，〈明鬼下〉頁6-7。

《莊子・逍遙遊》提出「至人無己，神人無功，聖人無名」[8]的觀念，並指出神人是「肌膚若冰雪，綽約若處子，不食五穀，吸風飲露。乘雲氣，御飛龍，而遊乎四海之外。其神凝，使物不疵癘而年穀熟。」[9]「無己、無功、無名」是精神的境界，而人更可到達這境界可成為「真人」。真人是甚麼？據《莊子・大宗師》載：

何謂真人？古之真人，不逆寡，不雄成，不謨士。若然者，過而弗悔，當而不自得也。若然者，登高不慄，入水不濡，入火不熱。是知之能登假於道也若此。古之真人，其寢不夢，其覺無憂，其食不甘，其息深深。真人之息以踵，眾人之息以喉。屈服者，其嗌言若哇。其耆欲深者，其天機淺。古之真人，不知說生，不知惡死；其出不訢，其入不距；翛然而往，翛然而來而已矣。不忘其所始，不求其所終；受而喜之，忘而復之。是之謂不以心捐道，不以人助天。是之謂真人。若然者，其心志，其容寂，其顙頯，淒然似秋，煖然似春，喜怒通四時，與物有宜，而莫知其極。……古之真人，其狀義而不朋，若不足而不承，與乎其觚而不堅也，張乎其虛而不華也，邴乎其似喜也！崔乎其不得已也！滀乎進我色也，與乎止我德也，厲乎其似世乎！謷乎其未可制也，連乎其似好閉也，悗乎忘其言也。……故其好之也一，其弗好之也一。其一也一，其不一也一。其一，與天為徒；其不一，與人為徒。天與人不相勝也，是之謂真人。[10]

從上文來看，真人基本上是與萬物化合，不受時間、自然現象所得影響，故其形與精神可永存於天地。莊子所說，亦是後世道教所重視的修煉，希望身體能長生不老。四類有成就的人（至人、聖人、神人、真人），都可以透過修煉而達至的精神境界，基本上沒有涉及輪回的概念。神與鬼最大的分別是神本有的，鬼是人死後成鬼。由於莊子提出四種有成就的人，即後世所說的神仙，老子其後被奉為太上老君，而莊子被奉為南華真君，均表示他們已經從「人」昇華至「神仙」。人之所以能夠成仙，是因為「道」生「人」，故人能成道，《太平經》載：「道之生人，本皆精氣也，皆有神也，假相名為人」。眾生無非是道，所以可通過修煉，返源成仙。

據《史記・封禪書》載，神仙是在東方的三座仙山，亦即是在人世的空間中，而不是在天上。西漢時，仍有方士提出神仙之說，但遭到當時儒士的遏止。可是，神仙之說卻仍在民間逐漸流行。發展至魏晉南北朝，神仙說大盛，言及神仙的典籍，包括《抱朴子・內篇》、《外丹經》、《三洞經》（洞神三皇經系、洞真上清經系、洞玄靈寶經系）等。

---

8 陳鼓應注譯：《莊子今注今譯》北京：中華書局，2001年，頁14。

9 同上註，頁21。

10 陳鼓應注譯：《莊子今注今譯》，頁168-170。

《抱扑子．黃白》:「我命在我不在天，還丹成金億萬年。」[11]葛洪認為神仙是實有的，是可學的。發展至唐代，因皇帝偏好，神仙之說更熾，而道教的發展，無論在理論、儀軌及修煉成果各方面，已達至一定成就，兼且當時得到不少名人的支持，道教所以大興。白居易的《長恨歌》也記載了玄宗到仙山會太真一幕。唐代較著名的道教文人學者，有「仙宗十友」（陳子昂、盧藏用、宋之問、王適、畢構、李白、孟浩然、王維、賀知章、司馬承禎），其中李白的出世逍遙思想，更將道教的神仙色彩沁進文學領域內，影響深遠。

由宋代發展至明代，大量有關道教神仙的作品出現於選錄的總集中，如《太平廣記》、《太平御覽》等。其他如《三洞羣仙錄》、《歷世真仙體道通鑑》等更是有系統匯集仙道傳記的作品。《金蓮正宗記》、《漢天師世家》等記錄各派祖師生平故事的著作，均在此時期出現。大致神仙傳可分三類：神仙的傳記，如《老君內傳》、《元君內傳》、《黃帝內傳》、《先天紀》、《穆天子傳》、《玄天上商聖啟錄》等；集傳，如《十二真君傳》、《終南山說經臺歷代真仙碑記》、《金蓮正宗記》等；總傳，如《列仙傳》、《神仙傳》、《列仙圖》等。加上宋真宗、明世宗等皇帝篤信道教及鼓吹神仙，使道教神仙思想影響漸深。明世宗相信神仙的程度，更幾達失去理智，據記載世宗營建齋醮，所費驚人[12]，又服春藥，苛虐宮女，嘉靖二十一年（1542）十月爆發「壬寅宮變」幾乎招至殺身之禍。

道教的名人呂岩、陳摶、張三丰等道教人物，均被信眾尊奉為神仙，如呂祖在宋代被封為妙道真君，在元被封為純陽演正警化孚佑帝君。往後，民間忠義之士，亦有朝廷封誥，被尊為道教神祇，如關公、天后等。

神仙之說，發展至現代已漸漸式微，修道成仙，固有人為之，然不能成為社會風氣。如近代道教陳攖寧提出「仙學」理論，主張與三教分開「合精神與物質，同歸一爐以冶之」，陽神可以長生久視，就成仙了。惟陳氏之後，「仙學」未普及。

表一 「三言」所載有關神仙及成仙故事

卷目	人物	成仙、遇仙情況	事由
趙伯昇茶肆遇仁宗（《喻》十一）	宋仁宗	夢金甲神	趙旭試卷本入圍，只一字之差，仁宗見其面後，即黜其卷。 後仁宗夢見金甲神提示「旭」字，仁宗欲訪與旭有關者。旭在茶肆重遇仁宗，後授西川五十四州都制置。

11 《抱扑子．黃白》〈http://ctext.org/baopuzi/huang-bai/〉，瀏覽日期：2017年12月11日。

12 《明史．食貨志》載：「世宗營建最繁，十五年以前，名為汰省，而經費已六、七百萬。其後增十數倍，齋宮、秘殿並時而興。工場二、三十處，役匠數萬人，軍稱之，歲費二、三百萬。其時宗廟、萬壽宮災，帝不之省，營繕益急，經費不敷，乃令臣民獻助；獻助不已，復行開納，勞民耗財，視武宗過之。」又《明史．鄭一鵬傳》中載：「臣巡視光祿，見一齋醮蔬食，為錢萬有八千。」

卷目	人物	成仙、遇仙情況	事由
張道陵七試趙昇（《喻》十三）	趙昇 王長	成仙	記述張道陵成道及七試其弟子趙昇經過。最後，與趙昇、王長兩弟子飛昇。
陳從善梅嶺失渾家（《喻》二十）	陳辛、張如春	大慧真人護送赴任	紫陽真君感陳辛供齋志誠，知其夫婦有千日之災，特遣大慧真人護送至廣東南雄赴任。夫妻歷劫，最後仍能團圓。
張古老種瓜娶文女（《喻》三十三）	張古老	張古老及舉家十三口成仙	滋生駟馬監韋恕走失照殿玉獅子名馬，押曹依馬跡到張公處取回馬，並送上一箇甜瓜。韋恕親自上門答謝，張公求娶恕女，被恕毆打。後張公再遣媒求親，恕開出條件。張公竟能完成。後因張公之故，舉家十三口白日飛昇，都成神仙。恕子因曾用劍圖傷張公，不能成仙，偶見張公審案一日，回來卻是二十年後。
任孝子烈性為神（《喻》三十八）	任珪	坐化為神	任珪性格剛烈，知妻與周得通姦，殺其丈人、丈母、侍女，並其妻及周得。
莊子休鼓盆成大道（《警》二）	莊子	成仙	因悟人生一場夢，夫妻亦然。雲遊遇老子，得大道成仙。
陳可常端陽仙化（《警》七）	陳可常	回歸仙境	前身是五百羅漢中的常歡喜尊者。
李謫仙醉草嚇蠻書（《警》九）	李白	星主還位	李白母夢長庚星入懷而生李白。
金令史美婢酬秀童（《警》十五）	張二哥	夜夢神人指點，救回秀童	金滿得管縣裡庫房，卻失銀二一百兩。金滿迷信，請莫道人降神求知偷銀。莫道人指是秀童。金滿即著張陰捕審問秀童，張對秀童下重刑，最後屈打成招。張二哥在夢中得神人指點，知道此事與名陳大壽者有關。其後知道是盧智高及胡美所偷，縣官釋放秀童。金滿內疚，將美婢金杏嫁與秀童，並認為義子。

卷目	人物	成仙、遇仙情況	事由
假神仙大鬧華光廟（《警》二十七）	魏宇	遇妖精所化神仙，被吸人氣。	魏宇遇呂洞賓及何仙姑，與之交合，騙魏宇可吸仙氣。魏生身體日差，得此二仙乃龜精所變。先有裴道士收妖，但失敗，最後，到華光廟救助，得五顯神之助，殺掉龜精。
福祿壽三星度世（《警》三十九）	鶴、鹿、龜三仙獸	下凡作弄前身是仙友的劉本道。	劉本道本是天界延壽司掌書記的仙官，因與鶴、鹿、龜玩耍，懶於正事，被貶下凡間為貧儒。謫期完結，三仙獸下凡作弄本道。最後，壽星喝令四仙同返天界。
呂純陽飛劍斬黃龍（《醒》二十二）	呂岩	與黃龍鬥法，能喚山神	記呂岩與黃龍禪師鬥法，最後皈依黃龍禪師，大徹大悟。復歸鍾離師處修煉，數百年不下山，成地仙。
	慧南	即黃龍長老，已悟道，有神通。有護法韋馱。	
鄭節使立功神臂弓（《醒》三十一）	鄭信	遇日霞仙子，並結為夫妻，生一男一女。壽五十餘，由日霞仙子迎去。	記鄭信落井遇仙及發跡事件。最後，鄭亦成仙。
杜子春三入長安（《醒》三十七）	杜子春 杜子春妻	遇太上老君，與妻成仙而去。	寫杜子春豪爽敗家，最後洗心思慮，得遇太上老君，與其妻同歸於大道，眾目睽睽之下成仙而去。
李道人獨步雲門（《醒》三十八）	李清	屍解成仙	記李清開皇四年往雲門山求道，回來時已是永徽五年，已是七十二年後的事。他家道已沒落，合族子孫只餘一人。李清得道濟世，最後屍解成仙。
馬當神風送滕王閣（《醒》四十）	王勃	成仙	記王勃寫滕王閣記後，隨中源水君而去。

（一）佛道的神仙

從上表十六個故事中，我們察覺基本上是沒有記載因佛教修持而成羅漢、菩薩者。只有陳端常前生是羅漢（《警》七），還清宿業後而圓寂，但回歸是仙境。佛教視仙人，即天人是六道眾生之一，仍受六道輪回之苦。陳端常坐化後成仙而不回人間，似與佛教本義有分歧。當然，小說內容不必要與事實完全相符。從數量來看，除陳端常事外，其他幾近九成以上成仙故事都是出於道教。數字很明顯反映明代中晚期所創作的小說話本，涉及宗教色彩者，大部份是以道教為重心。或者可以這樣理解，佛教發展，在知識份子階層或上流社會，頗受歡迎，以至有明代理學內容，受佛家思想所影響，但民間，應該是以道教思想為主。

上列故事中，勉強說代表佛教思想的故事只有《呂純陽飛劍斬黃龍》呂純陽飛劍斬黃龍（《醒》二十二），黃龍禪師與呂岩鬥法，呂有殺黃龍之心。黃龍仍有心渡呂岩，出題點化，令呂岩大徹大悟。此故事有幾層意義：

（一）佛道鬥法，最終是佛法勝，呂岩拜黃龍為師。

（二）呂岩有殺心，代表道教，黃龍有慈悲心，代表佛教，兩者一正一反，明顯褒揚佛教。

（三）呂岩最後還是回鍾離師處修煉，不正式入佛教系統，是此故事最難明之處。

據《三言兩拍源流考》指出，此故事的芻型本自兩個不同的版本，一是黃龍與呂岩對參話頭，黃龍勝，呂岩因黃言而悟道。（見《曲海總目提要》卷三十一《萬仙錄》）[13]另一故事是黃龍說法，遇呂祖，與之講論大道至數日，龍大折服，遂拜呂為師。呂授性命相修之理，騰空而去。黃龍在山中修煉，成仙。（見《孤本元明雜劇提要》一百二十二〈度黃龍〉）[14]兩本著作的作者不明，但有一點很清楚的是對宗教有取向，有學者認為此故事是佛道之爭。

若以上表故事作參考，正好反映明代民間是流行道教神仙思想。〈度黃龍〉創作於明代，其偏向佛教較優，解作揚佛抑道亦有理由的。可是，令人費解是故事末節，呂祖回歸鍾離師，是揚道或抑道？我們可以這樣理解，作者有意融和兩派矛盾，亦可以解釋為，發展至明代，佛道融和，已沒太大的爭端，非比魏晉南北朝，欲置對方於末路，偽書偽經頻出的現象，不可同日而語。一齣雜劇，亦不必看成是佛、道之爭。

（二）遇仙

遇仙的故事有〈趙伯昇茶肆遇仁宗〉（《喻》十一）、〈張道陵七試趙昇〉（《喻》十三〉、〈莊子休鼓盆成大道〉（《警》二）、〈金令史美婢酬秀童〉（《警》十五）、〈假神仙大鬧華光

---

13 譚正璧《三言兩拍源流考》上海：古籍出版社，2012年，頁620。

14 轉引自譚正璧《三言兩拍源流考》上海：古籍出版社，2012年，頁619。

廟〉(《警》二十七)、〈鄭節使立功神臂弓〉(《醒》三十一)、〈杜子春三入長安〉(《醒》三十七)。其中亦有遇仙後，成仙的故事，如趙昇、莊子、鄭信、杜子春等。遇神仙而解困的是秀童(《警》十五)，張二哥夜夢神人，告之秀童是被冤枉而得以解困。另外的故事是趙旭(《喻》十一)，宋仁宗得金甲神提示，尋找趙旭，授以官職。兩個故事的共通點是由上而下的壓迫，秀童被主家冤枉，而趙旭被皇帝罷黜。如此，已經不是公平與否的問題，而是權力的問題。這裡明題反映，在重重階級的社會中，低下的一層，受到上一層的屈辱，可以說是有冤無路訴。在故事中，正好反映出這種心態，為求公平正義，只有問於鬼神。而鬼神亦會因應大眾的痛苦不公，出手相助，例如金甲神及神人。雖然這些都是虛妄的故事，但畢竟是受屈者的清涼劑。也使大眾相信，世界畢竟是有公義的。

〈假神仙大鬧華光廟〉(《警》二十七)的魏宇，得五顯神之助，殺掉龜精。魏宇誤信假呂洞賓，精氣日損，有點諷刺人類迷信，不分真偽，受惑於表象。

(三)成仙

因前世因緣或坐化而成仙的有〈任孝子烈性為神〉(《喻》三十八)、陳可常端陽仙化(《警》七)、〈李謫仙醉草嚇蠻書〉(《警》九)、福祿壽三星度世(《警》三十九)。當中任孝子事(《喻》三十八)最能反映社會心態。任珪知妻與人通姦，竟殺妻、殺奸夫、殺丈人等，最後竟因性格剛烈而為神。若以現代普遍對道德要求的標準，相信大部份人認為任珪做得太過份。但若以明代道德標準來看，女性貞操及從一而終的規條來看，任珪所做在當時被認為是可接受事情。畢竟通姦的第一概念就是嚴重違反道德及出賣丈夫。

當然，〈張道陵七試趙昇〉(《喻》十三)中的趙昇及王長，得張道陵的接引，師棣均飛昇而成仙。

(四)神仙下凡與屍解

陳可常、李白、劉本道的前身均是天界中仙，各因其緣而到凡間走一趟，相信陳可常、劉本道應是杜撰人物。李白，是唐朝著名詩人，被譽為「詩仙」，詩風豪邁奔放，飄逸出塵，強烈的自由思想，深收道家思想影響。道士司馬承禎認為李白仙風道骨，可與神遊八表。而李白亦多與道家中人來往，如元丹丘、吳筠、賀知章等。李白於天寶三年(西元744年)受籙，還作了〈奉餞高天師如貴道士傳道籙畢歸北海〉：

> 道隱不可見，靈書藏天洞。吾師四萬劫，歷世遞相傳。
> 別杖留青竹，行歌躡紫煙。離心無遠近，常在玉京懸。

可見李白篤信道教，相信李白本人有可能相信自己是上天星君降世，故有如此才華。

其他成仙的故事，很多是白日飛昇，或曰成仙而去，如杜子春、鄭信、莊子等；而坐化或屍解或身死，則有任珪、李清得、王勃。《抱朴子．內篇》將仙人分為三等：上士舉形昇虛，謂之天仙；中士遊於名山，謂之地仙；下士先死後蛻，謂之尸解仙。〈李道人獨步雲門〉（《醒》三十八）謂李清得道濟世，最後尸解而去，相信是屬於「先死後蛻」。對屍解的解釋，還有《後漢書．王和平傳》註：

> 屍解者，言將登仙，假託為屍以解化也。[15]

《雲笈七籤》卷八十四：

> 夫屍解托死者，正欲斷以死生之情，示民有終始之限耳！豈肯腐骸太陰，以肉餉螻蟻者哉。直欲遏違世之夫，塞兆民之源望也。[16]

《雲笈七籤》八十五卷引〈太極真人遺帶散〉：

> 真人曰：凡屍解者，皆寄一物而後去。或刀或劍，或竹或杖，及水火兵刃之解。[17]

《雲笈七籤》卷八十四引〈赤書玉訣〉：

> 當取靈山陽向之竹，令長七尺有節，作神杖，使上下通直，甘竹乃佳。……若欲屍解，杖則代形，倏歘之間，已成真人。[18]

《雲笈七籤》卷八十四：

> 白日去謂之上屍解，夜半去謂之下屍解，向曉暮之際去者，謂之地下主者也。[19]

《太平御覽》卷六百六十五．道部七：

---

15 〔南朝．宋〕范曄：《後漢書》臺北：鼎文書局，1981年，頁2751。

16 〔宋〕張君房：《雲笈七籤》北京：中華書局，2014年5次版，頁1893。

17 〔宋〕張君房：《雲笈七籤》，頁1905。

18 〔宋〕張君房：《雲笈七籤》，頁1898。

19 〔宋〕張君房：《雲笈七籤》，頁1897。

> 若欲潛遁名山，隨時觀化，不願真官，隱浪自足者，當修劍屍解之道。[20]

《太平御覽》卷六百六十五・道部七：

> 夫修下屍解者，皆不得返望故鄉。上解之道名配紫簡，三官不得復窺其隙，但畜神劍，與之起居相隨。[21]

簡單解釋，屍解是假借他物，如竹、杖、劍等物，代替屍身死亡，而精神可遊歷他處。

三　精怪

至於精怪，自莊子的寓言始，罔兩對話，骷髏發聲等等，引發後世對精怪的疑惑。道教流行，驅神敕鬼，更成為部份流派的功法。干寶《搜神記》已有神仙鬼魅、精物化人的記載，民間普遍相信有鬼神精怪。往後，各家筆記小說，如張讀《宣室志》、蒲松齡《聊齋誌異》，袁枚《子不語》等，不乏怪力亂神的記載，也無非是借鬼怪勸善。「三言」記載的精怪故事，也正是反映出民間的信仰與因果等意識。

所謂精怪，葛洪《抱朴子・內篇・登涉》載：

> 萬物之老者，其精悉能假託人形，以眩惑人目而常試人，唯不能於鏡中易其真形耳。

王充《論衡》載：

> 夫物之老者，其精為人；亦有未老，性能變化，象人形。人之受氣，有與物同精者，則其物與之交；及病精氣衰劣也，則來犯陵之矣。何以效之？成事，俗間與物交者，見鬼之來也。夫病者所見之鬼，與彼病物何以異？人病見鬼來，象其墓中死人來迎呼之者，宅中之六畜也。及見他鬼非是所素知者，他家若草野之中物為之也。[22]

---

20 《太平御覽》卷六百六十五・道部七〈http://ctext.org/taiping-yulan/665/zh?searchu〉，瀏覽日期：2017年12月11日。

21 《太平御覽》卷六百六十五・道部七〈http://ctext.org/taiping-yulan/665/zh?searchu〉，瀏覽日期：2017年12月11日。

22 〔東漢〕王充著，袁華忠、方家常譯注：《論衡全譯》貴州：人民出版社，1993年，頁1384。

葛洪解釋，凡物老而能為精，象人形。王充解釋更加透徹，凡物老，其精可離開物本身，而成為人形。他舉例，人生病，精氣衰退，與他氣基相近的精怪，就會前來侵犯。若人生病時，見到自己的家人或熟識的人前來，那就是自家的六畜所化成的精神，若是不熟識的，就是別家的物的精怪。葛洪及王充皆認為萬物經過了長年的歲月或壽命，就能幻化成人類的模樣。

劉仲宇《中國精怪文化研究》認為中國的精怪是自然物老而成精，能通靈變化，也是一切鬼神的原型，這裡是與人鬼的區別。鬼，是人死後，無身體依附的亡魂，而精怪是隨原物而化成，物滅而精亡。

《抱朴子．內篇．登涉》記載有關精怪的事：

> 昔張蓋蹋及偶高成二人，並精思於蜀雲臺山石室中，忽有一人著黃練單衣葛巾，往到其前曰：「勞乎道士，乃辛苦幽隱！」於是二人顧視鏡中，乃是鹿也。因問之曰：「汝是山中老鹿，何敢詐為人形？」言未絕，而來人即成鹿而走去。林慮山下有一亭，其中有鬼，每有宿者，或死或病，常夜有數十人，衣色或黃或白或黑，或男或女。後郅伯夷者過之宿，明燈燭而坐誦經，夜半有十餘人來，與伯夷對坐，自共樗蒲博戲，伯夷密以鏡照之，乃是群犬也。伯夷乃執燭起，佯誤以燭燼爇其衣，乃作燋毛。伯夷懷小刀，因捉一人而刺之，初作人叫，死而成犬，餘犬悉走，於是遂絕，乃鏡之力也。

上述故事，指出用照妖鏡可看穿精怪的本來面目。自是而始，中國的小說多了人、神、妖的爭鬥，也是中國的小說主要內容之一。

表二　「三言」所載有關精怪故事

卷目	人物	所遇精怪	事由
李公子救蛇獲稱心（《喻》三四）	李元	西海龍君 龍子 龍女	記述宋代時有李元者，於蘇州吳江三高士祠救了一條赤色小蛇，其後小蛇報恩的故事。原來小蛇是西海龍君之子，龍君感激李元救回兒子一命，特將女兒許配李元，三年為期。其後，李元得龍女之助盜出試題，令其屢試皆捷，除吳江縣令。李元突發善心求回小蛇，所得的福報可謂不淺。
崔衙內白鷂招妖（《警》十九）	崔亞	遇妖，陷色網。酒保班犬是大蟲所	崔亞借得新羅白鷂，到城外放鷂。竟遇上妖怪，陷於色網中。最後得

卷目	人物	所遇精怪	事由
		化，紅衫美娘子是紅兔子所化，骷髏人是晉代將軍所化。	羅真人捉去三妖，救出崔亞。
樂小舍拚生覓偶（《警》二三）	龍王子 樂小舍	龍王子化成金鯉魚遇潮王	龍王子酒醉化成金色鯉魚，被錢王捕獲，錢王見其特異，不忍殺害，將之放生。後得龍王回報。 又記樂和下水救順娘，得潮王（唐人，死後受後人立祠）之助，兩人成就美眷。
假神仙大鬧華光廟（《警》二七）	魏宇	遇龜精，吸人氣。	魏宇遇呂洞賓及何仙姑，與之交合，騙魏宇可吸仙氣。魏生身體日差，得此二仙乃龜精所變。先有裴道士收妖，但失敗，最後，到華光廟救助，得五顯神之助，殺掉龜精。
白娘子永鎮雷峰塔（《警》二八）	白娘子 青青	蛇精 青魚精	白娘子是西湖上的蛇精，而青青則是青魚精。白娘子因愛慕許宣，結為夫婦，後被法海禪師收伏，並將白蛇與青魚鎮於西湖雷峰塔下。
皂角林大王假形（《警》三六）	欒巴 皂角大王	狸精 地方妖精，被九子母收服。	老狸精冒充天官，受百姓血食，欒巴看破，追至齊郡，將老狸斬首。 主要故事是趙再理授廣州新會知縣，到任知有皂角林大王在地方受人祭祀。一怒之下，毀其廟，破其身。皂角大王到趙家冒認趙再理，並偷去其官告文憑。害得趙被斷配兗州。中途防送公人要殺趙，得神靈九子母幫助而幸免。再到龍宮借物收伏皂角大王。
福祿壽三星度世（《警》三九）	鶴、鹿、龜三仙獸	下凡作弄前身是仙友的劉本道。	劉本道本是天界延壽司掌書記的仙官，因與鶴、鹿、龜玩耍，懶於正事，被貶下凡間為貧儒。謫期完結，三仙獸下凡作弄本道。最後，壽星喝令四仙同返天界。
旌陽宮鐵樹鎮妖（《警》四十）	許遜	得吳猛真傳，在人間斬魅除妖。	先說老子、蘭期、諶母、許琰等成仙因緣，再述許遜求仙的經歷。許遜得吳猛真傳，斬魅除妖。

卷目	人物	所遇精怪	事由
小水灣天狐詒書（《醒》六）	王臣	被狐妖所戲	王臣在樊川打狐得書，狐妖在客店變人詒騙。狐妖又變成王臣家人，氣得王臣大病。

從上述故事的內容來看，精怪是非常人性化，有感情，有害人的也有保護人類的。這些精怪，除由動物或老物而變化人型外，其他的情緒與行事，基本與人類無異。

（一）龍的地位

〈表二〉所引故事，有兩則屬於與龍有關的。〈李公子救蛇獲稱心〉（《喻》三四）寫李元曾救小蛇，而小蛇是由龍所化。最後，龍王將龍女配給李元，屬因果報應中的善報。第二個故事是〈樂小舍拚生覓偶〉（《警》二三）載龍王子，化成金鯉魚，險被烹煮的事情。兩則故事龍的身份都不同於精怪，是類似神仙的地位，這與中國傳統對龍敬仰的關係。故龍女嫁與李元，是天大的幸福。錢王放過龍王子，亦得到善報。

（二）貽害人類的精怪

有害人之心的精怪故事，包括〈崔衙內白鷂招妖〉（《警》十九）、〈假神仙大鬧華光廟〉（《警》二七）、〈旌陽宮鐵樹鎮妖〉（《警》四十）。崔亞誤入森林隱處，遇骷髏怪，再因迷失方向，遇紅衣娘子及班犬，三者均為精怪。其實衝突是來自白鷂，骷髏精亦未必先有傷害之心，只因崔亞以彈丸先傷骷髏，因而結冤。然而，紅衣娘子對崔亞是一往深情，認為是數百年前的因緣，力勸骷髏精勿傷崔亞。至於最終是否有加害之心，故事沒有交代（見《警》十九）。

大鬧華光廟的龜精，明顯要吸盡魏宇的精氣，最後得五顯神之助，殺掉龜精，保著魏宇的性命（見《警》二七）。至於許遜，更是人妖不兩立，受道於吳猛，以消取妖怪為天職（見《警》四十）。此故事明顯將人與妖放在對立面，前題是妖怪必定害人。究竟妖怪是不是一定害人，在眾多故事中，無法下判斷。

（三）人性化的精怪

白娘子遇見許宣，一往情深，與姊妹青魚共同侍奉許宣。幾經波折，歷兩次官司，終結為夫妻。可惜，被發現是蛇妖後，被法海和尚收於雷峰塔下。文末奉勸世人切勿貪色，以至遇妖（《警》二八）。倘若白娘子不是蛇妖，整個故事就是一個愛情故事，當然其吸引力會減低。故事的前題是人妖不兩立，白蛇與青魚從來沒有傷害人類，但就因為是妖，就不被接納。

另外兩個故事，較人性化，福祿壽三星度世（《警》三九）述說鶴、鹿、龜三仙獸下凡戲弄前生道友劉本道，小水灣天狐詒書（《醒》六）說狐精失天書而戲弄王臣。兩則故事都趣味盎然，令人啼笑皆非。這裡有一問題，同樣是龜，假神仙大鬧華光廟（《警》二七）裡的龜精，吸人精氣，最後被殺。《警》三九的龜仙卻已成道，進入天界。相信中國社會的心目中，萬物均可經過修煉而成仙，例如白娘子，修煉千年而有人身，若果不是對許宣動情，相信也可成仙。

四　鬼物

商周時期，相信人死後會成為「鬼」，商周尊神先鬼，是社會風氣。湯之征葛[23]，周之伐殷[24]，皆以「弗祠」為由。由此可見，當時是如何重視祭祀鬼神。古代亦相信侍奉鬼神會得到庇佑。

先秦的「鬼」，與佛教傳入後的鬼的概念，是有分別的。所謂「鬼」，梵語 preta，巴利語 peta，通常指死者或死者的精魂。我們所理解的鬼，在佛教稱為「中陰身」，即死後精神離開身體，卻又未到輪回時候，其精神仍停留於人世空間。另外，六道中的「餓鬼道」，不等同於「鬼」，即中陰身。餓鬼道是六道中的一個空間，有可能同人間重疊。

魔又是與鬼不同，魔的梵語、巴厘語 māra，全稱「魔羅」，簡稱「魔」，意思是殺生者、奪命者、造成障礙者。摩羅是原始佛教神話獨創的惡魔，不等同於婆羅門教神話中的死神閻摩（Yama）。阻礙人棄惡從善的內在欲望和心理力量被人格化為惡魔摩羅。在佛教故事中，摩羅的主要惡行是擾亂佛陀或其他比丘和比丘尼修道。佛教中最大的魔是住在欲界第六天（他化自在天）的天子魔（也稱為天魔波旬或魔王波旬）。二魔：內魔（自身所生之障礙）和外魔（來自外界之障礙）。至於餓鬼道的狀況，據《阿毘達磨藏顯宗論》記載：

> 鬼有三種：謂無、少、多財。無財，復三：謂炬、針、臭口。少財，亦有三：謂針、臭毛、癭。多財亦有三：謂希祠、棄、大勢，廣釋此九如順正理然諸鬼中，無威德者，唯三洲有，除北俱盧。若有威德，天上亦有。贍部洲西渚有五百，於中有二，唯鬼所居。渚各有城，二百五十。有威德鬼住一渚城，一渚城居無威德鬼。諸鬼多分，行竪而行。於劫初時皆同聖語，後隨處別種種乖訛。[25]

23《書序》:「葛伯不祀，湯始征之，作湯征。」

24《尚書・牧誓》:「昏棄厥肆祀弗答。」

25 https://zh.wikipedia.org/wiki/

先秦文獻中，亦有記載鬼魂出現的事情，墨子《明鬼》記載杜伯無辜被殺，三年後出現報仇的事情：

> 若以眾之所同見，與眾之所同聞，則若昔者杜伯是也。周宣王殺其臣杜伯而不辜，杜伯曰：「吾君殺我而不辜，若以死者為無知則止矣；若死而有知，不出三年，必使吾君知之。」其三年，周宣王合諸侯而田於圃，田車數百乘，從數千，人滿野。日中，杜伯乘白馬素車，朱衣冠，執朱弓，挾朱矢，追周宣王，射之車上，中心折脊，殪車中，伏弢而死。當是之時，周人從者莫不見，遠者莫不聞，著在周之春秋。為君者以教其臣，為父者以警其子，曰：戒之慎之！凡殺不辜者，其得不祥，鬼神之誅，若此之憯遬也！以若書之說觀之，則鬼神之有，豈可疑哉？[26]

《左傳》記載甚多與鬼神有關的事情，茲舉二例，如《莊公．三十二年》載：

> 秋七月，有神降于莘。惠王問諸內史過曰：「是何故也？」對曰：「國之將興，明神降之，監其德也；將亡，神又降之，觀其惡也。故有得神以興，亦有以亡，虞、夏、商、周皆有之。」王曰：「若之何？」對曰：「以其物享焉。其至之日，亦其物也。」王從之。內史過往，聞虢請命，反曰：「虢必亡矣。虐而聽於神。」神居莘六月。虢公使祝應、宗區、史嚚享焉。神賜之土田。史嚚曰：「虢其亡乎！吾聞之：國將興，聽於民；將亡，聽於神。神，聰明正直而壹者也，依人而行。虢多涼德，其何土之能得？」[27]

記載神降於莘，惠王遣使享之，論及聽於民、聽於神的結果。故事是將人類的施政與神是否干涉拉上關係。又《僖公．十年》記載狐突遇申生鬼魂事：

> 晉侯改葬共大子。秋，狐突適下國，遇大子。大子使登，僕，而告之曰：「夷吾無禮，余得請於帝矣，將以晉畀秦，秦將祀余。」對曰：「臣聞之：『神不歆非類，民不祀非族。』君祀無乃殄乎？且民何罪？失刑、乏祀，君其圖之！」君曰：「諾。吾將復請。七日，新城西偏將有巫者而見我焉。」許之，遂不見。及期而往，告之曰：「帝許我罰有罪矣，敝於韓。」[28]

---

26 孫詒議著、小柳司氣太校訂：《墨子閒詁》卷八，〈明鬼下〉臺北：鷺聲文物供應，1970年，頁4-6。

27 楊伯峻編：《春秋左傳注》北京：中華書局，2016年，頁274-275。

28 楊伯峻編：《春秋左傳注》，頁365-366。

敘說晉太子申生被讒而自縊死，夷吾繼位，改葬太子，郤淫辱申生妃賈君。申生不忿而告之天帝，懲罰晉國的一段事蹟。

傳統上中國人對鬼的理解，是根據佛、道兩教的概念。道教的鬼，據《太清玉冊》載：

> 雖修道而成，不免有死，遺枯骨於人間者，縱高不妙，終為下鬼之稱。故曰鬼[29]

而所有仙家，是不會附上人身，故能上身的，稱為鬼仙，是指有神通力的鬼，《道法會元．太上天壇玉格》有明確記載：

> 一切上真天仙神將，不附生人之體，若輒附人語者，決是邪魔外道。妖邪屬魔界邪物，善於偽裝，常冒充神佛「顯靈」，或冒充患者祖宗、冤親債主、嬰靈，或冒充鬼等，或謊稱患者是仙童下凡（俗稱童子命），或謊稱有上天的任務在身，誘人當出馬仙。[30]

表三　「三言」所載有關鬼物故事

卷目	人物	成仙、鬼神、妖精	事由
新橋市韓五賣春情（《喻》三）	吳山、金奴	被鬼纏	吳山與金奴幽會，白晝交歡，被胖和尚鬼魂纏身。後超渡其魂，得免於難。
閒雲庵阮三償冤債（《喻》四）	阮三	死後成鬼	阮三偶遇玉蘭，互通情意，茲後阮害相思病。張遠託閒雲庵尼姑王守長協助，引玉蘭至庵中幽會。阮三因而氣絕身亡。玉蘭竟有身孕，本想生子後殉情。後阮三報夢，知前世宿業。育子成才，終生不嫁。
羊角哀捨命全交（《喻》七）	左伯桃 羊角哀	成鬼	左伯桃欲到楚國求進，途遇羊角哀，二人一見如故，共往楚國。途中遇雪，伯桃身殉以全羊命。後羊被楚王重用，並為左建祠受香火。不意其祠在荊軻之上，左魂受荊魂脅迫。羊欲助之而不得，後乃自刎，與左同在陰界抗荊。

29 〈https://zh.wikipedia.org/zh-hk〉，瀏覽日期：2017年12月11日。

30 https://baike.baidu.com/item/鬼

卷目	人物	成仙、鬼神、妖精	事由
史弘肇龍虎君臣會（《喻》十五）	閻招亮	曾到陰間	東嶽神將王氏兄弟所燒獻的龍笛材送與第三子，令人找閻招亮開笛。閻在陰間得知史弘肇被換成銅膽鐵心，且為四鎮令公。回陽後，攝合自己妹子與史弘肇的姻緣。
	史弘肇	換成銅膽鐵心	
范巨卿雞黍死生交（《喻》十六）	范式	自刎而成陰魂到張劭家赴約	張劭赴京應舉，遇范式，並結為兄弟。約定來年到訪張家，定以雞黍以待。來年范到訪，卻已是陰魂。范忘記一年之約，當憶起時，已過約期，遂自刎，以陰魂踐約。張知悉，速到山陽，為范殮葬。葬後，又自刎而死。
楊思溫燕山逢故人（《喻》二四）	韓思厚夫婦。	被鄭意娘鬼魂所困，死於江上	述楊思溫在燕山重遇東京舊人，其嫂鄭意娘被撒八太尉所擄，再賣至祖氏倡家。自裁被救，成撒八太尉韓夫人近侍。原來鄭氏已殉節。思溫重遇韓思厚，取回骨灰遷葬。後韓思厚再娶，鄭氏鬼魂現身。韓與劉氏遊鎮江，遇鄭氏魂，卒身殉江上。
遊酆都胡母迪吟詩（《喻》三二）	胡母迪	遊陰間，見奸臣、權閹受苦	胡母迪讀罷《秦檜東窗傳》及《文文山丞相遺稿》，憤懣難平。後被閻君請到陰間，親睹歷代奸臣、權閹、貪財、姦淫者在陰間的苦況。自此，胡氏絕意士途。
崔待詔生死冤家（《警》八）	璩秀秀	死後成鬼，與崔寧生活。	秀秀賣與郡王，得郡王曾許配婚與崔寧。後郡王府失火，崔寧與秀秀同離去，並結成夫婦，在湖南潭州生活。被郡王知道，問其私逃罪，將崔寧罪杖，發還建康府居住府處理，秀秀卻被殺。崔寧不知秀秀已死，途上重遇，在建康生活。朝廷因崔寧所造碾玉觀音有損，囑找崔寧補損。郡王遣郭立尋崔寧，見秀秀仍在，告之郡王。秀秀知自己已死無法隱瞞，與崔寧一同死去。

卷目	人物	成仙、鬼神、妖精	事由
錢舍人題詩燕子樓（《警》十）	關盼盼	唐代鬼魂出現宋朝	關盼盼死後，至朝，有錢希白者偶遊燕子樓而遇盼盼鬼魂。
三現身包龍圖斷冤（《警》十三）	大孫押司	死後成鬼	因被小孫押司謀害，三次鬼魂現身申冤。
一窟鬼癩道人除怪（《警》十四）	李樂娘	產亡的鬼	吳洪前世是甘真人的弟子，因凡心不淨，墮落塵世為貧儒，甘真人令其嘗鬼趣，看破色情。
	從嫁錦兒	自割殺的鬼	
	王婆	害水蠱病死的鬼	
	陳乾娘	池裡死的鬼	
	朱小四	害癆病死的鬼	
	開酒店的	害傷寒死的鬼	
小夫人金錢贈少年（《警》十六）	小夫人	小夫人死後成鬼	小夫人初嫁大員外，卻對張勝特別關顧，死後投靠張勝。張勝不貪淫貪財，鬼亦不侵。
金明池吳清逢愛愛（《警》三十）	盧愛愛	死後成鬼，與吳清交歡。	吳清在金明池遊玩，遇見酒家小女兒盧愛愛，頓生愛慕之情。翌年往訪，盧父告之愛愛已死，但吳清卻重遇愛愛，且多番恩愛。吳清身體日差，吳父請得皇甫真人，知遇鬼。吳清誤殺小廝阿壽，與二友共陷獄訟。愛愛報夢，告之得太元夫人憐憫其情，令其神魂仍住人間，與吳清交歡，以完其心事。阿壽復生，吳得脫。後用愛愛所贈藥救回褚家小姐愛愛，兩人成婚。褚愛愛與盧愛愛容貌相似，盧女報夢，吳生延高僧超渡。
喬彥傑一妾破家（《警》三三）	喬俊	投河而死，鬼魂附王青身上報仇。	喬俊往東京賣絲，在南京上新河遇建康周巡檢新亡，家小扶靈回山東。戀上其小妾春香，納之為妾。喬往外做生意先敗，回家後知道娘子、小娘子及女兒因董小二被殺，身死於牢裡。喬一無所有，投河而死，並魂附王青身，以報此仇。

「三言」所談及的鬼物，全是人死後所化。其間的恩怨情仇，涉及中國的傳統道德，如義、守信等也有不捨人間關愛，停留於鬼身的境界。鬼故，自古就有其吸引力，因大部份聽眾或讀者對「鬼」都是一件未知的事情，任由作者發揮，結果亦因此而可出人意表。

（一）道德的鬼

羊角哀捨命全交（《喻》七）左伯桃死後受祠，卻遭到荊軻的鬼魂欺壓。羊角哀雖已顯貴，卻為報柏桃當日捨生存的恩義，竟然自刎而死，到陰間與左柏桃共同對付荊軻。全義以至自刎，在中國傳統道德內，是大仁大義。當然，用現代觀念來看，近於無知。

范巨卿雞黍死生交（《喻》十六）記載范式因忘記與張劭之約，竟自刎，令魂魄可依時赴約。最後，張劭知道此事，執葬范式後，自己亦自殺。兩則故事，說明人死後，有另外一個世界，而此空間，卻又如人類現實世界差不多，仍然有仇恨與道義。

（二）報仇的鬼

受屈或含冤而死，因而借機或上身，報雪前仇。這些鬼故事在「三言」中佔的比率很高。楊思溫燕山逢故人（《喻》二四）載鄭意娘被撒八太尉所擄，再賣至祖氏倡家。後成撒八太尉韓夫人近侍，原來鄭氏已殉節，成鬼出沒。後來重遇韓思厚，取回骨灰遷葬。思厚再娶，鄭氏鬼魂不甘，自己殉節而自刎，夫婿竟另娶。乘韓思厚與新妻劉氏遊鎮江，鄭氏鬼魂興波而令韓劉二人溺於江上，卒身殉江上。自己身死，前夫另娶，其實是合於情理，如此報復，似是過烈，有失殉節之義。

三現身包龍圖斷冤（《警》十三）載大孫押司被小孫押司串通自己妻子害死，鬼魂三次現身，得家婢迎兒及其夫王興，告之包拯，為其伸冤。

喬彥傑一妾破家（《警》三三）喬俊往東京賣絲，在南京上新河遇建康周巡檢新亡，家小扶靈回山東。戀上其小妾春香，納之為妾。喬往外做生意先敗，回家後知道娘子、小娘子及女兒因董小二被殺，身死於牢裡。喬一無所有，投河而死，並魂附主犯王青之身，以報此仇。

上述三個故事，除大孫押司一事，受屈而現身報仇，合於情理。至於鄭氏興波殺前夫，所報亦甚，少了眷顧之情。喬俊因貪色以致破家，其報亦甚烈。此故事與中國傳統小說，不斷強調貪色必有惡報的觀念，如出一轍。

（三）為情的鬼

愛情故事，往往令人盪氣迴腸，人鬼的愛情故事更吸引。崔待詔生死冤家（《警》八）

中的璩秀秀雖然身死，仍追隨崔寧回建康生活。不是被識破，相信可以終生廝守。錢舍人題詩燕子樓（《警》十）述錢希白在燕子樓緬懷唐時張建封愛姬關盼盼，並責白居易之無知，作詩諷刺關盼盼，使盼盼鬱鬱而終。

小夫人金錢贈少年（《警》十六）中的小夫人，暗戀張勝，對張亦特別眷顧。小夫人死後，欲投張勝處，以了心結。張勝為人正直，始終不及於亂。至遇到大張員外，才知悉小夫人已自吊身死。由於不惑於色，張勝得以全身而退，不及於小夫人的官司。小夫人雖然為鬼，追求本愛。當然，在明代社會，不被接受。但作者，暗地裡同情小夫人。小夫人被媒人所騙，嫁於年齡相差數十年的大張員外。諷刺了媒人誤人的傳統，為小夫人私戀張勝埋下可原諒的原因。

金明池吳清逢愛愛（《警》三十）有如倩女離魂的故事。盧愛愛與褚愛愛相貌相似，最後與褚愛愛續緣，並超渡盧愛愛。只要是愛情專一，上天是會安排。問題是，始終是不同的女子，只因相貌相似，就以此續緣。畢竟是貪色，較小夫人的追尋愛情，層次似乎較低。

（四）纏身的鬼

新橋市韓五賣春情（《喻》三）記吳山與金奴幽會，白晝交歡，卻觸動了犯淫戒而死的胖和尚鬼魂。先後纏擾，希望奪吳山魂魄，在陰司多一個淫鬼。後因超渡胖和尚鬼魂，得免於難。故事亦是以勸戒色為中心，吳山得遇金奴，戀愛其色，不理環境而行淫，卒招鬼纏。

（五）陰司與因果

史弘肇龍虎君臣會（《喻》十五）的史弘肇在陰司換了銅膽鐵心，在世間屢立功勳，成一代名臣。遊酆都胡母迪吟詩（《喻》三二）記胡母迪埋怨世間不公，後遊酆都，得見歷朝權閹奸臣的地獄報應，方信天地間有因果報應，從此絕意仕途。一窟鬼癩道人除怪（《警》十四）寫誤落凡間的吳洪，被其前世師父癩道人，引至鬼界，得見各式各樣鬼物，終於覺悟，還回本性，重新入道。鬧雲庵阮三償冤債（《喻》四）載阮三與玉蘭幽會，阮三氣絕。後來，玉蘭有孕，本計劃生育自殺，後得阮三報夢，得知前生業報，取消自殺念頭。

上列故事，都提到陰司、鬼界。此概念與佛家的六道輪回相近，相信地獄和六道觀念，發展至明朝，已普遍被民間接受。其次是因果報應，此概念始於先秦時，《易經．坤卦．文言》:「積善之家，必有餘慶；積不善之家，必有餘殃。」至佛家思想傳入中國，此因果觀念便流行於中國。

五 結論

中國民間普遍相信因果，故此，歷代小說大都向著這重點發展故事內容。倘涉及神怪佛道，除加強故事內容的吸引力外，更有「勸善」作用。從神仙、精怪，以至鬼物，其實人類都是不太了解。作者們通過自己的想象與認知，付與人格化的性情。神仙、精怪與鬼物，都有人的感情，會愛會恨，也會調皮。透過「三言」有關的故事，我們會發現，當人類在正常的環境下得不到公平的對待，就會借托鬼神替我們出一口氣。我們亦可透過這些故事，了解當時的社會道德標準及思維模式。

于成龍影像闡釋與傳播的變異研究[*]

——以兩部電視劇為中心

薛穎

天津財經大學中文系

于成龍（1617-1684）於清順治十八年（1661）上任廣西羅城知縣（正七品），歷任四川合州知州（從五品）、黃州府同知（正五品）、黃州知府（正四品）、福建按察使（正三品）、福建布政使（從二品）、直隸巡撫（從二品）、兩江總督（從一品）。清康熙二十三年（1684）病逝於任上，被康熙稱為「天下廉吏第一」。作為康熙年間的一位官吏，一如我國正史記載重大事、粗線條的風格，對于成龍的記載亦是如此。由朱正、杜希源執導，李萬年、尚大慶主演，二〇〇〇年首播的電視劇《一代廉吏于成龍》，第一次將于成龍的形象搬上了電視劇螢幕。由吳子牛執導，成泰燊、王雅捷、巫剛、修慶領銜主演，二〇一七年開年首播的電視劇《于成龍》，第二次進行了于成龍形象的電視劇塑造。于成龍的形象在跨時空、跨媒介的闡釋與傳播過程中，發生了某些程度的變異。分析變異並探尋其變異的原因，是頗具學術性的一個課題。

一　歷史語境中的于成龍形象

于成龍的歷史形象主要是通過《清史稿．于成龍傳》、《國朝先正事略》卷七《于清端公事略》、陳廷敬《于清端公傳》、熊賜履《于成龍墓誌銘》等塑造出來的。通過對這些資料的梳理，于成龍在歷史語境中的形象總結如下：

（一）能幹

于成龍從四十五歲出仕，到六十八歲去世，為官二十三年間，由七品小官升到了從一品大員，有幾次都是康熙皇帝「特簡」提拔。為官期間，三舉「卓異」（羅城知縣任上、黃州府同知任上、福建布政使任上）。初到羅城，縣城裡只有居民六戶，盜匪橫行，侗、瑤、漢之間的民族矛盾異常激烈，民生凋敝。經過七年的治理，老百姓得以安居樂業；黃州剿

* 天津市2015年度哲學社會科學規劃項目「中國古代敘事文學影像闡釋的變異研究」（TJZW15005）的階段性研究成果。

匪，隻身深入賊穴進行說服教育，又以幾千鄉勇剿除號稱十萬賊眾；福建布政使任上大力解救無辜人犯，籌錢解救奴婢，向康親王上書罷征巠夫，極大地減輕了百姓負擔；直隸巡撫任上，澄清吏治，擔著殺頭的危險開倉賑災；兩江總督任上，擒拿飛賊，整頓吏治。于成龍敢作敢當，是典型的能吏。正如青年時期的于成龍主張：「為學務篤實行，不屑於辭章之術。」（熊賜履《于成龍墓誌銘》）

（二）清正

于成龍出仕時就曾經立志：「此行絕不以溫飽為志，誓勿昧『天理良心』」（武祇遹〈跋於山奏牘後〉）。在二十餘年的為官生涯中，始終以「天理良心」為基礎的清正風格來處理政事。他會彈劾像青縣縣令趙履謙這樣的貪黷之吏，也會提拔像直隸守道董秉忠，通州知州于成龍這樣可堪大用的能吏。

（三）廉潔

于成龍的廉潔是正史記載中的重要一筆。

羅城赴合州，一眇者星卜資行：

> 民習星卜，度公囊中不能及千里，民技猶可資以行也。（《國朝先正事略》卷七《于清端公事略》）

四川合州任上：

> 一僕一羸馬自隨。（《國朝先正事略》卷七《于清端公事略》）

福建布政使任上：

> 署中薪米不給，至無衣可典，日或不再食。隨徵滿漢大臣、朝使者有時來過，徑入臥內，或繞署周行，幾案間蛛絲鼠跡，文卷書冊，外無常物。（《國朝先正事略》卷七《于清端公事略》）

兩江總督任上：

> 自奉簡陋，日惟以粗糲蔬食自給。江南俗侈麗，相率易布衣。（《清史稿・于成龍傳》）

嘗中夜苦饑，索少米作糜，不得，笑而止。(《國朝先正事略》卷七《于清端公事略》)

去世後：

成龍歷官未嘗攜家屬，卒時，將軍、都統及僚吏入視，惟笥中綈袍一襲、床頭鹽豉數器而已。(《清史稿．于成龍傳》)

于成龍的廉潔是發自內心出於真誠的，毫無偽飾做作之意。正如熊賜履說：「嗚呼！余考傳記，三代而後以廉幹稱者代不乏人，然類多矯飾沽激，流為刻核，以納於偏畸。故措施建樹、表裡初終之際，往往難言之。未若公之狷介性成，質任自然，略無矯強刻厲之跡。而誠意感孚，無不服教畏神，不疾而速，直有超越于古人之上者。然後歎公為真不可及，而益信誠中形外之為不誣也！」(熊賜履《于成龍墓誌銘》)

（四）得遇明主

歷史語境中的于成龍之所以能夠在自己的為官生涯中貫徹自己的人生信念從而實現自己的人生價值，與得遇好上司，如兩廣總督盧興祖、廣西巡撫金光祖、湖廣總督蔡毓榮、湖廣巡撫張朝珍、福建總督姚啟聖、福建巡撫吳興祚，有很大的關係。尤其是得遇明主康熙皇帝，在于成龍的為官生涯中，屢次得到康熙皇帝的「特簡」提拔，于成龍逝世後，康熙皇帝為之撰寫碑文，第二年又寫下了兩道祭文，甚至在他去世十九年之後，還題寫了「高行清粹」的匾額，這是于成龍的幸運。正如當時著名理學家范鄗鼎所說：「余觀數人，廉也而或短於才，才矣而或疏於學或餒於氣。才、學、氣備矣，而不得於君，不獲於上，政事止及于一時一隅之間。君子惜其用廉之未盡善也。本朝養士四十餘年，得于先生，先生之廉可不謂其盡善乎！」[1]

綜上所述，正史記載中的于成龍，是一個清正廉潔能幹，並且因得遇明主，而最終實現了自己人生價值的人。

二　于成龍在電視劇《一代廉吏于成龍》(2000) 中的形象變異

電視劇《一代廉吏于成龍》依然保留了正史記載中的于成龍的形象——清正廉潔能

1　〔清〕范鄗鼎：〈跋于清端公傳後〉，轉引自王振川《大清廉吏于成龍》太原：三晉出版社，2015年，頁310-311。

幹，並且得遇明主，而實現了自己的人生價值。這是主線，也是電視劇刻畫的重點。電視劇同時也進行了適當的藝術加工和虛構，使于成龍的形象更加豐滿。電視劇中于成龍的形象發生了如下變異：

（一）鄰家老爹

在電視劇中，于成龍首先是一個親民樸實的老人，猶如鄰家老爹。教小孩子唱山西兒歌，給光棍寡婦說媒，親下工地參與造橋，收養無家可歸的孩子，還進戲園子看山西梆子《打金枝》。時不時與僕人朝卿、翠兒逗逗嘴。吃糠粥還喜上眉梢。喜歡喝兩盅，時常炫耀自己喝酒還沒遇到過對手。

（二）斷案高手

電視劇以時間為序，選取于成龍為官一生的幾件大事進行敘事：羅城治盜、黃州剿匪、福建通海案復查、直隸賑災、兩江抓捕巨盜魚殼兒。在幾件大事的銜接點，總是安排幾個于成龍斷案的故事。如在羅城，順手幫助桂錦縣令破獲懸而未決的盜竊案，從而借到了耕牛和種子；在黃州，化為乞丐，抓獲殺害黃州知府的義盜張大鵬；在即將離任黃州時，還幫助巡撫張朝珍破獲了軍餉案；在直隸，康熙皇帝目睹了于成龍審訊盜竊嫁妝案的全過程。于成龍在斷案方面堪稱高手。

（三）慈善家

電視劇在塑造于成龍清正廉潔能幹的同時，還將于成龍塑造成一個慈善家。為「于青菜」、「于糠粥」、「于半鴨」做了很好的鋪墊。如果說，于成龍剛到羅城，擔任的是七品小官，一年俸祿也大約只有白銀四十五兩的話，他的日子清貧可以理解。但一個布政使（從二品，年俸白銀一百五十兩）還要靠典當棉襖過活，一個直隸巡撫（從二品，年俸白銀一百五十兩）還要喝糠粥，就有些牽強了。原來于成龍是用自己的俸祿做了慈善，如羅城資助義學、福建收留流浪兒童、直隸賑災等。回鄉葬母，又將皇帝賞賜的銀兩捐助寺廟，親贈貧困鄰里族人。是個典型的慈善家。

三　于成龍在電視劇《于成龍》（2017）中的形象變異

電視劇《于成龍》同樣保留了正史記載中的于成龍的形象，同樣也進行了適當的藝術加工和虛構。電視劇共四十集，大部頭的製作圍繞于成龍一生中的幾件大事展開：羅城治盜、黃州剿匪、福建通海案重審、直隸賑災、兩江抓魚殼兒斬理。整部電視劇的格調是氣魄宏大，充滿激情。突出于成龍作為能吏的主體性格基調。中間穿插的是于成龍、柳晉陽、周瑞和等人的生活細節，目的是從側面豐滿于成龍的性格，諸如清正廉潔、勤政愛民、關愛他人等。

電視劇《于成龍》中的于成龍與歷史記載的于成龍相比、與電視劇《一代廉吏于成龍》相比，也發生了一些變異。

（一）慷慨陳詞充滿激情的知識分子

整部電視劇以大事件為敘事線索，場面極為宏大，活躍在這個舞臺上的于成龍充滿了知識分子「天下興亡，匹夫有責」的生命激情和憂患意識。每當遇到人生的巨大挑戰和壓力的時候，他總是會慷慨陳詞，充滿激情地堅持自己的信念。

面對鰲拜的外甥喀禮野蠻圈地，鬥爭無果的時候，他說：「如若新朝，真能將圈地這弊政割除，我于成龍即使付出性命，也在所不惜。」（第3集）

面對麻城縣令屈振齊的非難的時候，他說：「如果我于成龍只是圖一己之虛榮，我就不會以一介布衣的身份前來麻城剿匪。」（第21集）

面對康親王大規模徵用老百姓當垄夫，于成龍堅決予以抵制，以不給他「舉卓異」為理由施加壓力，于成龍坦言：「卓異是個什麼，卓異就是個光鮮亮麗的頭銜，一份好名聲。不就是個榮譽嗎？我于成龍圖這個嗎？」（第31集）

電視劇中于成龍的這個性格特點是貫穿始終的，因而有觀眾對于成龍整天瞪著眼睛喊來喊去，表示不解。顯然，在表演上有些過火，拿捏上有失分寸。

（二）為政以德，有作為敢擔當的儒官

電視劇開頭，于成龍陳述了自己對「為政以德」的理解，奠定了整部電視劇于成龍為官的思想基礎。他說：「為政以德。政者，正也。政乃法令，正人之不正者。正人必先正己。綱紀法度，持守於上，然後立法以正天下。」（第1集）二十三年的官場生活，于成龍在為政以德的基礎上，做到了有作為敢擔當，體現了儒者風範，且還能始終不忘初心。正如他在羅城縣署的大堂說所寫：

> 上聯：頭上有青天，做事要存天理
>
> 下聯：眼前是瘠地，存心與民共治

之後，在每個重大場景中，基本都能體現出于成龍的這個性格特點。做事從天理良心

出發，而不是從迎合長官，揣測聖意出發。羅城任上，敢於和土匪頭子謝德昌較量；黃州剿匪，以身犯險；福建任上，冒著殺頭的危險堅決抵制康親王大規模徵用巠夫；直隸任上居然敢私開皇家糧倉；又能拋開官場人際關係的險惡，拿下貪腐知縣趙履謙；兩江總督任上，還斬了皇上的親外甥。敢於為民請命，不惜烏紗，是典型的儒官風範。正如中國視協理論研究部主任趙彤表示，在《于成龍》裡，于成龍其人出場的「先聲」，並非他本人的言語，而是永甯書院中朗朗的誦讀聲。誦讀的內容是《論語》第二章的第一節「為政以德，譬如北辰，居其所而眾星共之。」劇中對《論語．為政》篇誦讀聲的反復運用，給了于成龍自出仕以後，從芝麻小官到封疆大吏，能夠不斷「卓異」、始終清廉，成為清朝好官員以堅實的文化心理依據。[2]

四　于成龍形象變異的社會文化心理分析

清朝正史中粗線條的、清正廉潔、政績卓著的于成龍，到了電視劇《一代廉吏于成龍》中，變得和藹可親，猶如鄰家老爹；而電視劇《于成龍》中，于成龍則又充滿了儒家官僚知識份子的生命激情、憂患意識，精神上更加高大上。

從粗線條記載，到接地氣的和藹可親，再到儒家官僚知識份子的大義凜然，于成龍形象跨越時空跨越媒介，發生了某種程度的變異。這種變異背後折射的是不同媒介的本質屬性，不同傳播主體的文化認知與藝術理念，最終折射的是不同時代的人們的社會文化心理特點。

（一）媒介屬性的不同

適合的載體承載適合的內容。《清史稿》等官方正史記載中的于成龍是粗線條的，因為官方正史代表主流意識形態，秉承的是「實錄」修史精神。而要做到實錄，必然要淘汰細節抓住幹，才能與當時的歷史大線條吻合，因而記載多是粗線條的。這也是我國官方正史的典型特點。

電視劇屬於以視聽為主的敘事藝術，按集聯播，可以容納更多的內容；以敘事為主，追求藝術真實，可以允許適當虛構；又由於以家庭為單位進行觀看，在我國電視沒有分級的狀況下，電視劇的主角必然是符合主流意識形態的正能量、高大上的人物。因而，兩部電視劇中的于成龍圍繞主線可以進行多方位、多角度的藝術加工。

2〈電視劇《于成龍》講述一代廉吏跌宕人生〉〈http://gov.eastday.com/renda/2012shwl/n/node16470/u1ai6122472.html〉

（二）兩部電視劇折射了不同時代的社會文化心理

與歷史語境中的粗線條記載相比，兩部電視劇中的于成龍形象更加鮮明生動。但由於兩部電視劇的製作團隊是不同的，製作的時間相差近二十年。在于成龍性格的塑造上是不同的。這種不同，恰恰折射出不同時代的社會文化心理。

經過了二十世紀九〇年代的解構主義風潮之後的新世紀初，大眾心理也開始由原先的懷疑和重估一切價值的激進立場趨於平和，虛無主義、懷疑論逐漸退場。這個社會需要的不是繼續去嘲弄和顛覆道德，因為去嘲弄和顛覆一個幾近消失的事物是沒有意義的，社會需要的是重建對道德、人性的信任。[3]二〇〇〇年首播的電視劇《一代廉吏于成龍》恰恰是這種社會文化心理的反映。于成龍靠著超強的個人能力和清教徒般的自我約束，獲得老百姓、上司以及康熙皇帝的極度信任。他親切樸實的藝術形象是躁狂之後的理性選擇。折射了人們對重建道德和信仰的信心，對理想主義的重新呼喚。

如果說電視劇《一代廉吏于成龍》是道德和信仰重建初期的思考的話，電視劇《于成龍》折射的則是經過近二十年的思考，當下該如何重建道德和信仰，如何高揚理想？因為「對於當下中國來說，疲憊、悲傷、憤怒、屈辱、無奈、虛偽、不幸福，這些心理感受尚屬表層。更深層的問題恐怕是精神上的空虛和信仰危機。信仰危機是當下中國最深刻的危機。」[4]電視劇《于成龍》中的于成龍慷慨陳詞，充滿激情，充滿憂患意識，是典型的儒家知識分子性格。在二十三年的為官生涯中，主張為政以德，不昧天理良心，有作為敢擔當，是典型的儒官風範。電視劇折射出當下中國社會試圖通過復興和與時俱進，以改造儒學，並重建道德規範的理想訴求。習總書記在很多場合都表達過這個觀點，他說：「儒家思想同中華民族形成和發展過程中所產生的其他思想文化一道，記載了中華民族自古以來在建設家園的奮鬥中開展的精神活動、進行的理性思維、創造的文化成果，反映了中華民族的精神追求，是中華民族生生不息、發展壯大的重要滋養。」因此他強調，中華傳統文化具有豐富而深刻的內涵，其中具有時代價值的核心精神就是「講仁愛、重民本、守誠信、崇正義、尚和合、求大同」。[5]該部電視劇在 CCTV-1 黃金時間播出，說明了官方主流意識形態對它的認同。中國藝術報社社長向雲駒說：「這個作品播出的時間點很好，最近反腐再一次掀起新的社會熱點，在這個背景下，這部戲契合了整個時代精神，是很了不起的事情，真正跟時代同步！」[6]可見，儒家的理想訴求在當下的中國社會依然沒有過時。

3　曲春景：〈觀眾的倫理訴求與故事的人文價值〉，載《上海大學學報》2007年第3期。

4　師力斌：〈從文學看當下中國的社會心理和精神狀態——2013年中篇小說綜述〉，載《文藝理論與批評》2014年第1期。

5　〈習近平關於弘揚優秀傳統文化的若干重要論斷〉〈http://www.dzwww.com/llzg/lltt/201505/t20150508_12351894.htm〉

6　〈電視劇《于成龍》創作研討會舉行〉〈http://money.163.com/17/0122/11/CBCPDLU7002580S6.html#from=keyscan〉

論晚清小說《花月痕》的觀念化結構特點

朱銳泉*
天津師範大學文學院

小引

晚清魏秀仁（1818-1873）所作《花月痕》，素以描摹兩對男女——韋癡珠劉秋痕、韓荷生杜采秋的愛情悲喜與人生窮通故事名世。至其結構特點，自魯迅認為「其布局蓋在使升沉相形」，似乎已成為定識。所謂作者「設窮達兩途，各擬想其所能至，窮或類韋，達當如韓，故雖自寓一己，亦遂離而二之矣。」[1]現代研究者進一步提出，「一實一虛，交相結合，雙線並行，像這樣別致的構思，在舊小說中不能不說是一種創格」[2]。

就人物設置特點言之，不難看出除兩對情人外，小說中還先後兩兩出現了不少次要人物，包括方外、市井與主人公親隨：華嚴庵老尼蘊空—汾神廟住持心印、禿頭—跛腳、紅豆—青萍、巃太歲—酒鬼，乃至姓名相對的秋痕與春纖。從創作原理看，這基於作者借采秋之口表達的不同流俗的看法，即《紅樓夢》「這書只說個寶玉，寶玉正對，反對是個妙玉。」並非寶黛而是這一僧一尼，共同指向全書「空」的主旨。由此，韋劉、韓杜又實為一體兩面[3]。

杜志軍的文章在比較本篇與《品花寶鑒》、《青樓夢》、《繪芳錄》類似的人物刻畫方法後，繼而指出，《花月痕》還用金聖歎口中的「背面敷粉」法經營小說的結構：

---

* 朱銳泉，男，江蘇泰州人，一九八六年七月出生，北京大學文學博士，天津師範大學文學院講師，研究方向為中國古代小說。

1 《中國小說史略》第二十六篇〈清之狹邪小說〉北京：人民文學出版社，2006年，頁264、267。林家溱《魏子安先生年譜．花月痕考證》則考出韓荷生並非作者自況，乃其故交何鼎夢廬。參見杜維沫校點《花月痕》附錄〈《魏子安先生年譜》有關資料〉北京：人民文學出版社，1982年。後小說引文皆據此本，不注。

2 陳則光：《中國近代近代文學史》廣州：中山大學出版社，1987年，頁9。

3 第三十五回棲霞居士評語即謂，「借談《紅樓夢》，以明全書大旨」。見《花月痕》（與《白魚亭》合刊）南昌：百花洲文藝出版社，1996年，頁575。趙景深〈花月痕跋〉贊同荷生即癡珠，采秋即秋痕的觀點。他舉文中以妙玉為寶玉影子的談論說道，「魏秀仁許會自以為學得曹雪芹的方法了吧？」又提出由名字看來，「『荷』花上滴著露『珠』，『采秋』的『秋』和『秋痕』的『秋之痕』，不也是互相關聯的麼？」見氏著《小說戲曲新考》上海：世界書局，1943年，頁66-68。

> 由於韋痴珠和韓荷生是《花月痕》的主要人物，韓、韋的「升沉相形」就不僅在二人的性格刻劃上具有突出的表現功能，而且自然而然成為兩條貫穿全書的情節主線，具有了結構上的的特殊意義。在這個意義上，我們似乎可以說，《花月痕》結構主線的安排乃是來源於對韋、韓兩位主要人物的「正對」、「反對」構想。[4]

劉勇強老師〈古代小說結構的多角度透視〉一文，指明「結構」在「各部分的安排」以外，尚有一層動態性的意思，是指「『構思』的藝術思維過程」。本文意欲討論的，就是從人物塑造、情節模式等多個角度，考察滲透入魏秀仁構思與結構深層的人生理念及文化觀念問題[5]。

一　人物：癡傻與福慧的「定妝照」

如前文所述，小說主角四而二、二而一。用魏氏的說法，是第十六回癡珠所言「本來名士即是美人前身，美人即名士小影」，與第十八回作者化身說書小子的議論「看官聽著：情種不可多得！此書既有韋、劉做了並命之鴛鴦，復有韓、杜做個同心之鶼鰈，天下無獨必有偶，這話不真麼？」

此外，作者手法嫻熟地運用毛宗崗所謂「正襯」、「反襯」的手法刻畫眾多人物，往往一筆兩寫。例如寫韓、韋眼中，秋痕與其過往紅顏知己——紅卿、娟娘色藝方面的比對[6]。再如同為歌妓，喜作男子妝，詼諧倜儻，習得拳訣劍術後儼然「紅線後身，隱娘高弟」的薛瑤華，讀者也很容易瞧出其與弱柳扶風，情感脆弱，動輒以淚洗面的秋痕的互勝之處來。

當然，更值得一提的，是以癡珠為視點，考察他與荷生、與秋痕的高下異同。

小說在奠定韋、韓二人一時瑜亮的基調之外，具體的描寫頗有特點。雖也曾表現癡珠對於荷生的欽佩[7]，但重點還是荷生敬仰拜服的態度。這一態度還與「同是天涯淪落人」的感喟融合，而不計較其本人是否處於順境和榮光。與其說是自謙的個性流露，毋寧說是對癡珠的烘托：

> （荷生）看畢，歎一口氣，想道：「此詩飄飄欲仙，然抑鬱之意，見於言表。才人不遇，千古如斯！」因觸起昨日所見的人，「不知是否此君？看他意緒雖甚無聊，氣概

4　〈《紅樓夢》與《花月痕》〉，文載《紅樓夢學刊》1999年第1輯，頁193。

5　載《北京大學學報》第50卷第3期，2013年5月，頁60-61。

6　如第七回表現荷生翻花案時的心理：「只有秋痕，韻致天然，雖肌理瑩潔不及我那紅卿，而一種柔情俠氣，真與紅卿一模一樣！且歌聲裂石，伎藝較紅卿似還強些。」

7　第十四回「癡珠笑道：『此間名士，第一總算是經略幕裡韓荷生了。』」

卻還累兀。我這回出都，好像比他強多，其實淪落天涯，依人作計，正復同病相憐也！」(第二回)

荷生說道：「癡珠雖死，卻有個好兒子出來，不日就到，這也算得寂寞中熱鬧。我卻怎好哩？百年以後，不是個『寂寞荒塚』麼！」心印笑道：「兒孫自是兒孫的事，大人晚子罷了。」(第五十一回)

荷生與采秋並枕，卻夢見癡珠做了大將軍，秋痕護印，督兵二十萬，申討回疆。荷生覺得自己是替他掌文案，謖如、卓然、果齋等人都做他偏裨，春纖、掌珠、寶書也做先鋒。(第五十一回)

書中一開頭交代癡珠「文章憎命，對策既擯於主司，上書復傷乎執政。」至故事接近收束，卻帶過一筆，韓荷生入闈之作「指陳時事，全不合應制體裁」，不過「聖眷隆重，傳旨索取，竟破格列在一甲第三，探花及第」。這說的是二人科考的顯晦命運。

然而，對於癡珠的詩才，小說卻不遺餘力地予以揄揚。尤其耐人尋味的，有時是通過其秋痕作出勸慰與鼓勵[8]。書中提及，韋、劉二人的知己之愛，體現於他們都仿佛賈寶玉般不以周圍的浮華喧闐為意。三十四回，癡珠道：「我所以和你對勁兒，就在這點子上。譬如他們處著這冷淡光景，便有無限惆悵。我和你轉是熱鬧場中百端棖觸；到枯寂時候自適其適，心境豁然。好像這月一般，在燈市上全是煙塵之氣，在這裡才見得他晶瑩寶相。」而這種看似「不合時宜」的性格，似乎又有著荷生評論秋痕時所謂的深度內涵——「蓋其志趣與境遇，有難言者矣！」

在我看來，二人之「志趣」孤高，「境遇」蹇困，正與一癡一傻的精神氣質息息相關。

較為顯豁的，是秋痕的脾氣。 如采秋對其初步印象，「人倒不曾見過，卻聽見有人說，這喜兒長得模樣很好，肚裡崑曲記得很多，只是脾氣不好，不大招呼人。」這種脾氣自然發展成世人眼中的傻氣，有時是深藏心事，不與恩客言，有時則「一語不合，便哭起來」[9]。直至第四十回，荷生為癡珠卜卦後進一中肯規勸，「……不是我說句戇直的話，這一場是非，通是秋痕自鬧出來。你不想：秋痕和你講個『情』。他一家人和你有什麼『情』！不留些銀錢，圖個什麼呢？秋痕孩子氣，太不通達世務，自然步步行不去。」此言既是對秋痕弱點的揭示，也委婉批評了癡珠的缺乏主見和對策。

8　三十回秋痕道：「荷生的詞，纏綿悱惻，一往情深，我每回讀着，就要墮淚。你何不和他一闋？」癡珠道：「我出語生硬，萬分不及他，因此多時不敢作了。」秋痕道：「你題花神廟的〈臺城路〉和那七夕的〈百字令〉就與他一樣好。」三十三回癡珠道：「我這上半四首，已是不及他的原作，再做下去，也沒有好句出來，不如算了，不作吧。」秋痕道：「你昨晚說的『繡榻眠雲扶不起，綺窗初日會難逢。三生風絮年來綰，一室天花夜不寒』，都是佳句，怎的不好？」

9　這在癡珠眼中，倒屬正常，他以為「美人墜落，名士坎坷，此恨綿綿，怎的不哭！」

可是，正如面對友朋聚會時的一次打趣，癡珠自稱「我這珠本是癡珠，不是慧珠，就憑他說是魚目，卻還本色。」一個「癡」字，在反映其浸潤於身的真摯情感與文人性情的同時，也註定了為人的孤僻、行事的乖張，以及由此帶來的身世浮沉，良珠不售。荷生曾評癡珠的一副對聯「息影敢希高士傳，絕交畏得故人書」，說「癡珠總是這種脾氣。」劍秋則道：「不這樣也配不上秋痕。」

的確，還是秋痕知之深、感之切矣：

> （秋痕）想道：「癡珠淪落天涯，怪可憐的。他弱冠登科，文章經濟，卓絕一時，〈平倭十策〉雖不見用，也自轟轟烈烈，名聞海內。到如今棲棲此地，真是與我一樣，有話向誰說呢！我這會得個虛名，就有許多人瞧起我來，過了數年，自然要換一番局面，我便是今日的癡珠了。那時候從何處找出一個舊交？咳！這不是我後來比他還不如麼？瞧他那〈觀劇〉的詩，一腔子不合時宜，受盡俗人白眼，怎的與我梧仙遭遇竟如此相同？

「情到能癡天或悔，愁如可懺地長埋」，信筆便寫下這樣詩句的，正是秋痕的我輩中人。古有「天妒英才」、「文章憎命達」的說法，表現於小說中則是癡珠的坎坷遭際與早夭結局。采秋所言不為無據，「孤客本來可憐，何況是病？病裡又有許多煩惱，就是鐵漢也要磨壞！」而第九回小岑初見癡珠小金臺舊作，因謂其「逼真《鐵崖樂府》。又是一枝好手筆，足與韓荷生旗鼓相當。只是這人福澤不及荷生哩。」「福澤不及」諸語可謂命運的預言。

不同於秋痕將諸人遭遇歸之運氣、命定[10]，癡珠眼中采秋（乃至荷生）的立身主張為「福慧雙修」[11]。

> （癡珠去書荷生）「因思采秋福慧雙修，前身殆有來歷，得足下寵之，愈增聲價；從此春窺圓鏡，鐘聽一樓，無復有紅塵舊跡矣。」
>
> （癡珠讀荷生的春鏡樓本事詩）念畢，又歎道：「天涯多少如花女，頭白溪頭尚浣紗！采秋就算福慧雙修了！」
>
> 但采秋遠別父母，荷生回憶山泉，遙憐秦女，觸目動心欣喜之中，終不免有些傷感。倒是旁觀者覺得才子佳人，如此圓全美滿，真個福慧雙修，一時無兩。

---

10 第四十回秋痕道：「他運氣不好，家中層疊出了許多變故。這都是我苦命，害了他。」

11 原指福德和智能都達到至善的境地。出自《大慈恩寺三藏法師傳》：「菩薩為行，福慧雙修，智人得果，不忘其本。」唐慧立、彥悰著，孫毓棠、謝方點校：《大慈恩寺三藏法师傳》北京：中華書局，1983年，頁111。

細究起來，「福慧雙修」如果指杜采秋不願拂逆母意，能與原士規等劣徒虛與委蛇，尚有一定道理。第十二回如是寫道，「看官，你道采秋今天的情事，倘令秋痕處之，能夠如此春容大雅否？不要說今天這一天，就昨天晚上，不知要賠了多少淚，受了多少氣哩。可見人不可無志，亦不可無才。」奈何書中對此重要行為準則與人生理念的形象化表現，實在並不充分而難以勾稽[12]，因此容易帶給讀者以小說家有意強化此種觀念，作主觀宣教的印象。

二　情節：兩個憶夢型模式

與小說裡的九龍佩、鳳藤鐲充當線索性道具，小照、發甲作為主人公化身不同，自第五回書敘「華嚴庵老衲解神簽　草涼驛歸程驚客夢」以後，韋癡珠得到的一簽一偈與夢中的一碑記，不僅成為其溫故知新的回憶對象，縈繞其上的感傷氛圍更不斷復現於整部小說，儼然交響中一唱三歎的樂章。由此，一個隱性的情節模式得以建立。

為李謖如送行的離筵上，癡珠獨自一人「憶舊夢歌成秋子夜」，賦得詩篇。不止如此，他還將自己的這番經歷和見聞坦然相告秋痕與荷生、采秋：

> 癡珠喝了半杯酒，留半杯遞給秋痕，歎口氣道：「你的心我早知道，只我與你終久是個散局。」秋痕怔怔的瞧著癡珠，半晌說道：「怎的？」癡珠便將華嚴庵的簽、蘊空的偈，並昨夜所有想頭，一一述給秋痕聽了。
>
> （韓荷生題匾額「春鏡樓」後）癡珠道：「我最愛是梅窩那幾間屋子。」因歎口氣道：「春鏡無雙，我說的偈準不準呢？」荷生、采秋一笑。

以至於采秋也因著兩對有情人的糾葛，而反復玩味簽詞偈語。第三十六回述其：

> 想道：「癡珠說那華嚴庵的簽兆，竟是字字有著落，似乎我和荷生這段因緣，恁是怎樣也拆不開的。只是這簽兆也怪，秋痕的秋心院，是小岑替他取的名；我的春鏡樓，是我自己杜撰的。怎麼那庵的簽上有『秋心院』三字？那老尼偈語又說出『春鏡』？敢莫這支簽和那偈語，通是癡珠編出來，也不可知。」想到此，陡然心上冰冷，不知不覺掉下淚來。又想道：「說是癡珠編的，他何苦自己講那不吉利的話？」

直到癡珠看到秋痕小照，又「恍恍惚惚憶起草涼驛舊夢來，卻不十分記得清楚」，最終明白了這一「見面」竟成永訣。通觀全文可以發現，自十九回、二十四回、二十九回、三

12 小說展現其才，如行酒令說得好句「又冠冕，又風流」，渲染其容，「真是寶月祥雲，明珠仙露」，「顯得花光倒聚，珠彩出橫生」，則似省略了修為過程，而直接呈現結果來。

十六回至四十回，大約每隔五回的週期，舊夢讖語就會被重溫。

到了四十三回，癡珠辭世前令其「恍然悟卻前生」的一夢，則讓其雖與秋痕綢繆卻始終念茲在茲的徐娟娘正式登場（攜癡珠之亡妾茜雯）。這一處理，則為我們揭開主人公另一個有關長安娟娘的「揚州夢」。

無論是由旁人王漱玉、紅卿、秋英有心無意提起的這段夙緣，抑或癡珠本人由眼前秋痕而生的二人比對[13]，娟娘的故事看似著墨不多，卻佔據著癡珠情感世界的重要位置，是故烘托出一位狂才多情又愧悔「薄幸」的當代杜牧形象：

> 漱玉因問癡珠道：「你記得七年前進京，娟娘送咱們到灞橋行館麼？那一夜你兩人依依情緒，至今如在目前。你的詩是七絕兩首。……癡珠慘然高吟道：「十年一覺揚州夢，贏得青樓薄幸名！」（第三回）

尤值注意的是，癡珠對於秋痕的愛慕接受和互訴衷腸，都離不開遍訪娟娘不獲之下的藕斷絲連：

> 看官聽著！癡珠自從負了娟娘，這七八年夢覺揚州：（略）不想秋痕三生夙業，一見傾心。（略）此一段因緣，好似天外飛來一般。倒難為癡珠，一夜躊躇不能成寐，就枕上填了〈百字令〉一闋……
>
> 癡珠歎口氣道：「你的心緒，我無所不知，只是我留滯此間，是為著路梗，路若稍通，我便回家看母去了。我業經負了娟娘，豈容再誤！而且你媽口氣十分居奇，我的性情又是介介，異日怎樣歸結呢？」說得秋痕又嗚嗚咽咽的哭了。癡珠難忍，只得說道：「你的話，算我都答應了。」（略）到了次日，癡珠的定情詩，是四首七絕，云：
>
> 一夢揚州已十年，猶有新聲上管弦。……

小杜與揚州少女暌違多年的典事[14]，曾在魏秀仁的詩筆下得到應用，所謂「名理涵淹意

---

13 第十四回「癡珠見秋痕上穿一件蓮花色紗衫，下系一條百折湖色羅裙，淡掃峨眉，薄施脂粉，星眸低顙，香輔微開，便想道：『似此丰韻，也不在娟娘之下！』」

14 「娉娉裊裊十三餘，豆蔻梢頭二月初。春風十里揚州路，卷上珠簾總不如」，見杜牧〈贈別〉二首之一；「落魄江湖載酒行，楚腰纖細掌中輕。十年一覺揚州夢，贏得青樓薄幸名。」出自杜牧〈遣懷〉。二詩分別載《全唐詩》卷五百二十三、五百二十四，北京：中華書局，1960年，頁5988、5998。

雅魚，婷婷嬝嬝十三餘」[15]。至於具備濃重自況性的稗官創作，類似這種沉鬱的愧悔情結，進而衍生出作為女神的娟娘現身，道出癡珠塵緣已斷之事實，及其原本統領娟娘、茜雯、秋痕、春纖的仙主前身。於是明暗的感情線索實現交合。

總的來看，如魯迅先生所言，《花月痕》「行文亦惟以纏綿為主，但時復有悲涼哀怨之筆，交錯其間，欲於歡笑之時，並見黯然之色」。而上世紀三十年代世界書局版《花月痕》編者撰寫的〈本書特點〉，其中一條也許以「哀情小說」的特點，指出「本書寫韋癡珠、劉秋痕在相見之初，就好似有兩個陰影隨著，無往而不哀絕」[16]。應該說，對韋癡珠的兩個夢的鋪陳與渲染，直接造成了這些藝術效果。

三　觀念：相反相成的辯證性

無論是為人物塑造、情節推展所滲透的對比、對稱原則[17]，或是重章復現出的草涼驛之夢、揚州之夢，它們皆在小說中起到了一種結構性作用。不寧唯是，尋繹文例，我們還讀出壓在紙背的超越性人生態度與辯證性文化觀念。

秉持這種態度者，官運亨通只被視作「南柯一夢」的傳奇故事，而兒女之情亦不會被抬到至高、唯一的位置。如癡珠的一個側面，是在秋痕被狗頭侵犯，「情海生波」之際，得知情況後，他身上閃爍片刻的冷漠[18]。是其意欲接受心印和尚影響，又似乎從舊情悟出了道理：

> （心印）「你要先把情魔洗除乾淨，那夢魔便不相擾。……」癡珠不待說完，便說道：「親在不許友以死，何況秋痕原是兒女之情，不過如風水相值，過時也就完了，那裡有天長地久，盡在一塊兒的？就算今生完全美滿，聚首百年，到得來世，我還認得秋痕，秋痕還認得我麼？而且他又是走了，明知無益事，翻作有情癡，我更不這般呆！我此刻打算，病癒立即回南，以後再不孟浪出門了。」
>
> （癡珠）「心印說的，凡事有數，這一件事，原是數該如此。其實我於娟娘能割得斷，再沒有秋痕又割不斷的道理。我的愛弟愛妾尚死於賊，豈能保得秋痕！只是我何苦做個人呢？」

---

15 〈沙姬行〉，見載《碧花凝唾集》，收入福建省文史研究館編：《魏秀仁雜著鈔本》（下冊）南京：江蘇古籍出版社，2000年，頁1055。

16 《花月痕》（與《恨海》合刊）上海：世界書局，1935年，頁2。

17 再舉一例，第九回棲霞居士的評語指出，「韓、杜之合，劍秋合之也。韋、劉之合，小岑合之也。然劍秋為之作合於既見面之後，小岑為之作合於未見面之前。小岑無心，劍秋有意，兩兩整對，卻兩兩參差。」百花洲文藝版《花月痕》，頁427。

18 第二十四回「當下神色慘澹，說道：『這也是意中之事，只我們怎好管他家事哩？』發怔半晌，又說道：『我又怎好不去看秋痕呢？』」

然而，能夠吟出「多情自古空餘恨，好夢由來最易醒」的，卻並非擁有真正的灑落心態[19]。看似領會了「人生半哀樂，天地有順逆」的哲理，能心知肚明 「哀」、「樂」、「順」、「逆」的真諦，但很可能不改本性的癡氣。荷生不就對準備回南探望病父的采秋表示麼，「人生離合悲歡，是一定之理。我也不學癡珠，作那兒女囁嚅、楚囚相對的光景。」實在如棲霞居士點評時早早預見的，第十回「寫癡珠、梧仙，純用纏綿，寫荷生、采秋，純用透脫，便已定全書之局。若僅賞其一筆不復，一筆不犯，猶是皮相。」甚至，引發其慨歎的，「淫如碧桃，狠如肇受」這一對男女，「僅僅明發有懷，便可化辱為榮，轉禍為福；後來攜美人以航海，跡隱陶朱，奉老母以終身，名高介子，癡珠縱歷百劫，有此造化乎？」[20]

秋痕說癡珠在性情隨俗方面遠不如荷生，落實在後文，是荷生當面戒勸好友應通達世務，「你不想：秋痕和你講個『情』。他一家人和你有什麼『情』！不留些銀錢，圖個什麼呢？」值得一提的，還有棲霞居士為賢者諱的所謂「仁者過情」的命題[21]。客觀說來，由於「過情」，便難以面對激情的消退，尤其妥善處理伴隨情感發展的障礙。

其實，咸豐戊午（八年，1858）作者以眠鶴主人署名的〈前序〉，已標明小說圍繞事之是非、人之離合構思全文的意圖。同年的棲霞居士〈題詞〉亦指出作者的創作，實際遵循「事以互勘而愈明，人以並觀而益審」[22]的原則。乃至小說第四十七回聖旨之開篇即謂「天地生成，溫肅並行之謂道」。凡此皆可見小說家信奉「一陰一陽之謂道」的傳統文化觀念。誠如浦安迪（Andrew H. Plaks）揭櫫中國文學的「對偶美學」時所言，其創作原理早已滲透了傳統文化陰陽互補的「二元」思維方式。

「有時，人物的互補透過情節的對偶，衍生為更出色的對比，使貫串整個作品的基本理念也呈對偶——《紅樓夢》即是典範。[23]」在情節安排和節奏掌控方面，《花月痕》確然步武《紅樓夢》的特點，刻畫出事物相反相成，特別是人物命運的悲喜相形[24]。至於筆下人物如采秋身上，是了然「嶢嶢易缺，皦皦易汙」（第四十回）的道理，深曉「天下事愈急則

---

19 第四十回「秋痕方才硬咽著聲，哀哀的替癡珠苦訴。采秋道：『嶢嶢易缺，皦皦易汙，這真令人惱極！只鋸齒不斜不能斷木，你總要放活點才好呢。』瑤華道：『癡珠是過於灑落，秋痕姊姊又過於執滯，所以不好。采秋道：『癡珠那裏能真灑落？能真灑落，就不誤事。』」

20 百花洲文藝版《花月痕》，頁729。

21 「以癡珠之倜儻，而感彼傾身之意，悔我還佩之非，遂爾兒女情長，英雄氣短，深居簡出，可近惟有婦人，讀書聽琴以外，更無知己。於是溺情床第，後塵獨步平原君；迷路花叢，好夢雙飛汾神廟，此不可訓，亦豈能常。未幾而荷生以詩諷，心印以言勸，李夫人以文諫，雖然，仁者之過情，實異於小人，而狂狷之材，惜其世無孔子矣。」百花洲文藝版《花月痕》，頁644。

22 人文版《花月痕》，頁421、頁423-424。

23 〔美〕浦安迪：《中國敘事學》北京：北京大學出版社，1996年，頁54。

24 第十一回「看官記著！荷生宴客這兩日，正是癡珠病篤的時候。正是：百年須臾，有欣有戚。（略）」第二十二回「看官記著：昨天是茜雯死忌，今日卻是秋痕生辰。」第三十九回「看官記著：癡珠、秋痕散局這一天，卻為荷生、采秋進城之前一日。」四十三回結尾「這且按下。看官須知：癡珠方才化去，秋痕卻已歸來。

愈遠，愈迎則愈拒，去年秋痕不是這樣麼？」(第三十六回)。還推獎薛瑤華「《花月痕》中有此了一人，頓覺韓掾之香、韋郎之抉，猶不免癡兒女常態。」(第二十回)可在詩酒風流，特別擅長屬對，小說也多次表現其創作對聯(數量高達二十五副以上，超過全書總數四十二副的一半)[25]的癡珠而言，他對於事物和事理相對性、辯證性的認知水準顯然不甚高。雖有滿腹才華學問，但被友人言中「龍性難馴，鋒芒太露」；意識到應脫離情網羈絆，終不免深受其累──「只情分愈篤，風波愈多」。因此我們將以他為代表的人生態度稱為引而未發、勞而未成的超越性。

人物性格與小說思想主題中的這點「雜色」，尤其值得我們注意。緣其代表著作家對於人物活動邏輯及現實事理的充分尊重，避免由創作的部分觀念先行而變本加厲，墮入思想壓倒形象的惡趣。舉例來說，立足於韋癡珠為魏子安自況這一基點，林家溱曾引魏氏《陔南山館詩話》:「枚如(按：指謝章鋌)稱『江田生』，又作『是癡邊人』。余少號癡珠。今枚如居鼇峰坊，余居烏石山下，因有句云:『沉淪不似舊時身，只有癡邊尚是真。慧福何如癡福好，鼇坊烏石兩閒人。』」[26]詩句似能說明作家觀念意識中在「慧福」、「癡福」之間的取捨不定，也客觀形成了防止偏執一邊的自我否定。

「豈為蛾眉修豔史？權將兔穎寫牢騷」──在《花月痕》的字裡行間，書寫傳奇一澆塊壘的動機意圖在在可見。但本文意欲強調的，是牢騷背後的深沉，是魏秀仁汲取傳統文化之源，領受前賢作品之師，而與自家的構思命意冶為一爐的特點。由於創作之際抱持著有關愛情、人生、文業、事功的篤定看法，小說得以留給歷來讀者入木三分的觀感，並傳達出餘音繞梁的美感。

---

25 一次是介紹王太傅邃園時，提到「園中文酒之會，癡珠無不在座，所有聯額題詠，癡珠手筆極多。」再有，荷生曾對采秋說道:「我往後要延他(按：指癡珠)將這幾處聯額和你商量，調換一調換。」第三十一回「親情逸趣帖作宜春」，記敘癡珠為自己及秋痕住處寫出十六副春聯，並自稱「我如今掃盡春聯習氣」。

26 《魏子安先生年譜・花月痕考證》,《花月痕》附錄，頁440-443。

從十九世紀遊美劄記看英國作家的愛國情結

文育玲
武漢大學外語學院英文系

一　前言

十九世紀是大英帝國最輝煌的時期。在這一時期裡發生了一個有趣的現象：大英帝國的三位著名作家欣然前往美國遊歷。他們是查理斯・狄更斯（Charles Dickens, 1812-1870）、安東尼・特羅洛普（Anthony Trollope, 1815-1882）、拉迪亞德・吉卜林（Rudyard Kipling, 1865-1936）。美國，這片廣袤的土地是昔日的英國殖民地。然而，這三位作家卻都對美國情有獨鍾。他們遊歷美國，不是為著遊玩，而是為了體驗一種全新的心路歷程。果然，他們遊歷美國而收穫頗豐。在他們出版的著作中，有《美國手記》（American Notes）、《北美遊記》（North America）和《從大海到大海》（From Sea to Sea）。這是三部特殊的精神產品，其特殊性在於豐富了比較文學予以高度關注的一個文類，即遊記（travelogue）。在遊記中，他們一邊認知和書寫「他者」（the other），一邊又言說和檢視自我。可以說，對本土與異域的差異和關係的自覺意識，伴隨了他們的整個行程。正是因為在自我與「他者」關係中蘊含著思辨性，所以他們那輕鬆閒散的隨筆，便帶上了濃厚的意識形態色彩，而愛國情結則始終貫穿其中。

二　查理斯・狄更斯（Charles Dickens）

一八四二年，狄更斯應華盛頓・歐文（Washington Irving, 1783-1895）之邀在美國作了為期半年的訪問。然而，這個新生的共和國並不是他預期的那般美好，似乎憂鬱和陰暗籠罩著一切。但是，當他呈現美國的醜陋時，他會不由自主地讚歎古老的英格蘭。美國的車夫冷漠無情，還隨處噴吐煙草唾液，而在美國海軍中服役的英國水手雖然地位卑微，但是卻樂於助人，像紳士一樣，「舉止始終保持著尊嚴」。[1]令馬克・吐溫（Mark Twain, 1835-1910）魂牽夢繞的密西西比河，在狄更斯看來，則像一個桀驁不馴的怪物。與此恰成對照的是田園詩般的英格蘭肯特郡。美國的旅店骯髒、簡陋，而他記憶中的英國小客棧則是古

1　〔英〕查理斯・狄更斯著，劉曉媛譯：《美國手記》廈門：鷺江出版社，2005年，頁261。

樸典雅，其樂融融。總之，從人物到風景，從服務設施到政府機構，英國是詩歌的國度，有「健康的娛樂，愉快的消遣和有益的想像」，[2]而美國則是個荒蠻之地，到處充斥著陰鬱、乏味和無序。

當時的美國尚處於發展之初，到處呈現一派荒蕪繁雜的景象，因此令狄更斯多有不快。但是，英國是他所稱許的那樣美好嗎？一七九〇年到一八五〇年在英國近現代史上是剝削與痛苦的年代，「有許多人為人虐待及受人忽略。苦難是生活中的常事，它存在於各階層，而且往往很劇烈。」[3]大機器使得傳統的手工業者無以為生，資本家為了獲取最大利潤而雇傭童工、克扣工人的工資並無限延長勞動時間，工業化造成了極大的污染，貧富懸殊和城市犯罪也成為空前突出的社會問題。長年的對法戰爭和一八三八年至一八四二年的農業歉收，進一步加劇了英國社會的各種矛盾，曠日持久的憲章運動就是衝突的集中體現。有著法庭速記員、見習律師和報社記者經歷的狄更斯對時代的病症極為關注。他這個時期的許多作品都充分表現了他對英國的不滿。但是，為什麼這個社會的批判者在《美國手記》中一反常態地頌揚英國呢？這恐怕不外乎下述原因。

首先是因為觀察者的距離發生了改變。由於長期置身於矛盾重重的英國社會，每天耳聞目睹的是殘酷的現實，所以狄更斯的內心充滿痛苦，他筆下的英國自然是迷霧重重。現在，身處異國，故鄉的種種缺憾都變得模糊不清，甚至可以忽略不計。正所謂距離產生美。相反，在去美國之前，狄更斯對美國這個新大陸懷著美好的憧憬，他堅信這是個沒有封建傳統的民主自由的國家，那裡的人們如托克維爾（Alexis Charles Henri Maurice de Tocqueville, 1805-1859）所言「生來就是平等的」。[4]他甚至以為英國如果借鑒美國的體制也許會擺脫憲章運動這樣的困擾。但是通過在美國身臨其境的近距離考察，他發現了許多難以想像的污點。他在給友人的信中寫道：

> 我失望了。這不是我想像中的共和國。與其要像這樣的國家，我倒還不如要自由主義的君主政體。英國，即使這個古老的國家錯誤和缺點累累，無數人民怎樣的不幸，倘跟美國比較起來，英國還是高強不少。[5]

就狄更斯而言，地理上的位移反倒縮短了他與祖國心靈上的距離，而與美國地理上的接近卻導致了他幻想的破滅。

---

2 〔英〕查理斯·狄更斯著，劉曉媛譯：《美國手記》廈門：鷺江出版社，2005年，頁267。

3 〔美〕克雷頓·羅伯茨著，賈士蘅譯：《英國史》（下冊）臺北：五南圖書出版公司，1986年，頁786。

4 〔美〕路易士·哈茨著，張敏謙譯：《美國的自由主義傳統》北京：中國社會科學出版社，2003年，頁2。

5 王治國：《狄更斯傳略》上海：上海文藝出版社，1990年，頁50-51。

其次，觀察者的視角也是一個不可忽略的因素。文學想像常常具有一定的選擇性，作者關注什麼、忽略什麼，經常受到個人的審美偏好和思想意識的影響。在美期間，狄更斯的重點考察對象是學校、圖書館、醫院、監獄和濟貧院等公共機構，以及美國人的舉止言行，視而不見的是美國豐富的自然資源，美國人對新事物所持的巨大熱情，以及這片土地上蒸蒸日上的萬千氣象。這種視角的選擇與作者的生活經歷和人生理想緊密相連。自幼出入於欠債人監獄，並在皮鞋油廠作童工的狄更斯，有著強烈的平民意識。終其一生，狄更斯對「小人物」的命運和與普通民眾息息相關的各種社會機構，傾注了極大的熱情，這在他的作品中可見一斑。同時，在維多利亞時代，向上流社會看齊業已溶入英國人的集體無意識，源於中世紀的貴族精神，並融合十九世紀英國社會各階層價值觀念的紳士風度，已經外化為英國的民族特性。

不同於世襲貴族，一個紳士並非一定出身名門，擁有相當的地產，但他一定集各種傳統美德於一身：他對己克制穩重、堅忍不拔、自尊自律，對人光明磊落、恭謹禮讓、慷慨相助；他追求高雅、有深度的生活，將工商業競爭和技術創新視為物質主義而加以唾棄。受時代風尚的浸淫，狄更斯對紳士的趣味有著強烈的認同感，認為紳士而非普通群眾才是社會進步的中堅力量。這種「紳士情結」（gentleman complex）貫穿了他各個時期的重要作品，如：《匹克威克外傳》、《雙城記》和《大衛・科波菲爾》等。以英國紳士的標準來看，從事商貿和銳意進取的美國人當然是「缺乏幽默感、崇尚質樸、拒絕優雅精緻」的功利主義者。[6]可以說，狄更斯觀察視角的選擇，是他的平民意識和紳士情結合作用力的結果。

無論是距離還是視角的原因，狄更斯對於故國的赤子之心，才是他貶抑美國歌頌英國的根本所在。狄更斯訪美的主要目的就是向「沒有國王也沒有貴族」的美國取經，從而探求解決英國社會問題的正確途徑。[7]儘管他在很多小說中呈現了一幅幅陰暗悲慘的英國畫面，但他對自己的國家一刻也沒放棄過希望，只不過那 「密考白」式的樂觀中常飽含著悲傷和淚水。訪美期間對「他者」的關注使他愈加思念故土。在此，美國形象「不是類比意義上的形象，而是參照系意義上的形象」。[8]這是因為，「他者」的粗野與落後，進一步彰顯出「我」的文明與進步。因此，在狄更斯眼裡，北美大陸的日新月異不過是畸形的成長，而英國才是通過改良便可達到普遍繁榮和幸福的希望之鄉。但是，狄更斯對美國的批評並非別有用心，而是「我」與「他者」互動的結果，也是作家的人道主義和愛國熱情交織的產物。

---

6 〔英〕查理斯・狄更斯著，劉曉媛譯：《美國手記》廈門：鷺江出版社，2005年，頁269。

7 〔俄〕伊瓦肖娃著，蔡文顯譯：《狄更斯評傳》廣州：廣東人民出版社，1983年，頁150。

8 〔法〕達尼埃爾—亨利・巴柔著，蒯軼萍譯：〈形象學理論研究：從文學史到詩學〉，孟華編：《比較文學形象學》北京：北京大學出版社，2001年，頁209。

三　安東尼．特羅洛普（Anthony Trollope）

如果說對英國的眷念和歌頌是狄更斯愛國情結的主要特徵，那麼特羅洛普則更多地表現出對英帝國的維護。以真實和諷刺的寫作風格享譽英國文壇的特羅洛普於一八六一年秋至一八六二年春遊覽了美國。不同於他的前輩關於美國的著作，特羅洛普的《北美遊記》少了些冷嘲熱諷，多了些溢美之辭：美國地大物博，山川秀美，城市設計合理，教育普及面廣，公共機構配備完好，旅館豪華舒適，新興的臥鋪列車四通八達，人們勇於創新，有強烈的進取心和愛國心。總之，美國雖然處於內戰之中，但它仍然是個生機昂然的富裕之邦。

特羅洛普之所以選擇正面書寫美國，首先是因為一直到內戰爆發前，美國確實發生了可喜的巨變，作家不可能對此熟視無睹。自十八世紀中葉以來，阿帕拉契脈以西廣袤的土地就一直吸引著無數嚮往土地、機會和自由的東部人和外國移民。通過一個多世紀轟轟烈烈的西進運動，從大西洋到太平洋的領土拓展即將完成。同時，科技發明和標準化互換部件系統的採用，以及運河的開鑿和鐵路的修建，都使得美國的生產力和人民生活水準大幅度提高。而且，內戰前還是美國歷史上一個奮發向上的改革時代。一大批懷著人道主義精神的社會組織者，以樂觀進取的態度，立志掃除社會進步的種種障礙。他們興辦公共義務教育，建立盲人聾啞人學校，改善監獄和精神病院的條件，建立城市供水和下水道系統，為黑人提供免費受教育的機會，為婦女爭取選舉權。他們還開展了各種反對罪惡的運動，如禁酒、禁賭和販賣奴隸等。從歐洲源源不斷湧入的移民潮足以說明「美國夢」的吸引力。的確，地多人少，加之沒有社會分層的束縛，美國人較之舊大陸的人們享有更多的成功機會。「美國的勞工普遍不用為失業擔心，能夠從一個階級輕易地轉變為另一個階級。」[9]十九世紀中葉的英國觀察家們對此稱羨不已。

另外，特羅洛普希望通過他對美國人的正面描述來「緩解他們的惱火情緒」，從而「增強兩國人民之間應有的友好情感」。[10]雖然英美兩國在血緣、語言和文化上存在相同和共通之處，但在十九世紀的大部分時間裡，英美之間顯然不太融洽。

一八一二年，美國為維護在英法戰爭中的中立國權利，反對美國公民在英國軍艦上強迫服役，發起了向英國的第二次獨立戰爭。此後，英美之間就加拿大的邊界問題，緬因（Maine）和俄勒岡（Oregon）的領土控制權，以及中美洲的勢力範圍等，發生過多次衝突。一八六一年至一八六五年是英美關係的又一個危險期。內戰初期，英國聲明在美國南北交戰中保持中立，這就表明英國不將「南方同盟」視為叛亂一方，接著美軍在檢查英國「特倫特」號郵船時扣押了「南方同盟」的兩名外交人員，繼而英國向南方軍提供了近三

---

9 〔美〕丹尼爾．J. 布林斯廷著，謝延光等譯：《美國人：建國的經歷》上海：上海譯文出版社，1989年，頁52。

10 〔英〕安東尼．特羅洛普著，劉俊平譯：《北美遊記》廈門：鷺江出版社，2005年，頁2。

百艘艦船。[11]英國對美國南方同盟的曖昧與支持致使英美關係進一步惡化。總而言之，從美國獨立到南北戰爭，英美兩國一直齟齬不斷。關注生活的作家不可能完全置身於歷史之外。因此，英國人關於美國的敘事往往夾雜著強烈的民族情感，它們在大西洋此岸帶來的是笑聲，而在彼岸造成的是惱火。

一八三二年，特羅洛普年逾半百的母親在當了大半輩子家庭主婦之後僅因為《美國人的日常面貌》一書而一舉成名，從此「書寫比利時人、法國人、奧地利人和其他人的出版協議源源不斷」，原本破落的貴族之家也恢復了往日的富足和榮耀。[12]正如特羅洛普夫人的書在英國備受歡迎，狄更斯的《美國手記》則引起了美國人不滿，甚至有評論認為他「在對待美國的問題上居心險惡、冷漠無情、憤世嫉俗」。[13]為了彌補前輩給美國人情感上造成的傷害，減輕英美兩國的敵對情緒，特羅洛普在遊記中對美國的光明面往往不惜筆墨，而對其不足則一筆帶過。

一般來說，為了維護本國利益，形象建構者往往根據本社會的模式和話語去解讀異國，整合其相異性，從而否定和消解「他者」，再現自我存在並強化自我身份。但戰時的特殊形勢，使得特羅洛普試圖在意識形態和烏托邦的兩極間保持平衡。他深知對美國的諷刺和漫罵無異於給正在惡化的兩國關係火上加油，而在一本旅外遊記中發洩對祖國的不滿情緒又違背了維多利亞人的集體情感。因此，特羅洛普不失時機地表白自己，積極充當英帝國的代言人。就當時美國的南北問題，他堅定地站在英國女王的一邊，認為體制不同的南北方現在是分手的時候了。這種分裂立場顯然有悖於美國多數人的意願，但它符合英帝國的利益。一個最直接的因素，就是英國這個「世界工廠」的紡織業，在很大程度上有賴於美國南方的棉花。統而言之，美利堅合眾國在美洲的崛起會嚴重威脅英國在該地區的政治、軍事和經濟地位。懷著維多利亞人的優越感以及對美國和其他民族的鄙視，特羅洛普聲稱：

> 我們這個民族比美國更古老，因而也更有經驗，比法國治理得更好，比世界上的其他任何國家也都更強大。所以，即使我們遭到了誹謗和污蔑，我們也不要再去誹謗和污蔑他人了。我會像對待一位女士那樣，隨時為一位小小的煙囪清掃工讓路。[14]

作者在遊記中還多次將英美兩國比作父子和母女，為他們沒能在友好和睦中分離而深感惋惜。顯而易見，在這種貌似親切和謙讓的姿態背後，有兩種權力話語在運作：一是男性中

---

11 方連慶，王炳元，劉金質：《國際關係史》（近代卷）北京：北京大學出版社，2006年，頁156。

12 Drabble, Margaret. *The Oxford Companion to English Literature*. (Oxford: Oxford University Press, 1985), 1003.

13 〔英〕查理斯·狄更斯著，劉曉媛譯：〈前言〉，《美國手記》廈門：鷺江出版社，2005年。

14 〔英〕安東尼·特羅洛普著，劉俊平譯：《北美遊記》廈門：鷺江出版社，2005年，頁7。

心話語，二是殖民主義話語，而它們傳遞的是同一個信息，即英美之間存在著文野之分，而且英國為失去北美殖民地耿耿於懷。在論及加拿大的歸屬問題時，作者宣稱英帝國「唯一的目標就是殖民地人民的繁榮興旺，而不是母國的贏利和榮耀」，[15] 這似乎有不惜歪曲歷史之嫌。

為了維護英國形象，特羅洛普可謂用心良苦。一方面，他試圖客觀公正地反映北美大陸的新面貌，同時修補英美兩國之間業已存在的裂痕；另一方面，他又為自身的文化所囿，有意或無意間秉承了自丹尼爾・笛福（Daniel Defoe, 1660？-1731）以來的殖民主義思維，在歌頌英帝國的同時不惜貶損他國。可以說，在意識形態和烏托邦的美國形象之間，他是搖擺不定的，但是，他確信在當時的情況下只有肯定美國才能更好地維護英國。

四　拉迪亞德・吉卜林（Rudyard Kipling）

不同於狄更斯和特羅洛普，吉卜林在文學史上是一個明顯帶有「帝國主義」標籤的作家。他的關於英印社會的敘事，尤其是他以「白人的負擔」為主題的詩歌，常常被視為歐洲中心說、白人優越論、殖民主義的同等話語。但是，在遊記《從大海到大海》中，這個狂熱的帝國主義鼓噪者，卻以異常冷峻的筆調，表達了他對英帝國的深深憂慮。這包括以下三種情形。

第一，吉卜林從人道主義的角度對英國的殖民行為進行了反思。

吉普林認為，英國建造帝國是得不償失。早在十八世紀，亞當・史密斯（Adam Smith, 1723-1790）就指出：殖民地是一個花費巨大的負擔。一八六五年出生於英屬殖民地印度的吉卜林對英帝國有著非同尋常的體認。一方面，他盛讚英帝國的榮光，鼓勵白人奔赴遙遠的殖民地，拯救那些所謂「半是魔鬼，半是孩童」的有色人種；另一方面，他也意識到殖民事業的殘酷性，為國人在建造帝國的大廈中所做出的犧牲傷感不已。遊美途中，當他得知兩個同胞病死他鄉時，他感到痛心疾首，進而反思帝國的代價。吉卜林對帝國的疑慮並非一時興起。在一八八八年的小說集《三個士兵》裡，他歌頌駐紮在南亞次大陸機智勇敢的英國士兵，又對他們的寂寞和淒涼深表同情，他甚至設計了三劍客準備自殺的情節。就是在一八九九年創作的「白人的負擔」等詩歌裡，他也會流露出對殖民主義的困惑，因為殖民者在奴役當地人的同時，也在長期的忍辱負重之中奴役他們自己。

---

15 〔英〕安東尼・特羅洛普著，劉俊平譯：《北美遊記》廈門：鷺江出版社，2005年，頁104-105。

第二，吉卜林從英美人的民族特徵中預見到英國的衰落和美國的崛起。

吉普林在訪美期間，親眼觀察到了一個事實，即美國人遠較英國人熱情。尤其令吉普林欣羨的是，美國人具有強烈的民族意識。新漢普郡少女及其家人熱情地接待一個素不相識的流浪漢，芝加哥律師主動要求帶英國遊客去野外狩獵，以及諸如此類的事件。此情此景使作者不禁感慨萬端，他說：

> 我在英國來回遊歷十餘年，才能找到一個願意向陌生人提供三明治的人；遊歷二十年才能從一個英國人身上擠出同樣多的熱情。[16]

吉卜林發現，與美國人相比，英國人不僅人情淡漠，而且國家觀念也相當地淡薄。在英國人眼裡，國家不過是一個給他提供警察和消防隊的抽象概念，而美國人無論職業多麼卑微，性情多麼粗野，人品多麼奸詐，他對美利堅共和國都會懷有真摯而崇敬的感情。為了他們的愛國熱情，作者不禁要向他們脫帽致敬。吉卜林相信，得天獨厚的自然條件和熱情澎湃、積極進取的人民，將使美國在不久的將來取代英國。這是因為，「一個已被榨乾耗盡，另一個則剛剛啟動。」[17]與其說，吉卜林在為美國的興盛而歡欣鼓舞，不如說他在為英帝國的衰微而憂心忡忡。喬治・奧威爾（George Orwell, 1903-1950）曾經說過這樣一句耐人尋味的話：吉卜林是英帝國的預言家。的確，帝國的短暫性和脆弱性是吉卜林心中永遠的隱憂。《想當國王的人》、《城牆上》等作品都含有帝國終將覆沒的隱喻。連《退場讚美詩》也不例外：

> 應著遠方的召喚，我們的海軍消失在遠方，
> 隆隆的炮火沉落於沙丘與海岬。
> 哦，我們昨日所有的輝煌，
> 已然與亞述和腓尼基古國一模一樣。[18]

在這首一八九七年專為維多利亞女王登基六十周年而作的讚美詩裡，吉卜林既為帝國征服「劣等民族」而歌唱，也為它的行將就木而哀傷。綜觀歷史，他清楚地意識到，古往今來沒有哪個帝國最終能逃脫衰亡的下場，因此他懇請人們對上帝多一分敬畏，少一分自滿。在舉國歡慶之時，吉卜林卻給國人敲響了如此沉重的警鐘，這足以顯示他深刻的歷史洞見和真摯的愛國情感。

---

16 〔英〕拉迪亞德・吉卜林著，陳玉立等譯：《從大海到大海》廈門：鷺江出版社，2005年，頁294。
17 〔英〕拉迪亞德・吉卜林著，陳玉立等譯：《從大海到大海》廈門：鷺江出版社，2005年，頁286。
18 Kipling, Rudyard. *The Complete Verse*. (London: Kyle Cathie Limited, 2002), 262.

吉卜林對帝國的焦慮感既是時代的產物，也是他個體經驗的結晶。十六世紀末，英國在北美建立第一個殖民地。到十九世紀末，英國擁有世界上四分之一的人口和近四分之一的土地。這時的大英帝國，已經儼然成為歷史上最龐大最強盛的帝國。正如月盈則虧，如日中天的英國也不免盛極而衰。在新世紀即將來臨之際，它在經濟上遇到了美國和德國兩個強勁的競爭對手，在政治和軍事上，又面臨德國和法國對非洲的分割，以及俄國對近東的威脅。恐慌和自衛滲透了英國的各個階層。「只有強烈肯定對大英帝國強大的極端需要，才可以緩和這種憂慮。」[19]於是，驕傲和焦慮這兩種對立的情感聯手起來，成為歷史轉折時期的英國人對國家的共同體驗，也成為吉卜林作品的主導情緒。

第三，他獨特的人生經歷又給他增添了更多的憂患意識。

由於吉卜林在印度出生，又長著深色的皮膚，所以他在青年時代，常常是其白人同胞取笑和欺負的對象。這種邊緣身份導致了他一生都無法擺脫的漂泊感和不安全感。以下是兩個顯例。其一，在帶有濃厚自傳性質的長篇小說《吉姆》中，他借主人公之口，一再追問：Who is Jim?（吉姆是誰？）其二，在寓言故事《叢林之書》中，那徘徊於人獸之間的莫格裡，也同樣遭受著無歸屬感的困擾。身份的不確定感，給吉卜林平添了許多憂慮，而在對帝國主義充滿狂熱和激情的年代，這種個人的憂慮與盎格魯—撒克遜人的種族優越感相互交織，進而轉化為對英帝國的憂患意識。而且，在殖民地的廣泛遊歷增加了他對殖民地人民的瞭解，使他得以預見可能的覺醒、反抗和崛起。在美國這個昔日的殖民地，他隨處都會聽到一些抨擊英國的講演，似乎將其宗主國當成沙袋加以重擊是美國的一種時尚。正是因為深切地感到美國對英國的仇恨，當然還有家庭的原因，吉卜林於一八九六年離開了居住四年的佛蒙特州。眼見世界的滄桑巨變，再反觀歷史的興衰更替，吉卜林對英帝國的命運不由得心生哀歎。

五　結論

經過以上的分析，我們可以得出如下的結論：

如同任何關於異國的話語一樣，狄更斯、特羅洛普和吉卜林的美國敘事都是現實與想像、本土與異域互動的產物。由於種種因素，原本生動形象的遊記也打上了沉重的政治印記，从而印證了德國哲學家和批評家沃爾特・本雅明（Walter Benjamin, 1892-1940）所謂

19 〔美〕克雷頓・羅伯茨著，賈士蘅譯：《英國史》（下冊）臺北：五南圖書出版公司，1986年，頁924。

「藝術政治化」的著名論斷。[20]從這個意義上來說，文學已經淪為政治的工具，而藝術家則成為政治宣傳的同謀。但是，由於作家不同的人生經歷、思想意識、審美情趣以及寫作語境，所以，就愛國而言，對英帝國的眷念、維護和憂慮就分別成為狄更斯、特羅洛普和吉卜林遊美劄記的特色。

20 Benjamin, Walter. "The Work of Art in the Age of Its Technological Reproductivity", *Walter Benjamin: Selected Writings*. Ed. Howard Eiland and Michael W. Jennings. (Cambridge, MA: Harvard UP, 2002), 122.

從《香港華字日報》蘇報案之報導看香港新聞早期專業化現象

林援森

香港樹仁大學新聞與傳播學系

一　引言

今天我們常言專業化，各行各業均提及專業化云云。新聞事業同樣如是。然而，到底何謂專業和專業化；新聞專業又從何說起；香港新聞發展史中，專業如何切入其中，這段歷史是有趣的。因此，本文擬從《香港華字日報》有關蘇報案之報導，試論香港新聞早期專業化現象。

二　新聞客觀論

美國伊利洛州科技學院新聞學者 Michael Davis 在〈Why Journalism is a Profession〉中，透過不同層次的說明，以表達對專業的看法。他提到八種專業的基本解說，包括牌照、專門知識、沒有專修課程、一般人是否不可能成為記者、非記者之新聞報導是否可遭否定、記者是否沒法成為獨立顧問、記者有沒有必然存在的專業組織、記者沒有高收入和專貴的地位[1]。他亦指出，所謂專業可從兩種進路說明來定義專業意義；分別是社會性和哲學性方面；所謂社會性意義，其以實證或經驗或某種統計學意義說明；其把經濟學、政治學和人類學（anthropological tradition）意義來說明[2]。他表示，經濟學角度則從壟斷來達至「專業」的地位。政治方面，則以行政手段來定義，如極權國家，記者是絕對且特權行業，不是任何人均可從從事的崗位，這是制度性專業；至於人類學之說明，則罕貴供求和獨特的知識來定義專業的意義。然而，若從哲學性而言，則可以蘇格拉底方式來切入。蘇格拉底利用對話、正反辯證、因果和道德來定義事和物。如是，Michael Davis 相信，當我們論及專業時，亦可從中套入。他相信這條進路應以道德方式來說明新聞專業（work in a

1　Michael Davis, “Why Journalism is a Profession”,in Christopher Meyers (ed.) Journalism Ethics, (Oxford University Press, 2010),91.

2　Michael Davis, “Why Journalism is a Profession”,in Christopher Meyers (ed.) Journalism Ethics, (Oxford University Press, 2010), 91.

morally permissible way）。本文對這種見解十分贊同[3]。

另方面，他針對新聞專業，提出三個主要內涵，第一是道德理念（Conceptually connected with morality），其要求專業者超越一般大眾的道德要求（go beyond what the public required），如醫生必須救援殺人者；第二是設定一種公正且客觀的任何事物之說明框架；如果套入新聞專業，按 Society of professional journalists'Code of Ethics 所言，記者必須公正、客觀、完整地報導事實；第三是真相，真相讓人們認知世界。可見，記者之專業關鍵在新聞道德，客觀公正似乎就是新聞道德重中之重的要素[4]。

新聞面對大眾，若如上述專業者必須超越一般大眾的道德要求，記者報導新聞的最終目的就是人本身，其是否對人本身抱有關懷是十分重要的。新聞之成為專業，記者首先做到較別人為高的道德判斷及執行力[5]。如最近俄國大使在土耳其遭刺，其現在圖片遭廣傳，新聞記者和新聞學者均提出不同的看法，到底刊載一張兇手「耀武揚威」之圖片是否恰當，無論贊成還是否定，其討論和判斷便是專業的一種表現[6]。

如是，新聞若見客觀公正之方面，記者之報導和評論自然可達至某種專業水平。至於新聞客觀論的脈絡，則可從美國報業發展中見其端倪。

一七九九年後，美國報業發展起來，但美國早期報業十分政治化，所有報章場均有其政黨之背景。他們對報導評論亦見要求其公平之原則。但是，上述公平者乃針對政治性之公平，並非相對於大眾所言者，所謂新聞報導乃對某黨為主要對象[7]。

一直至一八三〇年後，美國出現一個大轉變，這是便士報（Penny press）時代的來臨。便士報產生於十九世紀三十年代，一直至約一八六〇年。美國自一八三〇後，鐵路開始發展，打通了南北交通，經濟亦跟著發展，人口流動加速，經濟成長進入新階段。費城的《美分報》（Penny press）最早推出便士報，其於一八三〇年首推便士報，可惜其後夭折。紐約取而代之成為便士報重鎮。另一份便士報《太陽報》（The Sun），則於一八三三年推出；《紐約先驅報》（The Herald）於一八三五年發刊；《紐約論壇報》（The New York Tribune）則於一八四一年面世，均以便士報方式營銷，結果一紙風行。由於便士報只賣一便士，價格低，加上工人階級成長，形成龐大的報章讀者群。如是，報章不用再依政黨財務支援，同時積極經營業生態出現極大的變化。市場主導的業發展成為新氣象。物盛腐難

3 Michael Davis, "Why Journalism is a Profession",in Christopher Meyers (ed.) Journalism Ethics, (Oxford University Press, 2010), 91.

4 Michael Davis, "Why Journalism is a Profession",in Christopher Meyers (ed.) Journalism Ethics, (Oxford University Press, 2010), 91.

5 Michael Davis, "Why Journalism is a Profession",in Christopher Meyers (ed.) Journalism Ethics, (Oxford University Press, 2010), 91.

6 詳見林援森：〈從俄大使遇刺報導之圖片運用看新聞專業的爭議〉《傳媒透視》，2017年1月17日

7 Jeremy Iggers, *Good News, Bad News: Journalism Ethics And The Public Interest.* (US: Westview Press September 3, 1999).

免。報章在市場主導下，以利潤為指標，黃色新聞成為便士報的間接因果。黃色新聞一般被視為報章低質的現象，報章以煽情題材為要，以取悅讀者為方針，以盈利為最終目標。如是，新聞界亦漸漸地才作出修正。

其間，有一段偶然的發展，這是美聯社的誕生。紐約與美國客觀新聞之發展，有著偶然卻有趣的發展。美聯社成立於一八四六年五月在紐約成立，當時由《紐約先驅報》、《紐約太陽報》、《紐約論壇報》、《紐約商業日報》（The Journal of Commerce）、《快報》（The New York Evening Express）、《紐約信使及問詢報》（New York Courier and Enquirer）六份章聯合創辦。其創辦的目的為了減輕報導美國和墨西哥戰爭之成本，便聯合採訪，成為合作組織。然而，由於美聯社必須向六報提供新聞消息，為了各報編輯易了解，報導必須以事實為要，觀點次要，客觀新聞要求漸漸地受到重視。約五年後，紐約出現了一家高舉客觀事實為旗幟的報章，這是《紐約時報》（The New York Times）[8]。《紐約時報》於一八五一年九月十八日在紐約出版。該報出現的目的為了平衡黃色新聞所造成不良報業風氣，同時亦強調客觀新聞的重要性。如是，新聞客觀化便在美聯社和《紐約時報》的推動下成為新趨勢。

可是，到了美國南北戰爭時期，美國人可能厭倦了戰爭，也看細膩了嚴肅新聞，如是他們便轉向了趣味新聞。但他們漸漸地不能滿足於輕趣味報導，報導便以煽情新聞招徠讀者。煽情主義（sensationalism）再次成為新聞流行現象[9]。問題一直至第一次世界大戰，可能由於大眾及記者們對戰爭的恐懼，重新思考新聞與煽情，人生不只是吃喝玩樂，嚴肅新聞再次受到注意，客觀化亦再次成為話題[10]。其後美國新聞業持續發展，客觀化偶有起落，但無論是學界還是業界，新聞客觀化始終是他們所共識的新聞原則。

由此可見，從十九世紀伊始，客觀性原則一直是新聞界公認的報導原則。美國《先驅論壇報》的經營者班內特（Bennett）曾於一八三五年提出客觀報導的基本思想，其認為事實才是新聞之本[11]。到了一八五五年，美國人塞繆爾．鮑爾斯（Samuel Bowles），他提倡「獨立新聞學」。他指出記者應該在事實（Fact）與意見（Review）之間劃清界線，事實是已發生的事情，意見則是一種估計和可能性的評論[12]。新聞應該提供讀者最原始且事實的材料，讓讀者自行判斷，這正是客觀報導的精髓所在。鮑爾斯似乎為客觀新立下了不可動搖的定義。

8　美聯社網站〈https://www.ap.org/about/our-story/〉

9　Jeremy Iggers, *Good News, Bad News: Journalism Ethics And The Public Interest.* (US: Westview Press September 3, 1999).

10　Jeremy Iggers, *Good News, Bad News: Journalism Ethics And The Public Interest.* (US: Westview Press September 3, 1999).

11　胡興榮：〈客觀報導理論依據及其實踐〉。

12　胡興榮：〈客觀報導理論依據及其實踐〉。

其後，奧克斯（Oxis）於一八九六年收購《紐約時報》後，客觀報導再次被到認同和強調，也是該報的辦報理念和報導方式的基本思路；同年八月十八日，奧克斯發表宣言：「我的目標，《紐約時報》要用簡明動人的方式，用文明社會中慎重的語言，來提供所有的新聞[13]。」到了一九二三年，美國報紙編輯人協會推出《新聞界信條》，表明新聞業對公正和客觀的要求正逐步提高[14]。

新聞由採訪和新聞文章兩部分所組成，新聞文章則由報導和評論所組成。所謂新聞報導者，據李良榮教授所指出，新聞本身著有兩個元點，分別是真實和新近之時意義或最新者[15]。同時，新聞本身存在兩種且共存的新聞定義，這兩個定義分別是新近發生的事情的報導，以及新近發生的事實變動的資訊[16]。新聞作為報導，是其形式而言，新聞作為資訊，是其實質者。小結而言，報導不可存在任何個人之判斷或看法，必須以事實為基本，西方新聞學所評事實，即 Fact。至於新聞評論者，其因應客觀化原則所衍生出來的另一種新聞表達方式，其跟報導不同之處，乃新聞評論為意見之陳述。新聞評論提供者可以理解為一種主觀的意見，評論社會的或時事，並以正義、公正、理性的立場，表達自己對事件看法或意見，有時則是代表報社的立場，如社論[17]。

可見，新聞客觀化之理念和原則，一直是新聞界和新聞學者所重視。新聞專業之內涵，客觀化更是其中之重要之一環。香港近代新聞發展逾百年，作為中西文化匯集之地，本港之新聞發展自然受到西方觀念所影響，其專業之表現可見諸其中。若言專業和客觀表現之點滴，早見於上世紀早葉，其《香港華字日報》有關蘇報案之報導，可見其點滴。

三　蘇報案始末

蘇報案發生在上海公共租界（Shanghai International Settlement）。上海公共租界乃中國近代史的特殊現象，這是中國近代地方行政的另類發展的結果。清政府因為《南京條約》（1842）的要求，必須開放上海作為通商口岸，因此，列強國家之商人和相關人士便在上海活動；同時英國等跟上海道台簽定土地租用協議[18]，以獲得土地使用權。上海道台於一八四三年十二月，跟英國領事簽定協議，以外灘為界，上游之北岸為英國租界[19]。清政府與英國又於一八四五年再訂《上海土地章程》；按章程以上海縣城北部，其約八三〇畝土地劃予

13 胡興榮：〈客觀報導理論依據及其實踐〉

14 劉明華著：《西方新聞採訪與寫作》北京：中國人民大學出版社，1993年，頁44。胡興榮：〈客觀報導理論依據及其實踐〉

15 李良榮老師：《新聞學導論》北京：高等教育出版社，2006年，頁13。

16 同上。

17 徐詠平：《新聞學概論》臺北：中華書局，1976年，頁493。

18 吳志偉：《上海租界研究》上海：學林出版社，2012年。

19 吳志偉：《上海租界研究》上海：學林出版社，2012年。

英商作居留[20]。其後，上海道台先後與美國領事和法國領事協議，美租界和法租界先後確定；虹口地區為美租界，法租界則位處英租界以南[21]。

至於上海地區之行政管轄權，按清例，上海知縣負責對內行政，對外則由上海道台負責，其中包括軍事等。上海道台則向總督和巡撫匯報。但自從租界出現後，情況出現微炒的變化。太平天國期間，英美法三國為了局勢的變動，簽定變相自治協議。租界最早的涉外行政管理權之協定始於道路河堤防委員會（1847）[22]。到了一八五四年，他們再簽定《修正洋涇濱地皮章程》，進一步把租界自治化。當中最重要者乃成立工部局。工部局負責管理租界。其後美租界和英租界合併，成為公共租界。法租界則退出公共租界，自成法租界[23]。

上海租界為外強所把持，同時亦意味著可以外在於清政府的監管，新派知識份子匯集的理想之地[24]。據熊月之〈略論晚清上海新型文化人的產生和匯集〉一文指出，上海當時有逾三千位這新派知識份子[25]。如是，新式出版自然發展起來。一九一一年，中國全國有出版一三六種外文刊物，上海佔五十四種，當中英文佔三十四種，法文十種，德文三種、日文七種[26]。如是上海成為新思潮的的匯集之地。《蘇報》便在這個背景下出現。

另方面，《蘇報》亦有著日本之背景[27]。《蘇報》於一八九六年創辦，由胡璋主持，他的日僑妻子出面在日本滬總領事館註冊，以鄒弢為主筆[28]。其後於一八九八年，湖南衡人陳范出資購得。如是，《蘇報》的政治主場變成為「由變法為保皇，由保皇而革命。」[29]

其時，《蘇報》的骨幹的寫手都是中國教育會和愛國學社的成員[30]。中國教育會在江南一帶活動；愛國學社則於上海地區活動。中國教育會和愛國學社的互為表裡，財務互相支援。《蘇報》則與愛國學社關係密切，他們約定每天由愛國學社七位成員供稿，月付百元[31]。

其實，清政府自甲午以後，全國出版業全面發展起來，清廷一直注意報刊言論，其對反清等言論更為敏感；因此多次查封報刊及出版社。一九〇二年二月，在清政府要求下，上海公共租界曾禁《春江花月報》，和《華粵報》等[32]。一九〇〇年二月，清政頒布全國禁

---

20 吳志偉：《上海租界研究》上海：學林出版社，2012年。

21 吳志偉：《上海租界研究》上海：學林出版社，2012年。

22 徐中煜：《清末新聞、出版案件研究》上海：古籍出版社，2010年，頁47。

23 吳志偉：《上海租界研究》上海：上海出版世紀，2012年。徐中煜：《清末新聞、出版案件研究》上海：古籍出版社，2010年，頁71。

24 徐中煜：《清末新聞、出版案件研究》上海：古籍出版社，2010年。，頁74。

25 熊月之：〈略論晚清上海新型文化人的產生和匯集〉，載《近代史研究》1997年，第4期。又，徐中煜：《清末新聞、出版案件研究》上海：古籍出版社，2010年，頁74。

26 徐中煜：《清末新聞、出版案件研究》上海：古籍出版社，2010年，頁75。

27 徐中煜：《清末新聞、出版案件研究》上海：古籍出版社，2010年，頁79。

28 徐中煜：《清末新聞、出版案件研究》上海：古籍出版社，2010年，頁79。

29 徐中煜：《清末新聞、出版案件研究》上海：古籍出版社，2010年，頁79。

30 徐中煜：《清末新聞、出版案件研究》上海：古籍出版社，2010年，頁79。

31 徐中煜：《清末新聞、出版案件研究》上海：古籍出版社，2010年，頁81。

32 徐中煜：《清末新聞、出版案件研究》上海：古籍出版社，2010年，頁5。

《清議報》[33]。一九〇五年，袁世凱亦在天津禁《大公報》[34]。同時清廷亦關注有關組織，其中包括愛國學社。

蘇報案事件發生於一九〇三年夏天。《蘇報》支持中國教育會和愛國學社的活動，發表「革命」文章，遭清政府要求查封。其主要涉案人包括章炳麟、鄒容、錢允生、陳吉甫、陳叔疇（陳範）[35]。愛國學社一直是清政府針對或追捕的對象。端方更不為餘力。端方時任湖廣總督，但他作為滿州貴族，對不利統治的組織、人物，自然不滿。端方對於愛國學社成員的言論，既不滿亦恐懼。由於愛國學社成員多在《蘇報》發表文章，漸漸地由起端方的注意。鄒容的〈革命軍〉一文偶然地刊載於《蘇報》，章炳麟更為撰序，馬上引起端方盛怒和擔心。他直言：「上海逆首鄒容著〈革命軍〉，章炳麟作序，詆譭列聖，直斥廟諱，勸天下造反。近日《蘇報》亦倡言滅滿誅清。」[36]其於一九〇三年開始，端方有意查封《蘇報》，但為魏光燾所先行。因此，最早公開提出查封建議者是魏光燾[37]。清廷責任上海道台袁樹勛跟各國駐滬領事商議。討論初期，北京各國領事團傾向接受清廷的提議。鄒容等亦自行投案，事件看似順利。但其後行動受到輿論質疑，特別是英國《泰晤士報》（The Times）評論。英國公使始表達反對立場；結果，北京公使團沒法達成一致協議，建議發回上海領事團決議，最終交由工部局決定。工部局一直反對移交涉案人，工部局由英國主導，支持就地審訊，不把涉案人送交清廷。英國公使立場由改變，乃輿論和沈藎案所致。

沈藎（1872-1903），初名克諴，字愚溪，湖南省善化縣（今長沙市）人。沈藎曾參加戊戌變法，失敗後東渡日本留學，其後回國創建「自立會」。活躍在湖北新堤。沈藎先後任職多家報社，包括《新聞報》。他於一九〇三年在報上揭露《中俄密約》的內幕，其在慈禧授意之下被捉拿，並交刑部絞死，前後不過二十天。事件引起西方注意，西方報章亦報導事件。同時，西方領事團視為野蠻行為，如是把《蘇報》涉案人交回清廷，恐引起不滿，因此，領事和公使圖改立場[38]。

領事達至共識後，就地處理事件。由於事件發生在上海公共租界，負責公共租界事務機構是工部局，其向上述各人發出拘捕令，結果陳範逃往日本，章炳麟、鄒容、錢允生、陳吉甫就逮[39]。清政府不能直接介入；故此，清政府在沒法引渡下只有要求嚴懲，並與北京公使團交涉。[40]英國為北京公使團主要成員，反對清政府要求嚴懲章炳麟等人。[41]但法俄支

33 徐中煜：《清末新聞、出版案件研究》上海：古籍出版社，2010年，頁5。

34 徐中煜：《清末新聞、出版案件研究》上海：古籍出版社，2010年，頁6。

35 王敏：《蘇報案研究》上海：人民出版社，2010年，頁12-18。

36 《辛亥革命》（一），頁454-455。

37 徐中煜：《清末新聞、出版案件研究》上海：古籍出版社，2010年，頁96。

38 王敏：《蘇報案研究》上海：人民出版社，2010年，頁48

39 王敏：《蘇報案研究》上海：人民出版社，2010年，頁33。

40 王敏：《蘇報案研究》上海：人民出版社，2010年，頁39。

41 王敏：《蘇報案研究》上海：人民出版社，2010年，頁39。

持清政府的要求。[42]英國最終說服法國，支持從輕判決。[43]

上海租界先後七次公開審理此案[44]。主審官為孫世，清廷原告律師古柏以《蘇報》內容，證實章、鄒等人「陰謀顛覆政府」的罪名。[45]結果，在英國主導下，判決分成重輕兩部分，重罰者包括章炳麟和鄒容：章炳麟判監三年、鄒容判監二年，輕者則包括錢允生和陳吉甫，當庭釋放[46]。

四　上海各報章相關報導

上海主要刊物均對事件的評論分成兩派。支持清政府有《申報》、《新聞報》。反對清政府有《國民日日報》，中立者見《中外日報》；所有外文報章大致反對清政府的要求，其中《字林西報》尤甚。海外的報導方面，英國有《泰晤時報》（The Times）；美國有《華盛頓郵報》（The Washington Post）、《洛杉磯時報》（The Los Angeles Times）和《紐約時報》（The New York Times）等。

當地報導亦加以報導，包括《申報》、《新聞報》、《國民日日報》和《中外日報》等。《申報》於一八七二年創辦，銷量約八千份[47]，該報以討找革命黨為主要論調[48]。《新聞報》則於一八九三年創辦，支持維新派。蘇報案其間，先批評清政府腐敗，始會造成蘇報；其又質疑太炎之行動，革命不適合中國；沈藎案發生，言論又再次質疑清政府，立場多變[49]。

《國民日日報》於一九〇三年創刊，其外人 A. Somoll 於上海英國領事館註冊，具有外強背景，所謂外旗報。因此，其對革命之偏向明顯，報導蘇報案以頌揚革命，暗諷清政府為主要論調[50]。該報報導多譯自外文章，評論則以反對移交涉案人為主，同時批評清政府之腐敗。

《中外日報》於一八九八年創刊，立場維新。原名《時務日報》，同年八月十七日改名《中外日報》。《中外日報》其間共發表了六篇評論和兩篇報導，論調以批評清政府之行動，禁正思想自由及其傳播，均為失策之舉[51]。但《中外日報》骨子立場維新，因此對革命

42 王敏：《蘇報案研究》上海：人民出版社，2010年，頁43。
43 王敏：《蘇報案研究》上海：人民出版社，2010年，頁57。
44 王敏：《蘇報案研究》上海：人民出版社，2010年，頁90。
45 王敏：《蘇報案研究》上海：人民出版社，2010年，頁90。
46 王敏：《蘇報案研究》上海：人民出版社，2010年，頁90。
47 王敏：《蘇報案研究》上海，人民出版社，2010年，頁94。
48 王敏：《蘇報案研究》上海，人民出版社，2010年，頁94。
49 王敏：《蘇報案研究》上海，人民出版社，2010年，頁101。
50 王敏：《蘇報案研究》上海，人民出版社，2010年，頁101。
51 王敏：《蘇報案研究》上海，人民出版社，2010年，頁103。

人士仍不表支持，也清晰表明反對革命[52]。

五 《香港華字日報》相關報導

《香港華字日報》於一八七二年（同治三年）創刊，由陳藹亭主持，陳藹亭曾在《德臣西報》任翻譯。該報與《循環日報》及《中外新報》並立，同為早期在港較有具影響力的中文報章，惟於一九四一年因戰爭停刊[53]。

《香港華字日報》為《德臣西報》所衍生出來的刊物。《德臣西報》（The China Mail）一八七一年以中文版面刊印《中外新聞七日報》，由《德臣西報》副主筆陳靄亭主理，內容包括貨價行情、新聞、航運消息、告白、公司股份行情等。[54]其後改以獨立形式出版，並開宗明義地說明辦報目的，志在「移風易俗，持清議」。[55]該報經營至一九四一年香港淪陷前夕停刊，到一九四六年四月及六月兩度復刊，但由於財政困難，同年七月一日又告停刊，自此未再出版。[56]

學者卓南生的考證發現，《香港華字日報》的創刊時間應該是一八七二年。一般學界的看法，根據戈公振的研究，認為《香港華字日報》創刊於一八六四年。《香港華字日報》於一九三四年出版七十一周年紀念刊時，其亦稱創刊於一八六四年。但卓南生懷疑這個立論，理由是紀念刊所刊載了一八七三年六月四日的《香港華字日報》的影印本，該印本右上角標示「第一百七十六號」，羅馬字寫上「No.176」，其與一八六四年創刊的日期顯然出現差距。卓南生經過多翻考證後發現從一八七一年三月起後的一年間，《德臣西報》每周六均見一版中文專頁，名為《中外新聞七日報》。《中外新聞七日報》不是單獨發行，而是附載於《德臣西報》。後來該報於一八七二年單獨出版，並成為《香港華字日報》。故此，其證實《中外新聞七日報》是《香港華字日報》的前身，《香港華字日報》的創刊時間不是公認的一八六四年，而是一八七二年。[57]

有關《香港華字日報》之蘇報案報導情況，其報導及評論見諸於該報，同時與上述提及部分情況略見不同，該報能反映正反兩方的意見，支持（清政府）和反對（清政府）之意見均在該報發表言論文章[58]。可見，當時《香港華字日報》成為當時眾多報刊中的自由言

---

52 王敏：《蘇報案研究》上海，人民出版社，2010年，頁110。

53 鍾紫主編：《香港報業春秋》廣州：廣東人出版社，1991年8月，頁3。林啟彥、黃文江主編：《王韜與近代世界》香港：香港教育圖書公司，2000年，頁345。

54 〈http://www.hkartclub.com/old_print/old_printpage.html〉

55 〈http://www.hkartclub.com/old_print/old_printpage.html〉

56 〈http://www.hkartclub.com/old_print/old_printpage.html〉

57 〈卓南生：正本清源新聞史縱橫策論天下事〉〈http://media.people.com.cn/GB/22114/45503/46200/3328056.html〉

58 王敏：《蘇報案研究》上海：人民出版社，2010年，頁107。

論陣地，正反兩方的意見均在該上發表言論文章[59]。香港成為中國早期自由言論中心之一，同時作為新聞客觀專業之表率，實始於《香港華字日報》。

首先，本文先把《香港華字日報》之蘇報案報導及評論分類，統計該報之報導文章共兩篇，分別是〈主筆被拿續志〉（1903年7月11日）和〈蘇報交涉〉（1903年8月20日）。評論見三篇，分別是〈義哉，鄒容也〉（1903年7月14日）、〈論秘拿新黨〉（1903年7月13日）、〈大哉，皇言謹注〉（1903年8月15日）。

華字日報報導及評論

文章標題	日期
報導	
〈主筆被拿續志〉	1903年7月11日[60]
〈蘇報交涉〉	1903年8月20日[61]
評論：支持蘇報	
〈義哉，鄒容也〉	1903年7月14日[62]
評論：質疑蘇報	
〈論秘拿新黨〉	1903年7月13日[63]
〈大哉，皇言謹注〉	1903年8月15日[64]

資料來源：香港華字日報

報導方面，〈主筆被拿續志〉報導拘捕涉案四人及鄒容投案消息為主[65]。另見〈蘇報交涉〉一文，其引述上報章，報導上海各國領事商討有關蘇報案是否交北京處理。

評論如上述，可分成支持和反對兩類。反對清政府立場（支持蘇報）之評論見〈義哉，鄒容也〉，其以評論鄒容從容就義和章氏如何「烈烈轟轟」云云[66]。質疑蘇報之文章則有三篇；其分別見〈論秘拿新黨〉，該文認為朝廷讓他們放洋留學，但回來後不知體統，反

59 王敏：《蘇報案研究》上海：人民出版社，2010年，頁107。
60 《香港華字日報》，1903年7月11日。
61 《香港華字日報》，1903年8月20日。
62 《香港華字日報》，1903年7月14日。
63 《香港華字日報》，1903年7月13日。
64 《香港華字日報》，1903年8月15日。
65 《香港華字日報》，1903年7月11日。
66 《香港華字日報》，1903年7月14日。

而倡議革命[67]，這是不應該的行為。〈大哉，皇言謹注〉一文則提到，皇上乃一片赤子之心，關心時政，文人和輿論應該體會，但同時暗諷西太后干政[68]。

有一篇為〈論歸政之難〉之文章，其跟〈論秘拿新黨〉則見呼應，但文章沒有直接提及蘇報案。該文章籲西太后歸政，其認為國家腐敗，乃朝中奸佞當道致，維新因報國無門，才轉諸投革命[69]。

六　沈藎案之報導

另外，沈藎案在蘇報案之發展，尤見對西方各國立場之影響，不可小覷。其中英國之立場，由願意交由北京處理到立場反對之轉變，沈藎案至為重要。沈藎案見諸上文，《香港華字日報》亦刊載了相關之報導，共四篇。

文章標題	日期
報導	
〈沈藎交涉〉	1903年8月20日[70]
〈沈藎死後餘聞〉	1903年8月24日[71]
評論	
〈論沈藎被殺事〉	1903年8月20日[72]
〈論沈藎之被殺楊度之被逮〉	1903年8月20日[73]

〈沈藎交涉〉一文，報導英外交大臣藍士唐於八月十三日得悉沈藎案後，在上議院遭質問有關英方立場。沈藎死後餘聞則引述消息，交代沈藎要求不要擴大審查，否則牽連其廣，案件自由他一人而起，由他一人擔當云云。還交代沈藎廷杖不死，始為引頸斬斃。〈論沈藎被殺事〉一文認為沈藎被殺，反映西太后行事作風而已[74]，必須引以為鑒。另見，〈論沈藎之被殺楊度之被逮〉（1903年8月20日）以評論沈藎自殺不足信，其認為沈藎言論多觸及清府忌諱，遇事便借機追究；同時若沈藎知其所罪，為何在京師，認為疑點重重[75]。

---

67 《香港華字日報》，1903年7月13日。
68 《香港華字日報》，1903年8月15日。
69 《香港華字日報》，1903年9月23日。
70 《香港華字日報》，1903年8月20日。
71 《香港華字日報》，1903年8月24日。
72 《香港華字日報》，1903年8月20日。
73 《香港華字日報》，1903年8月20日。
74 《香港華字日報》，1903年8月20日。
75 《香港華字日報》，1903年8月20日。

七 《香港華字日報》相關報導綜合分析

從上述說明，《香港華字日報》報導，基本而言沒有把個人的看場或立場加諸於文章，僅見事實之說明，持平有道；評論之編輯亦見正反意見，不會一種看法預設為編輯方針，針對蘇報案之評論，共有三篇，支持《蘇報》見〈義哉，鄒容也〉一文。但同時亦見質疑《蘇報》之評論，包括〈論秘拿新黨〉和〈大哉，皇言謹注〉兩文。同樣地，有關沈藎之報導和評論，亦能達至報導和意見之不同，報導以事實為要，不設立場看法。但是有關沈藎之評論，則見兩篇文章，分別是〈論沈藎被殺事〉和〈論沈藎之被殺楊度之被逮〉；這兩篇則以質疑清廷之處理為基本立場，未見不同之看法。其大底乃清廷之審訊和行刑在西方法治的觀念下，難見灰色討論空間所致。

《香港華字日報》作為一份香港報章，由華人報人主持，但其衍生自《德臣西報》，或多或少受到《德臣西報》所影響，同是受到西方辦報思想所影響。同時《香港華字日報》編採人員，如陳藹亭，均為早期本港具西方教育背景者。陳藹亭為廣東新會人，於一八五六年到港。他在聖保羅書院接受教育，於一八七一年任職《德臣西報》，其後始主持《香港華字日報》，因此他的編輯方針自然受到《德臣西報》等西方新聞觀念所影響。除了陳藹亭外，《香港華字日報》賴文山，顏慶浦、潘蘭史等編輯，他們曾在外國流學，接受西方民主思想，以及西方新聞工作客觀原則[76]。《香港華字日報》總理陳止瀾後來在〈本報創造以來〉一文曾指出，該報宗旨為「期以世界知識，灌輸於國人，以國內政俗，報告於僑胞，使民智日開，而益奮其愛國之念[77]。」若言「使民智日開」，首先做到不偏不倚，客觀科學才進步的力量，從《香港華字日報》蘇報案之報導，可見其表現云云。

八 結論

如上述所謂新聞專業者，記者編輯和報人，對任何事件不應該預設立場，報導以客觀為要，不可加上個人或報社的看法和立場；但評論作為一方之意見，文章設定立場難免。英國作家王爾德（Oscar Wilde）論評論，他提到寫評論犯忌，人云亦云，拾人牙慧（saying the obvious）；又論寫評論之難，公允持平，冷靜理智[78]。因此，立場難免，但必須理據充份，且心存善意。記者編輯不可見選擇取向，對不符報社立場之文章拒諸門外，正反兩者均有同樣的機會發刊，這才是專業。

---

76 王敏：《蘇報案研究》上海：人民出版社，2010年，頁110。轉引自方積根、王光明編：《港澳新聞事業概觀》北京：新華出版社，1992年，頁11-12。

77 陳止瀾：〈本報創造以來〉，見《香港華字日報創刊七十週年紀代念刊》。

78 林沛理：〈將寫作變成戲劇〉香港《信報》，2010年3月6日

文學復古的革命意識：章太炎文論管窺*

諸雨辰
北京師範大學歷史學院文學院

章太炎（1869-1936）是清末民初叱吒風雲的人物，他既是辛亥革命中的革命領袖，又是晚清樸學的最後一位大師。其學術領域廣涉小學、經學、史學、諸子學、文學乃至社會學、醫學等諸多方面，魯迅稱其為「有學問的革命家」，胡適尊其為「清代學術史的押陣大將」，是世所公認的文化精英。

章太炎的文學理論雖不及小學、諸子學等為人所熟知，但同樣是探討晚清文論繞不開的話題，特別是他獨特的文學復古思想，尤其值得關注。關於章太炎的文論與思想研究，前人已有較多討論，陳雪虎《「文」的再認：章太炎文論初探》一書的導論部分對此做了精到的概括與詳細的評析，頗有針對性[1]。此外，章念馳主編的《章太炎生平與學術》一書中，也精編了章氏研究的代表性作品，以宏闊的視野對章太炎文論與思想的基本主題做了概括與闡發，大有開創「章學」的意圖[2]。因此，本文無意於進一步追究章太炎關於文學的整體思想與理論，而將關注點聚焦在章氏具體的作家批評層面，力圖以小見大地審視晚清文學批評的最終歸宿。研究將以《國故論衡》卷中〈文學七篇〉中的論述為主要研究對象。

《國故論衡》成書於宣統二年（1910），由東京秀光社初刊，該書共三卷，上卷論小學十篇，中卷論文學七篇，下卷論諸子學九篇，基本上涵蓋了章氏「國學」的主要領域，在陳平原看來，「如果要挑一本既精且廣、能大致體現章氏學術創見的著述，非《國故論衡》莫屬。」[3]其卷中七篇正是清代文評專書的壓卷之作，其中的一些觀點尤其值得討論，特別是章氏在一系列作家批評中對唐宋文人的批駁，形成了與清代主流文學批評迥異的態度。清人對唐宋文大多持肯定、推崇的態度，特別是歐陽修、曾鞏的義理之文、蘇軾的才子之文，都有或汪洋淡泊或跌宕起伏的獨特風神。那麼章太炎的一反常論究竟有何依據？他理想的文人又是什麼樣的呢？

---

* 中國博士後科學基金面上資助（2017M620658）；中央高校基本科研業務費專項資金（310422124）〈清代散文批評的話語生成及文獻研究〉。

1 陳雪虎：《「文」的再認：章太炎文論初探》北京：北京大學出版社，2008年，頁15-22。

2 章念馳：《章太炎生平與學術》上海：上海人民出版社，2016年。

3 陳平原：〈兼及「著作」與「文章」——略說《國故論衡》〉，《浙江社會科學》，2003年第1期。

一　崇魏晉而輕唐宋

《國故論衡》中最為集中的作家作品論出現在〈論式〉與〈辨詩〉篇中。〈論式〉集中討論「論」體文，〈辨詩〉則主要討論押韻文體，如詩、賦、銘等，二者合起來基本涵蓋了中國古代敘事文之外的大部分詩文，因而章太炎對「論」與「詩」的討論亦可視為一次文學史的總結。

在〈論式〉篇中，章太炎首先列舉了先秦時期他看重的幾位作家：「其在文辭，《論語》而下，莊周有〈齊物〉，公孫龍有〈堅白〉、〈白馬〉，孫卿有〈禮〉、〈樂〉，呂氏有〈開春〉以下六篇。」在他看來，這些戰國時期的文章「其辭精微簡練，本之名家，與縱橫異軌」，因而「內發膏肓，外見文采，其語不可增損」[4]，堪為典範。當然，先秦一向被古人視為「黃金時代」，兩周文獻自然也成為古人追摹的典範，這是古人的共性特徵。

古人一般也把漢代散文視為直接先秦的樣板，因而有「文必秦漢」之說。而章太炎則痛批漢代作家不知節制，他說：「漢世之論，自賈誼已繁穰，其次漸與辭賦同流，千言之論，略其意不過百名。楊子為《法言》，稍有裁制，以規《論語》，然儒術已勿能擬孟子、孫卿，而複忿疾名法。」[5]。賈誼、揚雄等人都是西漢文家的傑出代表，而在章太炎看來，他們都有嚴重問題，所謂「儒者與縱橫相依，逆取則飾游談，順守則主常論；游談恣肆而無法程，常論寬緩而無攻守。」儒家的論文失去戰鬥性而且論點不純，習染了縱橫家恣肆游談的態度。其後，以董仲舒為代表的今文經學家的文章問題更嚴重，所謂「經師漸與陰陽家併，而議論益多牽制矣」，不但觀點不純、論文沒有力道，而且還染上了陰陽家微言大義、「多傅以疑似之言」[6]的壞毛病。章太炎看重的反而是前人不看重的東漢之文，他說：「然其深達理要者，辨事不過《論衡》，議政不過《昌言》，方人不過《人物志》」，認為代表漢代文章水準的是王充、仲長統和劉劭，並且稱讚說「此三家差可以攀晚周」[7]，這樣的評價對此三家而言真可謂盛譽了。

更為獨特的是，章太炎特別看重魏晉文人，他用了大篇幅稱讚「晉之盛德」：

> 當魏之末世，晉之盛德，鐘會、袁準、傅玄皆有家言，時時見他書援引，視荀悅、徐幹則勝。此其故何也？老、莊、形名之學，逮魏復作，故其言不牽章句，單篇持論，亦優漢世。然則王弼〈易例〉、魯勝〈墨序〉、裴頠〈崇有〉，性與天道，布在文章，賈、董卑卑，於是謝不敏焉。經術已不行于王路，喪祭尚在，冠昏朝覲，猶弗能替舊常，故議禮之文亦獨至。陳壽、賀循、孫毓、范宣、范汪、蔡謨、徐野人、

4　章太炎：《國故論衡》北京：商務印書館，2012年，頁116。

5　同上註。

6　同上註，頁119。

7　同上註，頁117。

雷次宗者，蓋二戴、聞人所不能上。施於政事，張裴《晉律》之序，裴秀地域之圖，其辭往往陵轢二漢。由其法守，朝通道矣，工信度矣。[8]

從唐代開始，魏晉文章就遭到貶低，特別是蘇軾稱韓愈「文起八代之衰」以來，更形成了一種魏晉六朝文章徒飾修辭而無道德、無學問的思維定勢。章太炎則指出，老莊形名之學也是學問，而且魏晉文人討論「性與天道」反而不像漢代那樣「牽章句」而繁冗，自有其理論深度。而對於韻文來說，章太炎同樣對魏晉作家予以盛讚，甚至認為他們繼承了國風的傳統：

獨《風》有異，憤懣而不得舒，其辭從之，無取一通之書、數言之訓。及其流風所扇，極乎王粲、曹植、阮籍、左思、劉琨、郭璞諸家，其氣可以抗浮雲，其誠可以比金石，終之上念國政，下悲小己，與十五《國風》同流。[9]

章太炎肯定魏晉詩人氣抗浮雲、誠比金石的情感力度，換言之，就是強調他們詩歌的戰鬥力與對國家、對個人的深厚情感。

那麼魏晉文人最主要的優點在哪呢？在章氏看來就是持論本於名家，所以議論精煉而道理充分，所謂「守己有度，伐人有序，和理在中，孚尹旁達，可以為百世師矣」[10]。而唐宋文人的缺點正在於不會持理議禮、行文沒有法度。他說：「自唐以降，綴文者在彼不在此。觀其流執，洋洋灑灑，即實不過數語。又其持論不本名家，外方陷敵，內則亦以自債。」[11]這些批評與前面批評漢代文人的理由差不多，都是因為文章看起來洋洋灑灑，其實沒有內質。與魏晉文人相比，他們缺的就是「形名之學」，而章太炎恰恰非常看重形名之學，他強調說：「文生于名，名生于形。形之所限者分，名之所稽者理。分理明察，謂之知文。」可見章太炎的「理」並不是儒家義理，而是文章的基本邏輯性界分。至於這種邏輯性的保證，則來源於小學，所謂：「小學既廢，則單篇摦落；玄言日微，故儷語華靡。」[12]小學是作文的基本保證，玄學式的思辨是作文的內在要求。基於同樣的思路，章太炎在〈辨詩〉篇中認為韻文寫作「代益陵遲，今遂塗地」的原因也在於過分「發揚意氣，故感概之士擅焉」，其結果是「聰明思慧，去之彌遠」，喪失了「綜持名理」的文學本性。他又說賦體文「其道與故訓相儷，故小學亡而賦不作」[13]，同樣以小學為文學的根本。

8 同上註。
9 同上註，頁126。
10 同上註，頁119。
11 同上註，頁117。
12 同上註，頁118。
13 同上註，頁124、129。

以名理的標準衡量唐宋文人，章太炎認為張說、蘇頲還可以「上攀秦漢」，陳子昂、張九齡、李白等還「稍稍以建安為本」，杜甫能夠「哀思主文」。此後文學就走向末流，所謂「中國廢興之際，樞于中唐，詩賦亦由是不競」，「韓愈、孟郊蓋《急就章》之別辭，元稹、白居易則日者瞽師之誦也」[14]，至於兩宋以下則更是浮誇不足觀了。章太炎特別批評了清人樂道的歐、曾、蘇說：「歐陽修、曾鞏，好為大言，汗漫無以應敵，斯持論最短者也。若乃蘇軾父子，則佞人之戔戔者。」歐、曾還算是儒者，但是行文散漫沒有戰鬥力，三蘇更是被認定為縱橫小人了。而在〈論式〉篇梳理完文學史後，他再次總結道：「夫雅而不核，近於誦數，漢人之短也；廉而不節，近于強鉗，肆而不制，近於流蕩，清而不根，近于草野，唐宋之過也；有其利而無其病者，莫若魏晉。」其貶低漢唐、獨尊魏晉的觀念非常明顯，而所以強調魏晉，正因為在章太炎看來，效法魏晉「必先豫之以學」[15]，有學術為根柢，文學上自然就有保證。

二　文學以文字為准

章太炎對魏晉文人倍加推崇，在他看來，魏晉文人精通形名之學，能以小學對行文作出準確清晰的界定，使文章簡潔有法；魏晉文人又精通老莊及玄學，使文章富於思辨性與邏輯性。這種說法當然足以自成一家，但畢竟與征聖、宗經的文學傳統，以及宋代以來崇尚理學的思維方式頗為不同。那麼，章太炎的這種宗尚又有怎樣的意圖呢？

章太炎曾自述其對作家的評判標準說：「余少已好文辭，本治小學，故慕退之造詞之則。為文奧衍不遜，非為慕古，亦欲使雅言故訓，復用於常文耳。」[16]這段話提到他對韓愈的認同，他首肯韓愈「文從字順各識職」的「造詞之則」，這一優點來源於小學，可以創造一種「雅言故訓」的文風。這正是章太炎的理想，他希望「雅言故訓」不僅可以應用于經學訓釋，更能「復用於常文」。但是訓詁本來是專業的學術性話語，而章太炎卻「欲使雅言故訓，復用於常文」，其目的何在呢？

章太炎以王陽明〈與羅欽順書〉中「格物者，格其心之物，格其意之物，格其知之物。正心者，正其物之心。誠意者，誠其物之意。致知者，致其物之知。」一段話為例分析道：「此種但是辭句繳繞，文義實不可通。後生有效此者，則終身為絕物矣。」[17]王陽明這段話討論〈大學〉八條目，以格物為本，將其建立在立心、立意、立知的基礎上，然後可以正心、可以誠意、可以致知。這番話看起來說得很全面，其實是循環論證，至於什麼是心、什麼是意、什麼是知，完全沒有任何界定，只有排比句的形式而已，是大而空的「門

14 同上註，頁124、126。

15 同上註，頁120。

16 陳平原：《中國現代學術經典・章太炎卷》石家莊：河北教育出版社，1996年，頁647-648。

17 章太炎：《國故論衡》，頁120。

面語」。章太炎批評它「文義實不可通」絕非苛責，而這正反映出一種語言的異化現象。

所謂語言的異化，即語言在使用過程中，無法真切表現作家的思想與情感，即使它看起來足夠雅致、華麗，但是辭不達意、言不由衷，王陽明討論格物致知的幾句話就是典型。章太炎認為，語言從誕生以來，在不斷的發展過程中，漸漸染上了辭不達意的病質，無法做到「修辭立其誠」。值得注意的是，與此前很多批評家反對修辭的文質論不同，章太炎的觀點包含了更多學理訴求。他從姊崎正治的《宗教病理學》中瞭解到馬克思．繆勒（Max Müller）有關神話起源的「言語之瘿疣」理論，從而意識到語言無法與事物保持一致的缺陷，這使得人們在使用語言時不得不通過比喻轉義等方式來表達，章太炎認為漢語中的「假借」與「引申」現象正來源於此。然而，後人卻愈發追求文辭之美，從而「將這一缺陷作為技巧而亂用，便是小學的末路和文學的墮落。」因而在日本學者木山英雄看來，章太炎的「修辭立誠」不但不是反對修辭，正相反「它其實是嚴格至極的修辭學要求」[18]。

那麼如何應對語言的異化呢？章太炎的武器便是小學。傳統文字訓詁之學對漢字的字義有著精確的表述，比如刻玉為「琢」、刻竹為「篆」，漢字因而體現出極強的即物性特點，這正是章太炎所追求的修辭的嚴密效果。因此，在《國故論衡．文學總略》中，章氏開宗明義地給文學下了定義：「文學者，以有文字著於竹帛，故謂之文。」而針對以形式與審美作為文學屬性的觀點，章太炎批駁說：「今欲改『文章』為『彣彰』者，惡乎冲淡之辭，而好華葉之語，違書契記事之本矣。」因為以「彣彰」定義文學，所重在於修飾辭采，這反而會加劇語言的病質，無法捍衛漢語的純潔性，所以他強調：「是故搉論文學，以文字為准，不以彣彰為准。」[19]

章太炎隨即展開了對當時文壇流行觀念的辯論。首先是批駁文選派，他認為《文選》選文的體例本就有問題，昭明太子根據一已的喜好而「獨取文采斐然，足耀觀覽」的文章，結果遺漏了那些名理精微的佳作，只突出了形式主義的文學而已。其次是駁阮元宣導的駢文派，阮元以〈文言〉為文，章太炎就說〈繫辭〉與〈文言〉同為述贊之辭，同為儷辭，但是一者曰「文」、一者曰「辭」，所謂「體格未殊，而題號有異」[20]，因此〈文言〉之「文」根本不能作為「文」以駢儷為主的證據。此外，如陳雪虎所說，章太炎以文字為「文」的觀念還將「口說」屏斥於文學之外，從而反擊了康有為為主的今文經學以微言大義、托古改制而緣飾政治的意圖[21]。再次是回應「五四」一代所謂「學說以啟人思，文辭以增人感」[22]的文學觀念，包括魯迅在內的一批作家都秉持類似觀念，為此他還和章太炎有過爭論。但是在章太炎看來，學說同樣具有感動人心的力量，比如賈誼的〈過秦論〉，而很多

18 木山英雄：《文學復古與文學革命》北京：北京大學出版社，2004年，頁221。

19 章太炎：《國故論衡》，頁73-74。

20 同上註，頁75-77。

21 陳雪虎：《「文」的再認：章太炎文論初探》，2008年，頁52。

22 章太炎：《國故論衡》，頁78。

以鋪張為主的漢大賦雖然押韻，卻同樣無法打動人心。

在批駁了幾種流行的文體觀念後，章太炎繼續發力，又解構了文氣說與文德說兩種著名的文學觀念。「文以氣為主」的觀點始於曹丕，經韓愈、蘇轍而繼續發揮；文德一致的觀念始於王充，並在章學誠手中發揚。但是章太炎以文字為「文」的根本，所以他堅決拒斥興會風神為主的「文氣」，同時又摒棄了文品即人品的道德人格標準。因為這些標準都是後代附加在「文」之上的形而上觀念，它們與「文」原初的表情達意功能無關，章太炎就是要讓人「知文辭始於表譜簿錄」[23]，這才是他所認定的「修辭立誠」。

章太炎「推論文學，以文字為准」的文學觀，徹底解構了中國古典到現代以來的文學觀念，把附加在文學之上的政治、道德、審美等意識形態屬性全部剝去，還原為語言文字為中心的文學。而如此論文學，自然也就會對本乎今文經學的賈誼、董仲舒，對鼓吹「文以載道」的歐陽修、曾鞏等人深有不滿了。可以說，古文經學的學術根柢是章太炎作家論取捨好尚之差異的根本原因。

清代是中國古典文化的集大成時期，各種學說、文學，乃至文體都在清代復興，除了義理、辭章、考據三大流派外，舉凡經世實學、今文經學、形式美學等都在清代文化場中占有一席之地，並且長期以來形成自我標榜並互相攻擊的局面。在這個意義上說，章太炎的文學觀正有總結集成的意味，對付意識形態之爭最巧妙的辦法就是從根本上解構它們。當文學剝去了附加在上面的意識形態外衣時，可以說有清一代的文學論爭也就可以在章太炎手中徹底畫上句號，這是其文論的文學史意義。

三　作為啓蒙的文學復古

如果僅僅從總結、回應了清代文學與學術紛爭的角度來審視章太炎的文學史意義，其實還是低估了他。因為這種分析的內在邏輯，依然是把章太炎定位在中國古典文學的結束時期來認識，也就難免胡適所謂「他的復古主義雖能『言之成理』，究竟是一種反背時勢的運動」(〈五十年來中國之文學〉) [24]的評價。隨著「五四」一代作家的崛起，文學領域馬上就拋棄了桐城與選學為代表的清代文學主流觀念，文學革命成為新文學的主流。而如此一來，章太炎的解構其實也就意義不大了。那麼是否果真如胡適所說的，章太炎的文學在「五四」以後就「及身而絕」了呢？

章太炎是一位「有學問的革命家」，他的學術同樣也具有革命屬性，甚至可以說具有某種超越革命的潛質。光緒二十九年（1906），章太炎因為發表〈駁康有為論革命書〉以及為鄒容《革命軍》作序而遭清廷逮捕。光緒三十二年（1909）出獄後，被孫中山接往日本，

23　同上註，頁81。

24　胡適：《胡適文集（第三冊）》北京：北京大學出版社，2013年，頁208。

在留日學生歡迎會上，章太炎發表演講，其中說道：「可惜小學日衰，文辭也不成個樣子。若是提倡小學，能夠達到文學復古的時候，這愛國保種的力量，不由你不偉大的。」可知章氏力倡小學，並非僅僅因其學術淵源，而實有「愛國保種」的意思。他又說：「第一，是用宗教發起信心，增進國民的道德；第二，是用國粹激動種姓，增進愛國的熱腸。」那麼宣導國粹，具體指什麼呢？章太炎對此有這樣一番描述：

> 為甚提倡國粹？不是要人尊信孔教，只是要人愛惜我們漢種的歷史。這個歷史廣義說的，其中可以分成三項：一是語言文字，二是典章制度，三是人物事蹟。近來有一種歐化主義的人，總說中國人比西洋人所差甚遠，所以自甘暴棄，說中國必定滅亡，黃種必定剿絕。因為他不曉得中國的長處，見得別無可愛，就把愛國愛種之心，一日衰薄一日。若他曉得，我想就是全無心肝的人，那愛國愛種的心，必定風發泉湧，不可遏抑的。[25]

「國粹」本是日本的舶來詞彙，光緒三十一年（1905），鄧實、黃節等人在上海創辦《國粹學報》，反思盲目崇拜歐美所帶來的文化失衡，由此形成「國粹派」。章太炎、劉師培都是國粹派的健將。在他們這裡，所謂「國粹」，第一就是語言文字（小學），其次是典章制度（考據），再次是人物事蹟（歷史），而學習國粹的目的首先是祛除歐化主義的毒，消滅亡國亡種的謬論，激勵民眾的愛國情感。

其實不光歐化主義動搖人心，在中國近代史上，民眾長期以來都很難走出被他人所影響的陰影。魯迅在《吶喊》中就描寫了很多麻木愚昧的人，比如〈藥〉中的華老栓成為戕害革命黨的看客與幫兇，〈阿Q正傳〉中的主人公阿Q更是跟風鬧革命卻又沒有理想的形象代表。魯迅將其概括為國民劣根性，其實若不像魯迅這樣痛心疾首，倒是可以用民智未開來解釋。而在辛亥革命爆發之前，章太炎就在《國故論衡・原道下》中講到：「今無慈惠廉愛，則民為虎狼也；無文學，則士為牛馬也。有虎狼之民、牛馬之士，國雖治，政雖理，其民不人。」[26]所謂虎狼之民、牛馬之士，說的就是士民在專制國家權力之下的奴隸狀態，換言之也就是一種未啟蒙狀態。

康德概括啟蒙的定義說：「啟蒙就是人類脫離自我招致的不成熟。」所謂「自我招致的」是指「不在於缺乏理智，而在於不經別人引導就缺乏運用自己理智的決心和勇氣。」正是因為對自己所處的環境無法自主思考、判斷，才會總被別人引導，也就一次次失去自我成熟的機會。而那些外人施加的引導一遍遍地強化，就成為某種固化的規則與公式，更成為限制自由的腳鐐。康德說：「一場革命也許會導致一個專制的衰落，導致一個貪婪的或

---

25 章太炎：〈東京留學生歡迎會演說辭〉，《民報》1906年第6號。

26 章太炎：《國故論衡》，頁164。

專橫的壓制的衰落，但是它絕不能導致思想方式的真正變革。」[27]這一概括尤其精闢！阿Q等人物身上反映出的，正是辛亥革命推翻滿清政權後，民眾依然未啟蒙的精神狀態。所以無論是清帝還是孫中山，無論是黎元洪還是袁世凱，在民眾心中並無本質不同，他們依然是民眾所臣服的權威，大總統變成了新皇帝，辛亥革命的成功僅僅是萬里長征第一步。

那麼國粹何以就能改變這一切呢？章太炎的邏輯是，通過小學訓詁與典制考據，就可以在還原漢語本意的基礎上，獲得一些自由與民主的意識，而且這意識來源於學術而不是政治鼓動，因而它是自由的而非規則的。比如他作〈官制索隱〉，通過一系列音韻與訓詁的方法，論證了上古時期「天子居山」、「宰相用奴」、「史以載籍，吏以長民，使以宣情，而原皆出於士師」[28]等官制的由來，消除了天子、宰相的神聖性，並且證明古代平民亦可以參政議政，由此正可見一種原始的民主精神，士民知此，則當喚起自由與民主之心。而如此討論經學問題，也已遠遠超越樸學的層面了。

章太炎之所以稱賞魏晉文人，除了魏晉名學正名意識所帶來的思辨性以外，更因為魏晉文人多有追求解放的思想。魏晉時期政治環境固然險惡，但卻正因此而塑造了文士抵抗的思想與行為。夏侯玄、何晏、王弼等以老莊思想抵制曹魏政權的刑名法術之學，阮籍、嵇康以激烈攻擊綱常禮教，來抵制司馬氏政權所利用的儒家意識形態。而隨之而來的還有裴頠的崇有論，這可以視為儒家思想的理論反彈。學術在哲學激辯中展現了強烈的鬥爭性，章太炎指出魏晉文人「會在易代興廢之間，高朗而不降志者，皆陽狂遠人」，而他們的學術也就「辯智閎達，浸淫返於九流」（〈學變〉）[29]，足以上繼先秦遺風，成就魏晉玄學的理論高度。而學術上充滿邏輯性、思辨性，政治上具有批判性、攻擊性的文學，就可以喚起民眾一種內在的精神力量，從而抵抗長期以來專制思維對思想的禁錮，這成為思想啟蒙的最佳文本。而文學的內在學術性與批判性也就成為章太炎在語言文字標準之外，衡量作家水準的又一門檻。

總之，在作家論方面近乎極端地崇尚魏晉，這在章太炎那裡絕非一時之念，也絕非僅僅從文學好尚而發論。其中有著他深刻的現實用意，章氏的作家與作品論是在清末知識份子在思考中華民族未來走向的關鍵問題時，力圖通過發掘魏晉文人的邏輯性與戰鬥性，來喚醒士民自主意識與文化啟蒙的努力。

四　文化保守的價值

中國古代文人一旦遇到現實的政治問題，最習慣的方式就是選擇「復古」。西漢今文經

---

27 康德：〈對這個問題的一個回答：什麼是啟蒙？〉，詹姆斯・施密特：《啟蒙運動與現代性》上海：上海人民出版社，2005年，頁61-62。

28 章太炎：《章太炎全集・太炎文錄初編》上海：上海人民出版社，2014年，頁81-96。

29 章太炎：《訄書詳注》上海：上海古籍出版社，2000年，頁95-97。

學推出王莽，結果亡了國，於是東漢文人拋棄今文經學那一套，以復古的名義搞起了古文經學；中唐文人看到國事衰敗得不成樣子，於是鼓吹恢復儒家道統、復興「古文」，一直延續到北宋都持續地推行「古文運動」；明代七子有感於臺閣文人創作沒有風骨，因而也要求「文必秦漢，詩必盛唐」，形成所謂「復古派」。雖然每一次的復古都是打著復古的旗號而進行的改革，但是堅持以古為准的文化改革卻巧妙地在激進與保守之間維持著平衡，提供了文化發展的緩衝劑，形成中國文化特有的「中和」的意識。

然而，自從一八四〇年鴉片戰爭以來，中國人就開始了持續近兩百年的「革命」，從洋務派學習技術，「師夷長技以制夷」；到維新派學習政治制度，進行戊戌變法；再到革命派武力推翻清政府，發動辛亥革命；其後又相繼發動舊民主主義革命、新民主主義革命、土地改革等一系列革命運動。正是在這個意義上，余英時概括說：「中國近代一部思想史就是一個激進化的過程」[30]，而這造成了保守主義長期以來的失語。

中國以突飛猛進的速度實現社會的變革，以至於今天還是「先進」的，明天可能就「落後」了。戊戌變法時，康有為上書光緒帝說：「守舊不可，必當變法。緩變不可，必當速變；小變不可，必當全變。」[31]這正可視為近代以來中國文化的縮影。而與康有為的命運相似，章太炎在民國建立以後也被目為保守主義者，即便相知如魯迅，亦認為「太炎先生雖先前也以革命家現身，後來卻退居於寧靜的學者，用自己所手造的和別人所幫造的牆，和時代隔絕了。」(〈關於太炎先生二三事〉)[32]然而，百年以後再去審視近代以來的文化改革，反思中國歷史百年以來所走過的彎路，不少人開始了對「速變」、「全變」的反思。當我們在「創新」與「保守」之間形成了好與壞、進步與落後的一一對應關係，其結果或許就像余英時所說：「一次一次的政治革命接踵而至，兩極化的發展終於成為無可挽回的狂瀾。這真是價值偏向在中國史上所造成的最大悲劇了。」[33]對此，他基於對西方政治與文化的觀照，認為應當學習西方「創新」與「保守」並重，在保守主義的 conservative 與激進主義的 radical 之間，找到一個作為中間量的 liberal，擺脫長期以來「創新=進步」、「保守=落後」的二元論思維。余英時從西方回視中國，又從古典審視現代，確實道出了中國近代化過程中的文化偏向。而章太炎的文學復古恰可為此問題旁開一道路。

光緒二十九年（1906），章太炎在《民報》上發表〈國學講學會序〉一文，闡述自己的文學復古觀念說：「近觀羅馬隕祀，國人復求上世文學數百年，然後義大利興。諸夏覆亦三百歲，自顧炎武、王夫之、全祖望、戴震、孫詒讓之倫，先後述作，訖于余，然後得返舊物。」[34]顯而易見，章太炎是以西方文藝復興作為文學復古的參照，他認為中國被滿人統治

30 余英時：《現代儒學的回顧與展望》北京：生活．讀書．新知三聯書店，2012年，頁20-21。

31 梁啟超：《戊戌政變記》上海：上海古籍出版社，2014年，頁81。

32 魯迅：《魯迅全集（編年版第十冊）》北京：人民文學出版社，2014年，頁147。

33 余英時：《現代儒學的回顧與展望》，頁4。

34 章太炎：〈國學講學會序〉，《民報》，1906年第7號。

的歷史就相當於西方黑暗的中世紀，因此他希望搞一場中國式的「文藝復興」。章太炎最先標舉出的就是顧炎武，而顧炎武正是在明清易代之際對君權提出了質疑，為張揚私欲與個體提供了理論支援。以章太炎為代表的晚清思想家很容易就接上了明清易代之際的思想資源，並且遠紹魏晉的「非君論」，這是十足的復古，卻也是十足的開新。

更重要的是，章太炎的復古式革命，因其對傳統的深刻繼承而具有的保守性，起到了社會穩定劑的作用。一個典型的例子就是關於民國政府議會制的公案，章太炎作〈代議然否論〉，公然批評資產階級夢寐以求的議會制，認為代議制度在中國建立反而會滋長起一批新的壓迫者、新的貴族，所謂「選舉法行則上品無寒門，下品無膏粱，名為國會，實為奸府，徒為有力者附其羽翼，使得朘臘其民。」[35]這一認識完全基於對中國歷史與社會現實的瞭解，在清帝剛剛退位的民國初期，中國尚沒有民主開花結果的土壤，維護社會穩定仍是要務，此時激進地推行西方民主，而不考慮中國的人口基數無比龐大、疆域面積無比遼闊，其結果只是再造一新的貴族階級而已，當然其後的歷史發展也證明了民國政府統治下的議會制度被操縱、被玩弄的現實。

那麼章太炎主張如何推行民主與民權呢？他主張的是行政、司法、立法、教育分權，以不同的政治力量之間相互制衡來保護民主的土壤。實際上，將司法、立法與行政相分離，所繼承的正是中國古代的監察制度，而賦予教育以專門的權力，也是實踐中國古代的文人議政制度。司諫、士師，這些古代的典章制度，在處理中國問題、保持政權穩定，從而漸進式地實現民主的道路上，反而比照搬西方民主更有實現的可能。可惜處於革命洪流中的革命黨人並未有此清醒認識，結果當然也是使民國時期曇花一現的民主匆匆夭折了。

在中國走上現代化的革命路途上，我們所缺的恰恰是章太炎這樣的「保守主義」。章太炎的文學復古與文化復古，並非純粹照搬古人，而是在繼承古代文化資源的基礎上，力圖實現的革新。他把文學還原到語言文字層面，從音韻訓詁中剝離附加在文學之上的諸種意識形態，從而以解構的方式，推論出原始儒家的民主，以呼應當時的時代要求。在作家論方面，他極力歌頌魏晉文人，肯定他們文章的現實戰鬥力與邏輯思辨性，希望以此來實現中國的「文藝復興」、實現對國民的啟蒙。可以看到，所有這些主張都是站在今天的立場審視古人、發掘古典學術、古典文化的精髓，以傳統國粹來致用於當下，說他復古也好、說他保守也罷，卻實實在在是社會發展過程中不可或缺的緩衝劑。對於中國文化來說，唯有在創新中不忘保守，才能維持中華文化的一貫性，也唯有這種與歷史的連續，才最能激發國民的愛國意識和自主意識，真正維護社會的穩定、健康，而不是一味求變、一味求快的畸形發展。可以毫不誇張地說，百年以前章太炎的這一番「國故」之「論衡」，其意義還遠遠沒有完結。而中國的現代化進程，也依舊還在路上。

---

35 章太炎：《章太炎全集・太炎文錄初編》，頁311-323。

恭談錢賓四教授《論語》之研究與著述

何廣棪
香港新亞研究所

一 緒言

錢穆（1895-1990）教授，字賓四。當代國學大師，著作宏富，享譽國際，名傳遐邇。臺北聯經出版事業公司一九九八年五月出版《錢賓四先生全集》，其第五十四冊扉頁後有〈編後語〉，述及教授生平之建樹及學術業績，其言曰：

> 無錫錢穆先生，字賓四，生於前清光緒二十一年乙未，即民國前十七年（西元1985），卒於民國七十九年庚午（1990），春秋九十有六。先生自民元為鄉里小學師，而中學，而大學，轍轘天下，敷教於南北者垂八十年。生平著作不輟，其生前梓行傳世者無慮五十餘種。衡諸古今學者，固為罕倫；而其畢生志事，惟在維護發揚我國傳統固有之優良文化，以期矯抑一世蔑古崇外之頹風，所以扶立吾國人之自尊自信，以為民族復興契機之啟迪者，尤可謂深切著明；見推為名世大儒，洵不誣也。[1]

所言殊無誇飾，應符事實。

西元二〇〇九年前，余移硯臺北，講授「儒學現代化問題討論」課程於臺灣華梵大學東方人文思想研究所，因課程內容涉及章太炎（1869-1936）、胡適之（1891-1962）、錢賓四三家談儒學，爰深入鑽研章太炎所撰〈原儒〉、胡氏〈說儒〉、錢氏〈駁胡適之說儒〉，並參閱群籍以為授課之資。教學之暇曾撰有〈讀章太炎先生《原儒》札記〉，發表於《新亞學報》第二十九卷，[2]其後又撰〈讀錢賓四先生《駁胡適之說儒》札記〉，發表於《新亞學報》第三十二卷[3]，是則余撰寫探討錢教授學術之文字，本文為第二篇矣！

錢教授為當代經、史學大師，其研究經學著作則以《論語》用力最勤、用時最久，而所寫成之相關專書及論文數量亦最為富贍。錢氏乃新亞研究所之創辦人，余輩之師長。故撰作此文，余恪守弟子之禮，恭談其學術。而本文之撰作，則擬依目錄學著錄之法編理，

1 錢賓四先生全集編輯委員會：《錢賓四先生全集》臺北：聯經出版事業公司，1998年，第54冊，頁1。
2 新亞研究所：《新亞學報》香港：新亞研究所，2011年3月，第29卷，頁143-154。
3 新亞研究所：《新亞學報》香港：新亞研究所，2015年5月，第32卷，頁187-207。

不吝徵引錢著序、跋及近人研究成果，冀以客觀態度推介其《論語》學。於本文中，余絕不敢放言高論，更不敢作出任何不必要之批評，庶幾遵守「述而不作」之旨。此乃余撰寫本篇所本之存心，特將此點說明於卷端。

二 本論

拙文之撰作，承上所言，乃擬恭談錢教授研究《論語》之情事及其《論語》學之業績，以下約分三項細述如次：

（一）錢教授自述研治《論語》之情事

錢教授畢生研治《論語》不輟，故在香港學人中，錢氏用力於《論語》最勤，而相關論著亦應算較多。其所撰序、跋中，多有縷述一己鑽研《論語》之情事，其中《孔子與論語・序言》一篇，敘說至為翔實，全文依年經月緯寫來，層次秩然。茲無妨徵引以介：

> 余少失庭訓，賴母兄撫養誘掖，弱冠為鄉里小學師，即知孔孟書。為諸生講句法文體，草為《論語文解》，投上海商務印書館印行，獲贈書券百元，得購掃葉山房等石印古籍逾二十種。所窺漸廣，所識漸進。時為民國七年，新文化運動方甚囂塵上。竊就日常所潛研默體者繩之，每怪其持論之偏激，立言之輕狂。益自奮勵，不為所動。民十一轉教中學，先在廈門集美學校一年，轉無錫第三師範。校規，每一國文教師分班負責，隨年級自一年遞升至四年；一班畢業，周而復始。每年有特定課程一門，曰「文字學」、「論語」、「孟子」、「國學概論」。余按年編為講義，自《文字學大義》、《論語》、《孟子要略》、《國學概論》，四年得書四種。惟《文字學大義》以篇幅單薄，留待增廣，今已失去。其他三種，絡續出版。時有中學同學郭君，遊學東瀛，與余同事；其案頭多日文書，余借讀得蟹江義丸《孔子研究》一書，始知《史記・孔子世家》所載孔子生平歷年行事多疏誤；自宋迄清，迭有糾彈。余在《論語要略》中先撰有〈孔子傳略〉一章、《孟子要略》中續草〈孟子傳略〉。時國人治先秦諸子之風方熾，余益廣搜書籍，詳加考訂，擴大為《先秦諸子繫年》。民十九赴北平，在燕京、北大、清華、師大諸大學授課。默念衛揚孔道，牽涉至廣，茲事體大，不能專限於先秦孔孟之當時。抑且讀書愈多，乃知所瞭解於孔孟之遺訓者乃益淺。因遂不敢妄有論著。數年中，草成《近三百年學術史》。避日寇，至滇南，獨居宜良山中，草成《國史大綱》。轉成都，病中讀《朱子語類》全部，益窺由宋明理學上探孔孟之門徑曲折。避赤氛，至香港，創辦新亞書院，乃又時時為諸生講《論語》。赴美講學，以羈旅餘閒，草為《論語新解》。辭去新亞職務，移居來臺，草為

> 《朱子新學案》。又值大陸批孔之聲驟起，新近又草為《孔子傳》。並彙集港臺兩地二十年來所為散文，凡以孔子與《論語》為題者，得十六篇，成為此編。回念自民初始知讀孔孟書，迄今已逾六十年，而余年亦已八十矣。先則遭遇「打倒孔家店」之狂潮，今又嗅及「批孔揚秦」之惡氛。國事日非，學風日窳。即言反孔一端，論其意義境界，亦復墮退不可以道里計。然而知讀孔孟書者，亦已日益凋零。仰瞻孔孟遺訓，邈如浮雲天半，可望而不可即，抑且去我而日遠。念茲身世，真不知感慨之何從也。
>
> 中華民國六十三年七月七日錢穆識於臺北士林外雙溪之素書樓。[4]

據〈序言〉所記，則錢氏治《論語》，始自「弱冠為鄉里小學師」，因「為諸生講句法文體」，乃草成《論語文解》一書，時為民國七年，西元一九一八年，教授二十三歲。《論語文解》，乃其治《論語》之處女作。惟其時教授之教學，側重語法、修辭之詮解，而不甚重視義理之傳授。民國十一年（1922）後，轉教廈門集美學校、無錫第三師範學校，因遵從校方規定課程，講授《論語》，乃有《論語要略》之撰作，時二十七歲。民國十九年（1930）赴北平，任教燕京、北大、清華、北京師大各大學，讀書愈多，自謂不敢於孔孟遺訓妄有論著。自此以迄一九四九年南下香港，創辦新亞書院，始再為諸生講授《論語》。一九六〇年赴美講學，羈旅餘閒，草成《論語新解》，時教授六十五歲。一九七四年，又彙集二十年來所為文，取以孔子、《論語》為題者，編成《孔子與論語》，〈序言〉署年為民國六十三年（1974）七月七日，則教授已年屆八十，治《論語》逾六十載矣！撫今憶昔，親覩「國事日非，學風日窳」，而「仰瞻孔孟遺訓，邈若浮雲天半」，故握管為文之際，又不禁感慨系之矣！

惟教授之研治《論語》固不至八十歲時而截止。其〈四書釋義再版序〉曰：

> 政府遷臺後，張曉峰先生任教育部長，約人彙編《國民基本知識叢書》，邀余撰《四書》之部。余養病臺中，遂增《學》、《庸》兩編，併《語》、《孟》要略，合成一書，取名《四書釋義》。去春重閱舊稿，略有刪訂，較以《論語要略》一編為多。交付學生書局重排印行。特誌其緣起於此。
>
> 中華民國六十七年六月錢穆識於臺北外雙溪素書樓，時年八十有四。[5]

觀是，則至民國六十七年（1978）六月，教授因編理《四書釋義》，仍就《論語要略》多所刪訂，時已八十有四矣。

---

4 同註1，第54冊，頁21-22。

5 同註1，第54冊，頁6-7。

又讀錢教授〈論語新解再版序〉，其序末云：

> 余年六十五，赴美任教於耶魯大學。余不能英語，課務輕簡，乃草為此注，自遣時日。余非敢於朱《注》爭異同，乃朱子以下八百年，解說《論語》屢有其人，故求為之折衷。及近年來，兩目成疾，不能見字。偶囑內人讀此舊注，於文字上略有修改，惟義理則一任舊注。事隔一月，忽悟此序以上所陳之大義，乃作為此書之後序。中華民國七十六年雙十節錢穆識於臺北外雙溪之素書樓，時年九十有三。[6]

是知，教授六十五歲成《論語新解》，以迄九十三歲，時「兩目成疾，不能見字」，仍勤勤懇懇，囑夫人代讀舊注，以為修改。是則其重視《論語》，及眷愛此書之情狀為何如耶？觀斯〈再版序〉固可知之矣！

綜上徵引錢教授所撰三篇序文，以考核其研治《論語》之情實，蓋始自弱冠草成《論語文解》，絡繹則撰有《論語要略》、《論語新解》，後又編理《孔子與論語》、《四書釋義》，而嗣是以迄九十三歲耄耋高齡，猶不辭辛勞修訂《論語新解》舊注，藉此以統計其研治《論語》之歲月，庶近七十三年矣！

（二）錢教授研治《論語》而撰成之專書

錢教授研治《論語》凡七十三年，所撰就專書，計有（一）《論語文解》、（二）《論語要略》、（三）《論語新解》、（四）《孔子與論語》（附《論語新編》）。茲依次恭述如下：

1 《論語文解》

此書乃錢教授研治《論語》撰就之處女作，現收入《錢賓四先生全集》第二冊中。聯經出版事業公司所撰〈出版說明〉曰：

> 民國二年至八年間，錢賓四先生往來於無錫蕩口、梅村兩鎮，任教於私立鴻模學校與無錫縣立第四高等小學，《論語文解》即撰成於此一時期。其時先生教授《論語》課程，適讀馬建忠《馬氏文通》，逐字逐句按條讀之，不稍疏略，因念《馬氏文通》所詳論者字法，可仿其例論句法，遂即以《論語》為例。積年乃成此書，為先生生平正式著書之第一部。以稿郵送上海商務印書館，於民國七年十一月出版。數十年以來，是書僅此一版；商務未再重印，故未久即告絕版。其後國事蜩螗，先生奔走南北，以致亦未能保有此書。逮先生晚年定居臺北，海外有藏其書者，持以相贈，

6 同註1，第54冊，頁19。

> 然後復得之。而先生以不斷從事新撰著，一時無暇對之重行修訂，因亦未再梓行。此書既為先生之第一部著作，今編為《全集》，自應收入。惟以原書未再有所改訂，故此次重排，乃以原版為底本進行整理。此書主要以「起、承、轉、合」標明《論語》句法，然以當時排印所採字體以及各種標識符號，嫌於簡陋，不盡理想，今改用不同之字體與符號，務求層次分明，顯豁文意。其內容則除改正原版若干明顯誤植文字外，不作任何更動。[7]

讀之可悉錢氏撰作此書之情狀，及聯經再行整理並編入《全集》之過程。

此書另有錢教授所撰〈序例〉，中有云：

> 我國文字之學，自來號為難究。自學校師襲西法，而文字之教授，獨仍舊貫，無所變進。而歲割月折之病益見，學者徒靡心力而收寡效。夫不得其所以組織會成之理，而摩撫於外之跡似，而求以能其事，其徒勞而無功，固其宜也。吾國之論文法者，首推丹徒馬氏之書。然繼而究之者甚少，故其言猶多失正。又專主句讀，於篇章之理，有所不及。間嘗有意匡其失而補其闕，而卒卒亦無所就。私獨以莊生之言，觀於文字，所謂「未嘗見全牛」者，而稍稍告諸學者，學者喜之。退而編為此書，以發其趣。其於大郤大窾之處，可謂盡之。學者循之以進，庶乎其可望其無遇全牛，而善葆其刀也。蓋馬氏之書，自詡特創，故亦不能無疵。今茲所稱，意主蒙求，然亦多前人所未及者。匡捄繩切，以完其說，而益以進明夫斯文之大理，是深有賴於當世之君子也。[8]

是錢氏固有所不愜意於馬建忠（1845-1900）《馬氏文通》讀書「專主句讀，於篇章之理，有所未及」之失當，故「退而編此書，以發其趣」。〈序例〉又云：

> 小學生讀書國民學校，綴字造句，為師者可以運用句讀字詞之義法以為教，未可直以句讀字詞之義法之教也，逮入高等小學，無不能造句者矣。進而學為短篇之文字，則惟句與句之相續，所謂起、承、轉、結之四法者最要。若復授以句讀字詞之義法，太淺則為已能，較深又非急用。不若俟其粗能屬文，然後為具體而稍精密之講解，則可於中學校以上行之。此編本此意以成書，重在句與句之相續，而字詞句讀之義法，亦可於此窺其大要。
>
> 《論語》文簡淡切實，於古籍中較易指講，又為學者不可不讀之書。今學校既無讀

7　同註1，第54冊，頁8。

8　同上註，頁9-10。

> 經一科，故本編專引《論語》，俾學者非惟明斯文理致之大要，亦以稍窺經籍，以資修養之準。[9]

依上所述，則錢氏所謂發《馬氏文通》之趣者，特用起、承、轉、結之法以進行句與句相續之教學，又藉《論語》以為指講，俾學者稍窺經籍，而明其篇章之理，以為修養之準也。

〈序例〉署年為「中華民國七年端午於縣立第四高等小學之西廡無錫錢穆識」，即為西元一九一八年，此書撰成最早，確乃錢氏正式著作之第一部矣！

2 《論語要略》

此書成於民國十三年（1924），錢氏初任無錫江蘇省立第三師範學校國文教席，書成即交上海商務印書館刊行。至民國四十二年（1953），教授又將之合以《孟子要略》、《大學釋義》、《中庸釋義》，並稱為《四書釋義》，收入《現代國民基本知識叢書》中，是年六月在臺北由中華文化事業委員會出版。此書有錢氏〈四書釋義再版序〉，已揭載於前，茲不再徵引。而聯經《四書釋義》之〈出版說明〉則曰：

> 《論語要略》成書於民國十三年，《孟子要略》成書於翌年，曾分別在滬上單獨出版。(《論語要略》由上海商務印書館刊行，《孟子要略》則由另一書肆刊行。）二書原為先生在江蘇省立第三師範學校任教之講義，與《論語文解》、《國學概論》同為先生生平著述之始業。《大學》、《中庸釋義》則撰於民國四十二年，乃應張曉峰先生之邀而作，取與《論》、《孟》兩《要略》合為《四書釋義》，作為《現代國民基本知識叢書》之一種；是年六月在臺北由中華文化事業委員會出版。六十七年六月，復由臺灣學生書局改版發行。此版曾經先生親自刪訂一過，其中《論語要略》部分改易稍多。
>
> 今《全集》新版之整理，即以學生書局六十七年修訂初版為底本，另加入書名號、私名號以利誦讀。歷次排版偶有誤字，引文亦偶有漏略，皆查對原典，隨文改定。又原書正文、引文、注解、按語層層分立、易生混淆，今則改以較清晰之版式處理，以清眉目。[10]

將錢氏〈四書釋義再版序〉，與聯經〈出版說明〉前後兩相比照，則知此書再版乃在民國六十七年（1978）六月，由臺北學生書局改版發行，其後聯經本又以學生書局本為底本，合編為《四書釋義》，收入《全集》第二冊中。

9　同上註，頁10-11。

10　同註1，第54冊，頁5-6。

3 《論語新解》

此書乃錢教授治《論語》所撰之第三部專書，始作於民國四十一年（1952）春，其後絡繹更訂，終成於民國五十二年（1963）十月，時教授六十八歲。惟延至九十三歲，錢氏猶囑夫人讀其舊注，而於文字上有所修正。有關此書撰作主旨及過程，錢氏於所撰〈序〉，與〈再版序〉中，記之甚詳。臺灣聯經〈出版說明〉亦於此事，記述首尾完整，分析詳明，茲節引之以為介紹。

> 《論語》一書，自西漢以還，二千年來，為中國一部人人必讀書。宋以前，讀其書者多重何晏《集解》。自南宋朱子《論語集註》出，明、清兩代據以取士，故八百年來，朱《註》乃最為學者所重。清儒考據訓詁之功深，於朱《註》之誤，多所糾正；然亦往往拘於門戶之見，刻意樹異於朱《註》而轉有失之者。錢賓四先生《論語新解》之作，即就歷來各家解說，條貫整理，摭取諸家之長，深思熟慮，求歸一是。所謂「新解」云者，乃朱子以下之新，非欲破棄朱《註》以為新。蓋對《論語》原文，特以時代語言觀念加以闡釋申述，每章之後，復附之以白話試譯，求其通俗易於誦覽，以適合今日之時代需求，成為一部人人可讀之《論語》註解。讀者可先讀此書，再讀朱《註》，亦可讀朱《註》後，再讀此書，庶乎更得《論語》之真義。
>
> 是書始作於民國四十一年春，以白話撰稿未及四分之一。已而悔之，以謂用純粹白話解《論語》，極難表達其深義，遂決心改寫。惟因香港新亞書院校務紛煩，其事遂寢。逮四十九年春，先生講學美國耶魯大學，授課之餘，窮半年之力以平易之文言改撰，獲成書之初稿。返港後又絡續修訂，越三年，於五十二年十二月由香港新亞研究所發行初版。五十四年四月復在臺北影印刊行。及先生晚歲，雙目失明，仍於七十六年囑夫人胡美琦女士讀此注，對原版文字略有修改。翌年四月交由臺北東大圖書公司重印再版，重印時並增入〈孔子年表〉。
>
> 此次重排，以東大版為底本，除校正若干原書誤植文字外，並增入私名號、書名號及引號，以期文意較顯豁，方便一般讀者閱讀。整理排校，雖慎重從事，然缺點錯誤，恐將難免，敬祈讀者不吝教正。[11]

〈出版說明〉實概括錢教授所撰〈序〉與〈再版序〉內容而撰就。書名曰「新解」，非欲破棄朱熹之《注》以為新，特利用現代語言觀念，對《論語》原文加以闡釋申述，每章之後附以白話解譯，以求通俗，易於誦覽。是錢氏此書撰作方法，固迥殊於何晏《集解》、朱子

11 同註1，第54冊，頁12-13。

《集註》，亦不苟同清儒程樹德《論語集釋》之寫作法式也。此書收入《全集》第三冊。

4 《孔子與論語》

此書初版於民國六十三年（1974）九月，收文十八篇；其後重刊，多增十一篇，凡廿九篇，乃錢氏將歷年治孔子、《論語》所撰之單篇論文而仍未收入上述三種專書者，彙輯以成。《錢賓四先生全集》之〈出版說明〉曰：

> 錢賓四先生畢生崇揚孔學，其最先出版第一種著作，即為《論語文解》，時維民國七年。民國十三年任教於無錫江蘇省立第三師範學校，編撰《論語要略》；其書於四十二年收併入《四書釋義》中。二十四年出版《先秦諸子繫年》，於孔子生平歷年行事，多所考訂。五十二年出版《論語新解》，通釋《論語》全書。六十三年又撰有《孔子傳》，詳述孔子生平，考論復有超出於舊著之上者。本書則係先生將歷年治孔之單篇論文，而未收入上述專書者，彙輯而成。初版於民國六十三年九月，由臺北聯經出版事業公司印行。原收文十八篇；此次重刊，增入相關論文十一篇，合為二十九篇。[12]

考此書所收治孔子之論文計二十篇，而治《論語》論文僅九篇。其《論語》之部即收入此書之第六篇〈孔子誕辰勸人讀《論語》並及《論語》之讀法〉、第七篇〈再勸讀《論語》並論讀法〉、第八篇〈談朱子的《論語集注》〉、第九篇〈漫談《論語新解》〉、第十篇〈談《論語新解》〉、第十一篇〈再談《論語新解》〉、第十四篇〈孔子《論語》與中國文化傳統〉、第十五篇〈本《論語》講孔學〉、第十七篇〈從朱子《論語注》論程朱孔孟思想歧點〉。此九篇所撰，足補前三專書內容所未及。[13]

（三）錢教授《論語新編》及其《孔子與論語》書中闕收之《論語》單篇論文

錢教授原有舊作《論語新編》，民國六十四年（1975）十月由臺北廣學社印書館將其與《孔子傳》合刊出版。聯經本《錢賓四先生全集》第四冊收《孔子傳》，而附錄文章五篇，所附錄之第五篇即《舊作論語新編》也。聯經本所收《論語新編》乃據廣學社本重編，其編理方法據《孔子傳・出版說明》云：

---

12 同註1，第54冊，頁20。

13 近日赴臺北，購得北京商務印書館2014年12月第1版之《勸讀論語和論語讀法》一書，該書除收有錢先生治《論語》上述所有九篇外，另增加〈四書義理之展演〉一文，凡十篇。如合此一種，則錢先生治《論語》之專書為五種矣。

> 《論語新編》中每章原文下但注篇次，今添注出每篇篇名及章次，以便檢索；其章次則悉準先生所著《論語新解》。又於每章前加上◎符號，以醒眉目。[14]

是則聯經本《論語新編》之重編甚具條理，章次既悉準《論語新解》，則其檢索可與《新解》相參，而利用上較為方便。

至《孔子與論語》闕收錢氏所撰有關《論語》之論文，余據孫鼎宸〈錢賓四先生主要著作簡介〉[15]所附〈錢賓四先生論著年表〉，檢拾得以下五篇：

（一）〈李著《論語孔門言行錄》序〉（孔子二五〇四年誕辰紀念日謹序）

案：此文撰於民國四十二年（1953）孔子誕辰紀念日，時教授五十八歲。其題目之「李著」，乃指李榕階（生卒年未詳）著。《論語孔門言行錄》有致知堂叢刊本。蓋該書由李致知草堂於一九五四年一月初版，書分上、中、下三冊，錢〈序〉在卷首第一～二頁。

（二）〈從《論語》朱注論孔、孟、程、朱思想異同〉（《清華學報》6月）

案：此文撰於民國四十九年（1960）六月，教授六十五歲。與《孔子與論語》所收之〈從朱子《論語注》論程朱孔孟思想岐點〉疑同屬一篇，題目或經錢氏修改。

（三）〈孔子誕辰勸人讀《論語》〉（臺北《中央日報》）

案：此文撰於民國五十一年（1962）九月，教授六十七歲。與《孔子與論語》所收之〈孔子誕辰勸人讀《論語》並及《論語》之讀法〉疑同屬一篇，或內容有刪訂，故題目亦隨而更改。

（四）〈紀念孔子讀《論語》〉（《新亞生活》5卷15期）

案：此文撰於民國五十一年（1962）九月，教授六十七歲。其文或就前篇改寫，略易題目，轉載於《新亞生活》五卷十五期。

（五）〈三談《論語新解》〉（六月十二日新亞研究所學術討論會講）

案：此文撰於民國五十三年（1964）六月十二日，教授七十一歲，此文未見發表。考錢氏此年三月六日於新亞研究所學術討論會講〈談《論語新解》〉，四月廿四日又於新亞研究所學術討論會講〈續談《論語新解》〉，故此篇稱「三談」。此三次演講，未知新亞研究所曾派員全文詳細記錄，或現場錄音否？

三　結語

以上恭談錢教授《論語》之研究及其著述，藉悉其研治《論語》始自「弱冠為鄉里小

---

14 同註1，第54冊，頁24。

15 孫鼎宸：〈錢賓四先生主要著作簡介〉附〈錢賓四先生論著年表〉，收入《錢穆先生八十歲紀念論文集》，1974年，頁449-479。

學師」，嗣是以迄九十三歲耄耋高齡，猶研治不輟。生前所著相關專書凡四種，《論語文解》為錢氏生平著書之第一部，民國七年（1918）十一月由上海商務印書館出版，時錢氏廿三歲。第二種為《論語要略》，撰成於民國十三年（1924），仍由上海商務印書館刊行，錢氏廿九歲。第三種《論語新解》，始撰於民國四十一年（1952），後絡繹耕耘，歷時十一載，終底成於民國五十二年（1963），此年十二月由新亞研究所初版，錢氏六十八歲。嗣後仍對原書文字續有修訂，七十七年（1988）交臺北東大圖書公司重印出版，時錢氏已九十三矣。第四種《孔子與論語》，其書專收歷年研治孔子與《論語》有關而未收入上述三種專書之單篇論文，其書所收《論語》論文僅九篇，初版於民國六十三年（1974）九月，由臺北聯經出版事業公司印行，錢氏七十九歲。另錢氏原有《論語新編》一書，民國六十四年（1975）十月由臺北廣學社印書館將之與《孔子傳》合刊出版，錢氏八十歲。聯經本則將此書作附錄，刊於《孔子與論語》書末。二〇一四年十二月，北京商務印書館出版《勸讀論語和論語讀法》，此書亦可視為錢先生研究《論語》專書第五種，惟時距賓四先生離世已四分一世紀矣！

綜合錢教授研究《論語》，就其撰作次序而言，可分為三大階段。始則鑽研《論語》之語法、修辭，成《論語文解》。其書以「起、承、轉、合」標明《論語》之句法，以便授學；此一階段也。次則以義理、訓詁、考據以研治《論語》，次第撰成《論語要略》、《論語新解》。錢氏之治《新解》，殆就何晏以來各家解說，條貫整理，摭取諸家之長，經深思熟慮後，以求歸一是；又以時代之語言觀念闡述《論語》原文，附以白話譯說，其目的乃欲撰就一部人人可讀之《論語》註解；此又一階段也。最後則注重講授《論語》之讀法，其晚年所撰之《論語新編》，及收入《孔子與論語》之各篇勸人讀《論語》與《論語》讀法諸文，皆此類也；此又一階段也。

《錢賓四先生全集》中有一篇名為〈九十三歲答某雜誌問〉，錢教授於開首則云：

> 我平生自幼至老，只是就性之所近為學。自問我一生內心只是尊崇孔子，但亦只從《論語》所言學做人之道，而不是從孔子《春秋》立志要成為一史學家。[16]

錢氏是國學大師，但一般人多以其撰有《國史大綱》、《先秦諸子繫年》諸史書，故而推崇之為史學家。惟讀上文，則可知悉錢氏所尊崇者為孔子，所欲效法孔子者為作教育家；至其讀《論語》之目的，乃欲從中學習做人之道理，並貴能實踐貫徹，故錢氏晚年認為講授《論語》之讀法實至為重要。

錢教授另有研究《論語》論文而未得收入聯經本《全集》中者，余就孫鼎宸所撰〈錢賓四先生論著年表〉檢出，凡五篇，題目已列前，至希聯經出版事業公司再版《全集》

16 同註1：第51冊；頁471。

時，能斟酌予以補入。五篇中之第一篇，《全集》所以未收，殆以撰人李榕階所著書，在香港面世至今已過一甲子，李書與錢氏所撰此〈序〉，一般讀者已難以讀到，茲謹載錢〈序〉於拙文之後，以為附錄，藉供讀者先覩為快。此〈序〉將來可補入《全集》第五十三冊、《素書樓餘瀋》「序跋」類，以作拾遺。

四 附錄

李著《論語孔門言行錄》序　　錢穆撰

余避難來港，獲識新會李汾甫先生。出其所著《論語孔門言行錄》示余曰：「此書方付梓，幸為我序之。」余讀其校本，蓋積十三年之功，網羅既富，參訂尤密，為書二十六卷，都二十八萬餘言，自先秦、兩漢以來未嘗有也。漢儒尊六藝，《論語》與《孝經》、《爾雅》僅列小學，不立於學官。魏晉之際，王弼、何晏之徒以清談說《論語》，雖時有所獲，而多失經意。宋興，朱子《集注》出，說義詳審，六百年懸為功令，為近世中國人人所必誦。然清儒毛奇齡《四書改錯》特闢「貶抑聖門錯」一目，其門人陸邦烈乃有《聖門釋非錄》之輯，雖詆訾未得其平，然自古治《論語》者，要為重於孔聖，忽於諸賢，欲究當年洙泗講學之詳，此不得謂非一憾事也。蓋述孔門事蹟，司馬遷雖為〈仲尼弟子列傳〉，《家語》復有〈弟子解〉。然《家語》經王肅竄亂，已非古傳之真。裴駰《史記集解》引鄭玄，知有《孔子弟子目錄》，然已失其傳。至如明夏洪基《孔門弟子傳略》，清朱彝尊《孔門弟子考》等編，皆簡略。今欲考孔門諸賢言論行事之詳覈者甚難，蓋未得其書也。清季阮文達督粵，建學海堂，提倡漢宋學兼采，粵之學者如朱九江、如陳東塾、如康長素，莫不聞風興起。汾甫先生蓋承粵學之統，其為此書，薈萃古今，訂其真偽，闡其精微，一編之中融會漢宋，考據、義理皆備。後有起者，有志尋究孔門學術淵源，此為不可闕矣。先生不以余無知，而督序及之，故不辭譾陋，為發其梗概如此。至其書詳密精審之所至，則俟讀者自得之焉。

中華民國四十二年癸巳，孔子二千五百〇四年聖誕紀念日，錢穆謹拜序於九龍新亞書院。[17]

西元二〇一五年四月十日初稿，二〇一七年元月二十五日何廣棪增訂於新亞研究所。

---

17 李榕階：《論語孔門言行錄》，1954年1月（致知草堂叢刊本），卷首。原文無新式句讀，錢〈序〉標點乃本人所加。

抗戰時期成都平原的農業生產

羅志強
香港新亞研究所

日本侵華戰爭期間，四川省是中國的大後方、國民政府的抗日根據地。四川省群山環峙，西北高而東南低，山地多於平地，惟成都一帶為為一大沖積平原，土質肥沃，農產豐富；又以都江堰水利灌溉之便，無乾旱之災，農產品除供平原民眾需用外，尚餘大量農產輸出。故四川之稱道為天府者，是指成都平原一地而言。此農產區的農業生產狀況，直接影響到抗戰的最後成敗，值得予以探究。

一　成都平原區域

成都平原由岷江南下沖積而成，範圍一般指都江堰流域各縣。都江堰於灌縣將岷江分流為二，向南稱為外江，支流有新開河、正南河、黑石河、沙溝河等，流至新津重新會合，東向稱為內江，主要支流有走馬河、蒲陽及柏條河，走馬河匯流府河，至彭山縣的江口，重注入岷江；蒲陽柏條兩河流至金堂的趙家渡，會合流入沱江。內外江除以上支流外，沿途又分成眾多支流，溝渠縱橫。內江灌溉區包括灌縣、郫縣、崇寧、新繁、彭縣、新都、成都、華陽、廣漢、金堂等十縣；外江灌溉區域包括溫江、雙流、崇慶、新津等四縣，灌溉面積約三百萬畝。灌溉方法，或攔河作壩，或沿河作堤，引水入渠，其入口處悉無閘，惟於渠道上築一排水闕，以洩餘水，此項建築統名「堰」。內外江大堰二百七十餘個，小堰不計其數。[1]

中央農業實驗所蕭逸樵在一九三七年初到成都工作，到步數日即開始水稻移栽工作，準備插秧的本田為一油菜田。蕭氏對堰渠的效用有如下描述：「插秧前一日，油菜方開始收獲，詎料晚間收獲甫畢，即引溝水灌入，翌晨則汪洋一片。此種情形在川中其他地方絕不易見，故關於稻作學之各項理論如秧田日排夜灌（可以吸熱保溫，促進生長）及旱秧田，均可實施。」[2]

成都平原十四縣僅有郫縣、溫江、新繁三縣全是平原，其餘十一縣皆有山地。見下表：

1　趙連芳：《川西平原之稻作》成都：農林部四川省推廣繁殖站，1942年，頁4。

2　蕭逸樵：〈成都平原農作生產之特點〉，《建設週訊》，23-26期合刊，1940年12月31日，頁79。

成都平原各縣面積概況

	全縣面積（平方公里）	平原區面積（平方公里）	平原區域%
郫縣	273.34	273.34	100
溫江	250.54	250.54	100
新繁	158.55	158.55	100
新都	243.54	228.93	94
成都	245.69	238.32	93
新津	315.47	261.84	83
雙流	287.65	230.12	80

	全縣面積（平方公里）	平原區面積（平方公里）	平原區域%
廣漢	499.15	389.37	78
崇寧	178.35	114.14	64
華陽	957.37	421.24	44
崇慶	1,116.25	323.71	29
彭縣	1,692.17	439.96	26
灌縣	1,165.00	163.10	14
金堂	1,411.60	112.93	8

資料來源：四川省陸地測量局，見劉儒：〈成都平原之區域分析〉，《四川經濟季刊》（第3卷第3期，1946年8月，頁63）。

四川省面積廣袤，地理環境複雜，作物種類繁多。一九三六年，四川省建設廳將川省分成七個農業區，其標準如下：根據作物面積或所需人工的數量分類，例如無論何處，若小麥面積佔耕地面積百分之二十或以上，即定為該處的主要作物，如無其他主要作物即可稱為小麥區。栽培小麥所需的人工，為另一個標準，與其他農作物比較。例如棉花每畝平均所需要的人工，三倍於小麥，故無論何處，若棉花佔耕地面積百分之七或以上，即定為主要作物。水稻每畝所需的人工，倍於小麥，故無論何處，若水稻佔耕地面積百分之十或以上，亦算作主要作物。[3]

按上述標準，四川省作物的分佈情形如下：（一）桐油水稻區、（二）水稻雜糧區、（三）甜薯稻棉區、（四）水稻區、（五）稻麥玉蜀黍區、（六）玉蜀黍區、（七）農牧區。成都平原的崇慶與灌縣屬稻麥玉蜀黍區，其餘皆在水稻區，可見成都平原的農作物以水稻為主。

二　耕作習慣

（一）農制

川東川南川北稻田，為防天旱，不得不蓄冬水田。冬水田係於夏季水稻收穫後蓄水越冬，以待來春插秧，每年只種一季，故稱一熟制。至於成都平原大部分的田地，至少為兩

3　劉潤濤：〈四川省的農業方式〉，《經濟週訊》，第3期，1939年11月29日，頁21。

熟制。事實上一般農民，每年於水稻收穫後，多種一季生長期短的蔬菜。收穫後方種小麥油菜之類，亦不至有衝突而違農時。成都平原更有一特點，即甚少荒地，青草難求，農民飼養的耕牛，每年亦須留一小塊地方撒種牧草，以為飼料。

（二）土壤

成都平原氣候溫暖，土壤由岷江沉積而成，概屬一種砂質良土，色黑富於有機物，一般人稱此土壤為「黑油砂」，且有一俗語曰：「錢多好買黑油砂」，於此可概見其為良田美土。[4]此種砂質良土與水利配合下，各種農作物作蔬菜果樹無不適宜，對於蔬菜尤為適合，因此種土壤排水力大，故無積水防害蔬菜的根部。同時黑色土壤又能吸收日熱，增加土壤溫度；且因土質疏鬆，空氣流通，可促使肥料分解。

水稻本適宜於粘土生長，因粘土排水力極小，可以蓄水，不致滲漏，否則不能栽水稻。川東稻田均為粘土故不成問題。至於成都平原雖為砂壤，不易保水，稻田灌水滿田，三四日即漏至可見泥土，但因灌溉便利亦無問題。

（三）肥料

中國農民皆知肥料之重要。成都一帶，人糞為珍貴肥料，農家屋宇狹小，多用泥土蓋建，但糞坑卻用堅固石土築成，可見當地對肥料的重視。[5]成都平原人口密度高，肥料供給充分，且小河滿佈，肥料可用木船大量運輸下鄉，價錢廉宜，故成都平原常能保持土壤肥力。重慶人口較成都多，但因運輸困難，糞肥均棄於陰溝而流入大河，毫未利用。[6]

成都平原農民栽種水稻前，先在秧田施基肥，隔十餘日又追肥，本田亦施基肥及追肥。川東因肥料來源有限，僅施基肥一次。成都平原的麥豆及雜糧亦施肥二三次，川東川南川北基肥只施一次，且量又少。所以成都平原農作物生長特另茂盛。此外，農家多種苕子以為綠肥施於稻田，增加產量收效極大。川中其他地方則甚少種植苕子。

（四）耕作

耕作可分四點分析：第一，難易：土壤最易耕作者為砂質土壤，其次為粘質壤土，最難為粘土，砂質壤土疏鬆不堅，故施工少。粘土須耕鋤三四次，尤不能細碎，且須用鋤鋤

4　蕭逸樵：〈成都平原農作生產之特點〉，《建設週訊》，23-26期合刊，1940年12月31日，頁80。

5　李明良：〈四川成都平原五十個田家之調查〉，載李錫周《中國農村經濟實況》北平農民運動研究會，1928年，頁177。

6　〈成都平原農作生產之特點〉，頁80。

細，工作極為緩慢。故成都平原農民整地完全不用鋤，耕耙一次即可下種栽植。川東整地須先耕耙一次，又繼以打碎鋤細，一地整理頗費勞力與時間，極不經濟。[7]第二，勤惰：成都平原土質鬆，易施工，且土肥水足，作物快速生長，故雜草亦難滋長，故常不見農民在田間工作，四川人均稱成都農民懶惰，事實上亦因田間播種以後即少工作，不得不懶。然農民並未懶，多將其剩餘時間從事副業。農家副業，皆喜養豬，豬既可食用，豬糞亦為良肥之一，而養豬的利潤為農產以外，最大的收入來源。第三，農具：成都平原的鋤，鋤身寬短，與川東長而仄的鋤相反，此即因土壤相異所致。犁輕而尖，在砂壤中尤易拉走。種豆窩鍬為一鐵質手杖，人持木柄，垂直觸地即成一穴，用以種豆，工作甚快且便。水稻收穫後不須犁田即種葫豆，省事而生長亦佳。第四，成都平原已屬精耕經濟農業，然與粗放農業相較，勞力使用反而較少。成都農家種十五至二十畝，只需長工一人即夠用（但播種收穫農忙時須雇短工幫助），至於川東，長工一名僅能種五畝至十畝。[8]

三　租佃制度

四川在民國以前，階級觀念素不明顯，加之四川地廣人稀，物產優厚，有清二百年來，問題大半耗於移民墾地，擴耕農田之類。所謂階級問題，從未發生。又因中小地主特多，土地不易集中，大地主亦少，且農民生活安定；佃農多在鄉產田地耕作，待遇不差，故階級意義並不顯明。[9]

民元以後，川省軍閥割據，擾攘不已，軍閥為籌龐大軍費，向下榨取，巧立稅目，濫設糧額，小民不勝其苦，有田者因收入有限，不足以應軍苛求，最後惟有被迫出售。農民除受軍閥蹂躪外，復有土匪騷擾，無所不為，難以敉平，農民不能安居，只有流亡避難。公有田產漸為官紳出售，軍人政客常以囊刮所餘，高價收買田地。[10]於是四川農民階層漸生變化。

（一）佃戶階層

一九三一年，四川佃農佔全省農戶百分之五十六，超過全國平均數百分之二十五。至一九三二年，又增至百分之五十八，一躍而居全國第一位。[11]嗣後川政統一，軍政漸上軌道，軍人之勢稍息，加以連年豐稔，農村經濟活躍，故自耕農農見加增。

7 〈成都平原農作生產之特點〉，頁81。

8 〈成都平原農作生產之特點〉，頁81。

9 張肖梅：《四川經濟參考資料》上海：中國國民經濟研究所，1939年，頁15。

10 中國農民銀行：《四川省農村經濟調查報告》，第7號，1941年，頁3。

11 中國農民銀行：《四川省農村經濟調查報告》，第7號，1941年，頁3。

川省各年間地權消長既如上述，然一省之內各縣地權分佈情形又相差懸殊，大凡交通發達地區，土質肥沃，灌溉便利之地，佃農所佔之百分率較高。成都平原臨近省會，人口極多，地價昂貴，普通農家不易擁有土地，所以佃農比例特別多。川農所在抗戰期間，分別在一九三八年和一九四二年調查四川省田權分配狀況。見下表：

成都平原水稻區農地所有權百分率

	1938年			1942年		
	自耕農	半自耕農	佃農	自耕農	半自耕農	佃農
彭縣	9.1	36.4	54.5	31.0	20.0	49.0
新都	18.2	15.9	65.9	2.0	15.0	83.0
新繁	-	-	-	20.8	16.2	63.0
成都	14.8	16.4	68.8	10.0	10.0	80.0
崇寧	27.4	17.9	54.7	40.0	20.0	40.0
郫縣	23.3	12.6	64.1	25.4	19.8	54.8
溫江	15.0	18.5	66.5	21.5	19.3	59.2
雙流	23.3	23.4	52.3	16.0	54.0	30.0
華陽	25.6	13.5	60.9	25.0	23.3	51.7
新津	24.1	38.3	37.6	21.1	37.2	41.7
平均	20.1	21.4	58.5	21.3	23.5	55.2

資料來源：《四川省農情報告》
（第1卷第12期，1938年11月，頁403；第5卷第10-12期，1943年2月，頁63）

上表顯示一九四二年的佃農平均比例有所下降。期間因物價上漲，投資工商品周轉迅速，擁資者改向工商市場埋首，對農地不再留戀，故自耕農和半自耕數量稍有起色。[12]即使如此，成都平原大部分的耕地仍由佃農耕作。中國地政研究所在一九三九～一九四〇年調查四川省四萬六千多戶農家，十二萬二千餘畝耕地，統計出各區自耕與佃耕面積。

四川耕地面積分配表

	成都平原	川西南區	川西北區	川東區
自耕面積 %	19.28	14.98	42.89	22.58
佃耕面積 %	80.72	85.02	57.15	77.42

資料來源：郭漢鳴、孟光宇：《四川租佃問題》（重慶：中國地政研究所，1944年，頁12-19。）

12 《四川省經濟調查報告》，第7號，頁3。

上表顯示，成都平原的佃農，佃耕區內八成耕地，可見租佃制度極為盛行。

（二）租佃手續

成都平原佃農佃田，一般從地主租入；另有少數向佃戶或自耕農租入，俗稱為「小佃」。當地佃戶數目眾多，每有田地出租，佃農即央求「中人」介紹，會同商洽，俟條件談妥，約定時日，會同證人，齊集地主家，由佃戶設席款待，書立租約，繳足押金，租佃手續乃告完成。[13]

租佃契約均無期限，最少一年，佃約內容各地大同小異，不外下列諸項：（1）租佃雙方和證人；（2）田地大小，座落位置和附帶房屋用具；（3）押金數額和押扣成數；（4）租額；（5）繳租方式；（6）欠租、退佃和轉佃的規定；（7）稅捐的分擔。[14]

（三）繳租方法

成都平原流行穀租法，即定額穀租。當穀物收獲曬乾後，地主或代理收租人，即携斗至佃農農家，依租約所定的租額過斗，惟必先看穀是否乾透及有否雜質，遇有不滿意時，會拒絕接收。過斗後，由地主隨來的力役擔歸，或由佃農送往。如佃家距地主家宅甚遠，地主多供膳食。地主或代理人往佃家收租時，佃農例須招待飲食。亦有地主在佃農屋旁設倉，過斗後，即時入倉。佃農有義務照應，待地主欲賣時，即啟倉出售。[15]

一般佃農並不反對穀租制，這與四川省家家戶戶養豬有關。每屆九、十月秋收後不久，佃農準備繳租。當地習慣在過斗作實後，佃農拿穀舂米，穀糠留給佃戶作餵豬之用，白米交付米商或地主。所以名義上雖稱穀租，實際繳付的是白米。

佃農租田須繳納押金，過去押金制度多為人詬病。有說押金是地主剝削佃戶的法門。[16]《四川省經濟調查報告》亦謂押金制度為地主對佃農所加之桎梏，蓋佃農多屬貧困，為求得耕地，不惜舉債以納押金。[17]時至今日，還有學者認為押金「由起初的地租保証演為殘酷的高利貸盤剝，使地租剝削變得更加苛重。」[18]押金的名稱因地而異，川西稱押金，川東稱穩錢，川北稱土莊錢，川南稱為穩首。押金數額，頗不一致，通常為上田地價的百分之五，山田的百分之一。[19]但此僅為一般標準押金率，實際或以人情而減少，或地主困乏而加

13 羅尚林：〈溫江縣農村經濟〉，《農業經濟季刊》，第1卷第2期，1945年7月，頁25。

14 陳太先：《成都平原租佃制度之研究》臺北：成文出版社，1977年，頁32494。

15 《四川省經濟調查報告》第7號，頁14。

16 呂登平：《四川農村經濟》上海：商務印書館，1936年，頁197。

17 《四川省經濟調查報告》第7號，頁16。

18 劉克祥〈近代四川的押租制與地租剝削〉，《中國經濟史研究》，2005年第1期，頁18。

19 《西南實業通訊》，第1卷第6期，1940年6月，頁31。

多。成都平原押租有息，稱為押扣。押扣之制是四川一種特殊制度，通行區域僅限於成都平原，其他地方絕少，即使在成都平原也只盛行於上中等田地。其實佃農對押租制並不討厭。從金陵大學訪問溫江縣佃農的調查表裡，發現所有佃農皆歡迎押租制，原因是押租有息。略為富有的佃農，寧願繳納多些押金，換取押扣。[20]問卷內亦發現，佃農向在鄉地主租佃，佃客與業主的關係較為密切，遇有災歉，業主亦通容緩繳穀租。[21]所以成都平原的主佃關係並非如共產黨所言，需要來一次澈底的土地改革。不過成都平原的租佃制度確有些弊端，這個制度在戰時衍生頗多問題和糾紛。

四　農作產量

成都平原以至整個四川省皆為產米之鄉。據清代地方誌記載，「川省產米素稱饒裕，向由湖廣一帶販運而下，東南各省均賴其利。」[22]民國以後，情況一改以往。據實業部公佈，一九三三年全川稻米種植面積四千多萬畝，穩佔川省第一位，在全國各省中，亦佔第二位。然而當年即使豐收，尚不足全川人口食用。所以湖南湖北食米，常輸入川省。[23]此現象或可追溯至民國初年。自第一次世界大戰結束後，各國深感糧食自給之重要，遂積極改良種植方法。不久糧食供應過剩，各國開始割價傾銷。中國沿海各省，運輸暢通，最易受入超壓迫，為防漏卮過巨，亦設法改良生產。最早見成效者首推浙江省，省府設有一總場，內分稻麥棉蠶等場，各司其事。此外，大學紛紛成立農學院，從事研究和推廣工作。[24]佼佼者有金陵大學、東南大學、中山大學等。

反觀四川，當地的大學和試驗場就沒有東部地區一樣幸運。成都的華西協合大學雖早在一九〇九年成立，但要遲至一九三七年才增設農學系。不但農業，其他科學領域也無人踏足。R. E. Morse 在二三十年代派駐華西協合大學行醫。他形容當地自然資源豐富，是科學家夢寐的天堂，可惜缺乏實驗室、圖書館和儀器，所有科學研究無法展開。[25]理學院的 Dickinson 教授在一九二二年曾引進一批加拿大乳牛，主要為附近教區提供牛奶，對當地農民得益不大。[26]協合大學也曾嘗試改進當地的糧食作物和經濟作物，但效果不佳，有些甚至

20 四川省檔案館藏：《四川省農業改進所檔案》，〈溫江縣佃農調查表、地主田場周年收支調查表〉，全宗號148，案卷號1394。

21 四川省檔案館藏：《四川省農業改進所檔案》，〈溫江縣佃農調查表、地主田場周年收支調查表〉，全宗號148，案卷號1394。

22 嘉慶《四川通誌》，卷72。

23 劉大悲：〈抗戰期中四川糧食增加產量之意見〉，《四川農業》，第3卷第3期，1938年5月，頁3

24 魏文元：〈四川稻麥育種場計劃書〉，《四川農業》，第1卷第6期，1934年6月，頁10。

25 *The Chinese Recorder*, vol. 63, no. 10(Oct 1932): 633-635.

26 Lewis C. Walmsley, *West China Union University*(New York: United Board for Christian Higher Education in Asia, 1974), 115.

失敗。例如在三十年代初，當地曾引進幾種金陵大學培植的小麥，結果完全不適應環境。[27]又如川省稻田面積雖居全國第二位，然而川省水稻畝產量卻較他省為低。

各省水稻畝產量 單位（斤）

省名	秈稻	糯稻
湖南	410	355
湖北	343	271
四川	319	298

資料來源：《四川農業》（第3卷第3期，1936年5月，頁3）

另外協合大學曾引進美日兩國及中國各地的梨樹，嘗試與當地品種嫁接，可惜徒勞無功。其他品種的水果，如檸檬、柑橘等，在抗戰期間始得到重大改進。[28]

自國民政府退居重慶後，四川糧食需求甚殷，政府千方百計鼓勵農民增產，但偏偏在稻米生產上，卻不太成功。成都平原的稻種最少有二百餘種，其中二十餘種較為重要。[29]一般農民覺得增加百分之十的產量，不以為奇，只要充分施肥，或有機會超過此數。推廣人員估計，至少要增加百分之三十，才會吸引農戶轉用新品種。[30]一九三六年，全國稻麥改進所與四川省稻麥改進所合作，在成都總場及各地分場試驗雙季稻。所謂雙季稻，是在稻田裡，先種一季早稻（成熟期一百日以內），然後再種一季晚稻（成熟期一百十五至一百二十日）。四川試驗的雙季稻制度，稱為間作稻，即早稻生長期間在株間下栽晚稻。雙季稻在福建、浙江、江西、湖南等省已流行多時，但在四川省卻是新鮮事。第一，四川向來只種中稻（成熟期一百至一百十五日），沒種早稻與晚稻。第二，四川耕作制度習慣一年兩穫，從未嘗試一年三穫。

一九四〇年試驗基礎奠定，成都試種的效果頗佳，早晚稻合計一畝田收七百多斤，差不多等於兩畝中稻的產量。[31]政府迫不及待向農民推廣，但這股熱潮不久即消聲匿跡。推廣人員發現雙季稻與成都平原的耕作制度相衝突，農民不肯放棄舊有習慣。[32]因晚稻在寒露前後收穫，之後再要曬藏稻草、冬作整地，前後費時二十餘日，距小麥播種期和油菜移栽期太過接近，工作緊迫，人工難求。小春既為佃農主要收入來源，那會輕

27 *The West China Missionary News,* vol.36, no.4(Apr 1934): 28.

28 *The West China Missionary News*, vol. 44, no. 8-12(Dec 1942): 152.

29 趙連芳：《川西平原之稻作》，頁31。

30 孫光遠：〈四川省優良稻種之推廣及展望〉，《農業推廣通訊》，第7卷第3期，1943年3月，頁15。

31 楊開渠：〈老農雙季稻成功談〉，《現代農民》，第1卷第3期，1939年12月10日，頁7。

32 柯象寅、湯玉庚：〈西南各省稻作兩熟栽培制度試驗研究〉，《農報》，第12卷第6期，1947年12月，頁14。

易冒險一試。即使佃戶勉強栽種，額外的收益如何分配，頓成難題。正如金陵大學農學院孫祖蔭所言，「大春歸主，小春歸農」的風俗已根深蒂固，佃農深覺大春的辛勞全為地主，對增加水稻產量從不起勁。[33]

至於小麥推廣方面，就順利得多了。成都平原的小麥不乏產量高的品種，如「華陽白花鬚」莖桿細白，宜於編織草帽，惟籽粒小而不勻，莖桿過於纖弱，容易倒伏。「成都光頭麥」分蘖力強，成熟早，宜與水稻輪作，幾遍及成都平原各縣。可昔與其他品種混雜種植，成熟期並不一致。所以那時並無本地良種可推廣，惟有一面檢定固有品種，去劣存優，一面引進外來品種。

一九三七年稻麥改進所決定推廣「金大九二〇五」小麥。該小麥為金陵大學農學院於一九二五年南京附近農地選出，莖堅韌、早熟，產量豐。金大二九〇五經歷七年的篩選純化、試驗，始在長江中下游推廣，旋即受南京、鎮江、蕪湖及臨淮關一帶農民歡迎。[34]一般來說，同一品種的小麥需要在某區域試驗至少三年，才可向農戶推廣。[35]「金大二九〇五」在一九三五年於成都初次試驗，第一年產量比土種「成都光頭麥」平均高百分之三十四，次年仍高出百分之十一；第三年即忽忽在成都平原和川北三十六縣推廣二千多畝。不料在抽穗期間，成都平原遇上狂風暴雨，麥株倒伏泰半，幸而土種尚未抽穗，無礙收割，麥種被迫停止推廣。[36]原來成都平原耕地特別肥沃濕潤，麥稈長而柔嫩，平時若無其事，一遇風吹水浸，缺陷即現。這次挫敗並未影響「金大二九〇五」的推廣，也沒有加深成都平原農戶對外來品種的介心。

「金大二九〇五」小麥沒有在成都平原落戶，反而找到川北綿陽一帶適應生長；到一九四三年，川北種植面積已有五十五萬畝，甚得農民歡迎。[37]

繼「金大二九〇五」後，在一九四〇年另一款麥種—「中農二八」開始向成都平原的農戶推廣。該種小麥原產意大利，一九三三年中央農業實驗所引進南京試驗場繁植。翌年麥種將熟，忽刮大風雨，田中大多麥種折斷，惟「中農二八不倒，於是進入高級試驗階段。[38]

一九三六年「中農二八」轉入成都等長江流域試驗。七七事變爆發，南京、蕪湖一帶相繼淪陷，僅成都繼續試驗。一九三八年四川省農業改進所接辦川省農事，為求謹慎起見，不致重蹈「金大二九〇五」覆轍，再試驗兩年。成都歷年試驗結果顯示「中農二八」，

33 孫祖蔭：〈戰時我國糧食增產問題與成都附近六縣一八九農家糧食增產效率之研究〉，《農業推廣通訊》，第6卷第10期，1944年10月，頁43。

34 沈宗瀚：〈金大2905小麥之育成〉，《傳記文學》，第28卷第1期，1976年1月，頁54-55。

35 沈麗英：〈三年來麥作雜糧系工作概況〉，《農報》，第6卷第7-9期，1941年3月，頁207。

36 孫光遠：〈五年來四川推廣「2905」小麥經過及展望〉，《農業推廣通訊》，第5卷第1期，1943年1月，頁70。

37 孫光孫：〈四川改良小麥推廣之回顧與前瞻〉，《中農月刊》，第6卷第12期，1945年12月，頁30。

38 沈麗英：〈中農28小麥之改良經過〉，《農報》，第5卷第7-9期，1940年3月，頁88。

無論在產量、堅韌程度、抗病能力都較「金大二九〇五」優勝。推廣以來漸漸為農家接受。其後愈多外來品種試驗完成，陸續推廣試種。源產自澳洲的「川福麥」在抗戰後期甚至取代「成都光頭麥」土種地位，最為農家廣植的麥種。[39]若再看小麥畝產量的變化，就更加清楚新品種的接受程度。從一九三九至九四五年間小麥畝產量足足提高百分五十，平均每年增加百分之八・三。見下表。

成都平原水稻區十10縣小麥畝產量　　　　單位：擔／畝

	1939年	1940年	1941年	1942年	1945年
小麥畝產量	1.2	1.49	1.73	1.79	1.8

資料來源：《四川省農情報告》（第2卷第3期，1939年3月，頁14-15；第2卷4期，1939年4月，頁34；第3卷第3期，1940年3月，頁6-7；第3卷第6期，1940年6月，頁6-7；第4卷第3期，1941年3月，頁7；第4卷第4期，1941年4月，頁6；第5卷第1-3期，1942年3月，頁29；第5卷第4-6期，1942年6月，頁18；第8卷第2期，1945年2月，頁10；第8卷第5期，1945年5月，頁10-11）

備　　註：畝產量是由十縣總產量除以總面積而得出。

由此可見，租佃制度可以左右佃農耕種的方式，進而影響作物收成量。

五　小結

成都平原地理環境得天獨厚，在清代還有餘糧接濟鄰省，原可大有作為。民國以後，軍閥割據，各軍區經費奇絀，幾無暇發展農業。即以劉湘管轄的二十一軍區二十八縣，資源較充裕，但區內的試驗場面積平均每縣二十八畝，最大也只過一五〇畝，經費平均千多元，實難望吸引出色人材。[40]一九三五年，四川農業再遇上發展機會。[41]蔣介石借剿滅四川共軍之機，改革川政，四川隨即進入建設時期。中央農業實驗所亦在那時開始奔赴川省各地改善生產。戰爭爆發後，中國東部嶄新的農業技術隨著科研人材內遷，更加快農業改進的步伐。

然而再仔細觀察成都平原戰時農業生產狀況，發現政府在推廣新品種時遇到頗為矛盾事情。由於成都平原農戶大多為佃農。所謂「大春歸地主，小春歸農」，佃戶與地主常執拗

39 四川省農業改進所稻麥改良場：〈抗戰期間四川省食糧作物改進之回顧與前瞻〉，《農報》，第11卷10-18期，1946年6月10日，頁34。

40 讓卿：〈現今四川基礎的農業設施〉，《四川農業月刊》，第2卷第1號，1935年1月，頁1-2。

41 英國農業化學博士利查遜（H. L. Richardson）在抗戰時期任中央農業實驗所顧問，期間走訪後方各省農村。戰後利查遜憶述四川農畜業之所以突飛猛進，全因東部地區的大學農學院和中央農業實驗所西遷所致。

增產後的收益如何處置，假使歸地主，那末佃戶白費資本，地主坐收其利；如歸佃戶，地主又恐地力耗損，影響來年秋收。佃農為免麻煩，乾脆照以往習慣耕作。相反，佃農願意試種不同品種的小麥，即使最初遇到困難，農民仍不起疑心。最終「中農二八」與「川福麥」取代土種，在成都平原落戶開花。此外這種租佃制度，相比沿海省份流行的錢租制，頗欠缺彈性，一旦夏作歉收，佃農便要向市場高價回購稻米，再還給地主，對周轉資金極為不便。

唐君毅先生人文宗教思想之意蘊與開展

鄭祖基
澳門大學教育學院

本文的主旨是以「人文宗教」一詞來突顯唐先生宗教思想的特質。然而，究竟何謂人文宗教，它的定義是甚麼？為甚麼以人文宗教來概括唐氏的宗教思想？筆者試從唐先生對「人文」與「宗教」二詞的定義來梳理其意蘊。

一 人文宗教的意蘊

筆者先從唐先生對「人文」兩字的定義開始探究。唐先生認為「人文」一名詞，本來是中國固有的。「文」字的古典意義，在《尚書》中形容堯君「文思安安」，稱頌舜君「睿哲文明」，說謂禹君「文命敷于四海」，可見「文」字是美名的意思。而「人文」二字連用，則自《易大傳》裡有云「觀乎天文，以察時變，觀乎人文，以化成天下」一語始。唐先生以：

> 所謂人文的思想，即指對於人性、人倫、人道、人格、人之文化及其歷史之存在與其價值，願意全幅加以肯定尊重，不有意加以忽略，更決不加以抹殺曲解，以免人同於人以外，人以下之自然物等的思想。[1]

所以，人文的意思是確切承認人之為人的尊嚴與價值，人絕不能等同於物。進而言之，唐先生認為真正的人文主義者應有九種的基本信念：一、人為萬物之靈；二、對各種人倫關係之尊重；三、對人類文化之各方面之尊重；四、對歷史之尊重；五、人之人格價值，高於人所表現於外之一切文化活動、文化成績之價值；六、對學問上之通識與專門知識、專門技能均加以尊重；七、對各種不同之學術思想，對持錯誤之學術思想之人之尊重與寬容；八、對於非人文主義或反人文主義的思想，常要認之為錯誤，而與之辯論，望有以校正之，但同時應報一了解之態度和解釋化除之願望；九、堅信只要有人，便有文化，只要有人有文化，便自覺人之所以為人，與文化之所以為文化的人文主義思想。[2]總括而言，以

1 唐君毅：《中國人文精神之發展》臺北：學生書局，1983年六版，頁18。
2 唐君毅：《人文精神之重建》臺北：學生書局，1980年五版，頁596-599。

上九個標準乃是以肯定人之為人的價值，以及尊重人的一切精神活動和其產物或作為為核心。換言之，人文的意思可歸納為兩點：第一是人應肯定一切屬於人的價值；第二是人絕不應把自己物化為物，卻要以實現其人格價值為人生的目的。

唐先生在對比人文與非人文、次人文、超人文、反人文等思想時指出：

> 非人文的思想能擴大人文思想的領域，超人文的思想之提升人文的思想，次人文的思想之融會於人文的思想。[3]

所以說，除了反人文的思想外，非人文、次人文、超人文的思想皆能給予人文思想的衝擊與挑戰，從而更能豐富人文思想，導致人文思想在不斷的回應中，以更完備和更豐盛的型態出現。所以，它們也是在一人類思想的歷程中不可或缺的組成部分。唐先生進而指出中國的傳統文化精神在人對自然物的態度方面是偏重於利用厚生和審美情趣的。所以，為了解自然而了解自然的自然思想和為求真而求真的科學精神，是不發達的。再者，唐先生亦以為由於古代帝王直接祀天，上承天命施政，以及天之降何命於人，乃視人所修的德而定，致使宗教意識、政治意識與道德意識，不能明確區別。於是宗教思想「隸屬於一整體人文思想中，不能自成一超人文之思想領域。」[4] 所以，唐先生認為對宗教與科學的添加，是中國傳統文化的現代發展方向。

然而，在宗教與科學兩者中，唐先生尤反對以科學萬能與科學至上的科學主義。他認為若單以科學的理智分析一切，而否定某些重要的道德與宗教的人生體驗時，則只會造成對人生價值的絕對懷疑主義與虛無主義，[5] 以致必要以人文精神攝受之，才能使科學造福人類。他說：

> 我們如果一朝真了解科學的理智分析的精神態度，必須有一個東西為他作主，便亦可進而了解，只有人類的仁心，與依于仁心的人文精神，可以為他作主。……因為理智分析的活動，與科學知識，如有價值，亦在人之仁心所願加以肯定成就者之中。[6]

若與科學精神相比，唐氏更多論及宗教精神之重要。因宗教的超越精神，是可治療和糾正科學主義和虛無主義的弊病。更且，有些極其重要的人生問題，在原則上是一切科學的方法與技術所不能解決的。這些問題包括：人內心的罪惡、苦痛煩惱的不絕，身體之有限與

3　唐君毅：《中國人文精神之發展》臺北：學生書局，1983年六版，頁19。

4　唐君毅：《中國人文精神之發展》臺北：學生書局，1983年六版，頁22。

5　唐君毅：《中國人文精神之發展》臺北：學生書局，1983年六版，頁120-130。

6　唐君毅：《中國人文精神之發展》臺北：學生書局，1983年六版，頁132-133。

精神之無限的對反，死生問題與德性價值保存之問題。此等問題的解決只能求助於宗教性的解答與精神修養的工夫。[7]

總的而言，唐先生認為中國未來的文化創造：

> 必須肯定人嚮往超人文境界之宗教，與人研究非人文之自然之科學之價值，並肯定自由社會及民主政治之保障人權與表現平等之價值。但吾人復須知，如離人而言宗教，則超人文之宗教思想，亦可導致反人文。如離人而言科學，則冷靜的去研究非人文之科學的心習，亦或可使人視人如非人，而或助人之對人冷酷無情，科學技術亦可成為極權者之統治工具。[8]

換言之，唐先生肯定科學與宗教是發展中國文化的添加要素，但此添加要素仍需以人的整全品格或人性的發展和成長為核心。

其次筆者從唐先生對「宗教」二字的字義入手，以了解他對宗教的看法。從字義的根源上看，「宗」字的原義乃指祖宗與對祖宗的祭祀，並從莊子思想引申出「宗」字乃指人與萬物之大本大宗即人與宇宙萬物的根源關係。另外「宗」字亦可意指學術與文化教育中之宗師一義。至於「教」字的原義在《說文》一書中是「上施下效」之意。唐氏說：

> 宗師聖賢立教於昔，後生承學於今；祖宗垂教於前，子孫承訓於後，天以不言之教示人於上，而人承法於下。

以訓上施下效「教」之原義。他以「宗」與「教」的原始意涵就是傳統儒家的三祭中的祭祖、祭天地與祭聖賢。[9]若把宗教兩字連用，則意謂凡有所宗，即能起教，換言之「承宗起教，即為宗教。」[10]唐先生認為若以宗教二字的原義衡量西方的宗教，其同點在於西方宗教也有宗旨與垂教於世的意思。其不同處在於，若以西方一神教之宗教標準而謂宗教，必須包含一神信仰一和教會才算宗教，則此是不知「宗教一詞為中國固有名辭，理應以其原義引申以統攝譯名之義；而不能反客為主，忘己徇人，篡奪侵佔其原有之意。」所以唐氏對西方一神教的宗教定義是不以為然的，因若以是否相信一神和具備教會組織為判別真偽宗教的標準，則失之過嚴，而不知宗教尚有其他崇拜的對象與特質，是不能以有否相信一神和教會來化約與否定的。綜觀唐先生對宗教的陳述，他確實較少論及宗教組織，甚至認為僵化的宗教組織只會窒礙人對宗教的嚮往。

---

7 唐君毅：《中國人文精神之發展》臺北：學生書局，1983年六版，頁352。

8 唐君毅：《中國人文精神之發展》臺北：學生書局，1983年六版，頁44。

9 唐君毅：《中華人文與當今世界（下）》臺北：學生書局，1980年三版，頁463。

10 唐君毅：《中華人文與當今世界補編（下）》臺北：學生書局，1988年，頁264。

其次，唐氏以宗教行為是宗教體驗的外在化，所以有真正信仰的宗教人，是必會有宗教行為為其信仰的印記。而在眾多的宗教行為中，祭祀是至為重要的。唐先生特別強調中國人對天地、祖宗與聖賢這三種對象的祭祀，是深具宗教意義與是道道地地的宗教行為。因所祭祀的對象絕不是一物質性的東西或只有生命的自然，卻是一真真實實的精神實在。他也以為在宗教體驗方面包含對己之罪孽感、懺悔感、無力感與對神靈之虔誠感、謝恩感與敬畏感，皆是重要的。不過，唐先生認為中國人對宗教的體驗，較重在於人與人之精神貫通的愛中開始，再伸延至對天心神靈的恩情之感激，但其間較缺乏人對己罪的無力感，從而構成的人神張力，較易失去了人面對上天的震慄。最後，對於宗教觀念方面，其中最重要的「神靈」或「上帝」的概念和存在，唐先生也是不反對的。只是他以神靈的「在」不同於物質性的「在」，此「在」亦不單是主觀心靈上的「在」，也非一般客觀現實的「在」，而是一超主客觀的「純在」。

總括而言，人文宗教乃是「一個尊重人性與人格價值，並肯定人倫及文化的宗教」。人文宗教能容納神聖的宗教觀念，如天地神靈或至善的形上實在。人文宗教亦可有祭祀天地、祖宗、聖賢的宗教行為和對上天恩情的感通與謝恩，並對一己罪業的懺悔與皈依宗教的體驗。至於宗教組織與制度，只要能具有豐盛的宗教精神為內涵時，亦可是人文宗教宜有的發展。

二　人文宗教的開展

唐先生的人文宗教是否能發展成一真正具普遍意義的宗教，抑或它只是一種無神而有神性，非宗教而有宗教精神的人文主義。[11]就是說，人文宗教充其量只是一種具有濃厚宗教性為其內容的人文思想，其內核裡根本不具有形成宗教的元素。於此，筆者擬從宗教四因說解答之。首先，在唐先生的宗教思想中是肯定神靈的存在，而諸神靈中尤以天神為一超越的精神人格。吾人若再探尋此至上天神的根源，則唐先生認為可把此根源強名之為「至善的形上實在」。至善的形上實在不息地呈顯自己於萬事萬物和人的心靈中。然而，由於至善的形上實在不息地呈現，所以他必有一無比豐富的內涵為其根源。至善的形上實在必有根於隱或至善的形上實在本身就是終極根源的隱處。此終極的隱匿根源類似於基督新教神學家田立克所云的「上帝之上的上帝」。此上帝超越人類的詮釋，光靠思辯本身是無法引到此根源處的。

所以，在西方宗教思想中有所謂「否性神學」和「密契神學」，它們皆否定上帝能以任何適用於有限存在的謂詞來形容。上帝是凌駕於神性之上和矛盾之上，上帝的存有與存有者的存有是不同的。因此，吾人難以用任何積極肯定的概念論述他，即使把這些概念除去

---

11 蒙培元：《情感與理性》北京：中國社會科學出版社，2002年，頁390。

有限的規定，以其最卓越的內容稱述他，也是不可以的。因概念本身始終不能脫去其原本具有相對的、有限的受造物之性格。[12]所以，否定神學能幫助吾人意識到上帝的無限及其超出吾人理解力之上的特性。但它卻不否認對上帝作類比知識的可能性，否則的話，否定神學便會成為不可知論了。其次，在唐氏眼中終極根源的隱處之逐漸呈現，是透過人的道德實踐和與天地人倫的感通中呈現。但此呈現不能說有一全部呈現的終點；不會有其隱處全顯為明的一刻，人只能迫近他，謙恭的俯仰他的無限和承認自己的有限，才能各正其位。[13]

再者，西方神學對人有否認識上帝的能力，大致上有兩種神學的進路：一是自然神學，一是啟示神學。前者是形上學的一種，是探討存在物之超越一切經驗的最終根源。自然神學認為人的認識能力可以認識上帝的屬性，能對上帝作概念的陳述，並能以類比的知識，在一定程度上判別這些陳述的真假。然而，啟示神學對上帝的陳述是以上帝的超自然啟示為根基，就是說，它不單以萬物的創造者視上帝，同時亦以上帝的救恩與救世工作為研究的範圍。[14]人對此救恩與救世工作的認識，是需透過上帝的啟示，才能得知的。當然它們兩者不一定處於對立的地位；啟示神學揭露了超越的向度，自然神學能為這個向度提供一個理性的可能證明。宗教學者杜普瑞認為：

> 哲學家或許可以獨立地發現實在界的超越視域，但是對於這一視域的內容他卻毫無所知。因此，我的研究並不能給這一類宗教的肯定提供基礎。哲學家所能做的，僅限於證成：有意義的宗教肯定是可能的。[15]

可見，在西方思想中，哲學與宗教無論在形式與內容上，是有明顯之區別的。若從自然神學與啟示神學的區別之角度審視，人文宗教是能兼容自然神學的。自然神學是探討存在物之超越一切經驗的最後根源。同樣，人文宗教亦是探討和肯定一個超越的終極根源。在唐先生眼中，此終極根源可稱為至善的形上實在、絕對之精神生命實在、宇宙精神、上帝、阿拉、天心、梵天和佛心。只是探討此根源的方式較重在人的道德踐履，並與天地神靈感通的一種體驗式的進路。換句話說，唐先生明顯是以人是有能力認識和體認終極根源的。至於啟示神學所重的超自然啟示與上帝對世間的救贖工作（Soteriology）[16]在人文宗教中是沒有論述的。但沒有論述不代表不能向啟示神學所示的超越向度持一開放的態度，甚至成為充實人文宗教內容的添加原素。當然我們可以質疑究竟人文宗教是否需要向此一可能的宗教向度開放，若開放的話，是否會失了自身的特色。因人文宗教對終極根源的確認

12 杜普瑞著，傅佩榮譯：《人的宗教向度》臺北：幼獅文化事業公司，1986年，頁493-499。

13 唐君毅：《中國文化之精神價值》臺北：學生書局，1981年三版，頁452-453。

14 布魯格編著，項退結編譯：《西洋哲學辭典》臺北：先知出版社，1976年，頁379-380。

15 杜普瑞著，傅佩榮譯：《人的宗教向度》臺北：幼獅文化事業公司，1986年，頁6。

16 吳汝鈞：《儒家哲學》臺北：臺灣商務印書館，1995年，頁246。

主要是以個人道德實踐，以及與天地感通之內證，使生生不息的天道不容已的呈現出來，而此天道亦是吾人道德實踐的內在根源。換言之，雖然天道有其超越性和有根於隱處，但人文宗教對天道為人本性的內在根源是更為看重的。這使到內在根源的天道比有根於隱的天，更具創生性的價值，以致這個本已自足和更有價值的人文宗教形上系統，根本不需要與另一個哲學理念不同與價值可能較低的啟示神學系統開放。

首先，筆者認為若兩個哲學理念完全不同的系統相遇時，確實不一定需要融和與會通，它們對某些核心概念的理解確可能存在不可共量性，如西方基督宗教所強調的啟示的上帝與人文宗教所著重的內在呈顯的天道。兩者確有各自的側重點與特色，並所衍生的不同理論。若硬要它們融合，則會失去雙方的特質。[17]然而，雙方若能透過對話，而不是以判教式的一方融合掉另一方，這樣才能彼此欣賞，發掘互補之可能。其次，在個人的生存論上或實存的體驗上，筆者以為外在啟示的上帝和內在呈顯的天道，確有互補的可能或至少是不彼此排斥的。具體來說，天道的呈顯於人心是要靠人的道德實踐，以致天道所呈顯的內容是由內在本心良知所修養的工夫來確證。然而問題在於人的修養工夫怎樣才算完全，若人的修養工夫不完全，則其所確證的天道會否只是人意呢？換言之，人性的幽暗面、權力意志、俱生我執等無明的一面必會或多或少阻礙人對天道的體會，致使出現以人意代替天道的可能。因此，天道的內容由人的道德實踐所開啟，是會受到人的修養程度和生存境遇所限制的。於此，傾聽來自啟示神學的他者聖言，關注他者的救贖邀請，便不是不可理解的或絕沒有可欣賞與互補之處。同理，接受他者的聖言和救贖的信仰者，若不把信仰的力量轉化為人性的內在泉源，從本心良知裡流溢出豐盛的生命和道德人格，則不配作信仰者。更且，一手拿十字架，一手拿兵器殺戮不信仰者，還以為自己正在替天行道的信仰者，他們也是一樣以人意代聖言，幽困在自己的人意中。[18]

所以，若從個人生存論或實存的體驗上看，對啟示的天之信仰與否，是個人的存在抉擇，不需封閉於任何的哲學系統或文化傳統中。換言之，對超越啟示的天之開放與信仰，是從個人的具體的感受與體驗出發，與神聖存在相遇為關鍵。而唐先生對宗教與道德的思考方式明顯是帶有濃厚的個人實存體驗與感受，絕不單是一種抽象和客觀的論述。他對具體的人生存在與生命感惑，是一種「存在的思索」。[19]故此，筆者認為人文宗教於思想上雖有天道內在於人性的特色，但超越啟示的天與內在於人性的天道，並不是一種非此即彼，誓不兩立的關係，卻是大有彼此對話、欣賞，甚至會通的可能。這對東西方各自傳統的健

17 南樂山：《在上帝面具的背後——儒道與基督教》北京：社會科學文獻出版社，1997年，頁122-132。

18 樊志輝：《內在與超越之間——邁向後實踐哲學的理論探索》哈爾濱：黑龍江人民出版社，2002年，頁295-296。

19 陳特：〈唐君毅先生的道德哲學〉，刊於霍韜晦主編：《唐君毅思想國際會議論文集 II》香港：法住出版社，1990年，頁85。

康發展，都是有益的。換句話說，從個人的生存論上看，超越的天與內在的天道，在唐先生的人文宗教思想中，是不必有非比即彼的執著，卻是各人按照自己的境遇與關懷的一種存在抉擇。所以，吾人不宜把人文宗教自閉於自家的特色，卻是要向不同的宗教向度開放。

三 結語

總的而言，人文宗教要開展成一成熟的宗教，具備宗教的四種要素（宗教觀念、宗教體驗、宗教行為、宗教體制）的最大動力，仍是在於個人的存在抉擇；個人的終極關懷是否能滿足於或安身立命於內在天道的呈顯，此天道的呈顯是否真能幫助吾人順生安死、勝過世間的眼淚與苦難呢？其次，在學理層面而言，筆者看不出人文宗教不能容納宗教的四種要素，並發展成具備四種要素的成熟宗教之豐富潛能。在神靈觀念上，唐先生承認神靈的「純在」、終極的精神實體或至善的形上實在。

在宗教體驗與行為上，唐先生尤推崇傳統儒家的三祭為重要的宗教行為。因宗教信仰中的祈禱與獻祭，是表現出人對神靈的感情與態度。至於宗教組織與制度，唐先生認為它們若不是由於內在的宗教精神充滿而有的外在表現時，則宗教的組織與制度是會窒礙個人的宗教追尋。所以，第四個要素的開展是要以首三個要素的正面發展為前題的。換言之，人文宗教要否發展成一有制度與組織的宗教，不是基於外在的社會要求，而是在於內在的宗教精神能否先體現出來、豐富地流溢出來為其首要的條件。若內在宗教精神豐盛的話，其必會外顯為宗教組織與制度的。

'The clerks must know English': The Geopolitical and Economic Discourse and the Formulation of the Language-in-education Policy in Hong Kong in the Burney Report

邱國光 Edmond, K.K. Yau

3-Culture Education, Hong Kong

Introduction

Contemporary research studies on the history of education are faced with two constraints. The first constraint is the studies tend to rely too much on secondary material. Clive Whitehead recently made a declamation[1] that research studies on British colonial educational policy had long been dominated by the 'armchair theorists' that their criticisms 'appears to have been motivated more by emotion rather than by detailed scholarly analysis'.[2] Whitehead argues that more 'plodding' in archives is urgently needed in order to substantiate, refine or refute the claims from the armchair theorists.[3] Whitehead's comments are not alone. Stephen Evans[4] makes it more explicit and argues that some armchair critics like the conspiracy theory made by Robert Phillipson in his controversial book *Linguistic Imperialism* could not substantiate his claims because 'he has chosen not to 'plod' through the archives'.[5] Both Whitehead and Evans put emphasis on the importance of archival studies. This article basically echoes their claims by plodding in archives in an effort to 'substantiate, refine and refute' the arguments and debates deduced from the Burney Report in 1935, which is I argue that the first time that the Hong Kong colonial government took the language issue

---

1 Whitehead, C. 'The Historiography of British Imperial Education Policy, Part I: India.' *History of Education* 34, no. 3 (2005): 315-329.

2 Ibid., 315

3 Ibid., 315

4 Evans, S. 'The Introduction of English-language Education in Early Colonial Hong Kong.' *History of Education*, no 1 (2006): 1-25

5 Ibid., 2

seriously, and hereafter language-in-education policy became an perennial agenda in the development of education in the Colony.

The other constraint on the research studies of the history of education is it is a discipline that has long been neglected by historians as well as educationalists. Anthony Sweeting and Edward Vickers[6] observe that the discipline is a grey area of research because:

> '… (T)he former have tended to regard it as the specialist preserve of experts on education, while, at least in recent times, most educational scholars have been heavily influenced by social scientific theories that accord little value to historical research – and especially to research of the more orthodox, "empiricist" (emphasis original) variety.'[7]

Sweeting and Vickers' observations might not be able to generalize to every educational situation in the world; these are undoubtedly a proper description in relation to the Hong Kong colonial context.[8] This article tries to step into the breach and make a contribution to the study of language-in-education policy in the Colony. This article will take the Burney Report, an education policy document published in 1935 in Hong Kong as an example to illustrate the argument that the formulation of language-in-education policy in the territory as expressed in the teaching of English and Chinese languages and the adoption of teaching medium is complicated, it has already gone beyond the colonial discourse that the policy formulation is only the legacy of the British Colonial rule. I argue that the geopolitical and economic situations especially in relation to Mainland China

---

6 Sweeting, A. and Vickers, E. 'On Conlonizing 'Colonialism': the discourses of the history of English in Hong Kong.' *World Englishes* 24, no. 2 (2005): 113-130.

7 Ibid., 113-114

8 Contemporary research studies related to history of education in Hong Kong are extremely rare. Only a few published books in English could be found in the last several decades. Notable seminal studies include a local historian Ng Lun Ngai-ha's study on early public education, *Interactions of East and West: Development of Public Education in Early Hong Kong*. Hong Kong: The Chinese University Press, 1984; a local educationalist Gillian Bickley's biographical study on Freserick Stewart, *The Golden Needle: the Biography of Frederick Stewart (1836-1889)*. Hong Kong: Hong Kong Baptist University, 1997; and a reveal on the early education reports, *The development of Education in Hong Kong 1841-1897: as revealed by the early Education Reports of the Hong Kong Government 1848-1896*. Hong Kong: Proverse Hong Kong, 2002; a local historian Anthony Sweeting's two volume archival studies, *Education in Hong Kong Pre-1841 to 1941: Fact & Opinion*. Hong Kong: Hong Kong University Press, 1990; and *Education in Hong Kong, 1941 to 2001: Visions and Revisions*, Hong Kong: Hong Kong University Press, 2004. Stephen Evans, another local educationalist has published a series of articles on the topic especially on earlier colonial education.

were crucial factors in framing the policy. I further refute the thesis that Edmund Burney was a real supporter of the vernacular education development in the Colony.

Reasons for the Burney Visit

The 'Report on Education in Hong Kong' in 1935, which is generally known as the Burney Report, was prepared by Edmund Burney, one of His Majesty's Inspectors of Schools in Britain at the time of writing this report. Edmund Burney was lent to the Government of Hong Kong from 12th December 1934 to 22nd March 1935 inclusive. He had stayed in the Colony for about six weeks including short visits to Canton and Shanghai.[9]

The Burney report, from the outset is different from the previous colonial educational reports in the way that it was initiated by the Secretary State for the Colonies rather than the colonial government. Although it was not the first time for the Secretary State for the Colonies to set up an educational commission in an overseas territory[10], it was an unprecedented undertaking in Hong Kong. Why did the Colonial Secretary initiate an educational visit for the Colony? Are there any terms of reference in the Report? Setting out the terms of reference is a common practice for a commission report, in which the purposes of a commission are normally stated out explicitly in the beginning of a report.[11] However, there are no terms of reference mentioned in the Report, at least in the current available versions.[12] Furthermore, Burney did not explain his motivation for the visit in the main text. Therefore from the very beginning, the motivation of the Burney Report remains unknown and is shrouded in mystery. Some hints may be found in a letter to the then Governor of Hong Kong William Peel, Philip Cunliffe-Lister, the then Secretary of State for the colonies reflected his discontentment over the ineffective management in the educational sector of the

---

9 Burney had spent about two months on the journeys to Hong Kong and back to London. For details, see Colonial Office, Original Correspondence: Series 129 (Here after CO129) / 549/19, 31; CO 129/553/12, 109 and 113.

10 Arthur Mayhew, the then Joint secretary of Advisory Committee on Education in the Colonies, which was the de facto advisory body in education for the whole British Empire, mentions in a correspondence that educational commissions have been sent to British Guiana and Cyprus before the visit of Burney. CO129 /548/2, 19. Dated 17th May 1934.

11 For example, the terms of reference are clearly stated out in the beginning of the *Report of the Committee on Practical Technical Education,* a report initiated by the colonial Government and published in 1931.

12 For the Burney Report, the present article was firstly based on a microfilm copy kept in the Chinese University of Hong Kong. Triangulation methods were employed between the hard copy in the University of Hong Kong and the original copy stored in the National Archive at Kew, London. All the three versions are exactly the same.

Colonial Government in the early 1930s.

Cunliffe-Lister was dissatisfied, as reflected from the correspondence, with the post of the Director of Education in the Colony being held by a Cadet Officer, not by a professional educationalist, which was firstly commented by Ormsby-Core, the Under-Secretary of State for the colonies in 1927. Cuniffe-Lister agreed with Ormsby-Core's comment that the post being held by a Cadet Officer would be 'one of the deterrent influences to which the difficulty of recruiting suitable men for the Education Service in Hong Kong could be attributed…the prestige of the whole educational service as that of the Medical Service would be lowered if it were subordinated to a Cadet Officer under the title of Director of Medical and Sanitary Services; and…the post should be filled by an educationist and if possible from the existing staff of the Department'[13]

Ormsby-Core and Cuniffe-Listers' comments and viewpoints set forth in the correspondence seem clear-cut and the reasoning is logical. Nevertheless, when we look into the real situation in detail and consider the question with a wider scope of perspective, their grounds of argument and evidence looks rather thin and to a certain extent have not been well substantiated.

Colonial Government policy towards the appointment of senior civil servants

First of all, was the appointment of a cadet officer to the post of Director of Education in the history of the Colony very peculiar? Judging from the local context in the colonial period, the answer is definitely negative. The cadetship system had been firstly established in the Colony as early as 1860s[14]. A competitive examination had been introduced to the recruitment of senior civil servants in 1882. The original intention that the young recruits were trained as interpreters, yet due to a shortage of good and senior officials, many of them, a total of 85 recruits between 1861 and 1941were promoted to heads of departments; several rose to Colonial Secretaries; three of them even appointed as the Governors in the Colony.[15] Professional departments like the police force were no exception. The police force was under the command of cadets for most of the time in the Colony until 1933.[16] The post of Director of Education, which was not held by a professional educationist, was not a unique phenomenon in the outpost. As observed by Charles Jeffries, the

---

13 Letter from P. Cunliffe-Lister to William Peel, CO129/549/19, 42. Dated 11th July 1934.

14 For a detailed discussion on the cadet scheme, see Steve Tsang, *Governing Hong Kong: Administrative Officers from the nineteenth Century to the Handover to China, 1862-1997* (London and New York: I.B. Tauris, 2007), Chapter two: The Cadet Scheme.

15 Ibid., 21-22.

16 Ibid., 25.

Assistant Secretary in the Colonial Office from 1936 to 38, the Director of Education in the whole British Empire at that time 'is usually, *though not invariably* (emphasis added), a professional educationist.'[17] Therefore, we may say that the holding of the post of the Director of Education by the professional educationalists was a common but not an invariable practice in the British Empire. It has long been the tradition in the Colony to appoint cadet officers to senior posts including professional departments such as education. The cadet system was a sound system in training administrative officers, given the fact that it could produce many senior officers and three governors for the Colony.[18] There is no reason, at least explicitly speaking to argue that the post of Director of Education not being held by a professional educationist would lower 'the prestige of the whole educational service'. Furthermore, as commented by Arthur Mayhew, the joint secretary of the Advisory Committee on Education in the Colonies 'Hong Kong is, with the possible exception of Malaya, in all educational matters the most self-satisfied of all Dependencies'.[19] Being a very senior officer in the Advisory Committee on Education in the Colonies, Mayhew's comments though without further references, would not be a great distance from the reality.

The controversy over the post of the Director of Education could be further illustrated according to the actual situations at that time. By the time of the visit of Edmund Burney, it seems that the appointing of cadets to the post of Director of Education is the only choice for the Governor. A cadet Geoffrey Robley Sayer was acting as the post of Director of Education at the time of Burney's visit. Prior to Sayer, the post was held by a Cadet N.L. Smith who was transferred on promotion to be Secretary for Chinese Affairs.[20] Before Smith, the post had been vacant for four years since 1928 and was acted first by E. Ralphs, then G.P. de Martin. Both were Senior Inspectors of schools. They were not appointed as Director of Education for the reason that they were about to retire. Mr Ralphs and de Martin had retired in 1930 and 1933 respectively.[21] The other senior officers in Education Department reached retirement age by 1930s as well. Second to Director of education were Inspectors of Schools. There were 5 to 6 Inspectors by 1930s, normally three British, and three non-British. It is understandable that Hong Kong being ruled as a Colony at the age of Imperialism, the non-British Inspectors would not be considered to fill the post;[22] the

---

17 Jefferies, C. *The Colonial Empire and its Civil Service* (Cambridge: Cambridge University Press. 1938), 188.

18 Steve Tsang, *Governing Hong Kong: Administrative Officers from the nineteenth Century to the Handover to China, 1862-1997* (London and New York: I.B. Tauris, 2007), Chapter two: The Cadet Scheme.

19 CO129/548/2/, 19.

20 *Hong Kong Blue Book* (1935). Appendix O, Report of the Director of Education for the year 1934, 4.

21 For details, see *Hong Kong Blue Book* 1931 and 1934.

22 In an oral reply to a question from a parliamentary member in the House of Commons in 1911, Lewis

British Inspectors would naturally become the only choices. Unfortunately, among the three British Inspectors, J, Ralston was newly appointed, A.R. Sutherland and A.O. Brawn were expected to retire.[23] Therefore, there was no other educational officer from the Education Department with enough administrative experience to take up the post of Director of Education. A cadet officer seemed to become the only alternative.

Apart from the lack of experienced staff from the Education Department, Governor Peel introduced a new reason for appointing a cadet rather than promoting from existing staff, namely 'familiarity with the Chinese language, life and thought'.[24] It is quite interesting that such familiarity was a necessary condition for the recruitment of cadet officers rather than senior staff in the Education Department. In short, given the fact that it was quite a general practice for the Colonial Government to appoint cadet officers to the post of Director of Education, and the appointment was the only choice, the thesis that the post of the Director of education in the Colony was mismatched and the post being held by a cadet officers would lower the prestige of the whole educational service could hardly be established.

Difficulty in recruiting suitable men?

Cuniffe-Lister and Ormsby-Core argued in the correspondences that the appointment of cadet officers to the post of the Director of Education would lead to the difficulty of recruiting suitable men for the education service. Could this thesis be established or refuted? This thesis should be carefully read. The proposition should not be overlooked to 'recruitment is difficult for the education service'. The recruitment is only difficult with 'suitable men'. That means Cuniffe-Lister and Ormsby-Core were dissatisfied with the situation that there was lack of 'suitable men' for the education service'. What does 'suitable men' really mean at that particular time in the Colony? Logically speaking, the Education Department requires persons with a special knowledge of the principles and methods of teaching. Does 'suitability' in this context refer to educational knowledge? There is no evidence, at least based on the material on hand that the meaning of

---

Harcourt, the then Secretary of State for the Colonies, stated out clearly that the cadets in the appointments in the Civil and Police services of Hong Kong 'must be natural-born British subjects of pure European descent on both sides'. For details, see *Parliamentary Debates: Official Report*, House of Commons. Fifth Series: Vol. 31. (London: HMSO, 1911) : 63-64.

23 For details, see CO129/548/2, 14-19; 32-33 and *Hong Kong Blue Book, appendix: Report of the Director of Education 1931-1934.*

24 CO129/548/2, 15.

'suitable men' is out of this context. Yet a detailed study to the related original correspondences, I suggest that the meaning of 'suitability' refers to something other than special educational knowledge.

Cunliffe-Lister was appointed as the Secretary of State for the colonies in November 5, 1931; and his letter to Governor Peel was written on 11th July 1934, two years and eight months after his appointment. Therefore, it is logical to make a deduction that something must have happened at that particular period of time that catalyzed Cunliffe-Lister to take an immediate action. The extract below gives a hint that 'that something' might relate to the change and development in China in the 1930s.

'It seems to me particularly important at this time of change and development in China that the sincerity of the British Government in its desire for educational progress should be demonstrated, as far as may be practicable, by the provision of an educational system in Hong Kong which will bear comparison with any within reach of Chinese elsewhere.'[25]

This quoted passage is quite ambiguous and the intention of Cunliffe-Lister is not explicitly told. It seems that Cunliffe-Lister tries to relate 'change and development in China' to the educational system in Hong Kong. What is the relationship between change and development in China and Hong Kong education? Why should they be related? What does 'educational progress' really mean? All these questions are important to our understanding to the background of Burney's visit. I shall first deal with the questions about the relationship between China and Hong Kong. The analysis of the real meaning of 'educational progress' will be studied in the latter part of this section.

Why would changes and developments in China bring effects to Hong Kong? What happens in China at that particular period of time that might constitutes a challenge to Hong Kong? The first question could be explained by the relationship between Hong Kong and China. Geographically, the proximity of Hong Kong with China makes Hong Kong vulnerable to any reaction from the Mainland.[26] Economically, China had become the largest trade and commerce partner among other countries of Hong Kong in the first half of 1930s. The situations in China would undoubtedly affect Hong Kong. Table 1 shows the import and export of Hong Kong in the 1930s before the publishing of the Burney Report.

---

25 CO129/549/19/, 44.

26 Hong Kong is located at the entrance of the Pearl River. Its southern part is directly open to the South China Sea and the Pacific Ocean while the northern part is adjacent to Mainland China. The border is connected by the Kowloon-Canton Railway, which was opened in 1910-11.

Table 1: Hong Kong Import and Export 1931-34 [27]

Countries	Import %				Export %			
	1931	1932	1933	1934	1931	1932	1933	1934
China	27.2	27.2	25.4	35.2	54.4	59.3	56.3	48.1
United Kingdom	10.6	12.3	8.6	7.8	1.0	0.7	1.1	2.0
British Dominions and Possessions	7.8	9.1	25.4	7.0	10.6	9.0	9.1	12.2
All other countries	54.4	51.3	40.6	50.0	34.0	30.9	33.5	37.8
Total	100	100	100	100	100	100	100	100

Table 1 shows that China was the largest trading partner of Hong Kong in terms of either import or export in the first half of 1930s. The indispensable position of China had been noticed by the then Governor Sir William Peel. He observed that Hong Kong 'Serving as it does as an entrepôt for the distribution of Far Eastern, and in particular Chinese trade, it will be readily understood that the Colony is peculiarly sensitive to any reactions in China, with which country it is closely allied both geographically and commercially, and it follows, therefore, that a return to anything approaching normal conditions is almost entirely dependent on a greatly improved state of affairs in China.'[28]

The second question relates to the development of China in 1920s and 1930s. China by 1930s was relatively stable. The Era of Warlordism had come to an end and the whole country had been reunified since the 1911 Revolution by the Nationalist government under the leadership of Chiang Kai-Shek. Along with the reunification, the international status of China was recognized. The fixed tariff of 5 % ad valorem, imposed to China after the Opium War was abolished in 1928 by the United Sates and the European powers including Britain. The Great Powers agreed to give up their jurisdiction as well.[29] Apart from gaining back tariff autonomy, a number of concessions were returned to Chinese control- for instance, the British leasehold at Hankow, Kiukiang, Chinkiang, Weihaiwei and Amoy.[30] China seemed to have emerged from the century-old foreign humiliation.

The political success was also seen by the initial victory over the Communists. A series of military encirclements towards the Communists started from 1931 finally uprooting the Communist base in Jiangxi (southeast part of China) and forced the Communists to retreat to Shanxi (northwest

27 Data complied from Hong Kong Blue Book (1932-1935).

28 *Hong Kong Blue Book* (1931): Chapter VII, paragraph 4.

29 Hsu Immanual C.Y. *The Rise of Modern China.* Sixth Edition. (Oxford: Oxford University Press. 2000), 567.

30 Lary, Diana: *China's Republic*. (Cambridge : Cambridge University Press 2007).

part of China). The massive military retreat, which was later, mythologized as the Long March lasted a year and covered 6- 000km, turned the Communists from 80 000 to 7 000.

The Nanking Decade though suffered from internal disturbances and external threats, did witness some progress in various aspects such as in financial reform, improvement of the communication system, the setting up of a number of light industries, and education reform.[31] The relatively stable government in China brings the Westerners an optimistic view that the economic growth in China would be expected. It was under these geopolitical and economic contexts that the Secretary of State for the Colonies decided to send an expert to review the education development in Hong Kong. As the lack of Chinese who are capable of being the translators between English and Chinese is a repeated linguistic discourse in the Colonial period, some remedial policies naturally would be expected followed by a review of the problems. Therefore, there are strong reasons to argue that development in China in the corresponding period is an important catalyst that gave birth to the Burney Report.

In summary, the provenance of the Burney visit due to a lack of terms of reference is an enigma and has never been fully addressed. There are explicit and implicit reasons for his visit. The controversy over the appointment of the post of Director of Education has been read by some researchers as the driving force for Burney's visit.[32] I argue that the appointment issue though is explicitly stated in some original correspondences, has never touched the core of the issue. When the issue is brought out into the context with the change and development of Mainland China by 1930s, the intentions of Burney's visit become more obvious. The relatively stable political situations in China at that time precipitated the Western Powers including Britain to look forward an economic boom would follow. Hong Kong being the largest import and export region of China would probably benefit most from the economic growth. Nevertheless, the educational practices in the Colony particularly expressed in the training of bilingual clerks- Chinese and English, which is indispensable for the development of trade, were far from satisfactory. The sending of an educational expert to have an external review to the whole system would be a logical way of solution. That came the visit of Edmund Burney. In fact, the trade and commercial discourse were concealed throughout the Burney Report. The language issue in the report was only serving the purpose of trade and commercial discourse. A detailed analysis of the report would prove this argument.

---

31 For details, see Hsu Immanual C.Y. (2000: chapter 23).

32 For example, Anthony Sweeting (1990), 404.

The Burney Report- Thinks in one way but acts in a different way

The Burney report starts with an overall examination to the whole educational system in the Colony; it turns its focus mainly on the language issue. Language issues especially the teaching and learning of English policy has been a perennial declamation in the government documents. As early as 1878, a decision was made by the Education Conference, which was presided over by the Governor John Pope Hennessy that 'political and commercial interests rendered the study of English of primary importance in all Government schools'[33]. Again in 1881, there was a debate among foreign merchants recorded in the government Blue Book whether 'a thorough command of the English language' [34]should be given to Chinese youths. Further example could be found in 1902, a report submitted by an Education Committee that English in Government Anglo-Chinese Schools 'should be taught with a view to its practical use'[35]. Nevertheless language-in-education issues in all these previous reports are only slightly touched upon; and none of them intends to formulate a complete policy that would apply to the Colony. The Burney Report, on the contrary is the first educational report in the history of the Colony with relatively high proportion, given the fact that one-fourth of comments and recommendations are devoted to the language-in-education issue; and with obvious intention to advise the government on relevant policy formulation to the Government and aided schools. Why did Edmund Burney change the focus of the Report? The following sections will try to understand these puzzles. I would first study the report intertextually so as to substantiate my argument that it is a language report rather than a general report aiming at the whole educational system. Then I will provide reasons for the drastic change.

The Main Text

The Burney Report is a rather concise report with 22 pages of main text and a one-page appendix. The contents of the Report with pages proportion are shown in Table 2.

---

33 *Hong Kong Government Gazette*, (9 March 1878), 90

34 *Hong Kong Blue Book* (1881): Paragraph 28

35 Report of the Education Committee (1902): Paragraph 21

Table 2: The contents of the Burney report

Chapter	Contents	Page(s)	Proportion %
I	Introductory and Historical Notes	3	14.3
II	The Schools To-day		
	(1) Organization	0.5	2.4
	(2) Statistics	0.5	2.4
	(3) The schools and the Curriculum	4.5	21.4
	(4) The School Certificate Examination	1.5	7.1
	(5) Technical Education	1	4.8
	(6) The Vernacular Middle School	0.5	2.4
	(7) The British Schools	0.5	2.4
III	Control, Administration, and Inspection	2	9.5
IV	Health and Physical Education	2	9.5
V	Teachers- Recruitment and Conditions of Service	2.5	11.9
VI	Summary and Recommendations	2.5	11.9
	Total	21[36]	100

The Contents show that the aim of the Report is with general scope rather than focusing on any specific area. It is comprehensive and tends to touch every aspect in education. The largest pages proportion are in Chapter One, 'Introductory and Historical Notes' and the section 'The school and the Curriculum'. Compared with other subsequent reports, it is quite unusual for devoting a large amount of discussion into background and history of education development in Hong Kong. One possible explanation might due to the fact that the target addressee of the Report is the Colonial Office and the Secretary of State for the Colonies, rather than the local government, of whom a detailed description to the background and history would be expected.

One-fifth of the total text is in the section 'The School and the Curriculum'. It is, at least quantitatively speaking the most important part of the Report. The topics in this section include the description and Burney's comments of the schools and the curriculum. Issues related to language-in-education policy are scattered in this section. At the time of the Report writing, there are 20 Government schools and 13 Grant-in-Aid schools in Hong Kong. 12 out of 20 Government

36 The original report starts from page 5 and ends at page 26 for main text, and with page 27 as an App-pendix. The total pages in Table 2 are one page lesser than the total text pages as two of them is half page.

schools[37] and all the Grand-in-Aid schools, containing some 9 000 pupils, adopt English as the main medium of instruction. Pupils in these 25 English schools start to learn English at about the age of twelve and last for eight years before they sit for the School Certificate Examination, which consists of five compulsory subjects, in four of which the papers are set in English. Burney observes that English is welcomed by parents and pupils. As 'there has been and is a large demand, from merchant, firms, shipping, offices, warehouse, and banks, for clerks…. The clerks must know English'.[38]

However, the emphasis in English does not make the pupils proficient especially in listening and speaking in that language. Burney comments that 'it (English) does not come to life enough in the spoken word. The pupils write fluently, but speak hesitatingly and pronounce badly.'[39] The poor understanding of the spoken language of pupils receives complaints from the business sectors. 'And the command is common with Hong Kong business men that recruits to their offices from the schools, though they will understand the written or printed word well enough, understand spoken English imperfectly and speaks it badly.'[40] Reasons are partly due to 'the pupils receiving their first lessons in English from Chinese teachers whose own pronunciation of English is very imperfect.'[41] The other reason may be due to their weak foundation in English; as 'they may or may not already know a little English'[42] when they are admitted to the lowest class of the English schools.

Another defect in the teaching and learning of English in the English schools is that 'the study of the English language and literature occupies too large a portion of the total time available, in some instance up to 23 periods in the week out of 41.'[43] Burney further speculates that the excessive amount of time devoted to a single foreign language would bring negative interference to the Chinese language. 'The pupils fall between two stools. Their English… is not above reproach… they are so far behind their contemporaries in their knowledge of Chinese, owing presumably, to

---

37 At the time of Burney writing the Report, there were 20 Government Schools in the Colony. Four were for children of European British parentage, one was the junior Technical school, two were Normal Schools and one was Vernacular Middle School. The remaining 12 were Government English schools in the sense that the main medium of instruction was English, although most of the pupils were Chinese. See Burney E. *Education in Hong Kong*. London: Crown Agents for the Colonies. (Hereafter the Burney Report) (1935): 9

38 Ibid., 10.

39 Ibid.

40 Ibid., 11.

41 Ibid.

42 Ibid., 10.

43 Ibid.

the short school time given to that language…'[44]

Summary and Recommendations of the Report

Apart from pointing out defects, Burney does suggest practical remedies to the study of language. That is another important section in the Report- Summary and Recommendations.

As a general practice of a government report, the section 'Summary and Recommendations' should come in the end and it normally represents the essence of a policy document. In most cases the summary and recommendations should be in line with the arguments, which have already been lain down in the previous section. In other words the basic tone in the 'Summary and Recommendation' section should not be different from the previous section. The section on 'Summary and Recommendation' in the Burney Report seems to deviate from this principle.

The title of the Burney Report- Report on Education in Hong Kong implies that it is a report targeting at the overall situation rather than a specific area of scope. In fact the main text basically follows the line of a wide scope of discussion. The review is comprehensive, ranging from curriculum, language-in-education, examination, school administration, inspection and so forth. Nevertheless the last chapter of the Report-Summary and Recommendations obviously deviates from its main tone- wide-ranging to focusing on language-in-education. Indeed it does make recommendations to the various areas that have been reviewed in the previous sections; yet they are too piecemeal and are treated unimportantly. Half of the summary and recommendations is disproportionately devoted to the area related to language-in-education policy.

This Chapter consists of two and a half pages, of which over one page of text is in relation to the language issue. The remaining one page of text involves a summary of a total of 16 recommendations that have been mentioned in the previous Chapters. These 'other recommendations' are presented in such a way that they are inferiorly treated, or at least they are not as important as the language issue; they are playing the supporting role. The sequence of the other recommendations has not been seriously considered. The recommendations are neither presented according to their order of appearance in the main text. Recommendations (1)[45], (2) and (3) for instance come from Chapter two, whereas methods of selection for admission to Government schools coming from the same chapter ranks number (12). Nor do the recommendations present according to the level of importance. If they had been, it would be hard

44 Ibid., 10-11.

45 For details, see Burney Report, Chapter 6.

to persuade the readers why the Health Code for private schools (recommendation 7) is more important than the curriculum reform at Un Long and Cheung Chau Government schools (recommendation 9), or dental treatment in Government and Grand-in-Aid schools. In a word, the other recommendations are presented in a random manner, rather than planning with cautious thought.

Moreover, the contents of these other recommendations are superficial, not well explained. The length of each recommendation ranges from two to four lines, with the shortest 14 words, the longest 48 words. In addition to the random sequence and the superficial content, the transition paragraph apparently exposes the subordinate roles of the other recommendations. After dealing with the language issue at great length, a transition paragraph is inserted. It states:

> 'Other recommendations made in the course of the Report are here summarised for convenient reference' [46]

Two implications could be drawn from this transition paragraph. Firstly, 'other recommendations' means that the 16 recommendations are juxtaposed with the language issue. If expressed by a mathematical calculation, the equation of $16X = 1Y$ could be set up, where X represents the 16 recommendations, and Y represents one single language issue. In short, the language issue in the Burney Report is specially treated; it is far more important than the other educational issue at the time of writing the Report, at least it is the thought of Burney. Secondly, the aim of putting these 'other recommendations' in this chapter is only for 'convenient reference'. Suggestions and remedial policies have already been stated in the main text! In line with this thought, the Chapter title-Summary and Recommendations should be interpreted as *'a summary of the recommendations'* and the whole 'other recommendations' is only a little piece better than none.

From the above analysis, there are strong reasons to argue that the Burney Report, from the very beginning might target various education areas, it turned out in the end to be a report with language as the major theme. Therefore, the Burney Report is the first de facto report related to language-in-education policy in the history of Hong Kong. In other words, language had already become an agenda as early as 1935, 46 years earlier than the Llewellyn Report, which is conventionally regarded as the first educational report putting the issue of language as an agenda in the history of the Colony. However it must be noted here that I am not suggesting the concept of the Guinness World Records- earlier is the best. The importance of the Burney

46 Ibid., 25.

Report does not only rely on the time sequence, but also the messages it intends to deliver either overtly or covertly through the mediation of the language discourse. Contextual factors in this sense could be found in and behind the language discourse. Before analysing this complicated and dialectic relations among contextual factors, language-in-education policy and Burney's visit, it is necessary to state the recommendations that Burney suggests in the Report in relation to language.

Following his summary to the language dilemma, Burney made the following recommendations.

> 'It is recommended (*a*) that the teaching of English in the schools of Hong Kong should be reformed on a frankly utilitarian basis, i.e., that the pupils should be taught to understand speak, read, and write such and so much English as they are likely to need for their subsequent careers, no more. This means that for most of them at any rate no time would be given to the study of English literature, except for such examples of modern English prose as may be needed to serve as models.
>
> A much simplified vocabulary and grammar, such as are provided in, for example, Basic English, would suffice.
>
> This should set free a certain amount of time. It will have to be very carefully considered (*b*) whether that time should be given in part or wholly to further instruction in the Chinese language or through the medium of that language, (*c*) how much instruction should be given, to pupils who are believed for the most part not to want it, in the Chinese classics, and (*d*) whether the Chinese medium of instruction should be Cantonese, as at present, or Kwok Yu, which, it is understood, the Government of China wishes to establish as the universal spoken language throughout China.'[47]

Burney's recommendations include both English and Chinese language education. It is a response to his dissatisfaction with the results of the bilingual policy, adopted by the colonial Government. To Burney, the progress being made by pupils in both Chinese and English is not satisfactory. Burney has already pointed out that there are a lots of defects in language teaching and learning; for instance too much time is given to English language and literature resulting from bringing disturbances to other subjects including the Chinese Language;

47 Ibid., 24-25.

imbalance of English teaching in which reading and writing are the only focuses, resulting from deficiency in speaking and listening ability of pupils; poor English standard of the Chinese English teachers; sheer memorisation is the prevailing methods of learning in every subjects, and so forth. Indeed the reason why the goal of the bi-lingual plan could not be achieved is complicated. Burney has already indicated in the text that it may due to for instance, the design of curriculum, teachers' training or the availability of teaching material. Obviously, Burney has already known that it is a question that should be examined in detail and solved with various supporting measures. Yet Burney turns this complex situation offering a very simple solution. To him, as reflected by his recommendations the problem is just a matter of allocation of time, less time to English or provide pupils with only 'Basic English', then more time could be released and given to Chinese language learning. That is it. No more. Why does Burney make the recommendations, which do not conform to what he has observed in the earlier part of the Report? Why does Burney reduce the complexities of the language issue to a simplified model? The answers to these questions become conspicuous if considerations are taken to the contextual discourse.

The contextual factor- the clerks must know English

'The clerks must know English'. It is this discourse that provides hints to the clouds of doubts and suspicion of the motivation of Burney's visit and reveals the hidden agenda behind his recommendations in relation to the language issue. If we say the Burney Report is the most important language-in-education policy document in the colonial history of Hong Kong, which I have argued in the earlier part of this article; then the discourse of 'the clerks must know English' is *the 'report' of the Burney Report.* An overall evaluation of education in Hong Kong is only a signboard in order to conceal the pretence of the discourse 'the clerks must know English'.

This discourse is important because it re-situates the colonial discourse, concretising an abstract and general colonial perspective with special location to the historical context. 'The clerks must know English' undoubtedly reflects a hegemonic expression of a dominant colonizer to a colonized subordinate. The imposition of the language of a suzerain state to the people of a vassal state is also an expression of 'linguistic imperialism'[48]. However, why only the clerks? Why not all the pupils or the whole colonized population? The answer is obvious.

---

48 Phillipson, R. *Linguistic Imperialism*. (Oxford: Oxford University press. 1992).

It is 'the clerks' that expose, what I believe to be the real intention behind Burney's recommendation. As mentioned earlier in this article, China had become the most important trading partner with Hong Kong in 1930s. The importance of Hong Kong was that of a triangular relation. The import and export trade with China, and more important, being an entrepôt, handling the trade between China and the rest of the world.[49] This flourishing import, export and entrepôt trade was happened in the so-called Nanking Decade- a period of comparatively stable in contemporary China. William Peel the then Hong Kong Governor (1930-1935) recorded this exuberant progress in the annual Government Report:

> 'The importance of Hong Kong has grown with the increase of China's trade with foreign countries. It is now in respect of tonnage entered and cleared one of the largest ports in the world. It is the most convenient outlet for the produce of South China as well as for the incessant flow of Chinese emigration to the Netherlands East Indies, Malaya, and elsewhere. It is also the natural distributing centre for imports into China from abroad.'[50]

For nearly the whole decade, the importance of Hong Kong was still in relation to the trade with China. The quoted passage above was in fact repeated with exactly the same wording in every annual Government Report until 1938 after the invasion of the Japanese following by a full scale of war between China and Japan. Along with the thriving of trade, other industries especially industries relating to shipping such as dock and warehouse, banking and so forth were being developed as well. Followed by the observation of the importance of China trade to Hong Kong, Governor Peel continued to describe other flourishing industries:

> 'The Colony is not to any extent a manufacturing centre, its most flourishing industries, being those directly or indirectly with shipping, such as dock and warehouse, banking and insurance undertakings.'[51]

---

49 It is only a simplified picture of the Hong Kong trade condition in 1930s. Commerce and trade development is not the main focus of this paper; therefore the idea of a general description of the whole picture would be adopted. Detailed categories of the trade condition in that period could be found in *Annual Report on the Social and Economic Progress of the People of Hong Kong*. (1938): Chapter VII.

50 *Hong Kong Blue Book* (1931): Chaptel, paragraph 3.

51 Ibid., paragraph 4.

With no exception, this similar description had been repeated in every annual Government Report until 1938. This particular trade condition- dealing with people from Mainland China as well as the rest of the world- inevitably demands heavily on the clerks who are supposed to be fluent in both Chinese and English language. The demands on the bilingual clerks are so great that Burney has juxtaposed the training of clerks as one of the aims in secondary education with the aim of feeding University with good students.

> 'The schools have aimed at Hong Kong University's Matriculation Examination. Their actual achievement has been to provide the University with a good proportion of its students, and the banks and business offices of Hong Kong with a large number of clerks.'[52]

Compared with the aims for education stated in the latter government reports, which always focus on providing all round education for students, Burney's perspectives are narrower and reflect only the practical and utilitarian meaning of education. While acknowledging the problems faced in the language education, it is understandable why Burney makes the recommendation that 'Basic English would suffice'[53], and 'that the pupils should be taught to understand speak, read, and write such and so much English as they are likely to need for their subsequent careers, no more.'[54] Who would expect a clerk to cite George Bernard Shaw or William Shakespeare's pieces in preparing a Letter of Credit or writing a minute, for example? 'At any rate no time would be given to the study of English Literature'[55] is naturally a logical conclusion.

In summary, I argue that the Burney Report is the most important policy document in the development of the language-in-education policy in the Colony. The Burney Report should be seen as the origin of the language issue dispute. The Report has already set up, implicitly and explicitly some basic principles for the debate reflected in the various language policy documents that follow. The first principle is the Report establishes a boundary for the discussion of language policy. The boundary is that all the discussion should be within the area of utilitarian basis. Language choice is no longer a matter of linguistic or educational consideration. Every discussion on the choice of languages and the teaching medium must be entailed with its practical form of meaning. All the

52 The Burney Report (1935): 10
53 Ibid.
54 Ibid.
55 Ibid.

major language-in-education policy documents that follow the Burney Report with no exception stress the practical meaning of the adopted medium no matter if it is Chinese or English. In essence, the utilitarian discourse is basically the major tone in every language policy document.

The second principle is more covert. The element of Kwok Yu or Putonghua has already included in the dispute. This Chinese official spoken language has become one of the main elements in addition to Cantonese and English in the documents since the Llewellyn Report in 1982. The inclusion of the Putonghua element makes the whole discussion become even complicated. Both of the boundaries, though different in nature are under the influences of the contextual factors, i.e. the geopolitical and economic development in Mainland China. In fact, when we discuss the language policy development in the Colony, the China factor is always indispensable. The exclusion of this factor would only lead to some controversial issue, such as whether or not Burney is a real supporter to the vernacular education development in the Colony.

The Burney Report: a real support to the vernacular education development in the Colony?

Various researchers have seen the Burney Report as a support of vernacular education in the history of teaching medium policy development in the Colony. Lee sees it as 'calls for adopting Chinese as the medium of Instruction'.[56] Evans interprets it as 'the origins of the policy to support Chinese-medium education'.[57] Sweeting and Vickers regard Burney's suggestion as a 'pro-vernacular policy'[58] or a 'pro-vernacular attitude'.[59] Pennycook even argues that the Report 'signalled an orientation towards limited and practical English and more widespread support of vernacular education'[60], and 'a watershed in Hong Kong education since it marked the crucial point

56 Lee, W.O. "Social Reactions towards Education Proposals: Opting against the Mother Tongue as the medium of Instruction in Hong Kong." *Journal of Multilingual and Multicultural Development* Vol. 14, No 3 (1993): 207.

57 Evans, S. "The Medium of Instruction in Hong Kong: Policy and Practice in the New English and Chinese Streams". *Research Papers in Education* 17 (1), (2002): 104.

58 Sweeting, A. and Vickers, E. "On Colonizing 'Colonialism': the Discourses of the History of English in Hong Kong". *World Englishes*, Vol. 24, No. 2, (2005): 124.

59 Sweeting, A. and Vickers, E. "Language and the History of Colonial Education: The Case of Hong Kong". *Modern Asian Studies* 41, 1, (2007): 23.

60 Pennycook, A. Language Policy as Cultural Politics: the Double-edged sword of Language Education in Colonial Malaya and Hong Kong. *Discourse: studies in the cultural politics of education* Vol. 17, No. 2, (1996): 150.

when Hong Kong moved towards much greater public provision of primary vernacular education.'[61] All these studies are able to shed some light on the problem, and especially on the need to understand the historical development of the language-in-education policy in Colonial Hong Kong. However, when we examine the discourse inter- and intra-textually, compare various comments and recommendations in the report; and re-situate the whole report into the specific period of time in the mid 1930s Hong Kong, particularly in relation to the geopolitical and economic context in Mainland China, I would doubt whether Burney was a whole-hearted supporter of the local vernacular education.

Why is Burney almost unanimously regarded as the supporter of local vernacular education? Studies concerning the Burney Report always quote the following extract from the report as evidence. It is necessary to analyse this paragraph critically before any judgement can be made. I would first deconstruct the text functionally and intra-textually, i.e. according to the grammatical meaning of the text and other suggestions and recommendations previously made in the report; then I would relate the whole issue to a wider perspective, taking the context in the mid 1930s Hong Kong and China as main consideration.

> 'Educational policy in the colony should be gradually re-oriented so as eventually to secure for the pupils, first, a command of their own language sufficient for all needs of thought and expression, and secondly, a command of English limited to the satisfaction of vocational demands.'[62]

Burney's suggestion in this extract obviously focuses on the two languages: Chinese and English. For the Chinese language, Burney suggests '*first* (emphasis added), a command of their own language sufficient for all needs of thought and expression'; for the English language 'and *secondly* (emphasis added), a command of English limited to the satisfaction of vocational demands.' Linguistically speaking, what is the relationship between these two suggestions? Are they an expression of order of importance, or order of sequence? The major difference between the two is for the former it is an 'A then B' pattern. 'A' is the prerequisite for 'B', i.e., 'A' must be finished before doing 'B'. Situating to the real context, Chinese students should command their language sufficient for all needs and thought and expression before acquiring the English language. This 'A then B' pattern commends the importance of Chinese language, putting English language in

---

61 Pennycook, A. *English and the Discourses of Colonialism*. (London and New York: Routledge. 1998), 124.

62 Burney Report: 25.

a subordinate role. For the latter, the importance of Chinese language is not completely stated out, at least less explicit than the 'A then B' pattern. This 'parallel pattern' puts 'A' and 'B' side by side with the ordinal markers 'first' and 'secondly' showing their order of sequence. Does this 'parallel pattern' carry any connotation that 'A' is more important than 'B'? One may argue that the ordinal markers have already exposed the author's intention- first is important than second. It is true that in some writings the ordinal markers might indicate the preference of the authors. It is equally true that in other writings, these ordinal markers are only used to refer to the things in a list.

The above analysis exposes the ambiguousness of the extract. It could either imply a preference on teaching Chinese or a balance approach of which both languages carry equal importance. If the extract is the only reference, it is unwise to support or refute the thesis that Burney supports the development of vernacular education in the Colony.[63]

In theory, the promotion of learning both Chinese and English language could be complimentary to each other. Learning one does not necessary mean at the expense of the other. However, we must carefully examine to which kind of Chinese does Burney really refer. As noted before, Burney suggests that the teaching of English in the schools of Hong Kong should be reformed on a frankly utilitarian basis; so that more time could be released for instruction in the Chinese language. Yet Burney doubts that 'how much instruction should be given, to pupils who are believed for the most part not to want it, in the Chinese classics'. As we generally agree that the acquisition of the first language is to a large extent different from second language acquisition, with the former deeply involves linguistic elements as well as cultural elements through mostly the study of classics. Therefore, the suggestion of teaching and learning one language by excluding its cultural essences is hard to say the suggestion is adopting a promotional view on that language. Speaking on the same vein, if students are not being instructed to a certain amount of classics, how could we ensure that they could have 'a command of their own language sufficient for all needs of thought and expression'? The reduction of the Chinese language to a practical form of meaning, or the technicalization of the Chinese language, strictly restrict its function on utilitarian basis basically serves the same purpose of the discourse 'the clerks must know English'. In fact 'the clerks must know English' is only one side of a coin. The other side of the coin is 'the clerks must

63 Unfortunately, most of research studies interpret Burney's suggestion as the 'A then B' pattern. N.L. Cheng's work is one of the living examples. Cheng is one of the earliest researchers taking concern to the teaching medium issue in the Colony. His studies had been extensively quoted particularly by local Chinese linguists and educationists. His Chinese translation to this extract is obviously according to the 'A then B' pattern. For details, see Cheng, N.L.(ed.) *Issues in Language of Instruction in Hong Kong*. Cosmos Books. (1979)

know Chinese'!

Both the discourses, 'the clerks must know English' and 'the clerks must know Chinese' target to serve the British interests in terms of trade and commercial development with the Mainland China. The last recommendation that 'whether the Chinese medium of instruction should be Cantonese, and at present, or Kwok Yu, which, it is understood, the Government of China wishes to establish as the universal spoken language throughout China'[64] obviously exposes the addressee of the recommendation is the British interest in Mainland China instead of serving 'educational progress' for the Hong Kong pupils. The 'educational progress', simply speaking is only a matter of demanding pupil with proficiency in both 'Basic English' and 'Basic Chinese'.

Conclusion

The evidence presented in this article suggests that archival documents are really important to scholarly research. Most of the documents adopted in this article are Colonial Office correspondences and the Annual Reports of Hong Kong Government (the Blue Books). Though some of these documents have already been published,[65] the accessibility is still low.[66] The limited accessibility explains why the adoption of these archives to research studies is relatively scarce particularly in local research studies. With a detailed study to the original documents, this article clarifies the reasons for the Burney visit and the nature of his Report. Why did the Secretary State for the Colonies initiate Burney's visit? From the beginning to the end, it is an open question. Neither the Burney Report nor the Colonial Office correspondences has fully addressed this question. The absence of the terms of reference in the Report allows legitimate inference to the provenance of the Burney visit. The argument for the misalignment of the post of Director of Education could hardly be established due to insufficient evidence. Through a critical analysis of the correspondences, I find that geopolitical and economic contexts in relation to Mainland China could be a plausible explanation. It is the trade and commercial factors leading the British Government to re-visit the education policy in the Colony. These contextual factors not only make

64 The Burney Report: 24.

65 For example, Hong Kong Annual Administration Reports, 1841-1941, Vol.1 to Vol. 6, edited by R. Jarman, Archival Editions. (1996).

66 The CO correspondences are only available in London or Hong Kong. The original copies are stored at the National Archive in Kew. Three microfilm copies are kept in Hong Kong. One is stored in the Public Record Office, the other two are kept in the University of Hong Kong and the Chinese University of Hong Kong.

Burney's visit realizable, but also change the nature of the whole Report.

The title of the Burney Report-Education in Hong Kong-probably suggests that it targets an overall review to the whole education system in the Colony. The change of the main concern to language issue is difficult to explain. The conspiracists might speculate that the broad review is only a smokescreen; the language issue is the hidden mission! Yet it is equally right to infer that the language issue was only emerged as the main focus during the course of Burney's investigation! Situating the whole issue however, with the trade and commercial activities among Hong Kong, China, and the outside world in the 1930s, the demand for bilingual clerks could provide a tentative explanation for the change of focus. Indeed the contextual factors change the nature of the whole report. The Burney Report becomes the first government policy document that making language policy an agenda for further discussion. The geopolitical and economic discourse also contributes to provide a reasonable explanation to the nature of Burney's suggestion to the development of vernacular education in the Colony. There is sufficient evidence to argue that the promotion of vernacular education is to serve the interest of the British trade and commercial activities in Mainland China. It is hard to say he is a whole-hearted supporter of vernacular education development in the Colony.

黃蓉從少女到婦女的轉變與功能

楊雷力

蘇州大學

一　前言

金庸的十四部小說，部份有較強的關連性，尤其《射雕英雄傳》及《神雕俠侶》。這兩部小說的故事情節發展集中在幾十年間，而且人物多有重覆，並互有關連，因此，《神雕俠侶》可視為《射雕英雄傳》的續集。

《射雕英雄傳》以郭靖和黃蓉為主角，講述二人相遇、相戀，闖蕩江湖的事跡。《神雕俠侶》的主角則是楊過和小龍女，而與二人連上關係的人和事，好一部份是《射雕英雄傳》裡的人物。其中，郭靖和黃蓉雖然退居二線，但仍然舉足輕重，對楊過和小龍女的際遇，影響甚大。唐杰認為金庸創作《神雕俠侶》是商業上的考慮，好讓《射雕英雄傳》的熱潮可以延續，並且推動《明報》的發展，因此在《神雕俠侶》中沿用了大部份《射雕英雄傳》的人物[1]。看來，金庸這個商業考慮相當正確。除郭、黃二人外，還有東邪、西毒、南帝、北丐、老頑童、邱處機、柯鎮惡、魯有腳等。這些重複的角色豐富了小說的內容，推動故事情節的發展，大大加強了兩部小說的延續性。不過，在眾多重複的人物中，卻有個相當有趣的現象，就是他們在《神雕俠侶》中的形象，與在《射雕英雄傳》裡的沒有很大分別，除了黃蓉。

黃蓉在《射雕英雄傳》裡，由始至終都處於少女階段。相反，在《神雕俠侶》中，她甫出場，已經是郭夫人、黃幫主（在《射雕英雄傳》裡已經接任丐幫幫主），並且與郭靖育有一女，多年後再誕下一女一子。可以說，黃蓉在兩部小說中，從少女到少婦，再到中年婦女，其年齡跨度當比任何一個金庸筆下的女角都要大。至於郭靖等人的年齡跨度也很大，但形象變化不大，郭靖仍然老實、東邪依舊逍遙、老頑童繼續遊戲人間，不過是隨著歲月，年紀老了，武功強了而已。郭靖等人的形象在兩部小說裡相當一致，但黃蓉的轉變卻很大，從蓉兒到郭夫人、黃幫主、三名子女的母親，儼如兩個人。不過，黃蓉的轉變，似乎只在形象上，本質卻沒有變，由始至終，還是那個黃蓉。另一方面，這麼多重複的角色，只有她有轉變，似乎是為了特別的功能。

1　唐杰：〈黃蓉形象變化背後的文化意義〉，《湘潭師範學院學報》，第27卷第5期，2005年9月，頁79-81。

二　少女黃蓉

《射雕英雄傳》的故事圍繞郭靖發展，共有四十回。除了第一回郭靖還沒有出生外，其餘三十九回都有郭靖的戲份。而且，整部小說的男角很多，江南七俠中的六位、全真七子中的六位、東邪西毒、南帝北丐、周伯通、楊康、完顏洪烈、楊鐵心、成吉思汗、魯有腳、歐陽克等等，是一部典型以男性為主的武俠小說。相反，女主角雖然也有好幾個，包括黃蓉、穆念慈、梅超風、華箏、韓小瑩、李萍、包惜弱、瑛姑、程瑤迦、馮衡，但除了黃蓉，其餘的戲份都不多。黃蓉的戲份獨領風騷，比其他女角多很多。黃蓉從第七回出場，直到第四十回故事結束，只有第十七回沒有出場[2]。另外，第十六、二十、三十六、三十八、三十九回，黃蓉或是中段離場、或是尾段出場，雖有一段時間沒有現身，但卻時刻出現在郭靖的言語或思念之中[3]。整部小說中，黃蓉的戲份接近八成。由此可見，黃蓉在《射雕英雄傳》裡的戲份是相當多的，僅次於郭靖。

不過，由於故事的主要情節發生在數年之間，因此，黃蓉的戲份雖然重，其外在形象卻變化不大，由始至終是一名少女。《射雕英雄傳》裡的黃蓉，給人的印象是美麗而聰明，與郭靖更是兒女情長，加上小說的女角不多，蓉兒自然給讀者留下深刻印象，而且深受讀者歡迎。

美麗，或許是小說女主角的必然形象。黃蓉以小乞丐的形象登場而邂逅郭靖，當她向郭靖展露真面目時，是「長髮披背，全身白衣，頭髮上束了條金帶，方當韶齡，肌膚勝雪，嬌美無匹，容色絕麗，笑靨生春」；直看得郭靖「呆了，只覺耀眼生花」，仿在夢中[4]。可是，故事更多描述的，是黃蓉的聰明機智。黃蓉向郭靖解釋她化妝成乞丐的原因：「我穿這樣的衣服（按：本來的面目），誰都會對我討好，那有甚麼希罕？我做小叫化的時候你對我好，那才是真好。」[5]，正好顯示了她聰明的一面，而且還是帶著心眼的，正如曹正文說：「聰明的女人總是多一個心眼」[6]。不過，由於年青，她所表現出來的聰明，多少帶點狡詐、胡鬧，加上她的父親號稱東邪，因此江南六俠、全真道人等都對她的聰明有所保留，更曾一度直呼她做小妖女，直至小說第三十六回以後才完全改觀。

少女黃蓉雖然聰明，但礙於武功一般，加上年輕而欠缺經驗，應付黃河四鬼尚算綽綽

2　《射雕英雄傳》（修訂本）第十七回講述郭靖和周伯通的互動，言語之間提及黃蓉，但黃蓉被父親限制，不能去找郭靖，只能透過啞僕向郭靖傳過訊息，沒有現身。

3　《射雕英雄傳》（修訂本）第十六回中段，郭靖和黃蓉前往桃花島，登島後黃蓉便不知所蹤。第二十回，郭靖等人遇到海難，黃蓉趕往救助，於尾段才出場。第三十六回前段，歐陽鋒脅逼黃蓉而去，郭靖尋之不果，輾轉回蒙古助成吉思汗征戰，黃蓉透過魯有腳暗助郭靖，沒有現身。第三十八回，郭靖未有辭婚，黃蓉傷心難過，剛出場便退場了，直到第三十九回中段才再出場。

4　金庸：《射雕英雄傳》（修訂本）香港：明河社出版有限公司，1993年（第16版），頁327-328。

5　同註4，頁329。

6　曹正文：《金庸筆下的一百零八將》，杭州：浙江文藝出版社，1992年，頁163-164。

有餘，面對真正的高手，則並非每次都行得通。她在王府中被沙通天等人圍困，用計雖成，但武功闖不出；她用計哄洪七公傳授郭靖全套降龍十八掌，洪七公是看得出的，但因為饞嘴而傳了郭靖十五掌；被歐陽克輕薄的時候，黃蓉用計脫身，但卻被看穿而未能成功；鐵掌山上將裘千仞誤以為裘千丈而受重傷。如此種種，不但推動故事情節發展，更使少女黃蓉的形象加倍生動，而不是臉譜式的人物。

少女黃蓉為人津津樂道的是她的機智和愛情，尤其在歷經磨練後，從佻皮到成熟的轉變。到達明霞島前，她的機智多少帶有些胡鬧，但明霞島上郭靖失蹤、洪七公受重傷、歐陽克虎視眈眈，她既要照顧洪七公，又臨危受命擔任丐幫幫主，還要防備歐陽克的侵犯，黃蓉一夜之間成長了。及後，於郭靖受重傷時，於密室中助他療傷；軒轅臺丐幫大會上，揭穿楊康詭計；受鐵掌重傷後，得南帝醫治，為報救命之恩，智助南帝化解瑛姑的襲擊；為求得江南五怪被殺的真相，冒險揭破楊康和歐陽鋒的毒計；為救柯鎮惡而甘願受歐陽鋒脅逼；郭靖在蒙古領兵，黃蓉暗中相助；郭靖回歸南宋並得悉襄陽有難時，黃蓉隨他前往並退卻準備攻打襄陽的蒙古軍。種種經歷讓黃蓉的聰明機智從只求滿足自己，嬉笑胡鬧，到照顧傷者、解決危難、報答恩情、求取真相、協助征戰，是一步步從利己到利他的轉變。數年間，還是少女的黃蓉，已然成熟了不少。

《射雕英雄傳》雖然是武俠小說，愛情元素卻也相當豐富，有多條愛情線[7]。當然，以郭靖與黃蓉的為主。郭靖黃蓉從邂逅到相戀，再加上種種考驗，更是貫穿了整部小說，牽引著讀者的心情。二人的愛情路並不順利，相戀不久便受到江南六俠和邱處機的阻撓，其後更經歷四次短暫分離，兩次愛情考驗，以及兩次較長的分離。四次短暫分離分別是第十四回末，黃藥師欲向郭靖下重手時，黃蓉跳入太湖中，到第十五回，才與郭靖重遇；第十六回，黃蓉被父親禁止而不能找郭靖；第十九回，郭靖隨洪七公等人離開桃花島，黃蓉未有跟隨；第二十一回，郭靖等人遇到海難及西毒的襲擊，黃蓉前來相救，但郭靖和西毒掉到海裡，短暫失蹤，而黃蓉則救了洪七公及歐陽克到明霞島。這四次分離的時間不長，對二人沒有什麼負面影響，反而加深了二人的思念，提升了二人的感情。江南五怪在桃花島被殺，可以說是對郭靖黃蓉關係的致命重擊。在此之前，二人已經歷海難、重傷、被綁架等事件，愛情已相當堅定，但江南五怪被殺還是給二人做成極大的衝擊，使二人形同陌路，更險些以性命相搏，幸虧黃蓉冷靜而使真相大白。然而，這也導致黃蓉被西毒脅逼，使郭靖和黃蓉（尤其郭靖）面對第一次長時間的分離。不過，這些考驗、衝擊，對二人的愛情而言，都是間接的，反而有助於二人感情的昇華。直接從愛情層面打擊二人的，是郭靖答應黃蓉向成吉思汗退婚不果，因此令黃蓉傷心欲絕而離開，直到二人在華山重遇。這

7 愛情線或顯或隱，包括郭靖與黃蓉、郭靖與華箏、楊康與穆念慈、周伯通與瑛姑、黃藥師與馮衡、陳玄風與梅超風、陸冠英與程瑤迦、郭嘯天與李萍、楊鐵心與包惜弱、完顏洪烈與包惜弱、段智興與劉貴妃、韓小瑩與張阿生。（《射雕英雄傳》（修訂本））

是另一次長時間的分離。

從這些間接和直接的衝擊，可以看到郭靖雖然深愛黃蓉，但卻受限於迂腐的誠信觀念而未有斷然明確拒絕華箏，直至郭母自殺、華箏退出，郭靖才得到釋放，全然投入到對黃蓉的愛情中。相反，黃蓉對郭靖則是一往情深，義無反顧，從來沒有改變。在第一次短暫分離和第一次長時間分離的時候，黃蓉其實早已找到郭靖，但卻刻意不露面，只是在暗中為郭靖打點，佻皮地與心愛的人玩捉迷藏。相比郭靖，黃蓉更珍惜這段愛情，也比郭靖更浪漫。黃蓉對愛情的執著，多少受到黃藥師對妻子癡情的表現所影響。

《射雕英雄傳》裡的黃蓉，所以可愛而大受歡迎，除了她少女的形象，美麗而聰明之外，更重要的，看來還有她對郭靖這個傻小子的一片癡心，充滿了浪漫和激情。然而，到了《神雕俠侶》中，黃蓉則回歸了現實和平淡，因此倪匡說她「連一點可愛之處都找不到」[8]，「變成了很不堪的人物」[9]。不過，正所謂青菜蘿蔔各有所愛，紫雁則說「兩個階段的蓉兒我都愛」，尤其《神雕俠侶》的黃蓉，認為「她終究是個凡夫俗子，而非隱居桃花島上不食人間煙火的小仙女」[10]。

三　婦女黃蓉

到了《神雕俠侶》，黃蓉出場時，已近中年，並與郭靖育有女兒郭芙。「蓉兒」這個稱呼已經不常出現了，更多的是郭夫人、黃幫主、娘親。這顯示了黃蓉身份上的轉變。

《神雕俠侶》以楊過為中心，也是武俠小說，時而插敘，時而倒敘，情節複雜，而且人物眾多，男女角色都在《射雕英雄傳》的基礎上增加了不少。其中，女角就比《射雕英雄傳》多了接近一倍，包括小龍女、黃蓉、郭芙、郭襄、李莫愁、洪凌波、陸無雙、程英、公孫綠萼、裘千尺、瑛姑、完顏萍、耶律燕、孫不二、程瑤迦、孫婆婆、武娘子、陸二娘，還有在故事開始時已逝世的何沅君和穆念慈。除了黃蓉、瑛姑、穆念慈之外，其餘的都是《神雕俠侶》中新增的。小龍女是女主角，黃蓉則是第二女主角，以四十回計算，小龍女現身了二十四回，佔六成戲份，而黃蓉則現身二十二回，佔了五成半的戲份。就戲份而言，小龍女和黃蓉是平分秋色的。其餘女角則戲份不一，雖然都對情節有推動的作用，卻難與兩位女主角看齊。

黃蓉在《神雕俠侶》中依然是美貌與智慧並重，而且武功進步不少，已達一流高手的境界。不過，隨著年歲增長，身份轉變，黃蓉的表現似乎也改變了，沒有了少女時代的靈動、佻皮、反叛，反而多了顧慮、猜忌、傳統。因此，唐杰指她「是一個完全接受封建傳

8　倪匡：《我看金庸小說》重慶：重慶大學出版社，2009年，頁95-96。

9　倪匡：《四看金庸小說》重慶：重慶大學出版社，2009年，頁132-148。

10　潘國森、紫雁：《給我金庸小說》臺北：遠流出版事業股份有限公司，2001年，頁86-95。

統道德的平庸的中年女人」，更認為她在兩部小說中的形象是分裂的：她本應叛逆，但卻變得順從；她本應忠實於自我，但卻完全失去了自我；她本應唾棄三從四德，但最後卻成了賢妻良母；還搬出黃藥師的批評：「她自己嫁得如意郎君，就不念及別人相思之苦？我這寶貝女兒就只向著丈夫，嘿嘿，『出嫁從夫』，三從四德，好了不起！」，認為是父親對女兒的失望與不滿[11]。的確，黃蓉這種「分裂的形象」讓很多讀者失望，但她的本質其實並沒有變。

人到中年，沒有少年時的靈動和佻皮，這是自然的。黃蓉是極聰明的人，本來就多一個心眼（甚至幾個），顧慮和猜忌是從來都有的[12]。郭靖是黃蓉深愛的人，郭靖怎樣，黃蓉就怎樣，反正郭靖也不會做出甚麼壞事。如果要說黃蓉本應叛逆，卻變得順從是分裂的話，那麼早在《射雕英雄傳》第八回，黃蓉助郭靖為王處一找藥的時候就已經「分裂」了，不用等到《神雕俠侶》。黃蓉還沒有到出嫁從夫的階段，就已經順從郭靖了。黃蓉始終深愛郭靖，是忠於自我的表現；之所以成為賢妻，看重家庭，都是因為郭靖。黃藥師對郭靖總有微言，但礙於女兒的堅執，也沒辦法。父親對女兒的影響力，隨著女兒遇上愛情而漸漸消失，也是世間常情，父親因此對女兒有些「失望與不滿」而批評了幾句，只可說是父親的妒忌而已。況且，黃蓉選擇了郭靖，是順從了自我的選擇，而沒有順從父親，這本身就是一種叛逆。這樣的黃蓉，才顯得有血有肉有靈魂，從《射雕英雄傳》到《神雕俠侶》，都是一致的。

婦女黃蓉不為讀者喜歡的真正原因，是因為楊過的遭遇。正如倪匡在《四看金庸小說》中對《神雕俠侶》的黃蓉提出的負評，全部都與楊過有關[13]。

楊過是楊康之子，除了樣貌酷以乃父，還有其父的幾分狡黠，要不然也不會嚇得傻姑以為見鬼，也不會初見郭靖便繞圈子戲弄他。黃蓉初見楊過便摔倒他，目的是驗證楊過的身份。當確認楊過的身份後，黃蓉便對楊過存有戒心。其後，二人關係曾經好轉，但因為種種經歷，黃蓉對楊過還是半信半疑，直到小說尾段，楊過在襄陽大戰中救了郭襄，又助郭靖盡退蒙古軍，黃蓉才對他完全放下戒心。黃蓉對楊過有所顧慮，主要因為他是楊康的兒子；其次是郭芙傷害了楊過和小龍女。黃蓉在密室助郭靖療傷，為免秘密洩漏，連對著與她甚有淵源的傻姑都可以起殺念，更可況楊康之子楊過。從黃蓉的角度出發，她對楊過存有顧慮並加以防範是完全合理的。

黃蓉對楊康一直不存好感，認為他不會甘心放棄金國的榮華富貴，而做南宋的黎民百姓。此外，黃蓉於鐵槍廟中揭破楊康奸計，楊康為求自保而襲擊黃蓉，卻反而中毒身亡。雖然楊康是咎由自取，但畢竟是從黃蓉身上中的毒。「我不殺伯仁，伯仁卻因我而亡」，黃蓉沒有殺楊康，楊康卻因黃蓉而死。楊康的死，黃蓉脫不了關係。因此，黃蓉對楊過便存

---

11 唐杰：《金庸筆下黃蓉形象的文化解讀》，貴州師範大學碩士學位論文，2006年，頁11-12。

12 例如她打扮成小叫化，是要防範別人因為她本來的面目而討好她；在密室為郭靖療傷，擔心傻姑守不了秘密而想殺了傻姑；對楊康願意放棄榮華富貴有所懷疑，等等。(《射雕英雄傳》(修訂本))

13 同註9，頁132-148。

了一份戒心，同時也看出了他的聰明。於是，黃蓉在桃花島上刻意不教楊過武功，怕他「學了武功，將來為禍不少」，反而要他讀書，希望他「習了聖賢之說，於己於人都好」[14]。直至大勝關英雄宴上，黃蓉重遇楊過，二人在樹林有一段對話，黃蓉對沒有教他武功而讓他吃了許多苦頭感到歉意，又坦白說了不喜歡楊過的基本原因，並答應將來會教楊過武功，令楊過大感溫暖[15]。後來，遇到金輪國師的威脅，黃蓉便臨陣傳了楊過打狗棒法和亂石陣的奧妙[16]。

黃蓉和楊過的關係本來已經好轉，但好事多磨，在情節的推進下，魯莽的郭芙砍斷了楊過一條手臂，後來又在古墓中令小龍女傷上加傷。黃蓉重視家庭，自然袒護女兒。同時，她又要防備楊過可能會做出的報復，畢竟，楊康之子楊過受到了郭芙的傷害。郭芙砍斷楊過手臂，是因為四樣使她憤怒的事情：其一，武氏兄弟為爭郭芙而以性命相搏，楊過為解二人紛爭，搬出了郭靖許配郭芙給楊過一事，雖然奏效，卻引起郭芙的不滿；其二，楊過抱走郭襄，雖極力保護郭襄周全，但畢竟讓李莫愁抱了去，郭芙愛妹心切而怒罵楊過；其三，郭芙怒罵楊過，辱及小龍女，被楊過打了一巴掌；其四，郭芙受不了一巴掌的羞辱，欲殺楊過，楊過卻沒有任何乞憐之色，以致郭芙心中怒極，終於釀成大錯[17]。郭芙的憤怒是逐步加強的，雖然她千不該萬不該，但楊過自己也有一點點責任吧。至於郭芙誤傷小龍女，則又是「我不殺伯仁，伯仁卻因我而亡」的重演。眾人困於古墓，本來已經劍拔弩張，郭芙又不知道楊過和小龍女藏身於石棺，因而釀成了另一次意外[18]。

看罷《神雕俠侶》，讀者明白楊過全然沒有報復之心，黃蓉的確是多慮了。但是，從黃蓉的角度，她怎會知道呢？她的憂慮、防範乃人之常情，是合理的。相反，如果黃蓉由一開始便接受楊過，一點也不懷疑，她便會像郭靖一般呆板，與《射雕英雄傳》裡那個靈動的黃蓉完全不同了。這樣的黃蓉，恐怕會更遭讀者唾棄。

其實，黃蓉對楊過並不壞，反而很好。《神雕俠侶》第三回，在桃花島上，黃蓉教楊過讀書，雖然是有所防範，但畢竟也是為他好，起碼在面對強敵來襲，楊過在「霎時之間，幼時黃蓉在桃花島上教他讀書，那些『殺身成仁、捨生取義』的語句，在腦海間變得清晰異常……突然間領悟得透徹無比」[19]。第二十二回，當黃蓉從小龍女口中得知楊過身中情花毒，要殺他夫妻二人來換解藥，雖然驚訝，但明白原委後，便向小龍女提出「明日你和過兒聯手保護郭大爺，待危機一過，我便將我首級給你，讓過兒騎了汗血寶馬，趕去換那絕情丹便是。」[20]。這想法雖然出於救丈夫和女兒，但畢竟也是為楊過的，因為她在苦無對策

---

14 金庸：《神雕俠侶》（修訂本）香港：明河社出版有限公司，1998年（第24版），頁93。

15 《神雕俠侶》（修訂本）第十二回。

16 《神雕俠侶》（修訂本）第十四回。

17 《神雕俠侶》（修訂本）第二十三、二十四回。

18 《神雕俠侶》（修訂本）第二十九回。

19 同註14，頁892-893。

20 同註14，頁888。

之際，想到「過兒捨身為人，我豈便不能？」[21]，便來了個自以為兩全其美的計策。第三十二回，小龍女失蹤後，黃蓉為保楊過性命，便順著小龍女在崖上的留言，杜撰南海神尼，激發楊過求生意志，服食斷腸草來解情花毒。第三十八回，眾人[22]到了絕情谷底，見一碧水深潭，黃蓉深潛潭中找楊過，但「那潭水好深，黃蓉急向下潛，越深水越冷，到後來寒氣透骨，睜眼看去，四面藍森森、青鬱鬱，似乎結滿了厚冰。黃蓉暗暗吃驚，但仍不死心，浮上水面來深深吸了幾口氣，又潛了下去。但潛到極深之處，水底有一股抗力，越深抗力便越強，黃蓉縱出全力，也無法達潭底，同時冷不可耐，四周也無特異之處，只得回了上來。眾人見她嘴唇凍成紫色，頭髮上一片雪白，竟是結了一層薄冰，無不駭然。」[23]，可惜未能找到楊過。以上種種，可見黃蓉對楊過的好，是真心的好。

四　黃蓉的功能

黃蓉是《射雕英雄傳》和《神雕俠侶》兩部小說的靈魂人物。她在兩部小說中的本質沒有變，但形象卻很不一樣，表現也有不同，以致讀者對她在兩部小說中的評價不一。然而，兩部小說中重複的人物，只有她的表現出現明顯變化。這些改變，在商言商，促銷了《神雕俠侶》；就敘事功能而言，推動了故事發展，尤其在三方面。

（一）輔助郭靖

黃蓉初遇郭靖，很快便傾心於他，然後就以輔助郭靖為目標。這目標在兩部小說中是一致的。

面對王處一受傷，郭靖雖然有藥方，但到處買不到藥。黃蓉看在心裡，向郭靖現出真面目，主動示愛，然後便助郭靖到王府盜藥；為讓郭靖多一些時間找藥，黃蓉以身犯險，用計纏著王府中的高手，還無意中讓郭靖吸了大蛇的血。這血促進了郭靖的功力，也讓他在後來遇上周伯通，一起被蛇咬的時候，不但自己沒有事，還可以反過來救治周伯通。郭靖遇上周伯通，是黃蓉間接促成的。郭靖隨黃蓉到桃花島，黃蓉明知島上機關重重，卻沒有拖著郭靖走，以致他迷路而遇上周伯通。也許黃蓉當時離家太久，太掛念父親而忘了郭靖吧。

郭靖的武功本來平平。二人偶遇洪七公，知他老人家饞嘴，黃蓉便使出烹飪的功夫，哄得洪七公傳了郭靖降龍十八掌，大大加強了他的武功。後來，在二次華山比武中，黃蓉

---

21 同註14，頁887。

22 黃蓉、黃藥師、周伯通、瑛姑、一燈、程英、陸無雙。

23 同註14，頁1583-1584。

為讓郭靖奪魁，便向父親黃藥師和師父洪七公定下規則，若二人不能在三百招內勝過郭靖，郭靖便是天下第一了，可惜被歐陽鋒破壞。

在密室療傷中，黃蓉傾力相助郭靖，迭遭險境。在被西毒追蹤的同時，暗助郭靖領導蒙古軍。郭靖返回南宋後，蒙古軍欲攻打襄陽時，黃蓉便與郭靖同往襄陽守城。

黃蓉未嫁郭靖便已經是「賢內助」，更何況婚後，為他生育兒女。此外，還領導丐幫，助他一起鎮守襄陽。二次華山比武後，黃蓉再一次希望郭靖奪魁。這次是大勝關英雄大會，黃蓉助郭靖成為武林盟主，可惜金輪法王前來搗亂。面對楊過這位郭靖義弟之子，既要滿足丈夫，又要有所防範，黃蓉便要求教導楊過。黃蓉實際上是要對楊過有所防範，但名義上，畢竟是分擔了郭靖的重擔。

如果沒有聰明機警的黃蓉，極度憨厚的郭靖恐怕在江南寸步難行，早早回蒙古做駙馬了，哪來的射雕英雄？哪裡還能領導群雄，固守襄陽，北抗蒙古，成為一代大俠？只可惜，黃蓉畢竟是凡人，沒有教好郭芙，反而寵壞了，以致後來多番事端，實在是黃蓉輔助郭靖的唯一缺失。

（二）成就楊過

黃蓉輔助郭靖是直接的，因為這是她一生的使命。相反，成就楊過則是間接的。她初遇楊過時心存厭惡，但因為郭靖的緣故，她硬著頭皮接受了。這又是為了郭靖。不過，卻也促成了神雕大俠楊過的人生。

《神雕俠侶》第三回，黃蓉自薦教楊過，卻不教武功，只教聖賢之說，其目的本是為了防患於未然，使他不會走楊康的路子。豈料，楊過還是學會了不少武功，而且功力頗高。聖賢之說看來對楊過沒有用。然而，到了第二十二回，郭靖重傷、襄陽有難之際，楊過對聖賢之說「突然間領悟得透徹無比」[24]，可見黃蓉教楊過讀書並非無用，反而為他日後成為神雕大俠打下基礎。

黃蓉兩次「勸退」小龍女，分別是第十四回和第三十二回，兩次的本意都是為楊過好。第一次是否為楊過好，或者可圈可點，畢竟是棒打鴛鴦，但第二次則全是為了楊過。第一次「勸退」是直接的，而第二次則是間接的。黃蓉只是希望小龍女勸服楊過服食斷腸草，豈料小龍女選擇以「十六年之約」來勸服楊過的求生意志。因此，黃蓉並沒有勸小龍女離開，而是小龍女自己選擇離開。在場眾人沒有一個知道小龍女去了哪裡，楊過也只能向黃蓉質詢。在黃蓉而言，這又是一次「我不殺伯仁」的重演。在楊過而言，小龍女每次不辭而別，都使楊過對她的思念增加，重遇後，愛意倍增。如果沒有這兩次的分離，二人的愛情又怎能驚天動地、刻骨銘心？黃蓉間接促成了楊過對小龍女堅定的愛。

24　同註18。

小龍女留下十六年之約，然後失蹤，對楊過是很大的打擊。黃蓉為保楊過性命，又一次不惜犯險，順著小龍女的留言，編造南海神尼，哄騙楊過，使他為再見小龍女而堅忍十六年。這段時間裡，楊過與神雕為伴，練成了上等武功，並到處行俠仗義，得了神雕大俠的稱號。如果沒有黃蓉的謊言，楊過恐怕早在小龍女失蹤的時候跳崖殉情了，哪裡還有神雕大俠？黃蓉只想保住楊過性命，卻沒想到間接造就了一位受人景仰的大俠。故事尾聲，在華山上，黃蓉還建議了楊過以「西狂」的名號位列新五絕之一[25]。

黃蓉和楊過都是聰明人，只有足智多謀的郭伯母（黃蓉），才能成就聰穎過人的神雕大俠（楊過），使他沒有走入父親（楊康）的歧途。

（三）襯托小龍女

黃蓉在《射鵰英雄傳》裡一枝獨秀，在《神雕俠侶》中則與小龍女平分秋色。對於楊過的一生，黃蓉和小龍女都發揮了重要的影響。楊過自幼孤苦，所渴求的是別人對他好。別人對他好，他也就一心對人好，如歐陽鋒、孫婆婆、小龍女等。歐陽鋒視他如兒子；孫婆婆出手從全真教的人手中教護他，更因此受重傷而死；小龍女教他武功，幫他教訓了全真教的人，出了口氣。楊過為報孫婆婆的恩情，再加上他已經無依無靠，便與小龍女同住於古墓中。二人日久生情，打下了至死不渝的愛情基礎。小龍女對楊過的影響主要在二人同居於古墓中的那段日子[26]，而黃蓉則是成就了楊過的人生。

從小龍女和黃蓉對楊過的影響看，似乎黃蓉的戲份更重一些，更像故事的女主角。但是，黃蓉的主要輔助對象是郭靖，而且她在《射鵰英雄傳》裡已經出盡風頭。如果再讓她當女主角，則男主角依然會是郭靖，那麼就不會是《神雕俠侶》而是《射鵰英雄傳續集》。因此必須有些改變。此外，《神雕俠侶》以愛情為主題，楊過為中心，黃蓉自然更不可能當女主角，儘管戲份很重，也只能屈居女二號，讓小龍女當女一號了。

小龍女成長於古墓，於世俗禮法一點也不拘泥，甚至有點罔顧，頗有少女黃蓉「叛逆」的影子。少女黃蓉的「叛逆」形象，被婦女黃蓉淡化了，甚至有點受郭靖影響而守舊迂腐。前文提及，黃蓉這形象的轉變是合理的，因此，「叛逆」的重任便只好交給小龍女，尤其對於封建禮法這方面。

黃蓉是楊過的長輩，教過他讀書，後來也教了些武功，待楊過也是真心的好，但畢竟帶點防衛。小龍女是楊過的師父，卻愛上楊過，對他是傾心的好並且沒有任何防範。兩相比較，黃蓉襯托了小龍女對楊過的一心一意。

楊過是《神雕俠侶》的主角，與黃蓉的矛盾推進了故事的發展，更讓他與小龍女的愛

25 《神雕俠侶》（修訂本），第四十回。
26 《神雕俠侶》（修訂本），第五回至第七回。

情一波三折。相反，楊過與小龍女則沒有任何矛盾而只有愛情。一個是接二連三的矛盾衝突，一個則是海枯石爛的動人愛情。黃蓉只好當「黑臉」，讓小龍女當「白臉」了。

五　結語

金庸把《射鵰英雄傳》裡的人物，寫到《神鵰俠侶》中，增加了兩部小說的延續性。眾多人物裡，老的老，瘋的瘋，死的死，已然沒有改頭換面的空間，郭靖更不可能改，最有改變空間的，只有黃蓉。從《射鵰英雄傳》到《神鵰俠侶》，黃蓉的確變了很多，但她本質一直沒變，只是隨著歲月流逝和人事變遷而改變了形象，在不同的階段有不同的表現。黃蓉美麗聰明而心思縝密，加上妻子的責任、母親的心情、家庭的考慮、幫主的身份、民族的大義，以及過去的際遇，《神鵰俠侶》中的黃蓉不可能與《射鵰英雄傳》裡的黃蓉一樣；如果一樣，則《神鵰俠侶》的情節發展難免滯悶，受歡迎程度必然大減。黃蓉從少女到婦女的轉變使她躍然紙上，是金庸筆下最活的小說人物。

劉震雲小說《手機》主題辨析補遺

江彥希

香港公開大學人文社會科學院

《手機》是劉震雲創作的一部新寫實主義小說。李建軍批評《手機》「缺乏深度」的同時，亦有不少研究關心《手機》的主題。論者把《手機》所揭露的社會問題分為「家庭、婚姻」、「文化階層墮落」及「科技文明的副作用」三類。過往的研究忽略了劉震雲創作「關注的是人的說話」的宗旨，未有留意「說謊」、隱瞞與《手機》主題的關係，因而未能徹底闡發《手機》的主題。本文從《手機》中于文娟、沈雪、伍月被騙前後性格的轉變、牛彩雲之過份誠實出發，結合其他角色的自白，並運用社會學、心理學與哲學的有關理論分析，表現涉及「語言」、「說話」與「人際關係」的「說謊」行為在《手機》情節中之重要，又由《手機》對「說謊」的反思，可知李氏之「缺乏深度」論實有待商榷。

一　劉震雲與新寫實主義——《手機》與社會問題

劉震雲，河南延津人。一九八二年畢業於北京大學中文系，同年開始創作。[1]作品包括較早期的《塔鋪》、《新兵連》、《一地雞毛》[2]、近期的《一腔廢話》、《手機》、《一句頂一萬句》及新作《我不是潘金蓮》等[3]。不少學者稱劉震雲為新寫實主義小說作家[4]，更有評論認為「劉震雲是『新寫實主義』的小說的領軍人物，在中國當代文壇獨樹一幟」[5]、「劉震雲可以看成其（筆者按：新寫實主義作家）核心人物」[6]。

「新寫實主義」小說一名源自一九八九年出版的《鍾山》雜誌，另外有「後現實主

1　危娜及周傳榮：〈河南劉震雲——著名作家劉震雲採訪錄〉，《成功》，2002年第10期，頁14。

2　同上註，頁14。

3　范寧：〈劉震雲：我是中國說話最繞的作家嗎〉，《長江文藝》，2013年第3期，頁92-93。

4　郭寶亮：《文化詩學視野中的新時期小說》石家莊：河北人民出版社，2007年，頁84；洪子誠：《大陸當代文學史》臺北：秀威資訊科技股份，2008年，頁193；陳曉明：《無望的叛逆：從現代主義到後——後結構主義》西安：陝西人民教育出版社，2002年，頁194；賈方舟編：《批評的時代：中國美術批評文萃（第1卷）》南寧：廣西美術出版社，2003年，頁377。

5　秦劍英：〈從《手機》看劉震雲小說敘事策略的轉變及主題的多元性〉，《中州學刊》，2006年3期，頁225。

6　司敬雪：《二十世紀晚期中國小說倫理》臺北：秀威資訊科技股份，2009年，頁8。

義」小說[7]、「新現實主義」小說[8]、「現代現實主義」小說[9]等別稱。《鍾山》雜誌編輯部還為「新寫實主義」下了定義：

> 這些新寫實小說的創作方法仍以寫實為主要特徵，但特別注重現實生活原生形態的還原，真誠直面現實，直面人生。雖然從總體的文學精神來看，新寫實小說仍劃歸為現實主義的大範疇，但無疑具有了一種新的開放性和包容性，善於吸收、借鑒現代主義各種流派在藝術上的長處。[10]

即「新寫實主義」小說與傳統「現實主義」小說的不同在於前者吸收了其他流派的手法，如反諷、黑色幽默等[11]。《鍾山》之定義對於「新寫實主義」小說與傳統「現實主義」小說在內容上的異同有所不足，其後有學者作出補充：兩者內容同樣「呈現著當今社會生活的諸種問題」[12]，但後者「只寫個人」，而前者「則把焦點對準集體」[13]。我們由此可知「新寫實主義」小說是著重運用反諷、黑色幽默的手法來表現社會上普遍存在的問題。

又有論者為「新寫實主義」與「現實主義」進行更深入之比較，並觀察到「新寫實主義」作家不欲以文學作品作為說教手段的傾向。然而，作者的創作宗旨並不能完全凌駕讀者對作品的詮釋，因此「新寫實主義」小說雖或未有教化讀者的意圖，但讀者在詮釋過程中，所得到的感受卻有可能對其情感、思想帶來啟發，從而達到作品富有教育意義的效果。[14]

劉震雲所創作的小說《手機》同樣具有「新寫實主義」的特質。《手機》是先有電影版，後來於二○○三年才發表小說版，又於二○一○年改編成電視劇。電影編劇和小說作者同樣由劉震雲包辦。正當李建軍以「沒有收穫」總結其「讀完《手機》以後的感受」，認為《手機》「缺少一個深刻主題」，而《手機》是一部「缺乏深度的小說」時[15]，又有論者認為《手機》是以「新寫實主義」手法來表現深刻思考的作品，如「作者在小說《手機》中秉承了他一貫的『新寫實小說』的理念……表現的仍是劉震雲對社會、人生的思考和揭

---

7 王干：〈近期小說的後現實主義傾向〉，《北京文學》，1989年第6期，頁45。

8 丁帆和徐兆淮：〈向現代悲劇逼近的新現實主義小說〉，《文學自由談》，1989年第6期，頁87。

9 王又平：《新時期文學轉型中的小說創作潮流》武漢：華中師範大學出版社，2001年，頁213。

10 《鍾山》編輯部：〈新寫實小說大聯展卷首語〉，《鍾山》，1989年第3期，頁4。

11 陳曉明編：《中國新寫實小說精選》蘭州：甘肅人民出版社，1993年，頁22。

12 鄭萬鵬：《中國當代文學史：在世界文學視野中》北京：北京語言文化大學出版社，2000年，頁6。

13 吳義勤主編：《中國新時期小說研究資料（上）》濟南：山東文藝出版社，2006年，頁358。

14 參江彥希：〈新寫實主義小說與中國古代文論的關係〉，《新亞論叢》，2016年第17期，頁313-316。

15 李建軍：〈尷尬的跟班與小說的末路——劉震雲及其《手機》批判〉，《小說評論》，2004年第2期，頁16。

露」[16]、「因其對當時社會實際的關注和富有特色的直白陳述引起了很大反響，使劉震雲成為『新寫實主義』作家的中堅力量，在當代文學史的敘述中贏得了一席之地」[17]等。

二　已有研究之不足

筆者粗略考查國內期刊論文資料，發現把劉震雲小說《手機》作為直接研究對象的有十六篇。其中一篇是研究《手機》中運用「蒙太奇」及「空間化」電影手法[18]，跟《手機》主題的闡發距離較遠。涉及《手機》中的隱喻和象徵的[19]、專門研究《手機》中反諷手法[20]及直接點明《手機》主題研究[21]的各有兩篇。

本文上一節已說明《手機》作者劉震雲是「新寫實主義」小說作家。上述的那六篇有關《手機》寫作手法研究的論文，顯然是肯定了《手機》的「新寫實主義」特質，並從這個方向入手探討。作為「新寫實主義」小說，《手機》的主題同樣是揭露社會上普遍存在的問題。已有研究對《手機》中社會問題的表述，可利用秦劍英的分類作概括總結：

首先是「家庭、婚姻」[22]的問題：即使故事男主角嚴守一曾經自責，但「依然不能壓抑內心對性慾的渴求」。[23]面對女角伍月挑逗，嚴守一露出「本性惡魔的一面」，並「將道德禮俗等制約規範徹底推翻」，導致「道德倫理錯位」[24]。[25]女性在感情關係中始終「處於劣勢」。[26]

另外是「文化階層墮落」[27]的問題：知識分子「應該是人類文明規範的忠實實踐者，可

16 秦劍英：〈從《手機》看劉震雲小說敘事策略的轉變及主題的多元性〉，頁225。

17 趙茜琦和趙興元：〈影視文化對劉震雲小說創作的影響——以《手機》為例〉，《黑龍江科技信息》，2010年第9期，頁173。

18 王坤：〈劉震雲新世紀小說形式的影視化傾向——以《手機》、《我叫劉躍進》為例〉，《新鄉學院學報》，2011年第6期，頁84-86。

19 湯天勇：〈語言慾望之聲——讀劉震雲新作《手機》〉，《平頂山師專學報》，2004年第6期，頁41-44；史曉婧：〈話語的狂歡與狂歡的背後〉，《六盤水師範高專專科學校學報》，2006年第1期，頁39-41及70。

20 劉永軍：〈淺析劉震雲小說《手機》的後現代主義反諷手法〉，《青春歲月》，2013年第22期，頁34-35；于忠曉：〈反諷、異化與話語嬗變——劉震雲小說《手機》的後現代解讀〉，《遼寧行政學院學報》，2006年第1期，頁141-142。

21 秦劍英：〈從《手機》看劉震雲小說敘事策略的轉變及主題的多元性〉，頁225-227；常玉榮和張世岩：〈技術理性世界遭遇言說的尷尬——解讀劉震雲長篇小說《手機》主題意蘊〉，《河北建築科技學院學報》，2006年第2期，頁111-112。

22 秦劍英：〈從《手機》看劉震雲小說敘事策略的轉變及主題的多元性〉，頁226。

23 湯天勇：〈語言慾望之聲——讀劉震雲新作《手機》〉，頁42。

24 劉永軍：〈淺析劉震雲小說《手機》的後現代主義反諷手法〉，頁34。頁34-35

25 秦劍英：〈從《手機》看劉震雲小說敘事策略的轉變及主題的多元性〉，頁226。

26 秦劍英：〈從《手機》看劉震雲小說敘事策略的轉變及主題的多元性〉，頁227。

27 秦劍英：〈從《手機》看劉震雲小說敘事策略的轉變及主題的多元性〉，頁226。

結果也陷進財與色的泥淖」[28]，可見「知識份子的虛弱、虛偽、表裡不一」，而「在一個物慾橫流的商品經濟時代，在一個大眾文化盛行的時代，文化的地位已被消解，精英文化也已經被邊緣化，處在一個很尷尬的地位」[29]。

還有「科技文明的副作用」的問題：一方面人們通過手機說謊，但其實是「失去了講述真話的權利」[30]。另一方面，科技「極大地將時空進行壓宿，實現了零距離時差的『實時監控』」[31]，增加了撒謊的難度，又「加大人類心靈和情感的距離」[32]。有論者更認為《手機》的其中一個主題是「對科技進行反思」[33]。

李建軍的「因其便於隨時詢喚，嚴重地擠壓了私人空間」，因而導致「情感緊張」及「道德扭曲」[34]的分析，正可歸入秦劍英提出的「科技文明的副作用」的主題分類中。由此可見，李建軍只是就一個方向去闡發《手機》的主題，對《手機》的內容未有充分的體會。

我們認為以上有關《手機》主題的三方面闡述已相當全面，而且我們也認同以上的觀點。不過，之前的研究對《手機》主題的理解仍然有所忽略。劉震雲曾自言自己寫小說時，「關注的是人的說話」，因為「語言最能反映人的嘴和心之間的關係」[35]。那麼，「說話」與「語言」有何作用？有學者已經嘗試從這個方向挖掘，並指出《手機》的主題為「生存在這個世界上人際交往的重要性」[36]，但可惜此說仍未有把「說話」、「語言」與「人際交往」聯繫起來，還給人一種「搔不到癢處」的感覺。另一方面，之前的研究已察覺到《手機》中男女之間的感情瓜葛是全本小說的重心，本文也贊同，但它們卻未有挖掘《手機》感情瓜葛間有關「說謊」的主題。本文認為「說謊」是《手機》表現和深思的一個社會問題，正如 George Steiner 曾於其語言文化研究論著提到說謊是一個既重要而複雜，同時又趣味盎然的課題：

> 我相信探討「不誠實」的性質和歷史會有助明白語言和文化。「不誠實」……不止是純粹與事實的錯配……人類說謊、否定事實的能力成為口語的重心，同時加強了語言與世界之間的聯繫（I believe that the question of the nature and history of falsity is of

---

28 湯天勇：〈語言慾望之聲——讀劉震雲新作《手機》〉，頁42。

29 高芳艷：〈從《手機》看劉震雲敘事風格的轉換〉，《短篇小說（原創版）》，2013年第9期，頁22。

30 劉永軍：〈淺析劉震雲小說《手機》的後現代主義反諷手法〉，頁34。

31 秦劍英：〈從《手機》看劉震雲小說敘事策略的轉變及主題的多元性〉，頁227。

32 常玉榮和張世岩：〈技術理性世界遭遇言說的尷尬——解讀劉震雲長篇小說《手機》主題意蘊〉，頁111。

33 秦劍英：〈從《手機》看劉震雲小說敘事策略的轉變及主題的多元性〉，頁227。

34 李建軍：〈尷尬的跟班與小說的末路——劉震雲及其《手機》批判〉，頁16。

35 見〈劉震雲：「廢話」講完，「手機」響起〉，《南方周末》，文學，2004年2月5日。

36 姚小亭：〈「觸電」極為成功的當代小說作家——文化消費時代的劉震雲及其《手機》〉，《信陽師範學院學報》，2005年第5期，頁97。

crucial importance to an understanding of language and of culture. Falsity is not, ……a mere miscorrespondence with a fact. ……The human capacity to utter falsehood, to lie, to negate what is the case, stands at the heart of speech and of the reciprocities between words and world）」[37]。

三　研究方法及目標

既然劉震雲寫作是有意識地著重角色「說話」與「語言」的刻畫，而「說謊」是透過語言表達，又「交往」與人類生活息息相關，我們同時也知道故事男主人翁嚴守一和費墨面對引誘時，都曾說謊和隱瞞事實。因此，本文希望提出一個方向再進一步辨析《手機》的主題：「說謊」與「隱瞞」在「人際交往」上的影響。

作者借筆下角色之口說話，可以說是屢見不鮮。從文學作品內容來看，早於元人柯丹邱（生卒年不詳）《荊釵記》的第二齣，已經有角色「自己罵自己又笨又懶」，是「劇作者借角色之口來批判角色」[38]的典型例子，及至現當代文學作品裡，仍可見不少例子，如黃錦樹認為李永平小說《海東青》中女主角朱鴒「自訴的一個夢」是「作者借角色之口傳達其怨毒之微言大義」，目的是針砭「現代中國國家藍圖的制定者」[39]，又話劇《權與法》女角羅丹華抒發自己對「婚姻問題」的議論，王世德認為《權與法》的這一個情節是作者邢益勛「借角色的嘴巴」來「宣傳某種觀點」[40]。從文學創作的角度來看，作者借角色之口說話、說理也是常用的手法，如「角色常代替作者直接向觀眾說話」[41]、「借角色的口說出人應當怎樣做人的道理」[42]。「新寫實主義」作家或不想擔當說教者的角色，但其故事中人物的行為、說話仍有可能不自覺地成為讀者獲得教化、啟迪的素材。

讀者從劉震雲《手機》不同角色的說話，也能獲得思考與感受人生的空間。首先費墨說一個人怎樣過生活是自己決定：「你在天堂，也在地獄，無人把你從地獄領到天堂，但你可以把天堂過成地獄」[43]，就如伍月於故事中的對白：「髒？髒是你造成的」[44]。人選擇自

---

37 G. Steiner, *After babel* (London: Oxford University Press, 1975), 214.

38 參謝明和薛沐：〈試論戲曲演劇方法〉，載於中國藝術研究院戲曲研究所編：《中國戲曲理論研究文選（上冊）》上海：上海文藝出版社，1985年，頁128。

39 黃錦樹：〈漫遊者、象徵契約與卑賤物——論李永平的「海東春秋」〉，載於陳大為等主編：《赤道回聲》臺北：萬卷樓圖書股份有限公司，2004年，頁417。

40 王世德：〈談戲劇的語言動作性〉，《藝譚》，1984年第2期，頁77。

41 林怡沁：《寫作戲劇化教學》臺北：秀威資訊科技股份，2013年，頁70。

42 王朝聞：〈透與隔——談戲劇怎樣表達思想〉，《劇本》，1962年第5期，頁4。

43 劉震雲：《手機》武漢；長江文藝出版社，2003年，頁34。

44 劉震雲：《手機》，頁181。

貶人格，就是費墨所言之「生活很簡單，你把它搞複雜了」[45]。至於「搞複雜」的原因，就可從嚴守一之說話找到答案：「為甚麼我們生活得越來越複雜，就是因為我們越來越會說話」[46]，而把「越來越會說話」放回故事情節裡看，就是人越來越懂得說謊，隱藏真相和自己的感情。把作者在《手機》中傳達的訊息結合作者自身寫作對「說話」、「語言」關注，進而聯想到「說話」和「語言」用於「人際交往」的作用，我們如今可以更清晰說出本文探析《手機》主題的路向，就是人的說謊與隱瞞把人際關係與生活變得更複雜，並可能令自己與身邊的人有生活在地獄中的痛苦感受。不過，這只是對說謊的態度的其中一面，說謊有時在日常生活中是無可避免，一方面從牛彩雲「反正下次我不這麼實誠了」之說話[47]，表達對過份誠實的懷疑，一方面又以費墨「近，太近，近得人喘不過氣來」之言[48]，道出如可導致謊言更難被揭穿，便可把謊言的破壞力與被騙者的傷害減低。結合以上一正一反的論述，才能更全面表達《手機》有關說謊在日常生活影響的主題。

有了探索的方向，具體研究會採取「前後互證」[49]的手法，結合社會學、哲學與心理學的相關理論，以故事中角色被騙前後性格的轉變來引證作者於小說角色口中所言之「說謊與隱瞞會令人際關係複雜化」，又同時不能過份誠實的主題。

《手機》中嚴守一、費墨、黑磚頭、賀社長都有過不可告人的感情關係。嚴守一、費墨、黑磚頭是肯定有對他們的伴侶說過謊或作過隱瞞，而故事中只有嚴守一前妻于文娟、女友沈雪和情人伍月具備發現真相前後性格變化的描寫。因此，本文將會通過上述三個女性在拆穿謊言前後性格的變化及嚴守一對這些變化的感受，來看看說謊與隱瞞如何令人與人的關係變得複雜，並帶來困擾和痛苦。另外，本文將會從牛彩雲——一個著墨不多但很重要的角色——參與戲劇學院面試一節，反思《手機》所表現劉震雲對說謊與隱瞞的態度：從比較實際的角度出發，表明說謊與隱瞞並不是一面倒的負面，同時又認為私人空間與時間是減低謊言造成破壞的有效方法。

本文又希望藉進一步發掘《手機》的主題，瞭解劉震雲對說謊的思考和不同考慮，進

---

45 劉震雲：《手機》，頁195。

46 劉震雲：《手機》，頁166。

47 劉震雲：《手機》，頁183。

48 劉震雲：《手機》，頁190。

49 「前後互證」，又稱「本校法」，本是校讎學的一個研究方法，是「以本書前後互證，而抉摘其異同」，而目的是「知其中之謬誤」見嚴耕望（1916-1996）：《治史答問》臺北：臺灣商務印書館，1985年，頁70。這種方法也常用於研讀古籍，如楊樹達（1885-1956）於其20世紀40年代發表的《論語疏證》中提到「首取論語本書之文前後互證」（見於氏著：《論語疏證》上海：上海古籍出版社，2007年，〈凡例〉，頁1），又今人藍旭於古典文學教學實踐也用到這個方法：「《論語導讀》和《文心雕龍導讀》都把文本的『前後互證』列為一項重要內容，在特定篇章的講解中經常聯繫本書其他章節的內容」（見藍旭：〈中國古代文學導讀課群建設點滴〉，《遠東通識學報》，2007年第1期，頁93）。本文嘗試把「前後互證」的研讀方法應用於研讀當代小說作品。

而表現《手機》主題豐富、深刻的一面，並以此為根據衡量《手機》「缺乏深度」一說是否合理。

四　嚴守一向于文娟、沈雪和伍月說謊之發生

伊恩・萊斯里（Ian Leslie）為說謊所下的定義是「一個有意圖作出的不真實敘述（a false statement made with the intention to deceive）」[50]。阿爾德特・弗瑞（Aldert Vrij）更認為不單是把謊話說出了口才算說謊，而說謊應包括「隱瞞信息（hiding information）」在內，但條件「必須是有意（must happen intentionally）」的隱瞞[51]。本文「說謊」的定義將綜合以上兩位學者的意見，即是有意圖去作不真實的敘述或刻意隱瞞事實。

（一）于文娟

嚴守一跟前妻于文娟說了兩次謊。第一次是隱瞞自己與伍月的關係，把伍月說成是舊同學張小泉的學生。第二次是跟伍月偷情時，欺騙于文娟是在跟費墨賽跑。

（二）沈雪

嚴守一跟女友沈雪的說謊與隱瞞總共有十三個。其中一個其實是誤會，只是沈雪以為嚴守一在說謊。第一個謊言是嚴守一告訴沈雪自己與伍月的關係只是「一場誤會」[52]。第二個謊言是自己因于文娟產子而遲到赴沈雪同事小蘇的結婚典禮，卻訛言自己因開會而遲到。第三個是當沈雪發現嚴守一有兩部手機時，他說另外一部是給費墨買的。第四個是嚴守一、沈雪和費墨一同泡腳時收到伍月的短信，但卻說短信是由嚴守一和費墨主理的節目《有一說一》的編導大段發出的「黃色段子」[53]。第五個是隱瞞與于文娟兄長聯繫，以獲知于文娟與兒子的情況。第六個是暗地裡為于文娟找工作。嚴守一認為為于文娟找工作，就如「小老鼠鑽風箱，兩頭受氣」[54]，因為既不可讓于文娟知道，又不可讓沈雪知道。第七個是嚴守一與伍月一同吃晚飯以商量為費墨新書寫序的事，但卻對沈雪說剛才出版社社長老

50 I. Leslie, *Born liars: why we can't live without deceit*(London: Quercus, 2011), 17.

51 A. Vrij, *Detecting lies and deceit: the psychology of lying and the implications for professional practic.*(Chichester: John Wiley & Sons, 2000), 6.

52 劉震雲：《手機》，頁82。

53 劉震雲：《手機》，頁142。

54 劉震雲：《手機》，頁153。

賀「還在，但臨時有事，提前走了」[55]。第八個是隱瞞自己把于文娟和孩子的合照及為他們母子準備的二萬塊生活費存摺放在費墨那裡。第九個是在費墨新書發佈會過後，把手機電池拆下來，以確保自己跟伍月於酒店房間鬼混時不被騷擾。第十和第十一個謊言主要的欺騙對象是費墨妻子李燕，但嚴守一同時沒有對就在自己身旁的沈雪道出真相，反而有意隱瞞，以防沈雪把事實告知李燕。第十個謊言是說自己因為在錄影節目，因而沒有開手機。第十一個謊言是說自己跟費墨在希爾頓酒店開會，企圖為費墨跟女研究生在一起作隱瞞。第十二個是說自己對費墨和女研究生婚外情的事全不知情。第十三個是沈雪以為嚴守一在隱瞞自己仍然跟于文娟保持聯繫，但其實這只是一個誤會。

（三）伍月

嚴守一跟情人伍月說過兩個謊言。第一個是在回家鄉山西途中，因沈雪在旁，不想跟伍月聊，所以佯稱火車上「信號不好」[56]。第二個是嚴守一想「躲伍月」，所以跟伍月說自己「在外邊辦事，不在臺裡」[57]。

五　說謊與隱瞞發現前：較坦率的為人和較單純的追求

嚴守一的前妻于文娟、女友沈雪與情人伍月在發現嚴守一說謊或隱瞞之前，性格是比較單純的。她們也預期由愛情中獲得「承認、保護和安全感（recognition, protection and security）」[58]。徐安琪認為一般情況下，男性視婚姻為「消除心理緊張和疲勞、滿足生理需求的憩息之所」，女性則傾向對「婚姻的心理溝通、愛情價值寄予更大希望」[59]。徐安琪所述及的一般情況，大概可以用來形容《手機》中于文娟和沈雪的性格。至於伍月「道德層面」的思想則較為開放，較側重於「性」的樂趣，與于文娟、沈雪等思想較保守的女性大有分別，即是于文娟和沈雪「戀愛、結婚不再是為了性、經濟、或生育子女，也不是為了給自己找一份人生保險，而是為了滿足精神的、情感的、心理的需要和自我肯定的價值」[60]，但伍月的觀念卻與以下宋鎮照談及的其中一種女性的性觀念較為近似：「從過去只容許婚內的行為，轉為現在對於性『品質』的追求」[61]。

---

55 劉震雲：《手機》，頁158。

56 劉震雲：《手機》，頁82。

57 劉震雲：《手機》，頁103。

58 B. Lott, *Women's lives: themes and variations in gender learning* (California: Brooks/ Cole Publishing, 1994), 133.

59 徐安琪：《離婚心理》北京：中國婦女出版社，1988年，頁71。

60 趙樹勤主編：《女性文化學》桂林：廣西師範大學出版社，2006年，頁243。

61 宋鎮照：《社會學》臺北：五南圖書出版公司，1997年，頁380。

（一）于文娟

小說描寫于文娟是一個「不愛說話，說起話來慢條斯理」[62]的人，臉上還常帶著「淺淺的笑容」[63]，而且往往是「沒說話先笑」[64]，形象純真。不過她也有想過以「懷孕生子」來「套住嚴守一」[65]。嚴守一對于文娟這一想法的反應是「感到好笑」，並心想「一個孩子，能套住誰呢？有孩子離婚的多了」[66]，間接表現于文娟當時的思想是比較幼稚的。後來嚴守一又發現「于文娟追求懷孕的目的並不單是為了套住嚴守一，而是想找一個人說話」[67]，雖然如此，但于文娟當時的思想還不算複雜與有機心，只可算是一個女性追求穩定的心理和一個人不被伴侶了解的狀態。

故事中，也有書寫嚴守一知道于文娟懷孕是希望有一個聊天對象之後，不是對她「產生同情，而是感到瘮得慌」[68]，嚴守一對于文娟之缺乏了解與體諒可見一斑。

嚴守一知道「出現不好解釋的事情，只要說出一個熟人的名字，于文娟就不再深究」[69]，所以他欺騙于文娟說伍月是一舊同學的學生。另外，嚴守一對于文娟的第二個謊言，就是以「沒開車，正在跟費老賽跑」[70]來隱瞞自己與伍月正在做偷雞摸狗的事情，也心想「雖然喘氣，是為了暖和身子在跑步，並沒有起疑」[71]。「不再深究」與「沒有起疑」也表現出在發現真相之前，于文娟對嚴守一大體是信任的。

（二）沈雪

至於沈雪，嚴守一就是因為沈雪在下課後流露「本來面目」而「心裡一動」[72]。沈雪的「本來面目」總括來說就是「傻」：「她一張口就傻不楞登，句句讓人好笑」，而且「還有明朗一面」[73]。小說中有多處是以沈雪的「傻」著墨，有借沈雪同事小蘇之口道出沈雪與前男友分手是因為前男友「嫌她說話直，傻不楞登，換句話就是不懂事」[74]，又有從沈雪自己的

62 劉震雲：《手機》，頁27。
63 劉震雲：《手機》，頁40。
64 劉震雲：《手機》，頁27。
65 劉震雲：《手機》，頁41。
66 劉震雲：《手機》，頁41。
67 劉震雲：《手機》，頁41。
68 劉震雲：《手機》，頁42。
69 劉震雲：《手機》，頁45。
70 劉震雲：《手機》，頁61。
71 劉震雲：《手機》，頁62。
72 劉震雲：《手機》，頁79。
73 劉震雲：《手機》，頁80。
74 劉震雲：《手機》，頁81。

行為說話表達出來：首先見於沈雪之輕易信人，如嚴守一跟沈雪說自己跟伍月只是「一場誤會」，作者以全知敘事者的角度告訴讀者「如果這話說給別人，鬼也不會相信，沒想到沈雪信了，還怪于文娟小心眼」[75]，又如作者再以全知敘事者的角度來說「沒想到」沈雪會答應嚴守一開玩笑性質的一同回山西老家的邀約。回到嚴守一的家鄉山西後，沈雪幫忙做菜，聽到廚子讚她「香」，一派「洋洋自得」[76]，以為廚子是稱讚她的廚藝，不知道是說她身上的香味。其後於用餐時聽到嚴守一奶奶說自己已九十四歲，日子過不了多少，沈雪就打趣地說「奶奶，我看你只像四十九」，眾人因此而笑，而費墨就說她「馬屁拍得不著調」[77]。只有單純而沒有心機的人，才會把「一場誤會」與一同回鄉的邀約信以為真，並以為廚子在讚她做的菜香，而且連馬屁都不懂得拍。

還有一個例子見於她跟嚴守一拍拖後，在給嚴守一等電視節目主持開辦的「臺詞短訓班」中的態度與處理也有很大不同：

> 因為嚴守一把沈雪搞定，以後的臺詞輔導課就順溜許多，不再點名，不再強調課堂紀律，不再抓思想動向。兩個月後，臺詞短訓班結業，大家考試全是「優」。眾人皆大歡喜，推著擁著，與沈雪合影，照了個畢業照。[78]

以上不同之大，可見沈雪是一個容易受心情影響的人。自己與嚴守一談戀愛，開心甜蜜都寫到臉上去，甚至因而改變自己身為老師在課堂上不可冒犯的形象，又見沈雪之率真。

沈雪一方面單純而帶點傻氣，但心裡也跟于文娟一樣有追求跟伴侶穩定下來的心理。由本來「似乎對結不結婚並不在意」到「似乎一點點在變，好像同居並不是目的，同居之後還有別的」[79]。

這種心理讓沈雪做出一些行為，來嘗試令嚴守一無法跟他人鬼混。不過，她的方法不同于文娟的懷孕生子，而是「噴香水」，「像狗一樣，撒泡尿在嚴守一身上留個記號，就把別的狗拒之圍外了」[80]。作者特別指出這只是「防患於未然」[81]，讓讀者明白此舉並不是沈雪充滿機心下的行為，而且也符合傳統觀念「認為女性的責任是要盡一切辦法去吸引男性和維持關係（it is considered a woman's responsibility to do whatever is necessary to attract a man and to maintain the relationship）」[82]和傳統思想對女性的「最高評價之一是有能力把丈夫

---

75 劉震雲：《手機》，頁82。

76 劉震雲：《手機》，頁88。

77 劉震雲：《手機》，頁88。

78 劉震雲：《手機》，頁80。

79 劉震雲：《手機》，頁113。

80 劉震雲：《手機》，頁107。

81 劉震雲：《手機》，頁107。

82 B. Lott, "*Women's lives: themes and variations in gender learning*,"133

牢牢拴住，使他不去找其他女人尋樂」[83]的認知。另外，沈雪收拾嚴守一的公事包後，問他包裡為何有美女照，這是否沈雪悉心安排以測試嚴守一忠誠的手段呢？基於以上對沈雪性格的闡述，本文認為沈雪並不是存心要搜查嚴守一包裡的東西，只是在收拾期間無意看到。假如沈雪之收拾是出於深思熟慮，大可不必把心裡疑問說出口，反而可裝作不知情，靜觀其變，在適當時候才說破真相及嚴守一掩飾真相之企圖，並予以譴責。

面對沈雪的「明朗」，嚴守一有些心虛。嚴守一與伍月亂搞關係而導致于文娟提出離婚，所以「便覺得自己的心腸有些髒」，而遇上沈雪就等如把骯髒的心腸「拿出來曬曬太陽」[84]。

（三）伍月

對伴侶有穩定關係的追求，可以像沈雪和于文娟一樣，以結婚或生子為目標，又可以好像伍月一樣，「並不是死乞白賴要和嚴守一結婚」[85]，只是想持續的解決性需要，「就好像她說的餓了想吃，渴了想喝水一樣」[86]，「成為徹底的慾望符號」[87]。可想而知，伍月的想法是以本能慾望的追求為先，視「性是自然的生理需要」而且「很重要」[88]，而「只要兩人相愛就可以發生性關係，不論結婚與否」[89]，「對婚前性行為毫無罪疚感」[90]。不過，其實伍月對嚴守一還有一點點情意，下文將再作談論。我們於此可以說伍月的思想是以性需要重於感情，而其中沒有甚麼複雜的內容。

六　說謊之發現後：猜疑、失去理智、分手與要挾

我們自小就被灌輸說謊是一個不好行為的訊息，雖未至於與哲學家米歇爾・德・蒙田（Michealde Montaigne, 1533-1592）一樣把說謊形容為「一種比其他罪行更應接受在火刑柱上被燒死的刑罰（it is more worthy of the stake than other crimes）」[91]，但我們也深明說謊會

83 李美格和陳平俊：《女性心理學》北京：知識出版社，1990年，頁153。
84 劉震雲：《手機》，頁80。
85 劉震雲：《手機》，頁82。
86 劉震雲：《手機》，頁82。
87 郭寶亮：《文化詩學視野中的新時期小說》，頁382。
88 李銀河：〈中國女性的感情與性〉，《中國社會科學季刊》，1995年第13期，頁135。
89 趙樹勤主編：《女性文化學》桂林：廣西師範大學出版社，2006年，頁246。
90 李銀河：〈中國女性的感情與性〉，頁116。
91 M. Montaigne, "On liars", in M. A. Screech (ed. and trans.), *Micheal de Montaigne: The complete essays* (London: Penguin, 2003), 35.

帶來很多不良後果。說謊「可能會帶來嚴重後果（sometimes have severe consequences）」[92]，而其嚴重之處在於「不斷用新的謊言，去彌補舊的謊言，而他每說一次謊，又使後面的謊言變得越來越必須」[93]。這樣的連環說謊，會為說謊者帶來「頗為沉重的代價（pretty hefty costs）」，就是說謊者會「失去誠信和變得不受歡迎（lose faith in their credibility, and they become unpopular）」[94]。至於受騙者，他們會受到謊言對自己「心理和人格造成的潛在影響」[95]，其中一個方面就是心裡會有一股「猜忌提防」的「心理能量」[96]。《手機》中的嚴守一就是一個「連環說謊」的老手，而被他欺騙的三個女性的性格變化，更可傳神地表現出「失去誠信」所牽起的其他人際交往問題，如胡思亂想、猜疑、要挾。

有分析把女性分為兩類，其中一種是「享受著有愛的婚姻，或決心要追求有愛的婚姻，否則寧肯不要」[97]，這種形容可算是于文娟及沈雪的寫照，因為他們二人本來也是一心追求穩定的感情關係，而沈雪也曾希望與嚴守一結婚，但是當他們知道嚴守一不是對他們真誠以後，他們一個提出離婚，「解除名存實亡」的「維持會式」的婚姻[98]，一個決意分手，都是「寧肯不要」的具體表現。至於以肉慾滿足而對嚴守一又帶有一絲感情的伍月，在得知自己被嚴守一欺騙，不受嚴守一重視，一直其實只是淪為他的泄慾工具後，則把自己與嚴守一的感情「當成手段，遊戲感情」，轉移「對物質生活的追求」[99]。

（一）于文娟

于文娟首先是發現嚴守一騙他說在跟費墨一起「跑步暖身子」。嚴守一堂兄黑磚跟于文娟說嚴守一奶奶想與嚴守一聊天，但黑磚頭又不能撥通嚴守一的手機。于文娟便打電話給嚴守一，但是嚴守一已經關機，所以她只好打電話給費墨。因為根據嚴守一的謊言，他們二人應該是在一塊開會和吃晚飯。怎料費墨跟于文娟說嚴守一正在跟「移動公司老總」吃飯[100]，這樣事情就敗露了。發現第一個謊言的真相後，于文娟失去理性，拼命撥打嚴守一手機，「一直撥了兩個小時」[101]。待嚴守一回家後，于文娟「笑眯眯地問」他「策劃會開得

---

92 A. Vrij, "*Detecting lies and deceit: the psychology of lying and the implications for professional practice*," 1.
93 成雲雷：《趣味哲學》上海：上海古籍出版社，2001年，頁169。
94 I. Leslie, "*Born liars: why we can't live without deceit*," 38.
95 成雲雷：《趣味哲學》頁169。
96 陳曉萍：《平衡：工作和生活的藝術》北京：清華大學出版社，2006年，頁65。
97 李銀河：〈中國女性的感情與性〉，頁133。
98 趙樹勤主編：《女性文化學》，頁241。
99 周樂詩：《女性學教程》北京：時事出版社，2005年，頁208。
100 劉震雲：《手機》，頁66。
101 劉震雲：《手機》，頁67。

怎麼樣」，又「溫柔地在嚴守一的臉上、脖子上和嘴上親吻著」[102]。作者以「欲擒故縱」與「火力偵察」[103]，形容于文娟當時的行為，可見于文娟是透過巧設圈套，讓嚴守一自己把謊言道破。一會兒過後，恰巧伍月發短信給嚴守一，提醒他「外邊冷。快回家。記得在車上咬過你，睡覺的時候，別脫內衣」[104]，讓于文娟看到了，就這樣，于文娟也就拆穿了另外一個說伍月是舊同學學生的謊言。接下來，于文娟的思緒與感受十分錯亂複雜，從謊言的本身又引發很多聯想。劉震雲受訪時曾提到《手機》「主要寫人的說話」，同時特別注重語速的描寫，因語速是「正常生活中流動的速度」，而語速與句子的長度是成正比[105]。于文娟為了表達自己想要說的話，「突然改變了語速」[106]，一反「慢條斯理」的常態，連珠炮發。于文娟覺得自己從未變心，但嚴守一卻因變了心，不再願意跟她溝通。于文娟不介意他變了心與否，但卻不能接受嚴守一「和別人一條心」而「亂搞」自己[107]。傷痛欲絕的于文娟最後提出離婚。即使離婚前已經懷有嚴守一骨肉，但離婚時也沒有告訴嚴守一自己懷孕，而離婚後她也再沒有接聽嚴守一打來的電話，可見于文娟態度的堅定和決絕。劉震雲筆下的于文娟是一個較傳統、保守的婦女[108]，在「生兒育女被視為女性天經地義的事情」[109]、「如果不生小孩，便要承受來自不符合家人、朋友及媒體『女性應該生育』看法的壓力（a woman will be perceived negatively if she chooses not to bear a child is supported by pressures to have a baby that come from family, friends and community, and the media）」[110]的觀念下，她曾自言懷孕是「為了奶奶」[111]，而對於奶奶「看她肚子，觀察她是否懷孕」也可以一句「也屬人之常情」置之[112]。于文娟這樣一個較傳統、保守的婦女竟然主動提出離婚，還要那麼堅決，可見其心碎之痛及創傷之深。

對於于文娟的巨大轉變，嚴守一認為「在一起過了十年，他原來不了解于文娟」，「發現于文娟已十分陌生」[113]。儘管如此，嚴守一對于文娟還是留戀，一方面是由於一個人不願適應改變的心理，即是「人像狗一樣」，「懶得換窩」[114]，另一方面是因為于文娟曾經在嚴守一得傷寒後抱著他的頭，讓他勾起了小時候呂桂花在他受傷時給他的擁抱，同樣令他

102 劉震雲：《手機》，頁70。
103 劉震雲：《手機》，頁69及70。
104 劉震雲：《手機》，頁72。
105 參張潔主持及記錄：〈劉震雲：手機的「語速」〉，《人民論壇》，2004年第3期，頁71。
106 劉震雲：《手機》，頁73。
107 劉震雲：《手機》，頁73。
108 參郭寶亮：《文化詩學視野中的新時期小說》，頁382。
109 趙樹勤主編：《女性文化學》，頁247。
110 B. Lott, “*Women's lives: themes and variations in gender learning*”, 194.
111 劉震雲：《手機》，頁40。
112 劉震雲：《手機》，頁65。
113 劉震雲：《手機》，頁74。
114 劉震雲：《手機》，頁42。

感受到那種成熟的麥苗香味。嚴守一因而發誓「一輩子不離開于文娟」[115]。本文認為這是由於嚴守一自小缺乏母愛，而于文娟的懷抱跟呂桂花的一樣，可以給他安全感，所以嚴守一對此特別懷念。有學者就認為嚴守一有「戀母情結」的心理[116]，本文贊同。

（二）沈雪

沈雪首先成功拆穿的謊言，是嚴守一說因開會而令自己參加小蘇結婚典禮遲到，繼而是另一部手機是買給費墨的。沈雪在收拾他公事包時，發現裡面有兩部手機。起初嚴守一說是給費墨的，她也沒在意，「放下手機，去整理別的東西」，但後來又覺得這手機看起來很「花俏」[117]。證據在前，沈雪沒理由不抓緊機會。她先以「女孩才用這種手機」的旁敲側擊，再配合「你說你在開會，狗改不了吃屎，給哪個小妖精買手機去了吧」之疑問，令嚴守一和盤托出，告訴沈雪「這個手機，不是劇組給費墨買的，是我給于文娟買的。她昨天生了個孩子」之實情[118]。

自拆穿以上兩個謊言以後，「沈雪開始對嚴守一有所提防」[119]。沈雪跟嚴守一及費墨夫婦一起泡腳時，嚴守一收到來自伍月的短信，但卻「故意說給費墨」說可能是記者發來的[120]，所以不理會。這「反倒引起了沈雪的警惕」，但她今次已變得聰明了一點，懂得以「開玩笑的口氣」來表達自己的猜疑：「我看看這個號碼，別是欲蓋彌彰，哪個小姑娘來的，故意不接吧」[121]。後來沈雪拿起嚴守一的手機，打開了伍月的短信，謊言又再敗露。沈雪今次給了嚴守一更直接的責罵：「嚴守一，我沒想到你那麼髒」[122]。

合共得悉三個謊言的真相後，沈雪疑心變得更大。沈雪「從鏡子裡發現嚴守一的神情有些慌張，又起了疑心」[123]。她問嚴守一在做甚麼，嚴守一說「上廁所」，沈雪追問上廁所「怎麼不脫褲子」，同時又看到「掉到地上的手機」，又「嚴肅起來」地問：「你給誰打電話呢？是不是又給伍月」[124]。沈雪之緊張神態與疑心之旺盛躍然紙上。當嚴守一回答「沒有哇」後，沈雪對嚴守一已忍無可忍：「嚴守一，你今天必須說清楚」[125]。最後嚴守一「只好

115 劉震雲：《手機》，頁43。
116 參湯天勇：〈語言慾望之聲——讀劉震雲新作《手機》〉，頁43。
117 劉震雲：《手機》，頁132。
118 劉震雲：《手機》，頁132。
119 劉震雲：《手機》，頁143。
120 劉震雲：《手機》，頁142。
121 劉震雲：《手機》，頁142。
122 劉震雲：《手機》，頁144。
123 劉震雲：《手機》，頁146。
124 劉震雲：《手機》，頁146。
125 劉震雲：《手機》，頁146-147。

又老實交代，說不是給伍月打電話，而是給于文娟她哥」[126]。沈雪覺得委屈，接著便連珠爆發，先說出自己對嚴守一的不信任和自己對嚴守一謊話連篇的控訴：「嚴守一，你到底有多少事背著我呀？」、「還不背我？不到水落石出，不說實話，事事處心積慮」，再道出自己的反感：「嚴守一，我跟你在一起過得太累了」，還曾想過分手：「嚴守一，我是一個簡單的人，你太複雜，我對付不了你，我無法跟你在一起生活」[127]、「別以為我離了你就不能活。這些天我一直想，是不是馬上離開你」[128]。以上沈雪的話表現其心情是激動的，而其控訴與感受正是其內心複雜思想的反映，與其在揭露謊言前的單純與傻氣，形成強烈對比。沈雪現階段沒有真的結束自己與嚴守一的感情是因為自己對嚴守一還有留戀，之後我們還會提到。

沈雪從「桌上的碗筷」洞悉到嚴守一的又一個謊言[129]，就是其實出版社社長老賀一直不在場，由始至終只有嚴守一與伍月二人共進晚餐。沈雪耳聞目睹伍月如何配合嚴守一說謊，所以有「我進來之前，你們還不知道怎麼預謀呢」的合理猜疑，而且更有「我倒蒙在鼓裡，成了外人」的聯想[130]。面對沈雪又一個強烈的控訴：「嚴守一，你到底想幹甚麼」，作者描寫當時嚴守一「被逼上了絕路上，只好急了」[131]。這個時候的嚴守一自知向沈雪說過多次謊話，又已經明白沈雪揭穿謊言後的傷心與反感，顯然他心裡有說謊者的「內疚和焦慮（guilt and anxiety）」，弗瑞認為這種負面情緒「可能導致說謊者煩躁不安或拒絕合作（may result in the liar being irritable or not co-operative）」[132]，相信嚴守一以下的強硬回應與弗瑞所述情況如出一轍：「整天疑神疑鬼，弄得我跟做賊似的。我連見一個人都不能見了！我告你，我是找老婆，不是找 FBI」[133]。此時，沈雪軟化了，哭著說「我只是說你不該騙我，難道不對嗎」及「一看就是個騷貨，讓你離她遠點，有什麼不好」[134]。軟化的原因大抵是沈雪對嚴守一還有留戀，下文會更詳細交代軟化的原因。這一個表現沈雪對嚴守一態度軟化的段落，正好告訴讀者沈雪之前沒有與嚴守一真正分手的原因。

費墨跟女研究生婚外情被揭發後，費妻李燕在家裡搜到嚴守一存在費墨那裡的于文娟母子照片和存摺，並交還沈雪。沈雪在嚴守一毫無心理準備的時候，把照片和存摺「啪」一聲放到鞋櫃上。之後說出自己感受的複雜與轉變：本來「昨天李燕把照片和存摺給我的

126 劉震雲：《手機》，頁147。
127 劉震雲：《手機》，頁147。
128 劉震雲：《手機》，頁153。
129 劉震雲：《手機》，頁159。
130 劉震雲：《手機》，頁159。
131 劉震雲：《手機》，頁159。
132 A. Vrij, "*Detecting lies and deceit: the psychology of lying and the implications for professional practice*," 105.
133 劉震雲：《手機》，頁160。
134 劉震雲：《手機》，頁160。

時候」,「覺得她不懷好意」,但「想了一夜」後,「我覺得我是個傻子」,所以「現在特感謝李燕」[135]。嚴守一對這個「城府很深」、「專等清早出門時再說,不給你留半點思考餘地」的沈雪「十分陌生」,因而有「她原來的傻是假象,還是後來被自己改造成這樣了」的迷惘[136]。

又因為費墨之婚外情被李燕揭發,沈雪知道原來嚴守一一直替費墨掩護和隱瞞。沈雪對此提出更強烈、辛辣的質問:

> 嚴守一,你一定像費墨一樣,還有別的事情背著我,這兩天我從你的神情就能看出來!慌慌張張,像丟了魂兒一樣。你和費墨早預謀好了吧?遇事你替費墨撒謊,再讓費墨替你撒謊,就是這種關係吧?[137]

由此又可見沈雪疑心的熾熱,和從嚴守一為費墨隱瞞一事,想到了嚴、費二人關係不為人知的一面。嚴守一本想重施故技,「把沈雪鎮住」[138],怎料沈雪今次「迎難而上」,真的讓嚴守一留下手機,待自己「捉鬼」,還說「留吧!你敢留,我就敢捉!我還非學李燕一次不可」[139]。不過,實際上當時沈雪「基本上還是信任嚴守一」,「也不想把事情鬧到不可收拾的地步」[140],可見沈雪當時的心情是矛盾、掙扎的,還有一點口硬心軟的味道。

沈雪在揭露嚴守一五個謊言的真相後,還未有提高警覺,沒有思索嚴守一拆下手機電池的意圖。之後沈雪得悉嚴守一替費墨隱瞞婚外情的三個謊言,又於課上得知學生把手機電池拆下讓手機「不在服務區」的目的是逃避女朋友的追查。

八個謊言的曝光已為沈雪的懷疑埋下伏線,加上學生令手機「不在服務區」的行徑成為導火線,又配合李燕的慫恿,沈雪於是把長久積壓的不滿與猜疑付諸「偵查」行動:「下決心跟李燕去無線局一趟」去查嚴守一的「手機單子」,但這時沈雪其實「有些猶豫」[141],可見沈雪心裡的矛盾和掙扎仍然纏繞不散。沈雪的矛盾與掙扎除了是基於對嚴守一的感情,還是自己天真本性與由後天經歷助長的「猜疑」、「機心」等自我保護機制的角力。

查手機單子時,沈雪發現其中「有一個號碼,一下通了一個多小時」[142]。李燕慫恿她「馬上給這號碼打過去,看對方是誰」[143]。起初沈雪是猶豫不決、拿不定主意,認為可能

135 劉震雲:《手機》,頁192。
136 劉震雲:《手機》,頁192。
137 劉震雲:《手機》,頁193。
138 劉震雲:《手機》,頁193。
139 劉震雲:《手機》,頁194。
140 劉震雲:《手機》,頁197。
141 劉震雲:《手機》,頁198。
142 劉震雲:《手機》,頁200。
143 劉震雲:《手機》,頁200。

是「記者採訪」，還一路有「不查他了，愛誰誰」的想法[144]。最後因嚴守一留下來讓沈雪捉鬼的手機收到于文娟的來電，由此又勾起了嚴守一如何欺騙、背叛自己的回憶和怨恨，又因來電者是于文娟，加上之前嚴守一把母子照和給他們生活費的存摺偷偷藏在費墨家裡，因而誤會于文娟跟嚴守一還有來往，「越想心裡越撮火」[145]。就這樣下決心拿單子上那個跟嚴守一「通了一個多小時」的手機號碼在嚴守一手機通訊錄上搜尋，發現原來那個是伍月的手機號碼。沈雪心想「看來于文娟和伍月，他都沒有斷呀。自己都蒙在鼓裡呀」，即是嚴守一之前跟自己說以前跟伍月只是「一場誤會」，原來又是謊話，同時又聯想到「一個多小時，都說了些甚麼」[146]。這個心裡十分不安寧的情形下，沈雪試著用嚴守一手機發一個短信給伍月，發送後又「有些後悔」，生怕伍月來電而自己「無法處置」[147]。這正如弗瑞所描述的一樣：「有時候，人會不想測謊，因為他們知道事實後會不知如何是好（Sometimes people do not want to detect lies because they would not know what to do if they were to know the truth）」[148]。沈雪內心的掙扎與衝突因伍月所回覆的短信是一幀伍月自己與嚴守一在床上的裸照而終止。因奶奶病危，嚴守一當時不得不立即回鄉，嚴守一出門後，沈雪「發出狼一樣的嚎叫」，並「痛哭起來」[149]，可見她心裡的難受到了崩潰的地步。從作者的全知視角看來，沈雪「主動給伍月發短信」是嚴守一意料之外[150]。嚴守一對沈雪還有感情，在處理奶奶身後事期間，曾致電沈雪，但不成功。沈雪可能已決定跟嚴守一分開，所以斷絕聯絡。小說裡實有隱隱交代「裸照」事件後，嚴守一跟沈雪、伍月的關係。一方面，嚴守一跟伍月有保持聯絡，否則就沒有伍月跟嚴守一解釋自己發送裸照目的的描寫[151]。相反，沈雪卻是跟小蘇講述自己看到裸照時的感受[152]。另一方面，作者提到嚴守一感到「事情的無可挽回」[153]。由此兩方面可以推斷沈雪決定跟嚴守一一刀兩斷，所以已不再需要他明白自己的感受。

144 劉震雲：《手機》，頁200。

145 劉震雲：《手機》，頁201。

146 劉震雲：《手機》，頁201。

147 劉震雲：《手機》，頁201。

148 A. Vrij, "*Detecting lies and deceit: the psychology of lying and the implications for professional practice*," 2.

149 劉震雲：《手機》，頁205。

150 劉震雲：《手機》，頁203。

151 劉震雲：《手機》，頁202。

152 劉震雲：《手機》，頁202。

153 劉震雲：《手機》，頁204。

（三）伍月

論者認為伍月對嚴守一原本是有淡淡感情，後來才變質，但卻未有從小說中提出理據。我們留意到當伍月告訴嚴守一，出版社社長老賀所以願意幫忙為于文娟找工作，不是因為嚴守一的面子，是因為「他佔了我的便宜」，之後「眼中湧出了淚」[154]，可見伍月覺得自己被佔便宜是委屈的，而且覺得自己是在為嚴守一犧牲。我們相信伍月這種心態正反映伍月雖然是以解決性需要為重，又為達到目標不擇手段，但對嚴守一實是有點感情。有學者又認為嚴守一在節目裡提到房子廣告的「樹是真的，草也是真的，就是沒長這兒」與伍月在賓館陽臺上看到的「樹也是真的，草也是真的，兩年前也長在這兒」中的「樹」與「草」是隱喻，是兩人「性愛關係錯位」的象徵[155]，而伍月自此「認識到自己充其量不過是嚴守一的感官享受工具」[156]。本文同樣認為「樹」與「草」是隱喻及學者對其象徵意義的闡述，也贊同學者對嚴、伍二人關係的形容。不過，伍月不是在賓館看電視這個時刻才感覺到自己只是嚴守一的泄慾工具，其實之前在她發現嚴守一欺騙她說自己不在電視台的時候，便已經覺得嚴守一只會跟她「耍心眼」[157]，把她看成是「上門的雞」[158]。心理學家柏妮絲．羅特（Bernice Lott）指出當女性知道「自己的身體只是挑起男性性慾及為男性帶來性滿足的肢體組合時，會感到失望和痛苦（they experience the disappointment and pain that stems from the realization that they are perceived only as collections of body parts that titillate men and are useful for men's pleasure）」[159]。當時伍月是要到電視臺邀請嚴守一為費墨新書寫序，既然知道自己在嚴守一心裡的角色和身份，便索性把內心的「失望和痛苦」轉化為具體行為：以「徹底揭露」嚴守一「少兒不宜」的一面來威脅嚴守一答應寫序[160]。

伍月跟前男友戀情告吹，如今又失落於與嚴守一的感情，所以把野心集中在事業發展上，並想當《有一說一》的女主持。伍月用手機拍下自己與嚴守一的床上裸照，準備用來作為要挾嚴守一時討價還價的籌碼，同時說出自己對嚴守一的感受：「不是訛詐，是交換，跟你學的。我知道你這人，好好說沒用」，表現出對嚴守一狡猾的厭惡，又說出自己的控訴：「兩年多了，我才知道你是個自私的人」[161]，可見她知道嚴守一的無情。嚴守一原本「以為伍月是個吊兒郎當的人，沒想到她很有心計」，而對於伍月自言台長會同意她來當主

---

154 劉震雲：《手機》，頁181。

155 湯天勇：〈語言慾望之聲——讀劉震雲新作《手機》〉，頁42；秦劍英：〈從《手機》看劉震雲小說敘事策略的轉變及主題的多元性〉，頁227。

156 秦劍英：〈從《手機》看劉震雲小說敘事策略的轉變及主題的多元性〉，頁227。

157 劉震雲：《手機》，頁109。

158 劉震雲：《手機》，頁106。

159 B. Lott, "*Women's lives: themes and variations in gender learning*," 122.

160 劉震雲：《手機》，頁108。

161 劉震雲：《手機》，頁180。

持，更使嚴守一大為「吃驚」，覺得「伍月似乎已經背後做了許多工作」[162]，更想到伍月會否已經和臺長發生過關係。之後臺長碰到嚴守一的確跟他說伍月「好像很有潛質」[163]。對於伍月的變化，嚴守一反而質疑自己「過去對伍月倒不了解」[164]。伍月之後更真的把裸照發到嚴守一的手機去，以此示威，展現強硬立場。嚴守一心感伍月之「狠毒」和「說到做到」[165]。

經過以上的分析後，我們留意到嚴守一對上述三個女性在得悉謊言前後的性格變化的感受可以「沒想到」、「以為」、「不了解」來概括形容，而上文也提過面對沈雪性格的轉變，嚴守一有「不知道她原來的傻是假象，還是後來被自己改造成這樣」[166]的迷惘。我們可以想像這個迷惘適用於沈雪，同時也可適用於于文娟和伍月身上。小說中于文娟、沈雪和伍月都因揭露了嚴守一對她們的說謊與隱瞞而導致性格上出現變化。于文娟由文靜友善和純追求穩定的感情關係，到後來變得情緒化與有機心。沈雪由本來的天真單純、率真傻氣和跟于文娟一樣的追求關係穩定，到後來變得疑心大和懂得隱藏心裡感受，又敢於以偵查的方式主動尋求真相。伍月由嚴守一所謂的「吊兒郎當」和純慾望滿足的追求，到後來動機變得複雜，「變態想出名」[167]，為求目的不惜一切與攻於心計。

其實這個迷惘所隱含的意思，就是一個又一個的謊言改造了被騙者得知被騙後的性格，而變得不再單純，跟整個故事所道出人因為更加懂得利用說話來隱瞞或說謊，使人與人的關係與生活變得複雜的想法呼應。

七　說謊的反思—說謊之無可避免與說謊傷害力減低之可能

萊斯里認為「說謊是不正確，但它也是必要的（lying is both wrong, and necessary）」[168]。「必要」的原因可能是基於「生存」的一種人類的適應能力，就像哲學家尼采（Friedrich Nietzsche, 1844-1900）認為世界是「不真誠、冷酷、矛盾、誘惑、無意義（false, cruel, contradictory, seductive, without meaning）」，而「為了面對現實，我們需要謊言（we have need of lies in order to conquer this reality）」[169]，又如文學家喬治・史坦納 George Steiner 所言「人們有關隱瞞、誤導、含糊其詞、假設、捏造的語言能力，對人類平衡意識及其於社

162 劉震雲：《手機》，頁181。
163 劉震雲：《手機》，頁184。
164 劉震雲：《手機》，頁184。
165 劉震雲：《手機》，頁204。
166 劉震雲：《手機》，頁192。
167 劉震雲：《手機》，頁181。
168 I. Leslie, *“Born liars: why we can’t live without deceit,”* 15.
169 F. Nietzsche, *The will to power*, trans. W. Kaufmann and R. Hollingdale (New York: Vintage Books, 1968),451.

會中之發展是不可或缺的（the linguistic capacity to conceal, misinform, leave ambiguous, hypothesize, invent is indispensable to the equilibrium of human consciousness and the development of man in society）」[170]。《手機》最能呈現這種思想的莫過於一個被之前的研究忽略的一個角色—牛彩雲。作者雖然在小說中對其著墨不多，但她的性格與經歷，卻正正表現作者劉震雲對說謊的看法並非一面倒只注重說謊的不良影響，而且還有比較持平、理性的一面。

牛彩雲給讀者一種十分單純率真的感覺，如她相信跟嚴守一一起「主持節目」就已經是等同「當明星，掙大錢」[171]。到參與戲劇學院面試，老師叫她扮演身為礦工的父親「每天下班，回家做的第一件事」[172]。她離開考場很久，考官都以為她放棄了。後來沈雪發現牛彩雲去了籃球場跟人聊天，而且表現十分興奮雀躍，「手舞足蹈，眉飛色舞」[173]，這令沈雪大惑不解。牛彩雲這時卻「奇怪地看著」沈雪，並反問她「不是讓表演我爸嗎」[174]。原來「聊天」真的是她「表演」的一部份，因為她爸一回家就是跑去跟別人聊天，還要「一聊三鐘頭」[175]。沈雪對牛彩雲的單純率真，感覺是「啼笑皆非」[176]。最後，面試當然失敗收場，牛彩雲為此感到「非常不滿意」，她說「真演了，他們又不認」，還作出了檢討：「下次我不這麼實誠了」[177]。

牛彩雲的性格很奇怪。她鍾情於表演事業，但卻好像不太了解戲劇：她不明白戲劇本身其實就是虛構的，是建基於一套「慣例（conventions）」，而這「慣例是一個受大眾接受的謊言、容許的欺騙行為（a convention is an agreed-upon falsehood, a permitted lie）」[178]，而與一般謊言不同的地方是，觀眾是甘心情願被騙的，還期待謊言所具備的創意。假如把戲劇「真演了」，反而可能令作品的藝術價值大為減低。牛彩雲這樣的單純誠實，又好像她不太了解社會生活殘酷的現實：說謊本來就是一種與生俱來的能力，是一種人類賴以生存的手段，而不懂得在適當的時候說謊，不但不會得到別人稱讚，反而只會讓人覺得愚笨和可笑。

萊斯里指出「小童在學習說話時已懂得說謊（children start telling lies more or less at the point they learn language）」[179]，而說謊的動機都是對自己本身有利的[180]。成年後，說謊也不

170 G. Steiner, *After babel* (London: Oxford University Press, 1975),229.

171 劉震雲：《手機》，頁169-170。

172 劉震雲：《手機》，頁172。

173 劉震雲：《手機》，頁172。

174 劉震雲：《手機》，頁172。

175 劉震雲：《手機》，頁172。

176 劉震雲：《手機》，頁172。

177 劉震雲：《手機》，頁183。

178 T. Wilder, "Some thoughts on playwriting", in J. D. McClatchy (ed.), *Thornton Wilder: Collected plays and writings on theater* (New York: The Library of America, 2007), 700. 694-703。

179 I. Leslie,*"Born liars: why we can't live without deceit,"*27.

180 參 I. Leslie,*"Born liars: why we can't live without deceit,"* 39.

見得會在日常生活中銷聲匿跡。有心理學家更把說謊形容為一件「日常生活事件（a daily life event）」[181]。貝拉・德保羅（BellaDePaulo）曾進行研究，發現七十七個介乎十七至二十二歲的大學本科生及七十個介乎十八至七十一歲的社區學院學生平均每日會分別說謊二次及一次[182]。作者筆下的牛彩雲是一個十八歲的女孩子，但卻好像不吃人間煙火、白璧無瑕一般，畢竟於現實社會裡確實難得一見，只能夠算是作者筆下塑造的一個極端例子。論者認為劉震雲視「烏托邦」為一個「抱著天真的幻想」[183]，加上劉震雲曾經說過他「對清高有種本能的懷疑」[184]，而「審丑」卻是劉震雲小說的「寫作態度」[185]，由此我們可以想像過份誠實的牛彩雲在劉震雲看來都是醜陋的，而劉震雲塑造這樣不切實際的一個角色，目的是告訴讀者世界上是沒有絕對清高的人，即使有，他都會因不了解、不適應社會上「何時該說謊（when to lie）」的生存條件[186]而不能生存。把這個理念扣上《手機》的主題，就是作者一方面承認說謊對人際關係的破壞，另一方面，他也看到說謊在日常生活有時是無可避免。

既然說謊在現實生活中是必然出現與存在，那麼人們如何可以把說謊帶來的破壞減低？費墨在妻子李燕發現自己的婚外情後所說的一句話，或能給我們一些啟發：「近，太近，近得人喘不過氣來」[187]。正如之前的研究提到科技的進步拉近了人與人之間的距離，實現了有如「實時監控」的緊密關係[188]，所以大大增加了說謊的難度。本文認為劉震雲相信把說謊的傷害減低的一個可行辦法是給予每個人一定的私人時間和空間，就好像費墨說過去農業社會，「一切都靠走路。上京赴考，幾年不歸，回來你說甚麼都是成立的」[189]。這個觀點跟弗瑞的「說謊者如果有機會與時間準備就可以更容易地說謊（a lie is easier to tell when the liar has the opportunity to prepare the lie）」[190]的看法是一致的，而「更容易說謊」即是讓謊言被揭穿的可能減低。謊言既然不易曝光，被騙者假如又真的相信謊言是事實，將能減低被騙者需要面對事實的不安與可怕。

---

181 A. Vrij, "*Detecting lies and deceit: the psychology of lying and the implications for professional practice*," 1.

182 見 B. Depaulo (et al), "Lying in everyday life", *Journal of personality and social psychology*, Vol. 70 No.5(1996): 981-984.

183 郭寶亮：《文化詩學視野中的新時期小說》，頁384。

184 見吳玉苗：〈從《手機》看劉震雲小說語言的「擰巴」風格〉，《大眾文藝》，2013年第5期，頁190。

185 陸貴山主編：《中國當代文藝思潮》北京：中國人民大學出版社，2002年，頁206-207。

186 I. Leslie, "*Born liars: why we can't live without deceit*," 46.

187劉震雲：《手機》，頁190。

188 秦劍英：〈從《手機》看劉震雲小說敘事策略的轉變及主題的多元性〉，頁227。

189 劉震雲：《手機》，頁189-190。

190 A. Vrij, "*Detecting lies and deceit: the psychology of lying and the implications for professional practice*," 11.

八　結論

之前有關劉震雲小說《手機》主題的研究已留意到《手機》具有「新寫實主義」小說的特質，而其內容反映了婚姻的道德問題、文化墮落的劣勢與科技先進帶來的文明倒退。本文從作者對謊言的態度為方向，冀能彌補之前研究對《手機》主題分析的不足，同時更全面地展現《手機》深刻的主題思想。劉震雲創作「選材側重家常民間，注重家庭性、日常生活性，並盡可能地選擇貼近大眾生活的題材」[191]、「始終關注與處理著同一個問題：人怎麼活、社會怎麼變化、歷史怎麼發展」[192]。「說謊」既是《手機》研究中一個被忽略的主題，又同時是一個與生活息息相關的社會課題。本文先著手梳理嚴守一前妻于文娟、女友沈雪與情人伍月的性格在揭露嚴守一的謊言後的變化，並發現趨勢都是由較簡單、單純變為較複雜，而複雜的思想卻包括多疑、猜忌、巧設機關、要挾等。人際關係的互信與關愛因而受到巨大衝擊。本文然後借小說中牛彩雲一角的遭遇，說明作者劉震雲對說謊的另一種態度，就是說謊在日常生活的需要及說謊所帶來的潛在益處。最後，劉震雲在面對現實生活的無奈情況下提供了以給予私人時間與空間來減低說謊被洞悉的機會的意見，從而避免說謊為被騙者帶來痛苦、衝擊與折磨。

作者兩種各走一端的意見，還輔以減低說謊傷害被騙者的建議，看似矛盾及難以取捨，其實不然。小說描寫牛彩雲的經歷和費墨的「近，太近，近得人喘不過氣來」[193]之言的篇幅遠比于文娟、沈雪及伍月的性格變化描寫為短，所以我們可以從篇幅長短推斷重心是傾向于、沈、伍那邊的描寫，也就是說《手機》更側重表現說謊與隱瞞的負面影響，但現實生活根本不可能有絕對的誠實，所以對於說謊與隱瞞不得不採取一種體諒的態度，而讀者借鑑角色的經歷，權衡得失，便可考慮應否說謊。

最後，本文開首提到李建軍閱讀《手機》後，覺得《手機》「缺乏深度」、「缺少一個深刻的主題」，所以沒有得到任何收穫[194]，本文亦希望對這個看法稍作回應。李氏對《手機》主題的闡述，已於上文回顧，並據其性質歸入「科技文明的副作用」之分類。李氏或是由於未有深入了解「劉震雲對社會、人生的思考和揭露」[195]，故有如此負面的評價。經本文的論述和發掘，「說謊」是一個貫穿《手機》主要情節[196]的重要問題，而作者劉震雲對這個

---

191 趙茜琦和趙興元：〈影視文化對劉震雲小說創作的影響——以《手機》為例〉，《黑龍江科技信息》，2010年第9期，頁173。

192 張業松：〈寫實內外——說劉震雲〉，《上海文學》，1992年第3期，頁70。

193 劉震雲：《手機》，頁189-190。

194 參李建軍：〈尷尬的跟班與小說的末路——劉震雲及其《手機》批判〉，頁16。

195 秦劍英：〈從《手機》看劉震雲小說敘事策略的轉變及主題的多元性〉，頁225。

196 認為《手機》缺乏深度的李建軍，認為「第一章和第三章與小說的主題內容完全處於一種游離狀態」。參李建軍：〈尷尬的跟班與小說的末路——劉震雲及其《手機》批判〉，頁16。本文這裡是參考了李氏的意見，而把《手機》的第二章視為主要情節。

問題也進行過不同角度的思考，加上已有研究表現《手機》所反映的社會問題，「缺乏深度」、「缺少一個深刻的主題」的評語或不合理。本文的補遺希望能有助釐清論者的誤解，強化《手機》研究從微觀上對主題的把握，同時希望為日後從事劉震雲小說研究的學者提供一個基礎去作更宏觀的探討。

《新亞論叢》文章體例

一、每篇論文需包括如下各項：

（一）題目（正副標題）

（二）作者姓名、服務單位、職務簡介

（三）正文

（四）註腳

二、各級標題按「一、」、「（一）」、「1.」、「（1）」順序表示，儘量不超過四級標題.

三、標點

1. 書名號用《》，篇名號用〈〉，書名和篇名連用時，省略篇名號，如《莊子・逍遙遊》。

2. 中文引文用「」，引文內引文用『』；英文引文用“ ”，引文內引文用‘ ’。

3. 正文或引文中的內加說明，用全型括弧（）。

例：哥白尼的大體模型與第谷大體模型只是同一現象模型用不同的（動態）坐標系統的表示，兩者之間根本毫無衝突，無須爭執。

四、所有標題為新細明體、黑體、12號；正文新細明體、12號、2倍行高；引文為標楷體、12

五、漢譯外國人名、書名、篇名後須附外文名。書名斜體；英文論文篇名加引號“ ”，所有英文字體用 Times New Roman。

例：此一圖式是根據亞伯拉姆斯（M. H. Abrams）在《鏡與燈》（*The Mirror and The Lamps*）一書中所設計的四個要素。

六、註解採腳註（footnote）方式。

1. 如為對整句的引用或說明，註解符號用阿拉伯數字上標標示，寫在標點符號後。如屬獨立引文，整段縮排三個字位；若需特別引用之外文，也依中文方式處理。

七、註腳體例

（一）中文註腳

1. 專書、譯著

例：莫洛亞著，張愛珠、樹君譯：《生活的智慧》北京：西苑出版社，2004年，頁106。

2. 期刊論文

例：陳小紅：〈汕頭大學學生通識教育的調查及分析〉，《汕頭大學學報（人文社會科學版）》，2005年第4期，頁20。

3. 論文集論文

例（1）：唐君毅：〈人之學問與人之存在〉，收入《中華人文與當今世界》台北：學生書局，1975年，頁65-109。

4. 再次引用

（1）緊接上註，用「同上註」，或「同上註，頁4」。

（2）如非緊接上註，則舉作者名、書名或篇名和頁碼，無需再列出版資料。

例：唐君毅：〈人之學問與人之存在〉，頁80。

5. 徵引資料來自網頁者，需加註網址以及所引資料的瀏覽日期。網址用〈 〉括起。

例：〈www.cuhk.edu.hk/oge/rcge〉，瀏覽日期：2007年5月14日。

（二）英文註腳

所有英文人名，只需姓氏全拼，其他簡寫為名字 Initial 的大寫字母。如多於一位作者，按代表名字的字母排序。

1. 專書

例（1）：J. S. Stark and L. R. Lattuca, *Shaping the College Curriculum: Academic Plans in Action* (Boston: Allyn and Bacon, 1997), 194-195.

例（2）：R. C. Reardon, J. G. Lenz, J. P. Sampon, J. S. Jonston, and G. L. Kramer, *The "Demand Side" of General Education—A Review of the Literature: Technical Report Number 11* (Education Resources InformationCentre, 1990),www. career.fsu. edu/documents/technicalreports.

2. 會議文章

例：J. M. Petrosko, "Measuring First-Year College Students on Attitudes towards General Education Outcomes," paper presented at the annual meeting of the Mid-South Educational Research Association, Knoxville, TN, 1992.

3. 期刊論文

例：D. A. Nickles, "The Impact of Explicit Instruction about the Nature of Personal Learning Style on First-Year Students' Perceptions 259 of Successful Learning," *The Journal of General Education* 52.2 (2003): 108-144.

4. 論文集文章

例：G. Gorer, "The Pornography of Death," in Death: Current Perspective, 4th ed., eds. J. B. Williamson and E. S. Shneidman (Palo Alto: Mayfield, 1995), 18-22.

5. 再次引用

（1）緊接上註，用「同上註」，或「同上註，頁4」。

（2）舉作者名、書名或篇名和頁碼，無需再列出版資料。

例：G. Gorer, "The Pornography of Death," 23.

大學叢書・新亞論叢 1703004

新亞論叢　第十八期

主　　編　《新亞論叢》編輯委員會
責任編輯　楊婉慈

發 行 人　陳滿銘
總 經 理　梁錦興
總 編 輯　陳滿銘
副總編輯　張晏瑞
編 輯 所　萬卷樓圖書股份有限公司
排　　版　林曉敏
印　　刷　森藍印刷事業有限公司
封面設計　斐類設計工作室

發　　行　萬卷樓圖書股份有限公司
地址　臺北市羅斯福路二段 41 號 6 樓之 3
電話　(02)23216565
傳真　(02)23218698
電郵　SERVICE@WANJUAN.COM.TW
大陸經銷　廈門外圖臺灣書店有限公司
電郵　JKB188@188.COM
香港經銷　香港聯合書刊物流有限公司
電話　(852)21502100
傳真　(852)23560735

ISBN 978-986-478-133-1（臺灣發行）
ISSN 1682-3494（香港發行）
2017 年 12 月初版一刷
定價：新臺幣 720 元

如何購買本書：

1. 劃撥購書，請透過以下郵政劃撥帳號：
   帳號：15624015
   戶名：萬卷樓圖書股份有限公司
2. 轉帳購書，請透過以下帳戶
   合作金庫銀行　古亭分行
   戶名：萬卷樓圖書股份有限公司
   帳號：0877717092596
3. 網路購書，請透過萬卷樓網站
   網址　WWW.WANJUAN.COM.TW

大量購書，請直接聯繫我們，將有專人為您服務。客服：(02)23216565　分機 10

國家圖書館出版品預行編目資料

新亞論叢・第十八期 /<<新亞論叢>>編輯委員會主編. -- 初版. -- 臺北市 : 萬卷樓, 2017.12
面 ;　公分
年刊
ISBN 978-986-478-133-1(平裝)
1.期刊
051　　107001676